건설기술 진흥법령집

1. 법 · 영 · 규칙

총 목 차

건설기술진흥법 · 영 · 규칙

- 건설기술진흥법 · 시행령 · 시행규칙 ······ 5
- 건설기술진흥법 시행령[별표] ······ 307
- 건설기술진흥법 시행규칙[별표] ······ 335
- 건설기술진흥법 시행규칙[별지서식] ······ 351

건설기술 진흥법령집

1

건설기술진흥법 · 시행령 · 시행규칙

법	시행령	시행규칙
제1장 총칙	**제1장 총칙**	**제1장 총칙**
제1조(목적) ····· 27	제1조(목적) ····· 27	제1조(목적) ····· 27
제2조(정의) ····· 27		
	제2조(건설기술의 범위) ····· 28	
	제3조(발주청의 범위) ····· 28	
	제4조(건설기술인의 범위) ····· 29	
	제4조의2(건설사고의 범위) ····· 29	
제3조(건설기술진흥 기본계획) ····· 30	제5조(건설기술진흥 기본계획 등) ····· 30	
제4조(건설기술과 관련된 중요 정책 등의 조정) ··· 31		
제5조(건설기술심의위원회) ····· 31	제6조(중앙건설기술심의위원회의 기능) ····· 31	
	제7조(중앙심의위원회의 구성) ····· 33	제2조(대형공사의 입찰방법 심의기준) ····· 33
	제8조(중앙심의위원회의 회의) ····· 34	
	제9조(분과위원회의 구성·운영) ····· 35	
	제10조(소위원회의 구성·운영) ····· 36	
	제11조(심의 요청) ····· 36	
	제12조(심의기간 및 심의 결과 통보) ····· 37	
	제13조(심의사항의 사후관리) ····· 37	
	제14조(의견청취 등) ····· 37	
	제15조(수당 및 여비 등) ····· 38	
	제16조(운영세칙) ····· 39	
	제17조(지방심의위원회의 구성·운영) ····· 39	제3조(지방건설기술심의위원회의 심의대상이 아닌 공사) ····· 39

법	시 행 령	시 행 규 칙
	제18조(특별심의위원회의 구성 및 기능 등) ······ 44	
제6조(기술자문위원회) ······ 47	제19조(기술자문위원회의 구성 및 기능 등) ······ 47	제4조(기술자문을 한 건설공사의 확인·평가) ······ 47
	제20조(위원의 제척·기피·회피) ······ 51	
	제21조(위원의 공개) ······ 52	
	제22조(위원의 해촉 등) ······ 52	
제2장 건설기술의 연구 · 개발 지원 등	**제2장 건설기술의 연구 · 개발 지원 등**	**제2장 건설기술의 연구 · 개발 지원 등**
제7조(건설기술 연구·개발 사업) ······ 53	제23조(건설기술 연구·개발 사업의 협약 체결 대상 기관 등) ······ 53	
		제5조(건설기술 연구·개발 사업의 협약체결 대상기관 등) ······ 54
	제24조(출연금의 지급) ······ 55	
	제25조(출연금 등의 관리 및 사용) ······ 55	
제8조(건설기술의 연구·개발 등의 권고) ······ 57	제26조(건설기술개발 투자 등의 권고) ······ 57	제6조(건설기술개발 투자의 권고대상자) ······ 57
	제27조(건설기술개발 투자 등의 계획 제출) ······ 58	
	제27조의2(스마트건설지원센터의 업무 및 운영) ··· 58	
	제27조의3(스마트건설지원센터의 운영을 위한 출연금) ······ 59	
제9조(공동 연구·개발 등) ······ 60		
제10조(연구시설 및 장비의 지원 등) ······ 60		
제10조의2(융·복합건설기술의 활성화) ······ 60		
제11조(기술평가기관) ······ 62	제28조(기술평가기관의 사업) ······ 62	
	제29조(기술평가기관의 수익사업 등) ······ 62	

법	시행령	시행규칙
제12조(시범사업의 실시) ······ 63	제30조(건설기술의 시범사업 실시) ······ 63	
제13조(개발기술의 활용 권고) ······ 64		
제14조(신기술의 지정·활용 등) ······ 64	제31조(신기술의 지정신청) ······ 64	제7조(신기술 지정신청서) ······ 64
		제8조(신기술의 심사기관 등) ······ 64
	제32조(신기술의 지정절차) ······ 65	
	제33조(신기술의 지정·고시) ······ 66	제9조(신기술 지정증서) ······ 66
	제34조(신기술의 활용 등) ······ 67	
		제10조(신기술 활용실적의 제출) ······ 68
	제35조(신기술의 보호기간 등) ······ 69	제11조(신기술 보호기간 연장신청서) ······ 69
	제36조(시험시공의 권고 등) ······ 70	제12조(시험시공의 시행 등) ······ 70
제14조의2(신기술사용협약) ······ 71	제36조의2(신기술사용협약 요건 및 신청서류 등) ··· 71	제12조의2(신기술사용협약 증명서의 발급 신청 등) ·· 71
제15조(신기술 지정의 취소) ······ 71	제37조(신기술 지정의 취소 공고) ······ 71	
제16조(외국 도입 건설기술의 관리) ······ 72	제38조(외국 도입 건설기술의 관리) ······ 72	
제17조(국제 교류 및 협력) ······ 72		제13조(국제 교류 및 협력) ······ 72
제18조(건설기술정보체계의 구축) ······ 73	제39조(건설기술정보체계의 구축) ······ 73	
	제40조(건설기술 관련 자료의 수집) ······ 73	
		제14조(건설기술정보의 제공) ······ 74
제19조(건설공사 지원 통합정보체계의 구축) ······ 74	제41조(건설공사 지원 통합정보체계의 구축·운영) ··· 74	제15조(건설공사 지원 통합정보체계 관련 협의체) ··· 74
제3장 건설기술인의 육성 등	**제3장 건설기술인의 육성 등**	**제3장 건설기술인의 육성 등**
제20조(건설기술인의 육성) ······ 76	제42조(건설기술인의 교육·훈련) ······ 76	
	제43조(건설기술인에 대한 교육·훈련의 대행) ····· 77	
제20조의2(교육·훈련의 대행) ······ 78		제16조(교육기관 지정서) ······ 78

법	시행령	시행규칙
제20조의3(교육·훈련 대행의 유효기간 및 갱신) … 78		제17조(교육기관의 교육·훈련 대행) …… 78
제20조의4(교육·훈련 대행의 취소) …… 79	제43조의2(교육기관에 대한 행정처분 기준 등) … 79	제17조의2(교육·훈련 대행의 갱신) …… 79
제20조의5(교육·훈련의 관리) …… 80		제17조의3(교육·훈련 업무 위탁의 범위 등) …… 80
제20조의6(교육·훈련 업무의 위탁) …… 80	제43조의3(교육·훈련 업무의 위탁) …… 80	
		제17조의4(교육관리기관에 대한 비용 지원) …… 81
제21조(건설기술인의 신고) …… 81		제18조(건설기술인의 신고) …… 81
제22조(건설기술인의 국가 간 상호 인정) …… 82		
제22조의2(건설기술인의 업무수행 등) …… 82		
	제43조의4(건설기술인에 대한 부당행위) …… 83	
제22조의3(부당한 요구 등의 신고 등) …… 83	제43조의5(공정건설지원센터의 운영) …… 83	제18조의2(건설기술인의 경력확인) …… 83
제23조(건설기술인의 명의 대여 금지 등) …… 84		
제24조(건설기술인의 업무정지 등) …… 84		
		제19조(건설기술인에 대한 시정지시 등) …… 85
		제20조(건설기술인의 업무정지 등) …… 86
제4장 건설엔지니어링 등	**제4장 건설엔지니어링 등**	**제4장 건설엔지니어링 등**
제1절 건설엔지니어링업	**제1절 건설엔지니어링업**	
제25조(건설엔지니어링업의 육성) …… 87		
제26조(건설엔지니어링업의 등록 등) …… 88	제44조(건설엔지니어링업의 등록 등) …… 88	제21조(건설엔지니어링업의 등록신청) …… 88
제27조(결격사유) …… 89		
제28조(건설엔지니어링사업자 등의 의무) …… 90		제22조(건설엔지니어링업 등록증의 발급 등) …… 90

법	시 행 령	시 행 규 칙
		제23조(건설엔지니어링업의 변경등록 및 휴업·폐업 신고) ···91
제29조(건설엔지니어링사업자의 영업 양도 등) ···92		제24조(건설엔지니어링업의 영업 양도신고 등) ···92
		제25조(건설엔지니어링 실적의 승계) ···94
		제26조(등록요건의 확인 등) ···94
제30조(건설엔지니어링의 실적 관리) ···95	제45조(건설엔지니어링의 실적 관리 대상 및 실적 통보 등) ···95	제27조(건설엔지니어링 실적 통보 및 공개 등) ···95
제31조(건설엔지니어링사업자의 등록취소 등) ···99	제46조(건설엔지니어링사업자에 대한 행정처분기준) · 99	
	제47조(등록취소 등의 공고 및 통보) ···99	
제32조(과징금) ···103		
	제48조(과징금의 부과기준 등) ···104	
제33조(등록취소처분 등을 받은 건설엔지니어링사업자의 업무 계속) ···104	제49조(건설엔지니어링사업자의 등록취소 통지) ···104	
제34조(건설엔지니어링사업자의 손해배상 및 하자보증) ···105	제50조(건설엔지니어링사업자의 손해배상 및 하자보증) ···105	
제35조(발주청이 시행하는 건설엔지니어링사업) ···107	제51조(발주청이 시행하는 건설엔지니어링사업) ···107	
	제52조(건설엔지니어링사업자 등의 선정) ···108	제28조(건설엔지니어링사업자 등의 선정) ···108
		제29조(설계공모에 따른 설계자의 선정) ···111
		제30조(기술·가격분리에 따른 용역사업자의 선정) ···111
		제31조(건설엔지니어링의 하도급 승인 등) ···111
제36조 삭제 ···112	제53조 삭제 ···112	
제37조(건설엔지니어링 대가) ···112	제54조 삭제 ···112	제31조의2(건설엔지니어링비의 감액) ···112
제38조(건설엔지니어링사업자의 지도·감독 등) ···113		

법	시 행 령	시 행 규 칙
제2절 건설사업관리	**제2절 건설사업관리**	
제39조(건설사업관리 등의 시행) ····· 114	제55조(감독 권한대행 등 건설사업관리의 시행) ··· 114	
		제32조(감독 권한대행 등 건설사업관리 적용 제외 공사) ····· 115
제39조의2(시공단계의 건설사업관리계획 등) ····· 116	제56조 삭제 ····· 116	제33조(감독 권한대행 등 건설사업관리의 통합시행) ····· 116
	제57조(건설사업관리 대상 설계용역) ····· 116	
제39조의3(건설사업관리 중 실정보고 등) ····· 117	제58조(건설사업관리용역사업자의 선정 등) ····· 117	
제39조의4(건설사업관리 업무에 대한 부당간섭 배제 등) ····· 118		
	제59조(건설사업관리의 업무범위 및 업무내용) ··· 120	
		제34조(건설사업관리의 업무내용 등) ····· 122
	제59조의2(건설사업관리계획의 수립 등) ····· 123	제34조의2(시공단계의 건설사업관리계획 수립기준) ····· 123
	제59조의3(실정보고의 조치 기한) ····· 126	
	제60조(건설사업관리기술인의 배치) ····· 127	제35조(건설사업관리기술인의 배치기준 등) ····· 127
	제60조의2(발주청의 업무범위) ····· 129	제36조(건설사업관리 보고서의 작성·제출) ····· 129
제40조(건설사업관리 중 공사중지 명령 등) ····· 131	제61조(건설사업관리 중 공사중지 명령 등) ····· 131	
제40조의2(불이익조치의 금지) ····· 132		
제40조의3(면책) ····· 133		
제41조(총괄관리자의 선정 등) ····· 133	제62조(총괄관리자의 업무범위 등) ····· 133	
제42조(다른 법률과의 관계) ····· 134	제63조(다른 법률과의 관계) ····· 134	

법	시 행 령	시 행 규 칙
제5장 건설공사의 관리	**제5장 건설공사의 관리**	**제5장 건설공사의 관리**
제1절 건설공사의 표준화 등	**제1절 건설공사의 표준화 등**	
제43조(설계 등의 표준화) ······ 134	제64조(시험생산·시험시공 등의 권고) ······ 135	
제44조(설계 및 시공 기준) ······ 135	제65조(건설기준) ······ 135	제36조의2(건설기준 설정의 절차 등) ······ 135 제37조(건설기준의 보급 등) ······ 135
제44조의2(건설기준의 관리) ······ 137	제65조의2(건설기준의 관리) ······ 137 제65조의3(건설기준센터 운영을 위한 출연금) ··· 138	제38조(건설기준의 정비를 위한 경비의 지원) ··· 137 제38조의2(건설기준센터의 운영 등) ······ 138
제45조(건설공사 공사비 산정기준) ······ 139	제66조(공사비 산정기준 조사·연구 등을 위한 출연금) ······ 139	
제45조의2(공사기간 산정기준) ······ 139	제66조의2(공사기간 산정기준 등) ······ 140	
제46조(건설공사의 시행과정) ······ 140	제67조(건설공사의 시행과정) ······ 140 제68조(기본구상) ······ 142 제69조(건설공사기본계획) ······ 142 제70조(공사수행방식의 결정) ······ 144 제71조(기본설계) ······ 145 제72조(공사비 증가 등에 대한 조치) ······ 147 제73조(실시설계) ······ 147 제74조(측량 및 지반조사) ······ 148 제75조(설계의 경제성등 검토) ······ 148 제75조의2(설계의 안전성 검토) ······ 150	

법	시 행 령	시 행 규 칙
	제76조(시공 상태의 점검·관리) ···· 151	
	제77조(공사의 관리) ···· 152	
	제78조(준공) ···· 152	
	제79조(공사참여자의 실명 관리) ···· 153	
	제80조(유지·관리) ···· 154	
제47조(건설공사의 타당성 조사) ···· 154	제81조(건설공사의 타당성 조사) ···· 154	제39조(타당성 조사 자료의 보고 등) ···· 154
제48조(설계도서의 작성 등) ···· 156		제40조(설계도서의 작성) ···· 156
제49조(건설공사감독자의 감독 의무) ···· 157		제41조(설계도서의 검토 등) ···· 157
		제42조(시공상세도면의 작성 등) ···· 158
		제43조(설계도서 작성 참여 기술인의 업무 수행내용 기록) ···· 158
제50조(건설엔지니어링 및 시공 평가 등) ···· 159	제82조(건설엔지니어링 평가 및 시공평가의 대상) ··· 159	제44조(건설엔지니어링 및 시공 평가) ···· 159
	제83조(건설엔지니어링 평가 및 시공평가의 기준 및 절차) ···· 159	
	제84조(종합평가의 기준 및 절차) ···· 160	
제51조(우수건설엔지니어링사업자 등의 선정) ··· 161	제85조(우수건설엔지니어링사업자 등의 선정) ··· 161	제45조(우수건설엔지니어링사업자 등의 세부 선정기준) ···· 161
제52조(건설공사의 사후평가) ···· 163	제86조(건설공사의 사후평가) ···· 163	제46조(사후평가 결과의 공개) ···· 163
제52조의2(사후평가 관리 등) ···· 163		
	제86조의2(사후평가 관리 등) ···· 164	
	제86조의3(사후평가 전문관리기관 운영을 위한 출연금) ···· 165	

법	시 행 령	시 행 규 칙
제2절 건설공사의 품질 및 안전 관리 등	**제2절 건설공사의 품질 및 안전 관리 등**	
제53조(건설공사 등의 부실 측정) ······ 166	제87조(건설공사 등의 부실 측정에 따른 벌점 부과 등) ······ 166	제47조(건설공사 등의 부실측정 결과의 관리) ··· 166
	제87조의2(이의 신청 등) ······ 167	
	제87조의3(벌점심의위원회) ······ 168	
제54조(건설공사현장 등의 점검) ······ 168	제88조(건설공사현장 등의 점검 등) ······ 168	제48조(건설공사현장 등의 점검) ······ 168
제55조(건설공사의 품질관리) ······ 171	제89조(품질관리계획 등의 수립대상 공사) ······ 171	
		제49조(품질관리계획 등을 수립할 필요가 없는 건설공사) ······ 172
	제90조(품질관리계획 등의 수립절차) ······ 173	
	제91조(품질시험 및 검사) ······ 175	제50조(품질시험 및 검사의 실시) ······ 175
	제92조(품질관리의 지도·감독 등) ······ 176	
	제93조(품질시험 또는 검사 성과의 관리 등) ····· 177	제51조(품질검사 성과 총괄표) ······ 177
	제94조(품질관리의 확인) ······ 178	제52조(품질관리의 적절성 확인) ······ 178
제56조(품질관리 비용의 계상 및 집행) ······ 179		제53조(품질관리비의 산출 및 사용 기준) ······ 179
제57조(건설자재·부재의 품질 확보 등) ······ 180	제95조(건설자재·부재의 범위) ······ 180	
제58조(철강구조물공장의 공장인증) ······ 182	제96조(공장인증의 대상·기준 및 절차) ······ 182	제54조(공장인증 등) ······ 182
제59조(공장인증의 취소 등) ······ 183		제55조(공장인증의 취소 공고) ······ 183
제60조(품질검사의 대행 등) ······ 183	제97조(품질검사의 대행 등) ······ 183	제56조(품질검사의 대행 의뢰 등) ······ 183
제61조(품질검사의 대행에 대한 평가기관) ······ 185		제57조(품질검사 대행에 대한 평가기관) ······ 185
제62조(건설공사의 안전관리) ······ 186	제98조(안전관리계획의 수립) ······ 186	제58조(안전관리계획의 수립기준) ······ 186
제62조의2(소규모 건설공사의 안전관리) ······ 190		
제62조의3(스마트 안전관리 보조·지원) ······ 191	제99조(안전관리계획의 수립 기준) ······ 191	

법	시 행 령	시 행 규 칙
	제100조(안전점검의 시기·방법 등) …… 191	제59조(정기안전점검 및 정밀안전점검) …… 191 제59조의2(소규모안전관리계획의 수립기준) …… 192 제59조의3(보조·지원의 환수와 제한) …… 192
	제100조의2(안전점검 대상 및 수행기관 지정 방법 등) …… 195	
	제100조의3(안전점검결과의 적정성 검토) …… 196	
	제101조(안전점검에 관한 종합보고서의 작성 및 보존 등) …… 197	
	제101조의2(가설구조물의 구조적 안전성 확인) …… 198	
	제101조의3(건설공사 참여자의 안전관리 수준 평가기준 및 절차) …… 200	
	제101조의4(건설공사 안전관리 종합정보망의 구축·운영 등) …… 201	
	제101조의5(소규모 건설공사 안전관리계획의 수립 등) …… 203	
	제101조의6(소규모안전관리계획의 수립 기준) …… 204	
	제101조의7(스마트 안전관리 보조·지원 대상) …… 204	
제63조(안전관리비용) …… 205		제60조(안전관리비) …… 205
제64조(건설공사의 안전관리조직) …… 208	제102조(안전관리조직의 구성 및 직무 등) …… 208	
제65조(건설공사의 안전교육) …… 209	제103조(안전교육) …… 209	
제65조의2(일요일 건설공사 시행의 제한) …… 210	제103조의2(일요일 건설공사 시행 제한의 예외) …… 210	
제66조(건설공사의 환경관리) …… 210	제104조(건설공사의 환경관리) …… 210	제61조(환경관리비의 산출 등) …… 210
제67조(건설공사 현장의 사고조사 등) …… 211	제105조(건설공사현장의 사고조사 등) …… 211	제62조(중대건설현장사고의 공동조사) …… 211
제68조(건설사고조사위원회) …… 213	제106조(건설사고조사위원회의 구성·운영 등) …… 213	

법	시 행 령	시 행 규 칙
제6장 건설엔지니어링사업자 등의 단체 및 공제조합	**제6장 건설엔지니어링사업자 등의 단체 및 공제조합**	
제1절 건설엔지니어링사업자 등의 단체	**제1절 건설엔지니어링사업자 등의 단체**	
제69조(협회의 설립) ······ 214	제107조(협회 정관의 기재사항) ······ 214	
제70조(협회의 설립인가 등) ······ 215		
제71조(보고 등) ······ 215		
제72조(지도·감독 등) ······ 215		
제73조(다른 법률의 준용) ······ 216		
제2절 공제조합	**제2절 공제조합**	
제74조(공제조합의 설립 등) ······ 216	제108조(공제조합의 설립 등) ······ 216	
	제109조(공제조합의 등기) ······ 217	
	제110조(출자 및 조합원의 책임) ······ 218	
	제111조(지분의 양도·취득 등) ······ 218	
제75조(공제조합의 사업) ······ 219		
	제112조(보증규정 및 공제규정) ······ 220	
	제113조(보증한도) ······ 220	
제76조(조사 및 검사 등) ······ 221	제114조(조사 및 검사) ······ 221	
제77조(지도·감독 등) ······ 222	제114조의2(지도·감독) ······ 222	
제78조(다른 법률의 준용) ······ 223		

법	시 행 령	시 행 규 칙
제7장 보칙	**제7장 보칙**	**제6장 보칙**
제79조(수수료) ······ 223		제63조(수수료) ······ 223
제80조(시정명령) ······ 224		제63조의2(행정정보의 공동이용) ······ 224
제80조의2(제척기간) ······ 224		
제81조(비밀의 누설 등 금지) ······ 225		
제82조(권한 등의 위임·위탁) ······ 225	제115조(권한의 위임) ······ 225	
	제116조(권한의 위탁) ······ 227	
	제117조(업무의 위탁) ······ 227	
	제117조의2(고유식별정보의 처리) ······ 232	
제83조(청문) ······ 234		
제84조(벌칙 적용 시의 공무원 의제) ······ 234		
	제118조(벌칙 적용 시의 공무원 의제) ······ 235	
	제119조(규제의 재검토) ······ 235	제64조 삭제 ······ 235
제8장 벌칙	**제8장 벌칙**	
제85조(벌칙) ······ 236	제120조(주요 시설물 등) ······ 236	
제86조(벌칙) ······ 236		
제87조(벌칙) ······ 236		
제87조의2(벌칙) ······ 237		
제88조(벌칙) ······ 237		
제89조(벌칙) ······ 239		
제90조(양벌규정) ······ 240		

법	시행령	시행규칙
제91조(과태료) ··· 241	제121조(과태료의 부과기준) ··· 241	
제91조의2(과태료 부과 유예 특례) ··· 244		
부 칙 ··· 245	부 칙 ··· 245	부 칙 ··· 245

❑ 건설기술진흥법 시행령[별표]

[별표 1] 건설기술인의 범위(제4조 관련) …… 309
[별표 2] 설계심의분과위원회의 구성 및 심의 · 운영 기준 (제9조제6항 관련) …… 310
[별표 3] 건설기술인 교육 · 훈련의 종류 · 시간 및 내용 등 (제42조제2항 관련) …… 310
[별표 4] 교육기관의 대행요건(제43조제3항 관련) …… 313
[별표 4의2] 교육기관에 대한 행정처분 기준(제43조의2제1항 관련) …… 313
[별표 5] 건설엔지니어링업 등록요건 및 업무범위(제44조제2항 관련) …… 314
[별표 6] 건설엔지니어링사업자 등록취소 · 영업정지 처분 및 과징금 산정 기준 (제46조제1항 및 제48조제1항 관련) …… 317
[별표 7] 감독 권한대행 등 건설사업관리 대상 공사 (제55조제1항제1호 관련) …… 321
[별표 8] 건설공사 등의 벌점관리기준(제87조제5항 관련) …… 321
[별표 9] 품질시험계획의 내용(제89조제2항 관련) …… 330
[별표 10] 철강구조물공장의 등급별 인증기준(제96조제4항 관련) …… 330
[별표 11] 과태료의 부과기준(제121조제1항 관련) …… 331

❑ 건설기술진흥법 시행규칙[별표]

[별표 1] 건설기술인의 업무정지 기준(제20조제1항 관련) …… 337
[별표 2] 기본계획 · 기본설계 · 실시설계의 사업수행능력 평가기준 (제28조 관련) …… 338
[별표 3] 건설사업관리의 사업수행능력 평가기준(제28조 관련) …… 339
[별표 4] 정밀점검 · 정밀안전진단의 사업수행능력 평가기준(제28조 관련) …… 341
[별표 5] 건설공사 품질관리를 위한 시설 및 건설기술인 배치기준 (제50조제4항 관련) …… 342
[별표 6] 품질관리비의 산출 및 사용기준(제53조제1항 관련) …… 342
[별표 7] 안전관리계획의 수립기준(제58조 관련) …… 344
[별표 7의2] 소규모안전관리계획의 수립기준(제59조의2 관련) …… 347
[별표 8] 환경관리비의 세부 산출기준(제61조제3항 관련) …… 347
[별표 9] 수수료의 산출기준(제63조 관련) …… 349

❑ 건설기술진흥법 시행규칙[별지서식]

[별지 제1호 서식] 신기술 지정신청서 ······ 353
[별지 제1호의2서식] 신기술사용협약 증명서 발급 신청서 ······ 353
[별지 제1호의3서식] 신기술사용협약서 ······ 354
[별지 제1호의4서식] 신기술사용협약 기술전수 확인서 ······ 354
[별지 제1호의5서식] 신기술사용협약 관련 지식재산권 활용 동의서 ······ 355
[별지 제1호의6서식] 신기술사용협약 증명서 ······ 355
[별지 제2호 서식] 신기술 지정증서 ······ 356
[별지 제3호 서식] 신기술 지정증서 재발급신청서 ······ 356
[별지 제4호 서식] 신기술 활용실적 ······ 357
[별지 제5호서식] 신기술 활용실적 증명서 ······ 359
[별지 제6호 서식] 신기술 보호기간 연장신청서 ······ 359
[별지 제7호 서식] 건설기술자료 납본서 ······ 360
[별지 제8호 서식] 교육기관 지정서 ······ 361
[별지 제9호 서식] 교육수료증 ······ 361
[별지 제10호 서식] 국토교통부 또는 교육기관 ······ 362
[별지 제10호의2서식] 교육기관 대행 갱신신청서 ······ 362
[별지 제11호 서식] 건설기술인 경력신고서 ······ 363
[별지 제12호 서식] 경력확인서 ······ 364
[별지 제13호 서식] 국외경력확인서 ······ 365
[별지 제14호서식] 건설기술인 경력변경신고서 ······ 366
[별지 제15호 서식] 건설기술경력증 ······ 366
[별지 제16호 서식] 건설기술경력증 발급 (신규, 갱신, 재발급) 신청서 ······ 369
[별지 제17호 서식] 건설기술경력증 발급대장 ······ 370
[별지 제18호서식] 건설기술인 경력증명서 ······ 370
[별지 제19호서식] 건설기술인 보유증명서 ······ 372
[별지 제19호의2서식] 건설기술인 경력확인 접수(처리)대장 ······ 372
[별지 제20호서식] 건설엔지니어링업(등록, 변경등록)신청서 ······ 373
[별지 제21호서식] 건설엔지니어링사업자 등록부 ······ 374
[별지 제22호 서식] 건설엔지니어링업 등록증 ······ 375
[별지 제23호 서식] 건설엔지니어링업 등록증 재발급신청서 ······ 376
[별지 제24호 서식] 건설엔지니어링업(휴업, 폐업)신고서 ······ 376
[별지 제25호 서식] 건설엔지니어링업 양도 · 양수 신고서 ······ 377
[별지 제26호 서식] 건설엔지니어링업 법인합병 신고서 ······ 377
[별지 제27호서식] 건설엔지니어링(계약체결, 계약변경, 준공)통보 ······ 378
[별지 제28호서식] 건설엔지니어링 참여기술인 현황(변경) 통보 ······ 379
[별지 제29호서식] 건설사업관리기술인 및 감리원 배치 및 철수 현황 통보 ······ 380
[별지 제30호서식] 입찰참가자격 제한 건설엔지니어링사업자 현황 통보 ··· 381
[별지 제31호서식] 건설엔지니어링 실적 확인서 ······ 381
[별지 제32호 서식] 하도급 계약 승인신청서 ······ 383
[별지 제32호의2서식] 시공단계의 건설사업관리계획(수립, 변경)제출 ······ 383
[별지 제33호 서식] 국고보조금 교부신청서 ······ 384
[별지 제34호서식] 설계용역 평가표(기본설계용역, 실시설계용역 과정, 실시설계용역 결과) ······ 384
[별지 제35호서식] 감독 권한대행 등 건설사업관리용역 평가표 ······ 386
[별지 제36호 서식] 설계용역 평가 총괄표, 감독권한 대행 등 건설사업관리용역 평가 총괄표, 시공평가 총괄표 ······ 387
[별지 제37호서식] 벌점 총괄표(건설사업자, 주택건설등록업자, 건설엔지니어링사업자, 건축사사무소 개설자) 통보 ······ 390
[별지 제38호서식] 벌점 총괄표(건설기술인, 건축사) 통보 ······ 390

[별지 제39호 서식] 점검요원증 ······ 391
[별지 제40호서식] 점검방문 일지 ······ 391
[별지 제41호 서식] 부실시공현장 표지 ······ 392
[별지 제42호 서식] 품질검사 대장 ······ 392
[별지 제43호 서식] 품질검사 성과 총괄표 ······ 393
[별지 제44호 서식] 공장인증 신청서 ······ 393
[별지 제45호 서식] 공장인증서 (FACTORY CERTIFICATE) ······ 394
[별지 제46호 서식] 공장인증서 발급대장 ······ 395
[별지 제47호 서식] 공장인증대장 ······ 396
[별지 제48호 서식] 품질검사 의뢰서 ······ 396
[별지 제49호 서식] 품질검사 성적서 ······ 397
[별지 제50호서식] 품질검사 대행 실적 통보 ······ 397

법	시 행 령	시 행 규 칙
건설기술진흥법	**건설기술진흥법 시행령**	**건설기술진흥법 시행규칙**
제정 1987.10.24 법률 제 3934호	제정 1989. 5. 1 대통령령 제12692호	제정 1989.10.25 건설부령 제456호
개정 1991. 5.31 법률 제 4381호	개정 1990. 4.14 대통령령 제12979호	개정 1991.12.23 건설부령 제497호
개정 1993. 6.11 법률 제 4562호	개정 1992. 5.30 대통령령 제13655호	개정 1993. 6. 4 건설부령 제526호
개정 1995. 1. 5 법률 제 4921호	개정 1992.12.26 대통령령 제13790호	개정 1993.12.31 건설부령 제544호
개정 1995.12.30 법률 제 5140호	개정 1993.12.31 대통령령 제14093호	개정 1995.10.12 건설교통부령 제 34 호
개정 1997. 1.13 법률 제 5287호	개정 1994.12.23 대통령령 제14447호	개정 1996. 5.13 건설교통부령 제 66 호
개정 1997.12.13 법률 제 5453호	개정 1995. 8. 4 대통령령 제14744호	개정 1996. 9. 7 건설교통부령 제 78 호
개정 1997.12.13 법률 제 5454호	개정 1996.10.28 대통령령 제15161호	개정 1997. 8.25 건설교통부령 제115호
개정 1999. 1.29 법률 제 5733호	개정 1997. 5.24 대통령령 제15379호	개정 1999. 2.18 건설교통부령 제172호
개정 1999. 4.15 법률 제 5964호	개정 1997. 7.21 대통령령 제15441호	개정 1999.12. 6 건설교통부령 제217호
개정 2001. 1.16 법률 제 6369호	개정 1997.12. 9 대통령령 제15535호	개정 2001. 8.13 건설교통부령 제293호
개정 2001.12.31 법률 제 6586호	개정 1997.12.31 대통령령 제15569호	개정 2003. 4.18 건설교통부령 제355호
개정 2003. 5.29 법률 제 6893호	개정 1997.12.31 대통령령 제15598호	개정 2003.12.15 건설교통부령 제382호
개정 2003. 5.29 법률 제 6916호	개정 1998. 2. 2 대통령령 제15614호	개정 2004.11.29 건설교통부령 제411호
개정 2003. 7.29 법률 제 6956호	개정 1998.12.31 대통령령 제16081호	개정 2005. 7. 1 건설교통부령 제449호
개정 2003.12.31 법률 제 7054호	개정 1999. 1.21 대통령령 제16086호	개정 2005.12.30 건설교통부령 제492호
개정 2004. 2. 9 법률 제 7171호	개정 1999. 1.29 대통령령 제16093호	개정 2006. 8. 7 건설교통부령 제530호
개정 2004.12.31 법률 제 7305호	개정 1999. 2. 1 대통령령 제16094호	개정 2006.12.29 건설교통부령 제545호
개정 2007. 5.17 법률 제 8476호	개정 1999. 5.24 대통령령 제16351호	개정 2007. 3.19 건설교통부령 제551호
개정 2007. 5.25 법률 제 8486호	개정 1999.10.30 대통령령 제16591호	개정 2007.12.13 건설교통부령 제594호
개정 2008. 2.29 법률 제 8852호	개정 2000. 3.28 대통령령 제16765호	개정 2007.12.31 건설교통부령 제600호
개정 2008. 3.21 법률 제 8969호	개정 2001. 7.16 대통령령 제17305호	개정 2008. 3.14 국토해양부령 제 4호
개정 2008. 3.21 법률 제 8974호	개정 2001. 7.30 대통령령 제17329호	개정 2008.10. 2 국토해양부령 제 59호
개정 2008. 3.28 법률 제 9056호	개정 2002. 9.11 대통령령 제17735호	개정 2009. 4. 6 국토해양부령 제113호
개정 2009. 5.22 법률 제 9705호	개정 2002.12. 5 대통령령 제17791호	개정 2009.12.28 국토해양부령 제197호
개정 2009.12.29 법률 제 9848호	개정 2002.12.26 대통령령 제17816호	개정 2010.12.20 국토해양부령 제315호
개정 2010. 4.12 법률 제10250호	개정 2003. 3.12 대통령령 제17941호	개정 2011. 4. 7 국토해양부령 제349호
개정 2011. 5.24 법률 제10719호	개정 2003. 6.30 대통령령 제18039호	개정 2011.12.16 국토해양부령 제413호
개정 2011. 9.16 법률 제11056호	개정 2003.11.29 대통령령 제18146호	개정 2012. 3.16 국토해양부령 제450호
개정 2012. 1.17 법률 제11180호	개정 2003.12.30 대통령령 제18207호	개정 2012. 7.16 국토해양부령 제499호
개정 2013. 3.23 법률 제11688호	개정 2004. 3.17 대통령령 제18312호	개정 2013. 3.23 국토교통부령 제 1호

법	시 행 령	시 행 규 칙
개정 2013. 3.23 법률 제11690호	개정 2004.12. 3 대통령령 제18594호	개정 2013. 4. 1 국토교통부령 제 4호
개정 2013. 5.22 법률 제11794호	개정 2005. 3. 8 대통령령 제18736호	개정 2014. 4.17 국토교통부령 제 62호
개정 2013. 7.16 법률 제11920호	개정 2005. 6.30 대통령령 제18930호	개정 2014. 5.22 국토교통부령 제 94호
개정 2013. 8. 6 법률 제11998호	개정 2005. 7.14 대통령령 제18944호	개정 2015. 1.29 국토교통부령 제178호
개정 2014. 3.23 법률 제12542호	개정 2005.12.28 대통령령 제19206호	개정 2015. 7. 1 국토교통부령 제213호
개정 2014. 5.14 법률 제12579호	개정 2005.12.30 대통령령 제19239호	개정 2016. 3. 7 국토교통부령 제295호
개정 2015. 1. 6 법률 제12967호	개정 2006. 4.28 대통령령 제19463호	개정 2016. 5.25 국토교통부령 제312호
개정 2015. 5.18 법률 제13324호	개정 2006. 5.25 대통령령 제19483호	개정 2016. 7. 4 국토교통부령 제333호
개정 2015. 7.24 법률 제13430호	개정 2006. 6.12 대통령령 제19513호	개정 2016. 8.12 국토교통부령 제353호
개정 2015.12.29 법률 제13671호	개정 2006.12.29 대통령령 제19805호	개정 2018. 1.18 국토교통부령 제483호
개정 2016. 1.19 법률 제13805호	개정 2007. 3.22 대통령령 제19939호	개정 2018. 6.18 국토교통부령 제521호
개정 2017. 8. 9 법률 제14848호	개정 2007. 5.15 대통령령 제20049호	개정 2018.10.12 국토교통부령 제547호
개정 2017.11.28 법률 제15112호	개정 2007.12.31 대통령령 제20509호	개정 2019. 2.25 국토교통부령 제596호
개정 2018. 6.12 법률 제15667호	개정 2008. 2.29 대통령령 제20722호	개정 2019. 4. 4 국토교통부령 제617호
개정 2018. 8.14 법률 제15719호	개정 2008. 5.21 대통령령 제20789호	개정 2019. 7. 1 국토교통부령 제632호
개정 2018.12.31 법률 제16135호	개정 2008. 7.23 대통령령 제20927호	개정 2020. 3.18 국토교통부령 제709호
개정 2019. 1.15 법률 제16272호	개정 2008. 9.18 대통령령 제21020호	개정 2020. 5.26 국토교통부령 제726호
개정 2019. 4.30 법률 제16414호	개정 2008.12. 9 대통령령 제21160호	개정 2020. 9. 9 국토교통부령 제758호
개정 2019. 4.30 법률 제16416호	개정 2008.12.14 대통령령 제21181호	개정 2020.12.14 국토교통부령 제792호
개정 2019. 8.27 법률 제16560호	개정 2009. 3.31 대통령령 제21402호	개정 2021. 8.27 국토교통부령 제882호
개정 2019.11.26 법률 제16624호	개정 2009. 6.26 대통령령 제21565호	개정 2021. 9.17 국토교통부령 제887호
개정 2020. 2.18 법률 제17063호	개정 2009.11.26 대통령령 제21852호	
개정 2020. 3.24 법률 제17091호	개정 2009.12.14 대통령령 제21881호	
개정 2020. 6. 9 법률 제17344호	개정 2009.12.15 대통령령 제21887호	
개정 2020. 6. 9 법률 제17441호	개정 2009.12.24 대통령령 제21904호	
개정 2020. 6. 9 법률 제17453호	개정 2010. 7.21 대통령령 제22282호	
개정 2020.10.20 법률 제17542호	개정 2010. 8.11 대통령령 제22328호	
개정 2021. 3.16 법률 제17939호	개정 2010.10.14 대통령령 제22449호	
개정 2022. 6.10 법률 제18933호	개정 2010.12.13 대통령령 제22525호	
	개정 2011. 1.17 대통령령 제22626호	
	개정 2011. 2.14 대통령령 제22670호	
	개정 2011. 4. 4 대통령령 제22829호	
	개정 2011. 6.24 대통령령 제22977호	
	개정 2011. 9.15 대통령령 제23134호	
	개정 2011.10.25 대통령령 제23248호	

법	시 행 령	시 행 규 칙
	개정 2011.11. 1 대통령령 제23282호 개정 2011.12.13 대통령령 제23371호 개정 2012. 3.13 대통령령 제23667호 개정 2012. 4.10 대통령령 제23718호 개정 2012. 7.13 대통령령 제23950호 개정 2013. 2.20 대통령령 제24390호 개정 2013. 3.23 대통령령 제24443호 개정 2013.12.11 대통령령 제24955호 개정 2013.12.11 대통령령 제24994호 개정 2014. 1.14 대통령령 제25086호 개정 2014. 3.11 대통령령 제25238호 개정 2014. 5.22 대통령령 제25358호 개정 2014. 7.16 대통령령 제25478호 개정 2014.11.11 대통령령 제25716호 개정 2014.12.30 대통령령 제25938호 개정 2015. 1. 6 대통령령 제25985호 개정 2015. 6. 1 대통령령 제26302호 개정 2015. 7. 6 대통령령 제26382호 개정 2016. 1.12 대통령령 제26894호 개정 2016. 5.17 대통령령 제27176호 개정 2016. 5.31 대통령령 제27205호 개정 2016. 8.11 대통령령 제27444호 개정 2016. 9.22 대통령령 제27506호 개정 2016.11.29 대통령령 제27619호 개정 2016.11.29 대통령령 제27622호 개정 2016.12.30 대통령령 제27751호 개정 2017. 1.17 대통령령 제27792호 개정 2017.12.29 대통령령 제28555호 개정 2018. 1.16 대통령령 제28586호 개정 2018. 4.10 대통령령 제28792호 개정 2018. 6. 8 대통령령 제28947호 개정 2018.12.11 대통령령 제29360호 개정 2019. 4.23 대통령령 제29710호 개정 2019. 6.25 대통령령 제29918호 개정 2019.12.24 대통령령 제30256호	

법	시 행 령	시 행 규 칙
	개정 2020. 1. 7 대통령령 제30337호 개정 2020. 3. 3 대통령령 제30509호 개정 2020. 5.26 대통령령 제30704호 개정 2020. 5.26 대통령령 제30712호 개정 2020. 7.30 대통령령 제30885호 개정 2020. 9.29 대통령령 제31053호 개정 2020.11.10 대통령령 제31156호 개정 2020.11.24 대통령령 제31176호 개정 2020.12. 1 대통령령 제31211호 개정 2020.12. 8 대통령령 제31245호 개정 2020.12.29 대통령령 제31297호 개정 2021. 1. 5 대통령령 제31380호 개정 2021. 2. 9 대통령령 제31438호 개정 2021. 3. 2 대통령령 제31516호 개정 2021. 9.14 대통령령 제31986호 개정 2021.10.19 대통령령 제32063호 개정 2021.12.28 대통령령 제32274호	

법	시 행 령	시 행 규 칙
제1장 총칙 **제1조(목적)** 이 법은 건설기술의 연구·개발을 촉진하여 건설기술 수준을 향상시키고 이를 바탕으로 관련 산업을 진흥하여 건설공사가 적정하게 시행되도록 함과 아울러 건설공사의 품질을 높이고 안전을 확보함으로써 공공복리의 증진과 국민경제의 발전에 이바지함을 목적으로 한다. **제2조(정의)** 이 법에서 사용하는 용어의 뜻은 다음과 같다. 〈개정 2015. 5. 18., 2015. 7. 24., 2018. 8. 14., 2019. 4. 30., 2020. 2. 18., 2021. 3. 16.〉 1. "건설공사"란 「건설산업기본법」 제2조제4호에 따른 건설공사를 말한다. 2. "건설기술"이란 다음 각 목의 사항에 관한 기술을 말한다. 다만, 「산업안전보건법」에서 근로자의 안전에 관하여 따로 정하고 있는 사항은 제외한다. 가. 건설공사에 관한 계획·조사(지반조사를 포함한다. 이하 같다)·설계(「건축사법」 제2조제3호에 따른 설계는 제외한다. 이하 같다)·시공·감리·시험·평가·측량(해양조사를 포함한다. 이하 같다)·자문·지도·품질관리·안전점검 및 안전성 검토 나. 시설물의 운영·검사·안전점검·정밀안전진단·유지·관리·보수·보강 및 철거 다. 건설공사에 필요한 물자의 구매와 조달	**제1장 총칙** **제1조(목적)** 이 영은 「건설기술진흥법」에서 위임된 사항과 그 시행에 필요한 사항을 규정함을 목적으로 한다.	**제1장 총칙** **제1조(목적)** 이 규칙은 「건설기술진흥법」 및 같은 법 시행령에서 위임된 사항과 그 시행에 필요한 사항을 규정함을 목적으로 한다.

법	시 행 령	시 행 규 칙
라. 건설장비의 시운전(試運轉) 마. 건설사업관리 바. 그 밖에 건설공사에 관한 사항으로서 대통령령으로 정하는 사항 3. "건설엔지니어링"이란 다른 사람의 위탁을 받아 건설기술에 관한 업무를 수행하는 것을 말한다. 다만, 건설공사의 시공 및 시설물의 보수·철거 업무는 제외한다. 4. "건설사업관리"란 「건설산업기본법」 제2조제8호에 따른 건설사업관리를 말한다. 5. "감리"란 건설공사가 관계 법령이나 기준, 설계도서 또는 그 밖의 관계 서류 등에 따라 적정하게 시행될 수 있도록 관리하거나 시공관리·품질관리·안전관리 등에 대한 기술지도를 하는 건설사업관리 업무를 말한다. 6. "발주청"이란 건설공사 또는 건설엔지니어링을 발주(發注)하는 국가, 지방자치단체, 「공공기관의 운영에 관한 법률」 제5조에 따른 공기업·준정부기관, 「지방공기업법」에 따른 지방공사·지방공단, 그 밖에 대통령령으로 정하는 기관의 장을 말한다. 7. "건설사업자"란 「건설산업기본법」 제2조제7호에 따른 건설사업자를 말한다.	**제2조(건설기술의 범위)** 「건설기술진흥법」(이하 "법"이라 한다) 제2조제2호바목에서 "대통령령으로 정하는 사항"이란 다음 각 호의 사항을 말한다. 1. 건설기술에 관한 타당성의 검토 2. 정보통신체계를 이용한 건설기술에 관한 정보의 처리 3. 건설공사의 견적 **제3조(발주청의 범위)** 법 제2조제6호에서 "대통령령으로 정하는 기관"이란 다음 각 호의 기관을 말한다. 〈개정 2020. 11. 10., 2020. 12. 8.〉 1. 국가 및 지방자치단체의 출연기관 2. 국가, 지방자치단체 또는 「공공기관의 운영에 관한 법률」 제5조에 따른 공기업·준정부기관(이하 "공기업·준정부기관"이라 한다)이 위탁한 사업의 시행자 3. 국가, 지방자치단체 또는 공기업·준정부기관이 관계 법령에 따라 관리하여야 하는 시설물의 사업시행자 4. 「공유수면 관리 및 매립에 관한 법률」 제28조에 따라 공유수면 매립면허를 받은 자	

법	시 행 령	시 행 규 칙
	5. 「사회기반시설에 대한 민간투자법」 제2조제8호에 따른 사업시행자 또는 그 사업시행자로부터 사업 시행을 위탁받은 자. 다만, 사업 시행을 위탁받은 자는 해당 사업시행자의 자본금의 2분의 1 이상을 출자한 자로서 관계 중앙행정기관으로부터 발주청이 되는 것에 대한 승인을 받은 경우로 한정한다. 6. 「전기사업법」 제2조제4호에 따른 발전사업자 7. 「신항만건설촉진법」 제7조에 따라 신항만건설사업 시행자로 지정받은 자 8. 「새만금사업 추진 및 지원에 관한 특별법」 제36조의2에 따라 설립된 새만금개발공사	
8. "건설기술인"이란 「국가기술자격법」 등 관계 법률에 따른 건설공사 또는 건설엔지니어링에 관한 자격, 학력 또는 경력을 가진 사람으로서 대통령령으로 정하는 사람을 말한다. 9. "건설엔지니어링사업자"란 건설엔지니어링을 영업의 수단으로 하려는 자로서 제26조에 따라 등록한 자를 말한다.	**제4조(건설기술인의 범위)** 법 제2조제8호에서 "대통령령으로 정하는 사람"이란 별표 1에서 정하는 사람을 말한다. [제목개정 2018. 12. 11.]	
10. "건설사고"란 건설공사를 시행하면서 대통령령으로 정하는 규모 이상의 인명피해나 재산피해가 발생한 사고를 말한다. 11. "지반조사"란 건설공사 대상 지역의 지질구조 및 지반상태, 토질 등에 관한 정보를 획득할 목적으로 수행하는 일련의 행위를 말한다. 12. "무선안전장비"란 「전파법」 제2조제1항제5	**제4조의2(건설사고의 범위)** 법 제2조제10호에서 "대통령령으로 정하는 규모 이상의 인명피해나 재산피해"란 다음 각 호의 어느 하나에 해당하는 피해를 말한다. 1. 사망 또는 3일 이상의 휴업이 필요한 부상의 인명피해 2. 1천만원 이상의 재산피해 [본조신설 2016. 1. 12.]	

법	시 행 령	시 행 규 칙
호에 따른 무선설비 및 같은 법 제2조제1항제5호의2에 따른 무선통신을 이용하여 건설사고의 위험을 낮추는 기능을 갖춘 장비를 말한다. **제3조(건설기술진흥 기본계획)** ① 국토교통부장관은 건설기술의 연구·개발을 촉진하고 그 성과를 효율적으로 이용하며 관련 산업의 진흥을 도모하기 위하여 건설기술진흥 기본계획(이하 "기본계획"이라 한다)을 5년마다 수립하여야 한다. ② 기본계획에는 다음 각 호의 사항이 포함되어야 한다. 〈개정 2015. 5. 18., 2019. 4. 30., 2021. 3. 16.〉 1. 건설기술진흥의 기본목표 및 추진방향 2. 건설기술의 개발 촉진 및 활용을 위한 시책 3. 건설기술에 관한 정보 관리 4. 건설기술인력의 수급(需給)·활용 및 기술능력의 향상 5. 건설기술연구기관의 육성 6. 건설엔지니어링 산업구조의 고도화 7. 건설엔지니어링의 해외진출 및 국제교류 등의 지원에 관한 사항 8. 건설엔지니어링사업자의 지원에 관한 사항 9. 건설공사의 환경관리에 관한 사항 10. 건설공사의 안전관리 및 품질관리에 관한 사항 11. 그 밖에 건설기술진흥에 관한 중요 사항 ③ 국토교통부장관은 기본계획을 수립할 때에	**제5조(건설기술진흥 기본계획 등)** ① 법 제3조제3	

법	시 행 령	시 행 규 칙
는 관계 중앙행정기관의 장과 미리 협의한 후 제5조에 따라 국토교통부에 두는 중앙건설기술심의위원회의 심의를 받아야 한다. 기본계획 중 대통령령으로 정하는 내용을 변경하려는 경우에도 같다. ④ 관계 행정기관의 장은 기본계획의 연차별 시행계획(이하 "시행계획"이라 한다)을 수립하여 국토교통부장관에게 통보하고 시행하여야 한다. ⑤ 제1항부터 제4항까지에서 규정한 사항 외에 기본계획과 시행계획의 수립·시행에 필요한 사항은 대통령령으로 정한다. ⑥ 국토교통부장관은 건설기술의 진흥을 위하여 필요한 경우 건설기술에 관한 정보관리, 건설기술인력 관리, 건설공사의 환경관리·안전관리·품질관리 등 건설기술의 각 분야별 기본계획을 수립할 수 있다. 〈신설 2015. 5. 18.〉 **제4조(건설기술과 관련된 중요 정책 등의 조정)** 국토교통부장관은 관계 행정기관의 장이 수행하는 건설기술과 관련된 중요 정책사업 및 처분 등이 기본계획의 시행에 지장을 줄 우려가 있다고 인정하면 그 행정기관의 장에게 이를 조정할 것을 요청할 수 있다. **제5조(건설기술심의위원회)** ① 건설기술의 진흥·개발·활용 등 건설기술에 관한 사항을 심의하기 위하여 국토교통부에 중앙건설기술심의위원회(이하 "중앙심의위원회"라 한다)를 두고, 특별시·광역시·특별자치시·도 및 특별자치도	항 후단에서 "대통령령으로 정하는 내용을 변경하려는 경우"란 법 제3조제2항제1호 및 제4호부터 제9호까지의 사항을 변경하려는 경우를 말한다. ② 국토교통부장관은 법 제3조제4항에 따라 관계 행정기관의 장이 법 제3조제1항에 따른 건설기술진흥 기본계획(이하 "기본계획"이라 한다)의 연차별 시행계획(이하 "시행계획"이라 한다)을 수립할 수 있도록 필요한 지침을 정하여 매년 12월 31일까지 관계 행정기관의 장에게 통보하여야 한다. ③ 관계 행정기관의 장은 제2항에 따른 지침에 따라 매년 소관 분야의 시행계획을 수립하여 1월 31일까지 국토교통부장관에게 제출하여야 한다. **제6조(중앙건설기술심의위원회의 기능)** 법 제5조에 따른 중앙건설기술심의위원회(이하 "중앙심의위원회"라 한다)는 다음 각 호의 사항을 심의한다. 〈개정 2014. 12. 30., 2020. 1. 7., 2021. 9. 14.〉 1. 기본계획 및 건설기술정책에 관한 사항	

법	시 행 령	시 행 규 칙
(이하 "시·도"라 한다)에 지방건설기술심의위원회(이하 "지방심의위원회"라 한다)를 둔다. ② 제1항에도 불구하고 국방·군사시설 건설공사에 관한 설계 사항을 심의하기 위하여 국방부에 특별건설기술심의위원회(이하 "특별심의위원회"라 한다)를 둘 수 있다. ③ 중앙심의위원회의 구성·기능 및 운영 등에 필요한 사항은 대통령령으로 정하는 기준에 따라 국토교통부장관이 관계 중앙행정기관의 장과 협의하여 정하고, 지방심의위원회의 구성·기능 및 운영 등에 필요한 사항은 대통령령으로 정하는 기준에 따라 해당 시·도의 조례로 정하며, 특별심의위원회를 두는 경우 그 구성·기능 및 운영 등에 필요한 사항은 대통령령으로 정하는 기준에 따라 국방부장관이 정한다.	2. 법 제16조에 따른 외국 도입 건설기술의 관리에 관한 사항 3. 법 제19조제1항에 따른 건설공사 지원 통합정보체계 구축에 관한 기본계획의 수립 및 변경에 관한 사항 4. 법 제44조제1항 각 호에 관한 기준(이하 "건설기준"이라 한다)에 관한 사항(「도로법」, 「하천법」 등 건설 관계 법령에 따른 건설공사 기준을 포함한다) 5. 「국가를 당사자로 하는 계약에 관한 법률 시행령」(이하 이 호에서 "영"이라 한다)에 따른 다음 각 목의 사항 가. 영 제65조제5항에 따른 새로운 기술·공법 등의 범위와 한계에 대하여 제기된 이의에 관한 사항 나. 영 제79조제2항 본문에 따른 대체될 수 있는 설계의 범위와 한계에 대하여 제기된 이의에 관한 사항 다. 영 제80조제1항에 따른 대형공사·특정공사의 입찰방법에 관한 사항 라. 영 제85조제5항에 따른 설계의 적격 여부 및 설계점수 평가에 관한 사항 마. 영 제86조제8항에 따른 대안입찰가격의 조정 또는 설계의 수정에 관한 사항 바. 영 제99조제1항에 따른 실시설계 기술제안입찰 또는 기본설계 기술제안입찰의 입찰방법에 관한 사항 사. 영 제103조제3항에 따른 실시설계 기술	

<table>
<tr><th>법</th><th>시행령</th><th>시행규칙</th></tr>
<tr><td></td><td>제안입찰의 기술제안서의 적격 여부 및 점수평가에 관한 사항
아. 영 제105조제4항에 따른 기본설계 기술제안입찰의 기술제안서 또는 실시설계서의 적격 여부 및 점수평가에 관한 사항
6. 발주청이 법 제39조제1항에 따라 건설엔지니어링사업자로 하여금 건설사업관리를 하게 하려는 경우로서 건설사업관리 시행의 적정성에 관한 심의를 요청한 사항
7. 제52조제6항 및 제7항에 따른 발주청이 시행하는 건설엔지니어링사업의 용역사업자 선정을 위한 사업수행능력 세부평가기준과 기술평가의 방법·기준 및 입찰공고안의 적정성에 관한 사항
8. 제5호다목 및 바목에 따른 입찰방법의 심의를 위한 기준
9. 그 밖에 이 영 또는 다른 법령에 따른 심의사항과 국토교통부장관이 심의에 부치는 사항
제7조(중앙심의위원회의 구성) ① 중앙심의위원회는 위원장 및 부위원장 각 1명을 포함한 500명 이내의 위원으로 구성한다.
② 중앙심의위원회의 위원장은 국토교통부 제1차관이 되며, 부위원장은 국토교통부장관이 지명하는 사람이 된다.
③ 중앙심의위원회의 위원은 다음 각 호의 어느 하나에 해당하는 사람 중에서 위원장의 추천을 받아 국토교통부장관이 임명하거나 위촉한다. 이 경우 국토교통부장관은 심의를 효율</td><td>제2조(대형공사의 입찰방법 심의기준) 국토교통부장관은 「건설기술진흥법 시행령」(이하 "영"이라 한다) 제6조제8호에 따른 입찰방법의 심의를 위한 기준에 관한 사항을 정하여 「건설기술진흥법」(이하 "법"이라 한다) 제5조에 따른 중앙건설기술심의위원회(이하 "중앙심의위원회"라 한다)의 심의를 거친 때에는 이를 고시해야 한다. 〈개정 2020. 5. 26.〉</td></tr>
</table>

법	시 행 령	시 행 규 칙
	적으로 수행하기 위하여 필요하다고 인정할 때에는 중앙심의위원회 위원 정수(定數)의 5분의 1 범위에서 추가하여 사안별로 위원을 일시적으로 임명하거나 위촉할 수 있다. 1. 건설기술 업무와 관련된 행정기관의 4급 이상(고위공무원단에 속하는 일반직공무원을 포함한다) 또는 이에 상당하는 공무원 2. 건설기술 관계 단체 및 연구기관의 임직원 3. 건설기술에 관한 학식과 경험이 풍부한 사람 ④ 중앙심의위원회의 위원장은 위원회의 사무를 총괄하고 중앙심의위원회를 대표한다. ⑤ 중앙심의위원회의 위원장이 부득이한 사유로 직무를 수행할 수 없을 때에는 부위원장이 그 직무를 대행한다. ⑥ 제3항제2호 및 제3호에 따른 위원의 임기는 2년으로 하며, 한 차례만 연임할 수 있다. 다만, 위원의 사임 등으로 새로 위촉된 민간위원의 임기는 전임위원 임기의 남은 기간으로 한다. 〈개정 2020. 12. 8.〉 ⑦ 중앙심의위원회에 중앙심의위원회의 사무를 처리하기 위하여 몇 명의 간사와 서기를 둔다. ⑧ 간사와 서기는 중앙심의위원회의 위원장이 임명한다. **제8조(중앙심의위원회의 회의)** ① 중앙심의위원회의 회의는 위원장이 필요하다고 인정하는 경우에 소집한다. ② 중앙심의위원회의 회의는 재적위원 과반수의 출석으로 개의(開議)하고, 출석위원 과반수	

법	시 행 령	시 행 규 칙
	의 찬성으로 의결한다. **제9조(분과위원회의 구성·운영)** ① 중앙심의위원회는 다음 각 호의 분과위원회(이하 이 조, 제10조 및 제16조에서 "분과위원회"라 한다)를 구성·운영할 수 있다. 1. 기준정비분과위원회: 제6조제4호에 따른 사항의 심의를 효율적으로 수행하기 위한 분과위원회 2. 설계심의분과위원회: 제6조제5호나목·라목·마목·사목 및 아목에 따른 사항의 심의를 효율적으로 수행하기 위한 분과위원회 ② 분과위원회는 중앙심의위원회 위원 중에서 분과위원회 위원장 1명을 포함하여 다음 각 호의 구분에 따른 위원으로 구성한다. 〈개정 2017. 12. 29., 2019. 4. 23.〉 1. 기준정비분과위원회: 100명 이내의 위원 2. 설계심의분과위원회: 300명 이내의 위원 ③ 분과위원회 위원장은 중앙심의위원회의 위원장이 지명하는 사람이 된다. ④ 분과위원회에 분과위원회의 사무를 처리하기 위하여 몇 명의 간사와 서기를 둔다. ⑤ 간사와 서기는 분과위원회 위원장이 임명한다. ⑥ 제1항제2호에 따른 설계심의분과위원회(이하 "설계심의분과위원회"라 한다)의 구성 및 심의·운영에 관한 세부적인 기준은 별표 2와 같다. ⑦ 국토교통부장관은 설계심의분과위원회 위	

법	시 행 령	시 행 규 칙
	원 윤리강령을 제정하여야 하며, 설계심의분과위원회 위원은 윤리강령을 준수하여야 한다. ⑧ 분과위원회의 회의에 관하여는 제8조를 준용한다. **제10조(소위원회의 구성·운영)** ① 중앙심의위원회(분과위원회를 포함한다. 이하 이 조에서 같다)는 심의를 효율적으로 수행하기 위하여 필요하다고 인정하면 심의사항에 따라 분야별 소위원회를 구성·운영할 수 있다. ② 소위원회는 중앙심의위원회가 정하는 바에 따라 중앙심의위원회의 위원장(분과위원회의 소위원회의 경우에는 분과위원회의 위원장을 말한다. 이하 이 조에서 같다)이 지정하는 사항에 대하여 심의한다. ③ 소위원회는 중앙심의위원회의 위원 5명 이상 40명 이내로 구성한다. ④ 소위원회의 위원장은 다음 각 호의 어느 하나에 해당하는 사람이 된다. 1. 중앙심의위원회의 위원장 2. 중앙심의위원회의 부위원장 3. 중앙심의위원회의 위원장이 지명하는 위원 ⑤ 소위원회의 위원은 중앙심의위원회의 위원장이 중앙심의위원회의 위원 중에서 지명한다. ⑥ 소위원회의 심의를 거친 사항은 중앙심의위원회의 심의를 거친 것으로 본다. ⑦ 소위원회의 회의에 관하여는 제8조를 준용한다. **제11조(심의 요청)** ① 중앙심의위원회의 심의를	

법	시 행 령	시 행 규 칙
	받으려는 자는 건설기술 심의요청서에 관계 서류를 첨부하여 국토교통부장관에게 제출하여야 한다. ② 제1항에 따른 관계 서류의 작성 및 제출 등에 필요한 사항은 국토교통부장관이 정하여 고시한다. **제12조(심의기간 및 심의 결과 통보)** ① 국토교통부장관은 제11조제1항에 따라 건설기술 심의요청서를 받았을 때에는 이를 중앙심의위원회의 심의에 부쳐야 한다. ② 중앙심의위원회는 제1항에 따라 심의에 부칠 건설기술 심의요청서를 받은 경우에는 받은 날부터 30일 이내에 이를 심의하여 국토교통부장관에게 통보하여야 한다. 다만, 중앙심의위원회의 위원장이 부득이한 사정이 있다고 인정하는 경우에는 그 심의기간을 30일의 범위에서 한 차례만 연장할 수 있다. ③ 국토교통부장관은 제2항에 따른 심의 결과를 지체 없이 심의를 요청한 자에게 알려야 한다. **제13조(심의사항의 사후관리)** 제12조제3항에 따라 심의 결과를 통지받은 자는 그 심의 결과에 대한 조치내용을 국토교통부장관에게 통보하여야 한다. **제14조(의견청취 등)** ① 중앙심의위원회의 위원장은 위원회의 심의를 위하여 필요하다고 인정할 때에는 현장조사를 하거나 관계 공무원 또는 관계 전문가를 회의에 출석하게 하여 의견을 들을 수 있다.	

법	시 행 령	시 행 규 칙
	② 중앙심의위원회의 위원장은 위원회의 심의를 위하여 필요하다고 인정할 때에는 법 제9조에 따른 건설기술연구기관(이하 "건설기술연구기관"이라 한다)이나 그 밖의 관계 기관, 중앙심의위원회의 위원 및 관계 전문가에게 기술검토를 의뢰하거나 필요한 자료의 제출을 요청할 수 있다. ③ 다음 각 호의 자는 국토교통부장관이 요청하는 경우에는 다음 각 호의 구분에 따른 관계 자료를 제출하여야 한다. 1. 특별시장·광역시장·특별자치시장·도지사 또는 특별자치도지사(이하 "시·도지사"라 한다): 법 제5조제1항에 따른 지방건설기술심의위원회(이하 "지방심의위원회"라 한다)의 구성 등에 관하여 전년도에 제정·개정한 조례의 내용 및 그 위원회의 전년도 운영실적 2. 국방부장관: 법 제5조제2항에 따른 특별건설기술심의위원회(이하 "특별심의위원회"라 한다)의 구성 등에 관하여 전년도에 정한 규정의 내용 및 그 위원회의 전년도 운영실적 3. 법 제6조에 따른 기술자문위원회(이하 "기술자문위원회"라 한다)를 둔 발주청: 기술자문위원회의 구성 등에 관한 내용 및 그 위원회의 전년도 운영실적 **제15조(수당 및 여비 등)** ① 중앙심의위원회의 회의에 출석한 위원 및 관계 전문가에게는 예산의 범위에서 수당과 여비 등을 지급할 수 있다. 다만, 공무원이 그 소관 업무와 직접적으로 관련	

법	시 행 령	시 행 규 칙
	되어 출석하는 경우에는 그러하지 아니하다. ② 제14조제2항에 따라 건설기술연구기관이나 그 밖의 관계 기관, 중앙심의위원회의 위원 및 관계 전문가에게 기술 검토를 의뢰하는 경우에는 예산의 범위에서 기술 검토 비용을 지급할 수 있다. ③ 국토교통부장관은 제1항 및 제2항에도 불구하고 제6조제5호나목·라목·마목·사목 및 아목에 따른 심의와 관련하여 중앙심의위원회의 위원에게 지급하는 수당, 여비 및 기술 검토 비용 등을 예산의 범위에서 따로 정할 수 있다. ④ 발주청이 중앙심의위원회에 제6조제5호나목부터 아목까지의 사항의 심의를 의뢰할 경우 그 심의에 드는 비용은 발주청이 부담한다. **제16조(운영세칙)** 제6조부터 제15조까지에서 규정한 사항 외에 중앙심의위원회, 분과위원회 및 소위원회의 구성·운영에 필요한 사항은 국토교통부장관이 정하여 고시한다. **제17조(지방심의위원회의 구성·운영)** ① 지방심의위원회는 위원장 및 부위원장 각 1명을 포함한 250명(특별시의 경우에는 300명) 이내의 위원으로 구성한다. ② 지방심의위원회는 다음 각 호의 사항을 심의한다. 〈개정 2016. 11. 29., 2019. 4. 23., 2020. 1. 7., 2021. 9. 14.〉 1. 다음 각 목의 어느 하나에 해당하는 건설공사의 설계의 타당성과 시설물의 안전 및 공사시행의 적정성에 관한 사항. 다만, 제19조	**제3조(지방건설기술심의위원회의 심의대상이 아닌 공사)** 영 제17조제2항제1호 각 목 외의 부분 단서에서 "국토교통부령으로 정하는 건설공사"란

법	시 행 령	시 행 규 칙
	에 따라 기술자문위원회에 자문하여 의견을 받은 건설공사와 국토교통부령으로 정하는 건설공사는 제외한다. 가. 지방자치단체 또는 지방자치단체가 납입자본금의 2분의 1 이상을 출자한 기업이 시행하는 건설공사로서 총공사비가 100억원 이상인 건설공사 나. 총공사비가 100억원 이상인 건설공사로서 그 건설공사에 관한 허가·인가·승인 등(이하 "허가등"이라 한다)을 한 행정기관(「국가를 당사자로 하는 계약에 관한 법률」 제2조를 적용받는 기관은 제외한다)의 장이 필요하다고 인정하여 특별히 요청하는 공사 다. 가목 또는 나목에 해당하는 건설공사의 설계를 변경하는 경우로서 기본적인 계획 또는 공법이 변경되는 공사 2. 「지방자치단체를 당사자로 하는 계약에 관한 법률 시행령」(이하 이 호에서 "영"이라 한다)에 따른 다음 각 목의 사항 가. 영 제74조제6항 단서에 따른 새로운 기술·공법 등의 범위와 한계에 대하여 제기된 이의에 관한 사항 나. 영 제95조제2항에 따른 대안의 설계의 범위와 한계에 관한 사항 다. 영 제96조제1항에 따른 대형공사·특정공사의 입찰방법, 실시설계적격자의 결정방법 및 낙찰자 결정방법에 관한 사항	다음 각 호의 건설공사를 말한다. 1. 법 제39조제3항에 따라 설계용역에 대한 건설사업관리를 한 건설공사 2. 「문화재보호법」 제2조제2항 및 같은 법 제32조에 따른 지정문화재 및 가지정문화재의 수리·복원·정비 공사 3. 전시·사변이나 그 밖에 이에 준하는 국가비상사태에서 시행하는 건설공사 4. 재해를 긴급하게 복구하기 위한 건설공사 5. 「건축법」 제23조제4항에 따른 표준설계도서에 따라 시공하는 건설공사 6. 국가보안에 관련된 건설공사 7. 준설(浚渫) 공사

법	시 행 령	시 행 규 칙
	라. 영 제98조제4항에 따른 설계의 적격 여부 및 설계점수 평가에 관한 사항 마. 영 제99조제8항에 따른 대안입찰가격의 조정 또는 설계의 수정에 관한 사항 바. 영 제128조에 따른 실시설계 기술제안입찰 또는 기본설계 기술제안입찰의 입찰방법, 낙찰자 결정방법 및 실시설계자 결정방법에 관한 사항 사. 영 제132조제2항에 따른 실시설계 기술제안입찰의 기술제안서의 적격 여부 및 점수 평가에 관한 사항 아. 영 제134조제3항에 따른 기본설계 기술제안입찰의 기술제안서 또는 실시설계서의 적격 여부 및 점수 평가에 관한 사항 3. 총공사비 100억원(시·군·자치구의 경우에는 50억원) 이상인 건설공사의 공사기간 산정의 적정성에 관한 사항. 다만, 제19조제5항제3호에 따라 기술자문위원회에 자문하여 의견을 받은 건설공사는 제외한다. 4. 발주청이 법 제39조제1항에 따라 건설엔지니어링사업자로 하여금 건설사업관리를 하게 하려는 경우로서 건설사업관리 시행의 적정성에 관한 심의를 요청한 사항 5. 제52조제6항 및 제7항에 따른 지방자치단체인 발주청이 시행하는 건설엔지니어링사업의 용역사업자 선정을 위한 사업수행능력 세부평가기준과 기술평가의 방법·기준 및 입찰공고안의 적정성에 관한 사항	

법	시 행 령	시 행 규 칙
	6. 그 밖에 이 영 또는 다른 법령에 따른 심의사항과 시·도지사가 심의에 부치는 사항 ③ 지방심의위원회의 위원은 다음 각 호의 어느 하나에 해당하는 사람 중에서 시·도지사가 임명하거나 위촉한다. 이 경우 시·도지사는 심의를 효율적으로 수행하기 위하여 필요하다고 인정할 때에는 지방심의위원회 위원 정수의 5분의 1 범위에서 추가하여 사안별로 위원을 일시적으로 임명하거나 위촉할 수 있다. 1. 중앙심의위원회, 다른 특별시·광역시·특별자치시·도 및 특별자치도(이하 "시·도"라 한다)의 지방심의위원회, 특별심의위원회 또는 기술자문위원회 위원 2. 관계 시민단체가 추천하는 사람 3. 해당 분야의 전문가 ④ 제3항 각 호 외의 부분 전단에 따라 위촉되는 민간위원의 임기는 2년으로 하며, 한 차례만 연임할 수 있다. 다만, 위원의 사임 등으로 위촉된 민간위원의 임기는 전임위원 임기의 남은 기간으로 한다. 〈신설 2020. 12. 8.〉 ⑤ 지방심의위원회는 제2항제2호나목·라목·마목·사목 및 아목에 따른 사항의 심의를 효율적으로 수행하기 위하여 분과위원회(이하 "지방설계심의분과위원회"라 한다)를 구성·운영할 수 있다. 〈개정 2020. 12. 8.〉 ⑥ 지방설계심의분과위원회는 지방심의위원회 위원 중에서 위원장 1명을 포함한 50명 이상 70명 이내의 위원으로 구성하되, 시·도지사는	

법	시 행 령	시 행 규 칙
	필요한 경우 국토교통부장관과 협의하여 지방설계심의분과위원회 위원 정수의 5분의 2 범위에서 추가하여 설계심의분과위원회 위원을 지방설계심의분과위원회 위원으로 일시적으로 임명하거나 위촉할 수 있다. 〈개정 2017. 12. 29., 2020. 12. 8.〉 ⑦ 지방설계심의분과위원회 위원의 과반수는 시·도 또는 관할 시·군·자치구 소속 공무원이어야 한다. 〈개정 2020. 12. 8.〉 ⑧ 지방설계심의분과위원회의 구성·운영, 의견청취, 수당 및 여비 등에 관하여는 제9조제3항부터 제5항까지 및 제7항, 제14조제1항·제2항 및 제15조제1항부터 제3항까지의 규정을 준용한다. 이 경우 제9조제3항부터 제5항까지 중 "분과위원회" 및 제9조제7항 중 "설계심의분과위원회"는 "지방설계심의분과위원회"로, 제9조제3항, 제14조제1항·제2항 및 제15조제1항부터 제3항까지의 규정 중 "중앙심의위원회"는 "지방심의위원회"로, 제9조제7항 및 제15조제3항 중 "국토교통부장관"은 "시·도지사"로, 제15조제3항 중 "제6조제5호나목·라목·마목·사목 및 아목"은 "제17조제2항제2호나목·라목·마목·사목 및 아목"으로 본다. 〈개정 2020. 12. 8.〉 ⑨ 지방설계심의분과위원회의 구성 및 심의·운영에 관한 세부적인 기준에 관하여는 제9조제6항 및 별표 2를 준용한다. 다만, 시·도지사는 국토교통부장관과 협의하여 지방설계심의분과위원회 위원 정수의 5분의 1 범위에서 별	

법	시 행 령	시 행 규 칙
	표 2 제1호에 따른 설계심의분과위원회 구성 기준에 해당하지 아니하는 지방심의위원회 위원을 지방설계심의분과위원회 위원으로 임명하거나 위촉할 수 있다. 〈개정 2020. 12. 8.〉 ⑩ 제1항부터 제9항까지에서 규정한 사항 외에 지방심의위원회 및 지방설계심의분과위원회의 구성·운영 등에 필요한 사항은 해당 시·도의 조례로 정한다. 〈개정 2020. 12. 8.〉 **제18조(특별심의위원회의 구성 및 기능 등)** ① 특별심의위원회는 위원장 및 부위원장 각 1명을 포함한 300명 이내의 위원으로 구성한다. ② 특별심의위원회의 위원장 및 부위원장은 국방부장관이 지명하는 사람이 되고, 위원은 다음 각 호의 어느 하나에 해당하는 사람 중에서 위원장의 추천을 받아 국방부장관이 임명하거나 위촉한다. 1. 국방부의 5급 이상(고위공무원단에 속하는 일반직공무원을 포함한다) 또는 이에 상당하는 공무원 2. 영관급 장교 및 건설기술에 관한 학식과 경험이 풍부한 사람 ③ 제2항에 따라 위촉되는 민간위원의 임기는 2년으로 하며, 한 차례만 연임할 수 있다. 다만, 위원의 사임 등으로 위촉된 민간위원의 임기는 전임위원 임기의 남은 기간으로 한다. 〈신설 2020. 12. 8.〉 ④ 특별심의위원회는 다음 각 호의 사항을 심의한다. 〈개정 2020. 1. 7., 2020. 12. 8., 2021. 9. 14.〉	

법	시 행 령	시 행 규 칙
	1. 다음 각 목의 어느 하나에 해당하는 사항. 다만, 제19조에 따라 기술자문위원회의 심의를 받은 건설공사는 제외한다. 가. 국방·군사시설 건설공사로서 총공사비가 100억원 이상인 건설공사의 설계 및 시공에 관한 사항 나. 가목에 해당하는 건설공사의 기본적인 설계 또는 공법 등의 변경에 관한 사항 다. 가목에 해당하는 건설공사의 공사기간 산정의 적정성에 관한 사항 2. 국방·군사시설 건설공사로서 「국가를 당사자로 하는 계약에 관한 법률 시행령」(이하 이 호에서 "영"이라 한다)에 따른 다음 각 목의 사항 가. 영 제79조제2항 본문에 따른 대체될 수 있는 설계의 범위와 한계에 대하여 제기된 이의에 관한 사항 나. 영 제80조제1항에 따른 대형공사·특정공사의 입찰방법에 관한 사항 다. 영 제85조제5항에 따른 설계의 적격 여부 및 설계점수평가에 관한 사항 라. 영 제86조제8항에 따른 대안입찰가격의 조정 또는 설계의 수정에 관한 사항 마. 영 제99조제1항에 따른 실시설계 기술제안입찰 또는 기본설계 기술제안입찰의 입찰방법 및 그 심의기준에 관한 사항 바. 영 제103조제3항에 따른 실시설계 기술제안입찰의 기술제안서의 적격 여부 및	

법	시 행 령	시 행 규 칙
	점수평가에 관한 사항 사. 영 제105조제4항에 따른 기본설계 기술제안입찰의 기술제안서 또는 실시설계서의 적격 여부 및 점수평가에 관한 사항 3. 제52조제6항 및 제7항에 따른 국방부장관 또는 그 소속 기관의 장이 시행하는 건설엔지니어링사업의 용역사업자 선정을 위한 사업수행능력 세부평가기준과 기술평가의 방법·기준 및 입찰공고안의 적정성에 관한 사항 4. 그 밖에 국방·군사시설 건설공사에 관하여 국방부장관이 심의에 부치는 사항 ⑤ 특별심의위원회는 제4항제2호가목·다목·라목·바목 및 사목에 따른 사항의 심의를 효율적으로 수행하기 위하여 분과위원회(이하 "특별설계심의분과위원회"라 한다)를 구성·운영할 수 있다. 〈개정 2020. 12. 8.〉 ⑥ 특별설계심의분과위원회는 위원장 1명을 포함한 50명 이상 70명 이내의 위원으로 구성하되, 국방부장관은 필요한 경우 국토교통부장관과 협의하여 특별설계심의분과위원회 위원 정수의 5분의 2 범위에서 추가하여 설계심의분과위원회 위원을 특별설계심의분과위원회 위원으로 일시적으로 임명하거나 위촉할 수 있다. 〈개정 2017. 12. 29., 2020. 12. 8.〉 ⑦ 특별심의위원회의 회의, 분과위원회 및 소위원회, 의견청취, 수당 및 여비 등에 관하여는 제8조, 제9조제3항부터 제8항까지, 제10조, 제14조, 제15조 및 제17조제7항을 준용한다. 이	

법	시 행 령	시 행 규 칙
제6조(기술자문위원회) ① 건설공사의 설계 및 시공 등의 적정성에 관한 발주청의 자문에 응하게 하기 위하여 발주청에 기술자문위원회를 둘 수 있다. ② 제1항에 따른 기술자문위원회의 구성·기능 및 운영 등에 필요한 사항은 대통령령으로 정하는 기준에 따라 발주청이 정한다.	경우 제17조제7항 중 "시·도 또는 관할 시·군·자치구 소속 공무원"은 "국방부 또는 그 소속 기관의 공무원"으로 본다. 〈개정 2020. 12. 8.〉 **제19조(기술자문위원회의 구성 및 기능 등)** ① 기술자문위원회의 위원은 다음 각 호의 어느 하나에 해당하는 사람 중에서 발주청이 임명하거나 위촉한다. 1. 중앙심의위원회, 지방심의위원회, 특별심의위원회 또는 다른 발주청의 기술자문위원회 위원 2. 관계 시민단체가 추천하는 사람 3. 해당 분야의 전문가 ② 제1항에 따라 위촉되는 민간위원의 임기는 2년으로 하며, 한 차례만 연임할 수 있다. 다만, 위원의 사임 등으로 위촉된 민간위원의 임기는 전임위원 임기의 남은 기간으로 한다. 〈신설 2020. 12. 8.〉 ③ 발주청은 기술자문위원회를 구성·운영하는 경우에는 계획·조사·설계 용역의 수행단계에서 제5항에 따른 기술자문위원회의 심의 사항에 대하여 1회 이상 기술자문위원회에 자문해야 한다. 다만, 계획·조사·설계 용역의 규모가 작거나 자문할 만한 중요한 사항이 없다고 판단되는 경우는 제외한다. 〈개정 2020. 12. 8.〉 ④ 발주청은 제3항 본문에 따른 자문에 대하여 의견을 받았을 때에는 특별한 사유가 없으면 그 결과를 설계에 반영하는 등 필요한 조치를 해야 한다. 〈개정 2020. 12. 8.〉	**제4조(기술자문을 한 건설공사의 확인·평가)** ① 국토교통부장관은 법 제6조에 따른 기술자문위원회(이하 "기술자문위원회"라 한다)에 자문한 건설공사의 시공에 대하여 확인·평가할 수 있다. ② 국토교통부장관은 제1항에 따른 확인·평가 결과를 발주청에 통보하고 필요한 조치를 요구할 수 있다.

법	시 행 령	시 행 규 칙
	⑤ 기술자문위원회는 발주청의 자문에 응하여 다음 각 호의 사항을 심의한다. 〈개정 2018. 1. 16., 2019. 4. 23., 2020. 1. 7., 2020. 12. 8., 2021. 9. 14.〉 1. 「국가를 당사자로 하는 계약에 관한 법률 시행령」(이하 이 호에서 “영”이라 한다)에 따른 다음 각 목의 사항 가. 영 제65조제5항에 따른 새로운 기술·공법 등의 범위와 한계에 대하여 제기된 이의에 관한 사항 나. 영 제79조제2항 단서에 따른 대체될 수 있는 설계의 범위와 한계에 대하여 제기된 이의에 관한 사항 다. 영 제85조제6항에 따른 대안입찰·일괄입찰의 설계심의에 관한 사항 라. 영 제86조제8항에 따른 대안입찰가격의 조정 또는 설계의 수정에 관한 사항 마. 영 제103조제3항에 따른 실시설계 기술제안입찰의 기술제안서의 적격 여부 및 점수평가에 관한 사항 바. 영 제105조제4항에 따른 기본설계 기술제안입찰의 기술제안서 또는 실시설계서의 적격 여부 및 점수평가에 관한 사항 2. 「지방자치단체를 당사자로 하는 계약에 관한 법률 시행령」 제74조제6항 본문에 따른 새로운 기술·공법 등의 범위와 한계에 대하여 제기된 이의에 관한 사항 3. 총공사비 100억원(시·군·자치구의 경우에는	

법	시 행 령	시 행 규 칙
	50억원) 이상인 건설공사의 공사기간 산정의 적정성에 관한 사항 4. 총공사비가 100억원(시·군·자치구의 경우에는 50억원) 이상인 건설공사의 공법 변경 등 중대한 설계 변경의 적정성에 관한 사항 5. 「시설물의 안전 및 유지관리에 관한 특별법」 제12조에 따른 정밀안전진단의 적정성에 관한 사항 6. 제52조제6항 및 제7항에 따른 해당 기술자문위원회가 속한 발주청이 시행하는 건설엔지니어링사업의 용역사업자 선정을 위한 사업수행능력 세부평가기준과 기술평가의 방법·기준 및 입찰공고안의 적정성에 관한 사항 7. 그 밖에 건설공사의 설계 및 시공 등의 적정성에 관하여 발주청이 자문하는 사항 ⑥ 기술자문위원회는 제5항제1호나목부터 바목까지의 규정에 따른 사항의 심의를 효율적으로 수행하기 위하여 분과위원회(이하 "기술자문설계심의분과위원회"라 한다)를 구성·운영할 수 있다. 〈개정 2020. 12. 8.〉 ⑦ 기술자문설계심의분과위원회는 기술자문위원회 위원 중에서 위원장 1명을 포함한 50명 이상 70명 이내의 위원으로 구성하되, 발주청은 필요한 경우 국토교통부장관과 협의하여 기술자문설계심의분과위원회 위원 정수의 2분의 1 범위에서 추가하여 설계심의분과위원회 위원을 기술자문설계심의분과위원회 위원으로 일시적으로 임명하거나 위촉할 수 있다.	

법	시 행 령	시 행 규 칙
	〈개정 2019. 4. 23., 2020. 12. 8.〉 ⑧ 기술자문설계심의분과위원회 위원의 과반수는 발주청 소속 직원으로 한다. 다만, 발주청의 자문이 「조달사업에 관한 법률 시행령」 제26조제2호가목에 관한 사항인 경우에는 조달청이나 「조달사업에 관한 법률」 제2조제5호가목·나목 및 같은 법 시행령 제4조제1항제1호·제2호에 따른 수요기관의 소속 직원을 포함할 수 있다. 〈신설 2019. 4. 23., 2020. 9. 29., 2020. 12. 8.〉 ⑨ 기술자문설계심의분과위원회의 구성·운영에 관하여는 제9조제3항부터 제5항까지의 규정을 준용한다. 이 경우 제9조제3항부터 제5항까지의 규정 중 “분과위원회”는 “기술자문설계심의분과위원회”로, 제9조제3항 중 “중앙심의위원회”는 “기술자문위원회”로 본다. 〈신설 2019. 4. 23., 2020. 12. 8.〉 ⑩ 기술자문설계심의분과위원회의 구성 및 심의·운영에 관한 세부적인 기준에 관하여는 제9조제6항 및 별표 2를 준용한다. 다만, 발주청은 국토교통부장관과 협의하여 기술자문설계심의분과위원회 위원 정수의 5분의 1 범위에서 별표 2 제1호에 따른 설계심의분과위원회 구성기준에 해당하지 않는 기술자문위원회 위원을 기술자문설계심의분과위원회 위원으로 임명하거나 위촉할 수 있다. 〈개정 2019. 4. 23., 2020. 12. 8.〉 ⑪ 제1항부터 제10항까지에서 규정한 사항 외	

법	시 행 령	시 행 규 칙
	에 기술자문위원회 및 기술자문설계심의분과 위원회의 구성 및 운영 등에 필요한 사항은 발주청이 정한다. 〈개정 2019. 4. 23., 2020. 12. 8.〉 **제20조(위원의 제척·기피·회피)** ① 중앙심의위원회, 지방심의위원회, 특별심의위원회 및 기술자문위원회(이하 "중앙심의위원회등"이라 한다)의 위원(이하 이 조, 제21조 및 제22조에서 "위원"이라 한다)이 다음 각 호의 어느 하나에 해당하는 경우에는 각 위원회의 심의·의결에서 제척(除斥)된다. 〈개정 2020. 12. 8.〉 1. 위원 또는 그 배우자나 배우자였던 사람이 해당 안건의 당사자가 되거나 그 안건의 당사자와 공동권리자 또는 공동의무자인 경우 2. 위원이 해당 안건의 당사자와 친족이거나 친족이었던 경우 3. 위원이 해당 심의 대상인 건설공사의 시행으로 이해당사자(대리관계를 포함한다)가 되는 경우 4. 위원이나 위원이 속한 법인·단체 등이 해당 안건의 당사자의 대리인이거나 대리인이었던 경우 5. 위원이 최근 5년 이내에 해당 심의 대상 업체에 임원 또는 직원으로 재직한 경우 6. 위원이 해당 안건에 대하여 자문, 연구, 용역(하도급을 포함한다. 이하 이 항에서 같다), 감정(鑑定) 또는 조사를 한 경우 7. 위원이 임원 또는 직원으로 재직하고 있거나 최근 3년 내에 재직하였던 기업 등이 해	

법	시 행 령	시 행 규 칙
	당 안건에 관하여 자문, 연구, 용역, 감정 또는 조사를 한 경우 8. 위원이 최근 2년 이내에 해당 심의 대상 업체와 관련된 자문, 연구, 용역, 감정 또는 조사를 한 경우 ② 해당 안건의 당사자는 위원에게 공정한 심의·의결을 기대하기 어려운 사정이 있는 경우에는 중앙심의위원회등에 기피 신청을 할 수 있고, 해당 위원회는 의결로 이를 결정한다. 이 경우 기피 신청의 대상인 위원은 그 의결에 참여하지 못한다. ③ 위원이 제1항 각 호에 따른 제척 사유에 해당하는 경우에는 스스로 해당 안건의 심의·의결에서 회피(回避)하여야 한다. **제21조(위원의 공개)** 중앙심의위원회등을 구성·운영하는 기관의 장은 위원의 명단을 해당 기관의 인터넷 홈페이지 등을 통하여 공개하여야 한다. **제22조(위원의 해촉 등)** 위원은 다음 각 호의 어느 하나에 해당하는 경우를 제외하고는 본인의 의사에 반하여 면직되거나 해촉되지 아니한다. 1. 「국가공무원법」 제33조 각 호의 결격사유 중 어느 하나에 해당하게 된 경우 2. 「공직선거법」에 따라 실시되는 선거에 후보자로 등록한 경우 3. 신체상 또는 정신상의 이상으로 업무수행이 현저히 곤란하게 된 경우 4. 설계 또는 기술제안서 심의와 관련하여 금	

법	시 행 령	시 행 규 칙
	품을 주고받거나 부정한 청탁에 따라 권한을 행사하는 등의 비위사실(非違事實)이 있는 경우 5. 제20조제1항 각 호의 어느 하나에 해당함에도 불구하고 회피신청을 하지 아니하여 심의의 공정성을 해친 경우 6. 담당 심의 업무를 게을리하거나 직무수행능력이 부족한 경우 7. 임명이나 위촉 당시의 자격을 상실한 경우 8. 임명이나 위촉 시 경력, 학력 또는 「부패방지 및 국민권익위원회의 설치와 운영에 관한 법률」 제2조제4호에 따른 부패행위 전력(前歷)을 거짓으로 제출한 경우 9. 중앙심의위원회등의 소관 분과위원회의 위원으로서 해당 분과위원회 윤리강령을 위반한 경우	
제2장 건설기술의 연구·개발 지원 등	**제2장 건설기술의 연구·개발 지원 등**	**제2장 건설기술의 연구·개발 지원 등**
제7조(건설기술 연구·개발 사업) ① 국토교통부장관은 건설기술을 향상시키고 기본계획을 효율적으로 추진하기 위하여 대통령령으로 정하는 기관 또는 단체와 협약을 체결하여 건설기술 발전에 필요한 건설기술 연구·개발 사업을 할 수 있다. ② 제1항에 따른 건설기술 연구·개발 사업에 필요한 경비는 정부 또는 정부 외의 자의 출연	**제23조(건설기술 연구·개발 사업의 협약 체결 대상 기관 등)** ① 법 제7조제1항에서 "대통령령으로 정하는 기관 또는 단체"란 다음 각 호의 기관 또는 단체를 말한다. 〈개정 2016. 9. 22., 2021. 10. 19.〉 1. 국립·공립 연구기관 2. 「고등교육법」 제2조에 따른 학교 3. 「연구산업진흥법」 제6조제1항에 따라 신고	

법	시 행 령	시 행 규 칙
금이나 그 밖에 기업의 기술개발비로 충당한다. ③ 제1항에 따른 협약의 체결방법과 제2항에 따른 출연금의 지급·사용 및 관리에 필요한 사항은 대통령령으로 정한다.	한 전문연구사업자 4. 「기초연구진흥 및 기술개발지원에 관한 법률」 제14조의2제1항에 따라 인정받은 기업부설연구소 및 기업의 연구개발전담부서 5. 「민법」 또는 다른 법률에 따라 설립된 법인인 연구기관 6. 「산업기술연구조합 육성법」에 따른 산업기술연구조합 7. 「정부출연연구기관 등의 설립·운영 및 육성에 관한 법률」 또는 「과학기술분야 정부출연연구기관 등의 설립·운영 및 육성에 관한 법률」에 따라 설립된 정부출연연구기관 8. 「특정연구기관 육성법」에 따른 특정연구기관 9. 국토교통부령으로 정하는 기관·협회·학회 등의 부설연구소 또는 연구개발 전담부서 ② 국토교통부장관은 연구·개발과제를 선정하였을 때에는 제1항 각 호의 기관 또는 단체 중 해당 분야의 연구를 주관하여 연구·개발할 기관 또는 단체(이하 "주관연구기관"이라 한다)와 건설기술 연구·개발 사업에 관한 협약을 체결하여야 한다. ③ 주관연구기관의 장은 제2항에 따라 연구·개발 사업을 수행할 때 연구·개발비에 법 제7조제2항에 따른 기술개발비(현물을 포함한다. 이하 이 항에서 같다)가 포함되어 있는 경우에는 기술개발비를 부담하는 자와 미리 출자계약 또는 연구계약을 체결하여야 한다. ④ 제2항에 따른 협약에는 다음 각 호의 사항	**제5조(건설기술 연구·개발 사업의 협약체결 대상기관 등)** 영 제23조제1항제9호에서 "국토교통부령으로 정하는 기관·협회·학회 등"이란 다음 각 호의 기관·협회·학회 또는 조합을 말한다. 〈개정 2015. 7. 1.〉 1. 「공공기관의 운영에 관한 법률」 제5조에 따른 공기업·준정부기관(이하 "공기업·준정부기관"이라 한다) 중 국토교통부장관의 지도·감독을 받는 기관 2. 법 제69조제1항에 따라 설립된 협회, 「건설산업기본법」 제50조에 따른 협회, 「해외건설 촉진법」 제23조에 따른 해외건설협회 및 「건축사법」 제31조에 따른 건축사협회 3. 법 제74조제1항에 따라 설립된 공제조합, 「건설산업기본법」 제54조에 따른 공제조합 및

법	시 행 령	시 행 규 칙
	이 포함되어야 한다. 1. 연구·개발과제 계획서 2. 삭제 〈2020. 12. 29.〉 3. 연구·개발비의 지급방법 및 사용·관리에 관한 사항 4. 연구·개발 결과의 보고에 관한 사항 5. 연구·개발 결과의 귀속 및 활용에 관한 사항 6. 기술료의 징수·사용에 관한 사항 7. 연구·개발 결과의 평가에 관한 사항 8. 협약의 변경 및 해약에 관한 사항 9. 협약의 위반에 대한 조치 10. 그 밖에 연구·개발에 필요한 사항 ⑤ 주관연구기관의 장은 필요하다고 인정하는 경우에는 해당 연구과제의 일부를 제1항 각 호의 기관 또는 단체에 위탁하여 수행하게 할 수 있다. **제24조(출연금의 지급)** 법 제7조제2항에 따른 출연금은 분할하여 지급한다. 다만, 연구과제의 규모와 착수시기 등을 고려하여 필요하다고 인정하는 경우에는 한꺼번에 지급할 수 있다. **제25조(출연금 등의 관리 및 사용)** ① 주관연구기관의 장은 법 제7조제2항에 따라 건설기술 연구·개발 사업의 경비를 지급받은 경우에는 별도의 계정(計定)을 설정하여 관리하여야 한다. ② 주관연구기관의 장은 제1항의 연구·개발비를 국토교통부장관이 정하여 고시하는 바에 따라 다음 각 호의 비용으로 사용하여야 한다.	「주택도시기금법」 제16조에 따른 주택도시보증공사 4. 「민법」 또는 다른 법률에 따라 설립된 건설기술 분야의 법인인 협회 또는 학회로서 다음 각 목의 요건을 모두 갖춘 협회 또는 학회 가. 자연계 분야 학사 이상의 학위를 가진 사람으로서 3년 이상의 연구경력을 가진 연구전담요원 5명 이상(박사학위나 기술사자격을 가진 사람이 2명 이상 포함되어야 한다)을 항상 확보하고 있을 것 나. 독립된 연구시설을 갖추고 있을 것

법	시 행 령	시 행 규 칙
	1. 연구원의 인건비 2. 직접비: 연구기자재 및 시설비, 재료비 및 전산처리·관리비, 시험제품 제작비, 여비, 수용비 및 수수료, 기술정보 활동비, 연구활동비 3. 위탁연구개발비 4. 간접비: 간접경비, 연구개발준비금, 지식재산권 출원·등록비, 과학문화 활동비, 연구실 안전관리비 ③ 주관연구기관의 장은 협약기간이 끝난 후 90일 이내에 다음 각 호의 서류에 따른 연구·개발비 사용실적을 국토교통부장관에게 보고하여야 한다. 1. 연구·개발비 사용계획 및 집행실적에 관한 보고서 2. 회계감사의견서 등 국토교통부장관이 정하여 고시하는 연구·개발비 집행 관련 서류 ④ 주관연구기관의 장은 건설사업자 또는 「주택법」 제4조에 따라 주택건설사업자의 등록을 한 자(이하 "주택건설등록업자"라 한다) 등이 요청하는 경우에는 건설기술 연구·개발 사업의 연구 성과를 생산과정에 이용하게 할 수 있다. 이 경우 그 이용으로 원가 절감, 품질 향상 등의 효과를 얻었을 때에는 그 이용자로부터 제23조제4항에 따른 협약에 규정된 기술료를 징수할 수 있다. 〈개정 2016. 8. 11., 2020. 1. 7.〉 ⑤ 주관연구기관의 장은 제4항에 따라 기술료를 징수하였을 때에는 징수한 날부터 30일 이	

법	시행령	시행규칙
	내에 국토교통부장관에게 그 사실을 보고하여야 한다. ⑥ 주관연구기관의 장은 제4항에 따라 징수한 기술료를 국토교통부장관이 고시하는 바에 따라 연구·개발 및 기초연구를 위한 연구·개발비의 조성 등의 목적에 사용하여야 하고, 해당 연도의 사용실적을 다음 해 3월 31일까지 국토교통부장관에게 보고하여야 한다.	
제8조(건설기술의 연구·개발 등의 권고) 국토교통부장관은 새로운 건설기술의 도입·연구·개발을 위하여 다음 각 호의 어느 하나에 해당하는 자에게 대통령령으로 정하는 바에 따라 부설연구소의 설치·운영이나 공동연구 및 정보 교환 등과 기술개발을 위한 투자를 권고할 수 있다. 〈개정 2019. 4. 30., 2021. 3. 16.〉 1. 「공공기관의 운영에 관한 법률」에 따른 공공기관 중 국토교통부장관이 주무기관의 장이 되는 기관 2. 건설사업자 3. 건설엔지니어링사업자	**제26조(건설기술개발 투자 등의 권고)** ① 법 제8조에 따라 국토교통부장관이 건설기술개발 투자 등을 권고할 수 있는 건설사업자 및 건설엔지니어링사업자는 국토교통부령으로 정하는 금액 이상의 건설공사 실적 또는 건설엔지니어링 실적이 있는 자로서 국토교통부장관이 지정한 자로 한다. 〈개정 2020. 1. 7., 2021. 9. 14.〉 ② 국토교통부장관은 제1항에 따라 지정된 건설사업자 및 건설엔지니어링사업자에게 다음 각 호의 어느 하나에 해당하는 사항을 권고할 수 있다. 〈개정 2020. 1. 7., 2021. 9. 14.〉 1. 매년 전년도 건설공사 실적 또는 건설엔지니어링 실적의 100분의 3 에 해당하는 금액의 범위에서 부설연구소의 설치·운영에 투자할 것 2. 「기초연구진흥 및 기술개발지원에 관한 법률 시행령」 제21조제1항제10호에 따른 연구개발준비금을 적립할 것 3. 건설기술개발을 위한 투자액을 다음 해 사업계획에 포함할 것	**제6조(건설기술개발 투자의 권고대상자)** 영 제26조제1항에서 "국토교통부령으로 정하는 금액 이상의 건설공사 실적 또는 건설엔지니어링 실적이 있는 자"란 다음 각 호의 자를 말한다. 〈개정 2021. 9. 17.〉 1. 「건설산업기본법 시행령」 별표 1에 따른 종합공사를 시공하는 업종으로 등록한 자로서 해당 공사분야에서 최근 2년간 600억원 이상의 공사실적이 있는 자 2. 법 제26조에 따라 건설엔지니어링업 등록을 한 자로서 최근 2년간 200억원 이상의 건설엔지니어링 실적이 있는 자

<table>
<tr><th>법</th><th>시 행 령</th><th>시 행 규 칙</th></tr>
<tr><td></td><td>제27조(건설기술개발 투자 등의 계획 제출) ① 법 제8조에 따른 권고에 따라 건설기술개발 투자 등을 하려는 자는 해당 연도 건설기술개발 투자 등의 계획을 매년 3월 31일까지, 전년도 건설기술개발 투자 등의 실적을 매년 6월 30일까지 국토교통부장관에게 제출하여야 한다.
② 국토교통부장관은 제1항에 따른 건설기술개발 투자 등의 계획이 기본계획에 적합하지 아니하다고 인정될 때에는 그 계획의 조정을 권고할 수 있다.
③ 국토교통부장관은 제1항 또는 제2항에 따라 건설기술개발투자 등을 한 건설사업자 또는 건설엔지니어링사업자에 대해서는 법 제50조제4항에 따른 건설엔지니어링 종합평가 및 시공 종합평가 시에 이를 고려해야 한다.
〈개정 2020. 1. 7., 2021. 9. 14.〉
제27조의2(스마트건설지원센터의 업무 및 운영) ① 법 제10조의2제3항제6호에서 "대통령령으로 정하는 사항"이란 다음 각 호의 사항을 말한다. 〈개정 2021. 9. 14.〉
1. 법 제10조의2제1항에 따른 융·복합건설기술(이하 "융·복합건설기술"이라 한다)의 개발·보급 및 활용을 촉진하기 위한 시책의 수립·시행 지원
2. 융·복합건설기술 관련 예비창업자와 창업자 발굴·육성·교육 및 해외진출 지원
3. 융·복합건설기술 관련 창업공간 조성 및 운영
4. 건설정보모델링(BIM, Building Information</td><td></td></tr>
</table>

법	시 행 령	시 행 규 칙
	Modeling) 관련 정책개발 및 활성화 지원 5. 그 밖에 융·복합건설기술의 개발 및 활용을 위하여 국토교통부장관이 필요하다고 인정하는 사항 ② 국토교통부장관은 제1항제4호에 따른 건설정보모델링 관련 업무를 수행하기 위하여 필요한 경우에는 스마트건설지원센터에 건설정보모델링 관련 전담기구를 둘 수 있다. 〈신설 2021. 9. 14.〉 ③ 국토교통부장관은 법 제10조의2제4항에 따라 같은 조 제2항에 따른 스마트건설지원센터의 운영을 「과학기술분야 정부출연연구기관 등의 설립·운영 및 육성에 관한 법률」 제8조에 따라 설립된 한국건설기술연구원(이하 "건설기술연구원"이라 한다)에 위탁한다. 〈개정 2021. 9. 14.〉 [본조신설 2020. 1. 7.] **제27조의3(스마트건설지원센터의 운영을 위한 출연금)** ① 법 제10조의2제4항 및 이 영 제27조의2제3항에 따라 스마트건설지원센터의 운영을 위탁받은 건설기술연구원이 법 제10조의2제5항에 따라 출연금을 받으려는 경우에는 매년 4월 30일까지 다음 연도의 출연금예산요구서에 다음 각 호의 서류를 첨부하여 국토교통부장관에게 제출해야 한다. 〈개정 2021. 9. 14.〉 1. 다음 연도의 업무계획서 2. 다음 연도의 추정 재무상태표 및 추정 손익계산서	

법	시 행 령	시 행 규 칙
제9조(공동 연구·개발 등) 국토교통부장관은 건설기술의 연구·개발과 관련된 공공기관·법인·단체·대학(이들의 부설연구소 등을 포함한다. 이하 "건설기술연구기관"이라 한다)의 인력·자금·시험시설 및 기술정보의 효율적 활용과 선진 건설기술 획득을 위하여 관계 중앙행정기관의 장과 공동연구를 추진하거나 건설기술연구기관의 건설기술 연구·개발을 지원할 수 있다. **제10조(연구시설 및 장비의 지원 등)** 국토교통부장관은 건설기술의 연구기반을 확충하기 위하여 건설기술연구기관의 연구시설 및 장비의 확보·관리·공동사용 등을 지원하거나 필요한 시책을 수립·추진할 수 있다. **제10조의2(융·복합건설기술의 활성화)** ① 국토교	② 국토교통부장관은 제1항 각 호의 서류가 타당하다고 인정하는 경우에는 출연금을 지급한다. ③ 건설기술연구원은 제2항에 따라 출연금을 지급받은 경우에는 그 출연금에 대하여 별도의 계정을 설정하여 관리해야 하며, 법 제10조의2 제3항 각 호에 따른 스마트건설지원센터 업무의 용도에 한정하여 사용해야 한다. ④ 건설기술연구원은 다음 각 호의 구분에 따른 시기까지 스마트건설지원센터의 운영내용을 국토교통부장관에게 보고해야 한다. 1. 해당 연도의 세부운영계획: 매년 1월 31일까지 2. 출연금 사용실적을 포함한 전년도 운영실적: 매년 3월 31일까지 [본조신설 2020. 1. 7.]	

법	시 행 령	시 행 규 칙
통부장관은 건설기술과 정보통신, 전자, 기계 등 다른 분야 기술을 융·복합한 기술(이하 "융·복합건설기술"이라 한다)의 개발·보급 및 활용을 촉진하기 위한 시책을 마련하여야 한다. ② 국토교통부장관은 융·복합건설기술을 활성화하기 위하여 스마트건설지원센터를 설치·운영할 수 있다. ③ 스마트건설지원센터는 다음 각 호의 업무를 수행한다. 1. 융·복합건설기술의 정책개발 2. 융·복합건설기술의 연구·개발 및 보급 3. 융·복합건설기술의 검증 및 실증 4. 융·복합건설기술과 관련된 창업 지원과 그에 관한 정보의 수집·관리 5. 국내외 융·복합건설기술 동향 및 시장정보의 조사·분석 6. 그 밖에 융·복합건설기술의 활성화를 위하여 필요한 사항으로서 대통령령으로 정하는 사항 ④ 국토교통부장관은 스마트건설지원센터의 운영을 대통령령으로 정하는 전문기관에 위탁할 수 있다. ⑤ 국토교통부장관은 스마트건설지원센터의 사업 및 운영에 필요한 비용을 예산의 범위에서 출연할 수 있다. ⑥ 스마트건설지원센터의 설치·운영과 제5항에 따른 출연금의 지급범위·사용 및 관리에 필요한 사항은 대통령령으로 정한다.		

법	시 행 령	시 행 규 칙
[본조신설 2019. 8. 27.] **제11조(기술평가기관)** ① 정부는 건설기술 연구·개발 사업을 효율적으로 지원하기 위하여 기술평가기관을 설립할 수 있다. ② 기술평가기관은 법인으로 한다. ③ 기술평가기관은 주된 사무소의 소재지에서 설립등기를 함으로써 성립한다. ④ 기술평가기관은 다음 각 호의 사업을 한다. 1. 건설기술 연구·개발 사업에 대한 평가·관리 2. 건설기술 연구·개발 사업에 대한 수요조사, 기획 및 기술 예측 3. 건설 분야의 새로운 기술의 심사·관리 4. 다른 법령에 따라 기술평가기관의 업무로 지정된 사업 5. 그 밖에 건설기술의 개발·활용에 관한 사업으로서 대통령령으로 정하는 사업	**제28조(기술평가기관의 사업)** 법 제11조제4항제5호에서 "대통령령으로 정하는 사업"이란 다음 각 호의 사업을 말한다. 1. 건설기술 이전·사업화의 촉진 2. 건설기술 연구·개발 사업에 대한 정보의 수집·관리 및 정보망 구축 3. 그 밖에 건설기술의 연구·개발 및 활용에 관한 사업으로서 국토교통부장관이 필요하다고 인정하는 사업	
⑤ 기술평가기관은 제1항에 따른 목적 달성에 필요한 경비를 조달하기 위하여 대통령령으로 정하는 바에 따라 수익사업을 할 수 있다. ⑥ 국토교통부장관은 예산의 범위에서 기술평가기관이 제4항에 따른 사업을 하는 데에 필요	**제29조(기술평가기관의 수익사업 등)** ① 법 제11조제5항에 따라 기술평가기관이 할 수 있는 수익사업은 건설기술 이전·사업화를 위한 중개·알선 및 상담으로 한다. ② 국토교통부장관은 제1항에 따른 수익사업	

법	시 행 령	시 행 규 칙
한 경비의 전부 또는 일부를 출연하거나 보조할 수 있다. ⑦ 이 법에서 규정한 사항 외에 기술평가기관에 관하여는 「민법」의 재단법인에 관한 규정을 준용한다.	에 대한 수수료를 정한다. 이 경우 이해관계인의 의견을 수렴할 수 있도록 국토교통부의 인터넷 홈페이지에 20일간 그 내용을 게시하되, 긴급하다고 인정되는 경우에는 국토교통부의 인터넷 홈페이지에 그 사유를 밝히고 10일간 게시할 수 있다. ③ 수수료의 요율 또는 금액은 제2항에 따라 수렴된 의견을 고려하여 실비(實費)의 범위에서 정하여야 하며, 수수료의 요율 또는 금액을 결정하였을 때에는 그 결정된 내용과 실비 산정명세를 국토교통부의 인터넷 홈페이지를 통하여 공개하여야 한다. ④ 기술평가기관이 법 제11조제5항에 따라 수익사업을 하는 경우에는 회계연도가 시작되기 전에 그 내용을 국토교통부장관에게 보고하여야 하며, 회계연도가 끝난 후 3개월 이내에 그 수익사업의 실적서 및 결산서를 국토교통부장관에게 제출하여야 한다.	
제12조(시범사업의 실시) ① 국토교통부장관은 제7조에 따른 건설기술 연구·개발 사업으로 개발된 건설기술의 이용·보급을 촉진하기 위하여 필요하다고 인정하는 경우에는 그 건설기술을 적용하는 시범사업을 할 수 있다. ② 국토교통부장관은 제1항에 따른 시범사업에 참여하는 발주청, 건설기술연구기관 등에 재정적·행정적·기술적 지원을 할 수 있다. ③ 제1항에 따른 시범사업을 위한 계획의 수립 및 추진 절차 등은 대통령령으로 정한다.	**제30조(건설기술의 시범사업 실시)** ① 국토교통부장관은 법 제12조제1항에 따른 건설기술 시범사업(이하 이 조에서 "시범사업"이라 한다)을 실시하려면 중앙심의위원회의 심의를 거쳐 다음 각 호의 사항이 포함된 시범사업계획을 수립하여야 한다. 1. 시범사업의 목표·전략 및 추진체계에 관한 사항 2. 시범사업에 적용될 건설기술에 관한 사항 3. 시범사업의 시행에 필요한 재원 조달에 관	

법	시행령	시행규칙
제13조(개발기술의 활용 권고) 국토교통부장관은 발주청이 시행하는 건설공사에 제12조에 따라 건설기술의 시범사업을 한 결과 성능이 우수하다고 인정되는 건설기술을 우선 활용하도록 권고할 수 있다.	한 사항 ② 국토교통부장관은 직접 또는 발주청이나 건설기술연구기관 등의 요청에 따라 시범사업을 실시할 대상 사업 및 지역(이하 "시범대상 사업등"이라 한다)을 지정할 수 있다. ③ 시범대상 사업등은 다음 각 호의 기준을 모두 갖추어야 한다. 1. 시범사업의 목적 달성에 적합할 것 2. 시범사업의 재원조달계획이 적정하고 실현 가능할 것 3. 시범사업의 원활한 시행이 가능할 것 ④ 발주청 및 건설기술연구기관 등은 제2항에 따라 시범대상 사업등의 지정을 요청하려면 다음 각 호의 서류를 국토교통부장관에게 제출하여야 한다. 1. 제3항 각 호의 내용을 포함한 시범사업 계획서 2. 발주청 및 건설기술연구기관 등이 시범대상 사업등에 대하여 지원할 수 있는 예산·인력 등에 관한 서류 ⑤ 제1항부터 제4항까지에서 규정한 사항 외에 시범사업의 실시에 필요한 사항은 국토교통부장관이 정하여 고시한다.	
제14조(신기술의 지정·활용 등) ① 국토교통부장관은 국내에서 최초로 특정 건설기술을 개발하거나 기존 건설기술을 개량한 자의 신청을 받아 그 기술을 평가하여 신규성·진보성 및 현장 적용성이 있을 경우 그 기술을 새로운 건설기	**제31조(신기술의 지정신청)** 법 제14조제1항에 따른 신기술(이하 "신기술"이라 한다)의 지정을 신청하려는 자는 국토교통부령으로 정하는 바에 따라 신기술 지정신청서에 다음 각 호의 서류를 첨부하여 국토교통부장관에게 제출해야 한다.	**제7조(신기술 지정신청서)** 영 제31조에 따른 신기술 지정신청서는 별지 제1호서식과 같다. **제8조(신기술의 심사기관 등)** ① 법 제14조제1항에 따른 신기술(이하 "신기술"이라 한다) 심사기간에는 다음 각 호의 기간이 포함되지 아니한다.

법	시 행 령	시 행 규 칙
술(이하 "신기술"이라 한다)로 지정·고시할 수 있다. ② 국토교통부장관은 신기술을 개발한 자(이하 "기술개발자"라 한다)를 보호하기 위하여 필요한 경우에는 보호기간을 정하여 기술개발자가 기술사용료를 받을 수 있게 하거나 그 밖의 방법으로 보호할 수 있다. ③ 기술개발자는 신기술의 활용실적을 첨부하여 국토교통부장관에게 제2항에 따른 보호기간의 연장을 신청할 수 있고, 국토교통부장관은 그 신기술의 활용실적 등을 검증하여 보호기간을 연장할 수 있다. 이 경우 신기술 활용실적의 제출, 검증 및 보호기간의 연장 등에 필요한 사항은 대통령령으로 정한다.	〈개정 2019. 6. 25., 2020. 1. 7., 2021. 9. 14.〉 1. 신기술의 내용(신기술의 요지와 지정요건인 신규성·진보성·현장적용성에 대한 구체적인 내용을 포함한다)에 관한 서류 2. 국내외 건설공사에서의 활용 전망에 관한 서류 3. 시방서(示方書) 및 유지관리지침서 4. 법 제60조제1항에 따른 국립·공립 시험기관 또는 건설엔지니어링사업자가 발행한 각종 시험성적서 및 다음 각 목의 어느 하나에 해당하는 서류. 다만, 다른 법령에 따라 동일한 시험을 거쳐 기술인증 등을 받은 경우에는 해당 시험항목에 대한 시험성적서 및 시험시공 결과로 이를 갈음할 수 있다. 가. 법 제60조제1항에 따른 국립·공립 시험기관 또는 건설엔지니어링사업자가 발행한 시험시공 결과에 관한 서류 나. 발주청이 확인한 현장 시공실적 5. 그 밖에 신기술의 평가에 필요하다고 인정되는 사항으로서 국토교통부장관이 고시하는 서류 **제32조(신기술의 지정절차)** ① 국토교통부장관은 제31조에 따라 신기술의 지정신청을 받은 경우에는 신청된 기술이 신기술에 해당하는지에 대하여 국토교통부장관이 제117조제2항 각 호의 기관 중에서 지정·고시하는 전문기관의 심사를 거쳐 120일 이내에 신기술 지정 여부를 결정하여야 한다. 이 경우 국토교통부령으로 정	1. 신청인이 서류를 보완하는 데에 드는 기간 2. 영 제32조제2항에 따른 의견조회 기간 3. 영 제32조제3항에 따른 공고기간 ② 영 제32조제2항에서 "국토교통부령으로 정하는 기관"이란 관계 행정기관, 공기업·준정부기관 및 영 제23조제1항 각 호의 기관 또는 단체를 말한다.

법	시 행 령	시 행 규 칙
	하는 기간은 심사기간에 포함하지 아니한다. ② 국토교통부장관은 제1항에 따라 신청된 기술이 신기술에 해당하는지에 대한 평가를 할 때 필요하다고 인정하는 경우에는 이해관계인과 국토교통부령으로 정하는 기관의 의견을 들어야 한다. ③ 국토교통부장관은 제2항에 따라 이해관계인의 의견을 들으려는 경우에는 신청된 기술에 관한 주요 내용을 30일 이상 관보에 공고하여야 한다. ④ 제1항에 따른 전문기관은 신청된 기술을 심사하기 위하여 신기술심사위원회를 구성·운영하여야 한다. ⑤ 신기술의 평가기준 및 평가절차 등에 관하여 필요한 사항은 국토교통부장관이 정하여 고시한다.	
	제33조(신기술의 지정·고시) ① 국토교통부장관은 제32조에 따라 신기술을 지정하였을 때에는 다음 각 호의 사항을 관보에 고시하고, 신청인에게 신기술 지정증서를 발급하여야 한다. 1. 신기술의 명칭 2. 개발하거나 개량한 자의 성명(법인의 경우에는 그 명칭 및 대표자의 성명) 3. 제35조에 따른 신기술의 보호기간 4. 신기술의 내용 및 범위 5. 제34조에 따른 신기술을 개발한 자에 대한 보호내용 ② 국토교통부장관은 제1항에 따라 신기술을	**제9조(신기술 지정증서)** ① 영 제33조제1항 각 호 외의 부분에 따른 신기술 지정증서는 별지 제2호서식과 같다. ② 다음 각 호의 어느 하나에 해당하여 신기술 지정증서를 재발급받으려는 자는 별지 제3호서식의 신기술 지정증서 재발급신청서를 국토교통부장관에게 제출하여야 한다. 1. 신기술지정증서를 잃어버리거나 헐어 못 쓰게 된 경우 2. 기술개발자에 관한 기재사항이 변경된 경우

법	시 행 령	시 행 규 칙
	지정·고시하였을 때에는 지정·고시한 사항을 유지·관리하여야 한다. **제34조(신기술의 활용 등)** ① 법 제14조제2항에 따른 신기술을 개발한 자(이하 "기술개발자"라 한다)는 신기술을 사용한 자에게 기술사용료의 지급을 청구할 수 있다. ② 국토교통부장관은 신기술 사용을 활성화하기 위하여 발주청에 유사한 기존 기술보다는 신기술을 우선 적용하도록 권고할 수 있다. ③ 발주청은 법 제14조제1항에 따라 지정·고시된 신기술이 기존 기술에 비하여 시공성 및 경제성 등에서 우수하면 그가 시행하는 건설공사의 설계에 반영해야 하며, 건설공사를 발주하는 경우에 이를 공사계약서에 구체적으로 표시하고 기술개발자 또는 법 제14조의2제1항 전단에 따른 신기술의 사용협약(이하 "신기술사용협약"이라 한다)을 체결하고 같은 조 제2항에 따라 신기술사용협약에 관한 증명서를 발급받은 자로 하여금 해당 건설공사 중 신기술과 관련되는 공정에 참여하게 할 수 있다. 〈개정 2016. 1. 12., 2019. 6. 25.〉 ④ 제3항의 경우 발주청은 신기술을 적용하여 건설공사를 준공한 날부터 1개월 이내에 국토교통부장관이 정하여 고시하는 방법 및 절차 등에 따라 그 성과를 평가하고, 그 결과를 국토교통부장관에게 제출하여야 한다. ⑤ 국토교통부장관은 기술개발자에게 다음 각 호의 자금 등이 우선적으로 지원될 수 있도록 관	

법	시 행 령	시 행 규 칙
	계 기관에 요청할 수 있다. 〈개정 2016. 5. 31.〉 1. 「한국산업은행법」에 따른 한국산업은행 또는 「중소기업은행법」에 따른 중소기업은행의 기술개발자금 2. 「여신전문금융업법」에 따라 신기술사업금융업을 등록한 여신전문금융회사의 신기술사업자금 3. 「기술보증기금법」에 따른 기술보증기금의 기술보증 4. 그 밖에 기술개발 지원을 위하여 정부가 조성한 특별자금 ⑥ 기술개발자 및 신기술사용협약에 관한 증명서를 발급받은 자는 매년 12월 31일을 기준으로 국토교통부령으로 정하는 바에 따라 신기술 활용실적을 작성하여 다음 해 2월 15일까지 국토교통부장관에게 제출해야 한다. 〈개정 2019. 6. 25.〉	**제10조(신기술 활용실적의 제출)** ① 영 제34조제6항에 따른 신기술 활용실적은 별지 제4호서식에 따라 작성한다. ② 신기술 지정을 받은 자 외에 신기술을 활용한 자는 필요한 경우에는 별지 제4호서식에 따라 신기술 활용실적을 작성하여 국토교통부장관에게 제출할 수 있다. ③ 제1항 및 제2항에 따른 신기술 활용실적을 제출하는 경우에는 다음 각 호의 구분에 따른 서류를 첨부해야 한다. 〈개정 2019. 7. 1.〉 1. 건설공사의 경우: 다음 각 목의 서류 가. 발주청 또는 수급인(하도급 공사인 경우만 해당한다)이 발행한 별지 제5호서식의 신기술 활용실적 증명서 나. 세금계산서 또는 매출처별 세금계산서 합계표 다. 도급 또는 하도급계약서(발주청 외의

법	시 행 령	시 행 규 칙
		자가 도급하거나 하도급하는 건설공사인 경우만 해당한다) 2. 건설공사 외의 경우: 세금계산서 또는 기술사용료 지급확인서 등 신기술 활용실적을 증명할 수 있는 서류
	제35조(신기술의 보호기간 등) ① 법 제14조제2항에 따른 신기술의 보호기간은 신기술의 지정·고시일부터 8년의 범위에서 국토교통부장관이 고시하는 기간으로 한다. 〈개정 2017. 12. 29.〉 ② 국토교통부장관은 신기술의 지정을 받은 자가 신청하면 그 신기술의 활용실적 등을 검증하여 제1항에 따른 신기술의 보호기간을 7년의 범위에서 연장할 수 있다. ③ 신기술의 지정을 받은 자는 제2항에 따라 신기술 보호기간의 연장을 신청하려면 보호기간이 만료되기 150일 전에 국토교통부령으로 정하는 신기술 보호기간 연장신청서에 다음 각 호의 서류를 첨부하여 국토교통부장관에게 제출하여야 한다. 1. 신기술의 활용실적 및 현장적용 결과를 비교·분석한 서류 2. 보호기간 연장에 대한 근거자료 3. 현장적용 시방서 및 유지·관리 방법에 관한 자료 4. 현장을 실제 조사할 때 확인할 주요 사항을 적은 서류 ④ 제2항에 따른 보호기간의 연장 절차 등에 관하여는 제32조 및 제33조를 준용한다.	**제11조(신기술 보호기간 연장신청서)** 영 제35조제3항에 따른 신기술 보호기간 연장신청서는 별지 제6호서식과 같다.

법	시 행 령	시 행 규 칙
④ 국토교통부장관은 발주청에 신기술 및 제1항에 따라 신기술을 신청하고자 하는 기술과 관련된 장비 등의 성능시험이나 시공방법 등의 시험시공을 권고할 수 있으며, 신기술의 경우 성능시험 및 시험시공의 결과가 우수하면 신기술의 활용·촉진을 위하여 발주청이 시행하는 건설공사에 신기술을 우선 적용하게 할 수 있다. 〈개정 2019. 8. 27.〉 ⑤ 발주청은 신기술이 기존 건설기술에 비하여 시공성 및 경제성 등의 측면에서 우수하다고 인정되는 경우 해당 신기술을 그가 시행하는 건설공사에 우선 적용하여야 한다. 〈신설 2015. 12. 29.〉 ⑥ 신기술 및 제1항에 따라 신기술을 신청하고자 하는 기술을 적용하는 건설공사의 발주청 소속 계약사무담당자 및 설계 등 공사업무 담당자는 고의 또는 중대한 과실이 증명되지 아니하면 해당 기술 적용으로 인하여 발생한 해당 기관의 손실에 대하여는 책임을 지지 아니한다. 〈신설 2015. 12. 29., 2019. 8. 27.〉 ⑦ 국토교통부장관은 제2항에 따라 보호를 받는 기술개발자에게 신기술의 성능 또는 품질의 향상을 위하여 필요한 경우에는 신기술의 개선을 권고할 수 있다. 〈개정 2015. 12. 29.〉 ⑧ 제1항에 따른 신기술 평가방법 및 지정절차 등과 제2항에 따른 신기술의 보호내용, 기술사용료, 보호기간 및 활용방법 등과 제4항에 따른 시험시공의 권고 등에 관하여 필요한 사항	**제36조(시험시공의 권고 등)** ① 법 제14조제4항에 따라 국토교통부장관으로부터 시험시공을 권고받은 발주청은 권고받은 대로 시험시공을 하지 아니하는 경우에는 그 사유를 국토교통부장관에게 통보하여야 한다. ② 제1항에서 규정한 사항 외에 법 제14조제4항에 따른 시험시공의 시행 등에 필요한 사항은 국토교통부령으로 정한다.	**제12조(시험시공의 시행 등)** ① 법 제14조제4항에 따라 시험시공을 한 발주청과 영 제32조제1항 전단에 따른 신기술 심사 전문기관은 공동으로 시험시공 결과를 분석·평가하고 그 결과를 국토교통부장관에게 제출하여야 한다. ② 발주청이 영 제36조제1항에 따라 시험시공을 하지 아니하는 사유를 국토교통부장관에게 통보할 때에는 신기술과 기존 공법에 대한 종합적인 비교·분석표를 포함하여야 한다.

법	시 행 령	시 행 규 칙
은 대통령령으로 정한다. 〈개정 2015. 12. 29., 2019. 8. 27.〉		
제14조의2(신기술사용협약) ① 기술개발자는 건설사업자 중 대통령령으로 정하는 요건을 갖춘 자와 해당 신기술의 사용협약(이하 "신기술사용협약"이라 한다)을 체결할 수 있다. 이 경우 기술개발자 또는 신기술사용협약을 체결한 자는 대통령령으로 정하는 서류를 갖추어 국토교통부장관에게 신기술사용협약에 관한 증명서의 발급을 신청할 수 있다. 〈개정 2019. 4. 30.〉 ② 국토교통부장관은 제1항 후단에 따른 신청을 받은 경우 신기술사용협약을 체결한 자가 같은 항 전단에 따른 요건을 갖추었는지 확인한 후에 신기술사용협약에 관한 증명서를 발급하여야 한다. ③ 신기술사용협약의 기간은 해당 신기술의 보호기간 이내로 한다. ④ 제1항부터 제3항까지에서 규정한 사항 외에 신기술사용협약에 관한 세부적인 사항은 대통령령으로 정하는 기준에 따라 국토교통부장관이 정하여 고시한다. [본조신설 2018. 12. 31.]	**제36조의2(신기술사용협약 요건 및 신청서류 등)** ① 법 제14조의2제1항 전단에서 "대통령령으로 정하는 요건을 갖춘 자"란 다음 각 호의 요건을 모두 갖춘 자를 말한다. 1. 해당 신기술 시공에 필요한 관련 건설업 등록증을 보유할 것 2. 해당 신기술을 시공할 수 있는 장비를 소유 또는 임대하고 있을 것 3. 해당 신기술을 전수(傳受)한 자일 것 ② 법 제14조의2제1항 후단에서 "대통령령으로 정하는 서류"란 다음 각 호의 서류를 말한다. 1. 신기술사용협약서 2. 건설업 등록증 사본 3. 신기술을 시공할 수 있는 장비의 소유 또는 임대 현황에 관한 서류 4. 신기술사용협약 기술전수 확인서 5. 신기술사용협약 관련 지식재산권 활용 동의서 ③ 제1항 및 제2항에서 규정한 사항 외에 신기술사용협약에 관한 증명서의 발급 신청 접수, 발급 및 관리 등에 필요한 세부사항은 국토교통부장관이 정하여 고시한다. [본조신설 2019. 6. 25.]	**제12조의2(신기술사용협약 증명서의 발급 신청 등)** ① 법 제14조의2제1항 후단 및 영 제36조의2제2항에 따라 신기술협약에 관한 증명서의 발급을 신청하려는 자가 제출해야 하는 서류는 다음 각 호의 구분에 따른다. 1. 법 제14조의2제1항 후단에 따른 신기술사용협약 증명서 발급 신청서: 별지 제1호의2서식 2. 영 제36조의2제2항제1호에 따른 신기술사용협약서: 별지 제1호의3서식 3. 영 제36조의2제2항제4호에 따른 신기술사용협약 기술전수 확인서: 별지 제1호의4서식 4. 영 제36조의2제2항제5호에 따른 신기술사용협약 관련 지식재산권 활용 동의서: 별지 제1호의5서식 ② 제14조의2제2항에 따른 신기술사용협약에 관한 증명서는 별지 제1호의6서식과 같다. [본조신설 2019. 7. 1.]
제15조(신기술 지정의 취소) 국토교통부장관은 신기술이 다음 각 호의 어느 하나에 해당하면 그 지정을 취소하여야 한다. 1. 거짓이나 그 밖의 부정한 방법으로 지정받	**제37조(신기술 지정의 취소 공고)** 국토교통부장관은 법 제15조에 따라 신기술의 지정을 취소하였을 때에는 그 사실을 관보에 고시하여야 한다.	

법	시행령	시행규칙
은 경우 2. 해당 신기술의 내용에 중대한 결함이 있어 건설공사에 적용하는 것이 불가능한 경우		
제16조(외국 도입 건설기술의 관리) ① 국토교통부장관은 「외국인투자 촉진법」에 따라 외국에서 도입된 건설기술을 효율적으로 이용하기 위하여 대통령령으로 정하는 바에 따라 관리하여야 한다. ② 발주청은 건설공사 또는 건설엔지니어링사업을 국제경쟁입찰방식으로 발주하는 경우에는 국내에서 필요한 새로운 건설기술을 보다 많이 제공할 수 있는 자를 우대하여 발주할 수 있다. 이 경우 국내에서 필요한 새로운 건설기술인지 여부는 중앙심의위원회의 심의를 거쳐 결정한다. 〈개정 2021. 3. 16.〉 ③ 제2항에 따른 우대 발주에 관하여 필요한 사항은 대통령령으로 정한다.	**제38조(외국 도입 건설기술의 관리)** ① 국토교통부장관은 법 제16조제1항에 따라 관계 행정기관의 장에게 「외국인투자 촉진법」에 따라 외국인투자 신고가 수리(受理)된 건설기술의 내용의 통보를 요청할 수 있다. 이 경우 그 내용을 통보받은 국토교통부장관은 이를 유지·관리하고 활용이 촉진되도록 하여야 한다. ② 발주청은 법 제16조제2항에 따라 우대 발주를 하려는 경우에는 해당 건설기술의 국내 현장적용 가능성과 국내 기술발전에 이바지하는 정도 등을 고려하여야 한다.	
제17조(국제 교류 및 협력) 국토교통부장관은 건설기술 개발의 국제협력 및 해외진출을 촉진하기 위하여 필요한 경우에는 다음 각 호의 사업을 추진할 수 있다. 1. 건설기술 개발의 국제협력을 위한 조사·연구 2. 건설기술 개발을 위한 인력·정보의 국제교류 3. 외국의 대학·연구기관 및 단체와 건설기술 공동개발 4. 개발된 건설기술을 이용한 해외시장 개척 5. 그 밖에 건설기술 개발을 위한 국제 교류·협력을 촉진하기 위하여 국토교통부령으로		**제13조(국제 교류 및 협력)** 법 제17조제5호에서 "국토교통부령으로 정하는 사항"이란 다음 각

법	시 행 령	시 행 규 칙
정하는 사항 **제18조(건설기술정보체계의 구축)** ① 국토교통부장관은 다음 각 호의 건설기술에 관한 자료 및 정보의 종합적인 유통체계를 갖추고 그 보급과 확산을 위하여 대통령령으로 정하는 바에 따라 건설기술정보체계를 구축·운영하여야 한다. 〈개정 2018. 8. 14., 2021. 3. 16.〉 1. 발주청이 발행하거나 제작한 건설기술 관련 자료 2. 제14조에 따른 신기술의 지정·활용 등에 관한 자료 3. 제21조에 따른 건설기술인의 근무처 및 경력 등에 관한 자료 4. 제26조에 따른 건설엔지니어링업의 등록 등에 관한 자료 5. 제30조에 따른 건설엔지니어링의 실적 관리에 관한 자료 6. 제50조에 따른 건설엔지니어링 및 시공 평가 등에 관한 자료 7. 제52조에 따른 건설공사의 사후평가에 관한 자료 8. 제53조에 따른 건설공사 등의 부실 측정 등에 관한 자료 ② 국토교통부장관은 제1항에 따른 건설기술정보체계의 구축을 위하여 중앙행정기관, 지방자치단체 및 공기업·준정부기관의 장이 대통령령으로 정하는 건설기술 관련 자료를 발행하거나 제작하였을 때에 그 자료의 제공을 요청	**제39조(건설기술정보체계의 구축)** ① 국토교통부장관은 법 제18조제1항에 따른 건설기술정보체계의 구축·운영을 위하여 다음 각 호의 업무를 수행할 수 있다. 1. 건설기술에 관한 자료 및 정보의 수집과 데이터베이스 구축 및 관리 2. 건설기술에 관한 자료, 정보 및 건설기술정보체계의 표준화 3. 건설기술에 관한 자료 및 정보에 관한 종합유통시스템의 개발·구축·관리 및 보급 4. 건설기술에 관한 자료 및 정보를 보유하고 있는 기관 또는 단체와의 연계·협력 및 공동사업의 시행 5. 그 밖에 건설기술정보체계의 구축·운영에 필요한 사항 ② 국토교통부장관은 법 제18조제1항 각 호의 건설기술에 관한 자료 및 정보를 제공하는 것이 국가이익을 침해한다고 인정되는 경우에는 그 자료 또는 정보의 제공을 거부하거나 제한할 수 있다. **제40조(건설기술 관련 자료의 수집)** 법 제18조제2항 전단에서 "대통령령으로 정하는 건설기술 관련 자료"란 다음 각 호의 자료를 말한다. 1. 건설기술과 관련된 보고서, 연구논문집 및 정기간행물(인터넷으로 제공하는 건설기술	호의 사항을 말한다. 1. 외국 정부기관과의 정기적 협력회의 개최 2. 해외진출에 필요한 건설기술 개발의 수요조사

법	시 행 령	시 행 규 칙
할 수 있다. 이 경우 자료의 제공을 요청받은 기관의 장은 특별한 사유가 없으면 요청에 따라야 한다. ③ 제2항에 따른 건설기술 관련 자료의 송부방법 및 절차 등에 관하여 필요한 사항은 국토교통부령으로 정한다.	관련 정보를 포함한다) 2. 그 밖에 국토교통부장관이 요청하는 건설기술 관련 자료	**제14조(건설기술정보의 제공)** ① 법 제18조제3항에 따른 건설기술 관련 자료의 송부방법 및 절차는 다음 각 호와 같다. 1. 영 제40조 각 호의 자료는 전자파일 또는 인쇄자료 형태로 송부하여야 한다. 2. 건설기술 관련 자료를 송부하는 자는 별지 제7호서식의 건설기술자료 납본서를 제출하여야 한다. 3. 제1호의 건설기술 관련 자료 및 제2호의 건설기술자료 납본서는 법 제18조제1항에 따른 건설기술정보체계를 통하여 송부할 수 있다. ② 영 제117조제1항에 따라 법 제18조제1항에 따른 건설기술정보체계의 구축·운영 업무를 위탁받은 기관은 다음 각 호의 방법으로 건설기술에 관한 자료 및 정보를 이용자에게 제공하여야 하며, 이용자로부터 실비의 범위에서 수수료를 받을 수 있다. 1. 등록된 건설기술에 관한 자료의 목록, 색인 및 내용의 검색 및 열람 2. 건설기술정보에 관한 서지(書誌)의 발간 3. 등록된 건설기술에 관한 자료의 복제 및 배포
제19조(건설공사 지원 통합정보체계의 구축) ① 국토교통부장관은 건설공사 과정의 정보화를 촉진하고 그 성과를 효율적으로 이용하도록 하기	**제41조(건설공사 지원 통합정보체계의 구축·운영)** ① 국토교통부장관은 법 제19조제1항에 따른 건설공사 지원 통합정보체계 구축에 관한 기본	**제15조(건설공사 지원 통합정보체계 관련 협의체)** 국토교통부장관은 법 제19조제1항에 따른 건설공사 지원 통합정보체계(이하 "건설공사 지

법	시 행 령	시 행 규 칙
위하여 건설공사 지원 통합정보체계의 구축에 관한 기본계획(이하 "통합정보체계 구축계획"이라 한다)을 수립하여야 한다. ② 통합정보체계 구축계획에는 다음 각 호의 사항이 포함되어야 한다. 1. 건설공사 정보화의 기본목표 및 추진방향 2. 건설공사 과정의 정보화를 촉진하기 위한 시책 3. 건설공사 지원 통합정보체계 구축을 위한 공동사업의 시행 및 표준화 4. 건설공사 지원 통합정보체계 구축에 관한 각종 연구·개발 및 기술 지원 5. 건설공사 지원 통합정보체계를 이용한 정보의 공동활용 촉진 6. 그 밖에 건설공사의 정보화 촉진을 위하여 필요한 사항 ③ 국토교통부장관은 통합정보체계 구축계획을 수립할 때에는 관계 중앙행정기관의 장과 협의한 후에 중앙심의위원회의 심의를 받아야 한다. 통합정보체계 구축계획 중 제2항제1호부터 제3호까지의 사항이나 그 밖에 대통령령으로 정하는 내용을 변경하려는 경우에도 같다. ④ 국토교통부장관은 통합정보체계 구축계획을 수립할 때에는 「지능정보화 기본법」 제6조에 따른 지능정보사회 종합계획 및 같은 법 제7조에 따른 지능정보사회 실행계획과 연계되도록 하여야 한다. 〈개정 2020. 6. 9.〉 ⑤ 국토교통부장관은 관계 중앙행정기관, 지방	계획을 5년 단위로 수립하고, 이를 체계적으로 추진하기 위하여 연차별 시행계획을 수립하여 시행하여야 한다. ② 국토교통부장관은 건설공사 지원 통합정보체계의 효율적인 구축과 활용 촉진을 위하여 다음 각 호의 업무를 수행할 수 있다. 1. 건설공사 지원 통합정보체계의 구축·운영에 관한 각종 연구개발 및 기술 지원 2. 건설공사 지원 통합정보체계의 구축을 위한 공동사업의 시행 3. 건설공사 지원 통합정보체계의 표준화 4. 건설공사 지원 통합정보체계를 이용한 정보의 공동 활용 촉진 5. 그 밖에 건설공사 지원 통합정보체계의 구축·활용 촉진을 위하여 필요한 사항 ③ 제1항과 제2항에서 규정한 사항 외에 건설공사 지원 통합정보체계의 구축·운영에 필요한 세부 사항은 국토교통부장관이 정하여 고시한다.	원 통합정보체계"라 한다)의 효율적인 구축을 위하여 건설과 관련된 업체·기관 또는 단체와의 협의체를 구성·운영할 수 있다.

<table>
<tr><th>법</th><th>시행령</th><th>시행규칙</th></tr>
<tr><td>자치단체 및 「공공기관의 운영에 관한 법률」에 따른 공공기관 등 관계 기관의 장에게 건설공사 지원 통합정보체계의 구축·운영에 필요한 자료 또는 정보의 제공을 요청할 수 있다. 이 경우 자료 또는 정보의 제공을 요청받은 기관의 장은 특별한 사유가 없으면 요청에 따라야 한다.
⑥ 국토교통부장관은 국토교통부장관이 정하여 고시하는 전담기관으로 하여금 건설공사 지원 통합정보체계를 구축·운영하게 할 수 있다. 이 경우 국토교통부장관은 전담기관의 장에게 필요한 사업비에 충당하도록 출연할 수 있다.
⑦ 제6항에 따른 전담기관의 관리, 그 밖에 건설공사 지원 통합정보체계의 구축·운영 등에 필요한 사항은 대통령령으로 정한다.</td><td></td><td></td></tr>
<tr><td>제3장 건설기술인의 육성 등 〈개정 2018. 8. 14.〉</td><td>제3장 건설기술인의 육성 등 〈개정 2018. 12. 11.〉</td><td>제3장 건설기술인의 육성 등 〈개정 2019. 2. 25.〉</td></tr>
<tr><td>제20조(건설기술인의 육성) ① 국토교통부장관은 건설기술인의 효율적 활용과 기술능력 향상을 위하여 필요한 경우에는 건설기술인의 육성과 교육·훈련 등에 관한 시책을 수립·추진할 수 있다. 〈개정 2018. 8. 14.〉
② 대통령령으로 정하는 건설기술인은 업무 수행에 필요한 소양과 지식을 습득하기 위하여 대통령령으로 정하는 바에 따라 국토교통부장관이 실시하는 교육·훈련을 받아야 한다. 이</td><td>제42조(건설기술인의 교육·훈련) ① 법 제20조제2항 전단에서 "대통령령으로 정하는 건설기술인"이란 다음 각 호의 건설기술인을 말한다. 〈개정 2015. 6. 1., 2016. 8. 11., 2018. 1. 16., 2018. 12. 11., 2020. 1. 7., 2020. 12. 1., 2021. 2. 9., 2021. 9. 14.〉
1. 법 제26조제1항에 따른 건설엔지니어링사업자에게 고용되어 근무하는 건설기술인
2. 「건설산업기본법」 제2조제2호에 따른 건설</td><td></td></tr>
</table>

법	시 행 령	시 행 규 칙
경우 국토교통부장관은 교육·훈련 이수 실적을 제21조제2항에 따른 건설기술인 등급 산정에 활용할 수 있다. 〈개정 2018. 6. 12., 2018. 8. 14.〉 ③ 제2항 전단에 따라 교육·훈련을 받아야 할 사람을 고용하고 있는 사용자는 건설기술인이 제2항 전단에 따른 교육·훈련을 받는 데에 필요한 경비를 부담하여야 하며, 이를 이유로 그 건설기술인에게 불이익을 주어서는 아니 된다. 〈개정 2018. 6. 12., 2018. 8. 14.〉 ④ 제1항부터 제3항까지에서 규정한 사항 외에 건설기술인의 육성 및 교육·훈련에 필요한	업에 종사하는 건설기술인 3. 「건축사법」 제23조에 따른 건축사사무소에 근무하는 건설기술인 4. 「기술사법」 제6조에 따른 기술사사무소(건설기술 관련 분야의 기술사사무소로 한정한다)에 근무하는 건설기술인 5. 「국토안전관리원법」에 따른 국토안전관리원(이하 "국토안전관리원"이라 한다) 및 같은 법 제28조제1항에 따른 안전진단전문기관에 소속되어 근무하는 건설기술인 6. 「엔지니어링산업 진흥법」 제2조제3호에 따른 엔지니어링사업(건설기술 관련 분야의 엔지니어링사업으로 한정한다)에 종사하는 건설기술인 7. 「주택법」 제15조에 따른 주택건설사업 또는 대지조성사업에 종사하는 건설기술인 8. 「공간정보의 구축 및 관리 등에 관한 법률」 제44조에 따른 측량업 또는 「해양조사와 해양정보 활용에 관한 법률」 제30조에 따른 해양조사·정보업에 종사하는 건설기술인 9. 발주청에 소속되어 근무하는 건설기술인 ② 법 제20조제2항에 따라 건설기술인이 받아야 할 교육·훈련의 종류·시간 및 내용 등과 교육·훈련의 면제 및 연기의 기준은 별표 3과 같다. 〈개정 2018. 12. 11.〉 [제목개정 2018. 12. 11.] **제43조(건설기술인에 대한 교육·훈련의 대행)** ① 법 제20조의2제1항에서 "대통령령으로 정하는 건설	

법

세부사항은 대통령령으로 정한다.
〈신설 2018. 12. 31., 2020. 6. 9.〉
[제목개정 2018. 8. 14.]

제20조의2(교육·훈련의 대행) ① 국토교통부장관은 건설기술인을 육성하기 위하여 「공공기관의 운영에 관한 법률」에 따른 공공기관이나 대통령령으로 정하는 건설기술과 관련된 기관 또는 단체로 하여금 제20조제2항 전단에 따른 교육·훈련을 대행하도록 할 수 있다.

② 제1항에 따른 교육·훈련을 대행하려는 자는 교육시설, 교수요원 등 대통령령으로 정하는 요건을 갖추어 국토교통부장관에게 신청하여야 한다.

③ 국토교통부장관은 제1항에 따라 교육·훈련을 대행하는 자(이하 "교육·훈련기관"이라 한다)에게 교육·훈련에 필요한 비용의 일부를 지원할 수 있다.

④ 제1항부터 제3항까지에서 규정한 사항 외에 교육·훈련 대행에 필요한 세부사항은 국토교통부령으로 정한다.
[본조신설 2020. 6. 9.]

제20조의3(교육·훈련 대행의 유효기간 및 갱신) ① 제20조의2제1항에 따른 대행의 유효기간은 3년으로 한다.

② 교육·훈련기관이 대행의 유효기간이 끝난 후에도 대행을 계속하려는 경우에는 그 유효기간이 끝나기 전에 국토교통부장관의 심사를 받아 대행을 갱신하여야 한다.

시 행 령

기술과 관련된 기관 또는 단체"란 다음 각 호의 기관 또는 단체를 말한다. 〈개정 2020. 12. 8.〉

1. 법 또는 다른 법률에 따라 건설기술과 관련된 업무를 수행하기 위하여 설립된 법인
2. 건설기술과 관련된 업무를 수행하는 학회·기관 또는 단체
3. 건설기술과 관련된 교육과정이 개설된 학교(「고등교육법」 제2조에 따른 학교를 말한다)
4. 「민법」 제32조에 따라 설립된 비영리법인(건설기술과 관련된 교육과정이 개설된 경우만 해당한다)

② 국토교통부장관은 법 제20조의2제1항에 따라 건설기술인에 대한 교육·훈련을 대행할 공공기관이나 건설기술과 관련된 기관 또는 단체(이하 "교육기관"이라 한다)를 공모를 통해 교육·훈련 대상 및 전문 분야별로 지정하여 고시할 수 있다. 이 경우 국토교통부장관은 지정·고시할 교육기관의 수를 효율적으로 관리하기 위하여 건설기술인의 교육·훈련 수요 등을 고려하여 3년마다 교육기관의 총량을 정할 수 있다.
〈개정 2018. 12. 11., 2020. 7. 30., 2020. 12. 8.〉

③ 법 제20조의2제2항 및 제20조의4제1항제2호에서 "교육시설, 교수요원 등 대통령령으로 정하는 요건"이란 별표 4의 요건을 말한다.
〈개정 2020. 12. 8.〉

④ 국토교통부장관은 교육기관을 지정하였을 때에는 국토교통부령으로 정하는 바에 따라 교육기관 지정서를 발급하여야 한다.

시 행 규 칙

제16조(교육기관 지정서) 영 제43조제2항에 따라 지정받은 건설기술인에 대한 교육·훈련기관(이하 "교육기관"이라 한다)에 대하여 같은 조 제4항에 따라 발급하는 교육기관 지정서는 별지 제8호서식과 같다. 〈개정 2019. 2. 25.〉

제17조(교육기관의 교육·훈련 대행) ① 교육기관은 건설기술인에 대한 교육·훈련을 실시하려는 경우에는 교육·훈련계획을 수립하여 국토교통부장관에게 제출해야 한다. 〈개정 2019. 2. 25.〉

② 국토교통부장관 또는 교육기관은 교육·훈련을 받은 건설기술인에게 별지 제9호서식의 교육수료증을 발급하고, 법 제21조제2항에 따른 건설기술경력증에 교육 이수 사항을 기록·확인해야 한다. 〈개정 2019. 2. 25.〉

③ 국토교통부장관 또는 교육기관은 건설기술인에 대하여 교육·훈련을 실시한 경우에는 그 교육·훈련 상황을 별지 제10호서식에 적고, 해

법	시 행 령	시 행 규 칙
③ 제2항에 따라 대행을 갱신하려는 교육·훈련기관은 국토교통부령으로 정하는 바에 따라 국토교통부장관에게 대행의 갱신을 신청하여야 한다. ④ 제1항부터 제3항까지에서 규정한 사항 외에 대행의 유효기간 및 갱신에 필요한 세부사항은 국토교통부령으로 정한다. [본조신설 2020. 6. 9.] **제20조의4(교육·훈련 대행의 취소)** ① 국토교통부장관은 교육·훈련기관이 다음 각 호의 어느 하나에 해당하는 경우 교육·훈련 대행을 취소하거나 1년 이내의 기간을 정하여 정지 또는 개선을 명할 수 있다. 다만, 제1호의 경우에는 대행을 취소하여야 한다. 1. 거짓이나 부정한 방법으로 교육·훈련기관이 된 경우 2. 교육시설, 교수요원 등 대통령령으로 정하는 요건에 미달한 경우 3. 교육·훈련 대행의 정지 기간 중에 교육·훈련을 실시한 경우 4. 교육·훈련 대행에 대한 개선 명령에 따르지 않은 경우 5. 그 밖에 교육·훈련을 대행하기가 부적합한 경우로서 국토교통부장관이 정하는 사유에 해당하는 경우 ② 제1항에 따라 교육·훈련의 대행이 취소된 경우로서 다음 각 호의 어느 하나에 해당하면 그 취소된 날부터 3년이 지나기 전에는 교육·	⑤ 제1항부터 제3항까지에서 규정한 사항 외에 교육기관의 교육·훈련 대행에 필요한 사항은 국토교통부령으로 정한다. [제목개정 2018. 12. 11.] **제43조의2(교육기관에 대한 행정처분 기준 등)** ① 법 제20조의4제1항에 따른 교육기관에 대한 교육·훈련 대행취소, 업무정지 처분 등 행정처분 기준은 별표 4의2와 같다. ② 국토교통부장관은 법 제20조의4제1항에 따라 교육·훈련 대행을 취소하거나 업무정지 처분을 한 경우 그 사실을 공고해야 한다. ③ 법 제20조의4제1항에 따른 교육·훈련 대행 취소 또는 업무정지 처분을 받은 교육기관은 지체없이 교육·훈련을 중단하고 해당 교육·훈련을 신청한 자에게 그 사실을 통지해야 한다. 다만, 대행취소 또는 업무정지 처분 이전부터 실시 중인 교육·훈련에 대해서는 해당 교육·훈련이 종료될 때까지 대행 업무를 계속할 수 있다. [본조신설 2020. 12. 8.]	당 자료가 입력된 전자기록매체 1부를 첨부하여 해당 교육과정이 끝난 후 14일 이내에 건설기술인 경력관리 수탁기관(영 제117조제1항제4호 및 제5호에 따라 건설기술인의 경력관리에 관한 업무를 위탁받은 기관을 말한다. 이하 같다)에 송부해야 한다. 〈개정 2019. 2. 25.〉 ④ 교육기관은 건설기술인으로부터 받는 교육비 명세를 국토교통부장관에게 제출해야 한다. 〈개정 2019. 2. 25.〉 ⑤ 교육기관의 분원 설치, 출장교육의 실시 및 교육기관의 운영 등 교육·훈련 대행에 필요한 세부 사항은 국토교통부장관이 정하여 고시한다. 〈신설 2021. 9. 17.〉 **제17조의2(교육·훈련 대행의 갱신)** ① 법 제20조의3제3항에 따라 교육·훈련 대행을 갱신하려는 교육기관은 별지 제10호의2서식의 교육기관 대행 갱신신청서에 다음 각 호의 서류를 첨부하여 유효기간이 끝나기 6개월 전까지 국토교통부장관에게 신청해야 한다. 1. 교육기관 지정서 2. 교육·훈련 시설 현황에 관한 서류 3. 교수요원 및 직원을 고용하고 있음을 증명하는 서류 4. 교육·훈련 계획 및 운영 실적에 관한 서류 5. 유효기간 동안 국토교통부장관이 해당 교육기관에 대하여 실시한 심사 또는 평가 결과에 관한 서류 ② 제1항에 따른 갱신 신청을 받은 국토교통부

법	시 행 령	시 행 규 칙
훈련의 대행을 신청할 수 없다. 1. 제1항에 따라 교육·훈련의 대행이 취소된 장소에서 교육·훈련의 대행을 신청하려는 경우 2. 제1항에 따라 교육·훈련의 대행이 취소된 교육·훈련기관을 설립·운영한 자(법인인 경우 그 대표자를 포함한다)가 교육·훈련의 대행을 신청하려는 경우 [본조신설 2020. 6. 9.] **제20조의5(교육·훈련의 관리)** 국토교통부장관은 제20조제2항 전단에 따른 교육·훈련의 효과를 높이기 위하여 다음 각 호의 업무를 수행할 수 있다. 1. 교육·훈련 지원에 관한 사항 2. 교육·훈련 계획의 관리에 관한 사항 3. 교육·훈련 기관의 운영에 대한 평가 4. 그 밖에 교육·훈련의 효과를 높이기 위하여 필요한 사항 [본조신설 2020. 6. 9.]		장관은 다음 각 호의 사항을 심사하여 갱신 여부를 결정한다. 1. 교육기관의 대행요건 적합 여부 2. 교육·훈련 시설 및 인력의 보유수준과 활용도 3. 교육·훈련의 개발·운영체계 및 업무성과 4. 교육·훈련 서비스의 적정성 및 만족도 5. 제1항제5호에 따른 심사 또는 평가 결과 ③ 국토교통부장관은 제2항에 따라 교육·훈련 대행의 갱신이 결정된 교육기관을 교육·훈련 대상 및 전문 분야별로 지정하여 고시할 수 있다. [본조신설 2020. 12. 14.] **제17조의3(교육·훈련 업무 위탁의 범위 등)** ① 법 제20조의6제1항에 따라 국토교통부장관이 위탁할 수 있는 업무는 다음 각 호와 같다. 1. 법 제20조의2제2항에 따른 교육기관 대행 신청의 접수 및 신청내용의 확인 2. 법 제20조의3제3항에 따른 교육·훈련 대행 갱신 신청의 접수 및 신청내용의 확인
제20조의6(교육·훈련 업무의 위탁) ① 국토교통부장관은 다음 각 호에 따른 업무의 전부 또는 일부를 대통령령으로 정하는 자에게 위탁할 수 있다. 1. 제20조의2에 따른 교육·훈련 대행에 관한 사항 2. 제20조의3에 따른 교육·훈련 대행의 갱신에 관한 사항 3. 제20조의4에 따른 교육·훈련 대행의 취소에	**제43조의3(교육·훈련 업무의 위탁)** ① 국토교통부장관은 법 제20조의6제1항에 따라 다음 각 호의 어느 하나에 해당하는 기관·단체 중에서 위탁업무를 수행할 수 있는 인력과 시설을 갖춘 자를 지정하여 같은 항 각 호에 따른 업무의 전부 또는 일부를 위탁한다. 1. 법 제11조에 따라 설립된 기술평가기관 2. 법 제69조제1항에 따라 설립된 협회 3. 「공공기관의 운영에 관한 법률」 제4조에 따	3. 법 제20조의4제1항 각 호의 위반사유에 해당하는지를 확인하기 위한 자료의 제출 요청 및 그 내용의 확인 4. 법 제20조의5에 따른 교육·훈련의 관리에 관한 사항 5. 영 제43조제2항에 따른 교육기관 공모에 관한 사항 ② 법 제20조의6제1항 및 영 제43조의3에 따라 교육·훈련 업무를 위탁받은 기관(이하 "교육관리기관"이라 한다)은 위탁업무의 처리 결과를

법	시 행 령	시 행 규 칙
관한 사항 4. 제20조의5에 따른 교육·훈련 관리에 관한 사항 ② 국토교통부장관은 제1항에 따른 업무의 위탁에 필요한 비용을 지원할 수 있다. ③ 제1항 및 제2항에 따른 업무 위탁의 범위, 비용 지원, 위탁 절차 등 교육·훈련 업무의 위탁에 필요한 사항은 국토교통부령으로 정한다. [본조신설 2020. 6. 9.]	른 공공기관 4. 「정부출연연구기관 등의 설립·운영 및 육성에 관한 법률」 또는 「과학기술분야 정부출연연구기관 등의 설립·운영 및 육성에 관한 법률」에 따라 설립된 연구기관 5. 「민법」 제32조에 따라 국토교통부장관의 허가를 받아 설립된 비영리법인 ② 국토교통부장관은 제1항에 따라 업무를 위탁한 경우에는 위탁받은 기관의 명칭, 위탁하는 업무의 내용 및 처리방법, 그 밖에 필요한 사항을 정하여 고시해야 한다. [본조신설 2020. 12. 8.]	매 반기 말일을 기준으로 다음 달 말일까지 국토교통부장관에게 보고해야 한다. [본조신설 2020. 12. 14.] **제17조의4(교육관리기관에 대한 비용 지원)** ① 교육관리기관은 위탁업무에 필요한 비용을 지원받으려는 경우에는 위탁업무의 추진계획과 필요한 비용의 산출근거를 국토교통부장관에게 제출해야 한다. ② 국토교통부장관은 제1항에 따라 제출된 자료를 검토하여 위탁업무에 필요한 비용을 지원할 수 있다. 이 경우 지원된 금액은 위탁업무 수행 외의 다른 용도로 사용해서는 안 된다. [본조신설 2020. 12. 14.]
제21조(건설기술인의 신고) ① 건설공사 또는 건설엔지니어링 업무에 종사하는 사람으로서 건설기술인으로 인정받으려는 사람은 근무처·경력·학력 및 자격 등(이하 "근무처 및 경력등"이라 한다)의 관리에 필요한 사항을 국토교통부장관에게 신고하여야 한다. 신고사항이 변경된 경우에도 같다. 〈개정 2018. 8. 14., 2021. 3. 16.〉 ② 국토교통부장관은 제1항에 따라 신고를 받은 경우에는 건설기술인의 근무처 및 경력등에 관한 기록을 유지·관리하여야 하고, 신고내용을 토대로 건설기술인 등급을 정할 수 있으며, 건설기술인이 신청하면 건설기술인의 등급, 근무처 및 경력등에 관한 증명서(이하 "건설기술경력증"이라 한다)를 발급할 수 있다. 〈개정 2018. 6. 12., 2018. 8. 14.〉		**제18조(건설기술인의 신고)** ① 법 제21조제1항 전단에 따라 건설기술인으로 신고하려는 사람은 별지 제11호서식의 건설기술인 경력신고서에 다음 각 호의 서류(전자문서를 포함한다)를 첨부하여 건설기술인 경력관리 수탁기관에 제출해야 한다. 다만, 근무처의 퇴직사실만을 신고하는 경우에는 제1호에 따른 서류는 생략할 수 있으며, 제2호부터 제6호까지의 서류는 해당하는 사람만 첨부한다. 〈개정 2019. 2. 25.〉 1. 별지 제12호서식의 경력확인서 또는 별지 제13호서식의 국외경력확인서[발주자, 건설공사의 허가·인가·승인 등을 한 행정기관(이하 "인·허가기관"이라 한다) 또는 사용자(대표자)의 확인을 받은 것으로 한정한다] 2. 삭제 〈2018. 10. 12.〉

법	시 행 령	시 행 규 칙
③ 국토교통부장관은 제1항에 따라 신고받은 내용을 확인하기 위하여 필요한 경우에는 중앙행정기관, 지방자치단체, 「초·중등교육법」 제2조 및 「고등교육법」 제2조에 따른 학교, 발주청, 신고한 건설기술인이 소속된 건설 관련 업체 등 관계 기관의 장에게 관계 자료를 제출하여 줄 것을 요청할 수 있다. 이 경우 요청을 받은 기관의 장은 특별한 사유가 없으면 요청에 따라야 한다. 〈개정 2018. 8. 14.〉 ④ 「건설산업기본법」 등 관계 법률에 따라 인가, 허가, 등록, 면허 등을 하려는 행정기관의 장은 건설기술인의 근무처 및 경력등의 확인이 필요한 경우에는 국토교통부장관의 확인을 받아야 한다. 〈개정 2018. 8. 14.〉 ⑤ 제1항부터 제4항까지의 규정에 따른 건설기술인의 신고, 건설기술경력증의 발급·관리, 건설기술인의 현황 통보 등에 필요한 사항은 국토교통부령으로 정한다. 〈개정 2018. 8. 14.〉 [제목개정 2018. 8. 14.] **제22조(건설기술인의 국가 간 상호 인정)** 국가는 외국 건설기술인의 요건 또는 국제적으로 통용되는 건설기술인의 요건이 이 법에 따른 건설기술인의 요건과 동등한 수준으로 업무 교류 등이 가능하다고 판단되는 경우에는 외국과의 국가 간 협약 등에 따라 상호(相互) 건설기술인으로 인정할 수 있다. 〈개정 2018. 8. 14.〉 [제목개정 2018. 8. 14.] **제22조의2(건설기술인의 업무수행 등)** ① 건설기술		3. 졸업증명서 4. 교육·훈련 사항을 증명할 수 있는 서류(제17조제3항에 따라 송부되는 교육·훈련에 관한 서류는 제외한다) 5. 발주청이 건설공사 업무와 관련하여 수여한 상훈증 사본 6. 근무처 또는 경력 사항을 증명할 수 있는 서류 7. 증명사진 1장(건설기술인 경력신고서에 증명사진을 첨부하여 인쇄한 경우에는 제외한다) ② 법 제21조제1항 후단에 따라 건설기술인 변경신고를 하려는 사람은 별지 제14호서식의 건설기술인 경력변경신고서에 제1항제1호 및 제6호의 서류를 첨부하여 건설기술인 경력관리 수탁기관에 제출해야 한다. 〈개정 2019. 2. 25.〉 ③ 법 제21조제2항에 따른 건설기술경력증(이하 "건설기술경력증"이라 한다)은 별지 제15호서식과 같다. ④ 건설기술인은 법 제21조제2항에 따라 건설기술경력증을 발급·갱신 또는 재발급받으려는 경우에는 별지 제16호서식의 건설기술경력증 발급(신규·갱신·재발급) 신청서에 증명사진 1장을 첨부하여 건설기술인 경력관리 수탁기관에 제출해야 한다. 〈개정 2019. 2. 25.〉 ⑤ 건설기술인 경력관리 수탁기관은 별지 제17호서식의 건설기술경력증 발급대장에 건설기술경력증을 발급한 사실을 기록하고 관리해야 한다. 〈개정 2019. 2. 25.〉 ⑥ 법 제21조제2항 및 제4항에 따른 건설기술

법	시행령	시행규칙
인은 발주자 또는 건설사업관리를 수행하는 건설기술인의 공사관리 등과 관련한 요구를 이행하여야 한다. ② 발주자 또는 건설기술인을 고용하고 있는 사용자(사용자의 소속 임원 또는 직원을 포함한다)는 관계 법령에 위반되거나 건설공사의 설계도서, 시방서(示方書), 그 밖의 관계 서류의 내용과 맞지 아니한 사항 등 대통령령으로 정하는 부당한 사항을 건설기술인에게 요구해서는 아니 되며, 건설기술인은 이러한 부당한 요구를 받은 때에는 이유를 밝히고 그 요구를 따르지 아니할 수 있다. 이 경우 발주자 또는 건설기술인을 고용하고 있는 사용자는 이를 이유로 그 건설기술인에게 불이익을 주어서는 아니 된다. 〈개정 2020. 6. 9., 2021. 3. 16.〉 ③ 제69조제1항에 따른 건설기술인단체는 건설기술인의 업무수행과 관련된 권리·의무 등 기본적인 사항을 건설기술인권리헌장으로 제정하여 공표할 수 있다. [본조신설 2018. 8. 14.]	**제43조의4(건설기술인에 대한 부당행위)** 법 제22조의2제2항 전단에서 "관계 법령에 위반되거나 건설공사의 설계도서, 시방서(示方書), 그 밖의 관계 서류의 내용과 맞지 아니한 사항 등 대통령령으로 정하는 부당한 사항"이란 다음 각 호의 사항을 말한다. 1. 법 제44조에 따른 설계·시공 기준 또는 그 밖에 건설기술인의 업무수행과 관련된 법령을 위반하는 사항 2. 건설공사의 설계도서, 시방서 또는 그 밖의 관계 서류의 내용과 맞지 않은 사항 3. 건설공사의 기성부분검사, 준공검사 또는 품질시험 결과 등을 조작·왜곡하도록 하거나 거짓으로 증언·서명하도록 하는 사항 4. 다른 법령에 따른 근무시간 및 근무환경 등에 관한 기준을 위반하는 사항 [본조신설 2021. 9. 14.]	인의 근무처, 자격, 학력 및 경력 등(이하 "근무처 및 경력등"이라 한다)의 확인은 별지 제18호서식의 건설기술인 경력증명서 및 별지 제19호서식의 건설기술인 보유증명서에 따른다. 〈개정 2019. 2. 25.〉 ⑦ 건설기술인 경력관리 수탁기관은 제1항부터 제4항까지 및 제6항에 따른 건설기술인 경력관리를 위하여 그 신청인(법 제21조제4항에 따른 행정기관의 장이 신청인인 경우는 제외한다)으로부터 실비의 범위에서 수수료를 받을 수 있다. 〈개정 2019. 2. 25.〉 ⑧ 건설기술인 경력관리 수탁기관은 국토교통부장관이 고시하는 바에 따라 제1항 및 제2항에 따른 신고 또는 변경신고의 내용 및 현황과 건설기술경력증 발급 현황을 서로 교환해야 한다. 〈개정 2019. 2. 25.〉 ⑨ 건설기술인 경력관리 수탁기관은 제1항 및 제2항에 따른 신고 또는 변경신고를 받은 경우에는 관계기관에 그 신고내용을 확인해야 한다. 〈개정 2019. 2. 25.〉 [제목개정 2019. 2. 25.]
제22조의3(부당한 요구 등의 신고 등) ① 제22조의2제2항에 따른 부당한 요구 또는 불이익을 받은 건설기술인은 국토교통부장관에게 해당 사실을 신고할 수 있다. ② 국토교통부장관은 제1항에 따른 신고의 접수, 처리 등에 관한 업무를 효율적으로 수행하기 위하여 공정건설지원센터를 설치·운영할 수 있다.	**제43조의5(공정건설지원센터의 운영)** ① 법 제22조의3제2항에 따른 공정건설지원센터의 업무는 다음 각 호와 같다. 1. 부당한 요구 또는 불이익을 받은 사실에 대	**제18조의2(건설기술인의 경력확인)** ① 발주자, 인·허가기관 또는 건설기술인을 고용하고 있는 사용자(대표자)는 제18조제1항제1호에 따라 경력확인서 또는 국외경력확인서의 발급을 요청받아 처리하는 경우에는 별지 제19호의2서식의 건설기술인 경력확인 접수(처리)대장에 기록해야 한다.

법	시 행 령	시 행 규 칙
③ 공정건설지원센터의 설치 및 운영에 필요한 사항은 대통령령으로 정한다. [본조신설 2021. 3. 16.] **제23조(건설기술인의 명의 대여 금지 등)** ① 건설기술인은 자기의 성명을 사용하여 다른 사람에게 건설공사 또는 건설엔지니어링 업무를 수행하게 하거나 건설기술경력증을 빌려 주어서는 아니 된다. 〈개정 2018. 8. 14., 2021. 3. 16.〉 ② 누구든지 다른 사람의 성명을 사용하여 건설공사 또는 건설엔지니어링 업무를 수행하거나 다른 사람의 건설기술경력증을 빌려서는 아니 된다. 〈개정 2021. 3. 16.〉 ③ 누구든지 제1항이나 제2항에서 금지된 행위를 알선하여서는 아니 된다. [제목개정 2018. 8. 14.] **제24조(건설기술인의 업무정지 등)** ① 국토교통부장관은 건설기술인이 다음 각 호의 어느 하나에 해당하면 2년 이내의 기간을 정하여 건설공사 또는 건설엔지니어링 업무의 수행을 정지하게 할 수 있다. 〈개정 2018. 8. 14., 2018. 12. 31., 2021. 3. 16.〉 1. 제21조제1항에 따라 신고 또는 변경신고를 하면서 근무처 및 경력등을 거짓으로 신고하거나 변경신고한 경우 2. 제23조제1항을 위반하여 자기의 성명을 사용하여 다른 사람에게 건설공사 또는 건설엔지니어링 업무를 수행하게 하거나 건설기술경력증을 빌려 준 경우	한 신고 접수 2. 신고된 내용의 사실 여부 확인 ② 국토교통부장관은 제1항에 따른 업무의 처리 방법, 절차 등에 관한 세부지침을 마련하여 운영할 수 있다. [본조신설 2021. 9. 14.]	② 발주자, 인·허가기관 또는 건설기술인을 고용하고 있는 사용자(대표자)는 건설기술인의 경력확인 신청의 편의성, 확인서 발급업무의 효율성 및 경력자료 관리의 정확성 제고 등을 위하여 확인서 발급과 경력자료를 전자적으로 처리·관리하는 시스템을 활용할 수 있다. ③ 제1항에 따른 경력확인서 및 국외경력확인서 발급을 위하여 필요한 경력확인권자의 경력확인 절차에 관한 세부적인 사항은 국토교통부장관이 정하여 고시한다. [본조신설 2019. 4. 4.]

법	시 행 령	시 행 규 칙
3. 제2항에 따른 시정지시 등을 3회 이상 받은 경우 3의2. 제39조제4항 후단에 따라 같은 항 전단에 따른 보고서(이하 "건설사업관리보고서"라 한다)를 작성하여야 하는 건설기술인이 다음 각 목의 어느 하나에 해당하는 경우 가. 정당한 사유 없이 건설사업관리보고서를 작성하지 아니한 경우 나. 건설사업관리보고서를 거짓으로 작성한 경우 다. 건설사업관리보고서를 작성할 때 해당 건설공사의 주요 구조부에 대한 시공·검사·시험 등의 내용을 빠뜨린 경우 4. 공사 관리 등과 관련하여 발주자 또는 건설사업관리를 수행하는 건설기술인의 정당한 시정명령에 따르지 아니한 경우 5. 정당한 사유 없이 공사현장을 무단 이탈하여 공사 시행에 차질이 생기게 한 경우 6. 고의 또는 중대한 과실로 발주청에 재산상의 손해를 발생하게 한 경우 7. 다른 행정기관이 법령에 따라 업무정지를 요청한 경우 ② 발주청은 건설기술인이 업무를 성실하게 수행하지 아니함으로써 건설공사가 부실하게 될 우려가 있으면 국토교통부령으로 정하는 바에 따라 그 건설기술인에게 시정지시 등 필요한 조치를 하고, 그 결과를 국토교통부장관에게 제출하여야 한다. 〈개정 2018. 8. 14.〉		**제19조(건설기술인에 대한 시정지시 등)** 발주청은 건설기술인이 업무를 성실하게 수행하지 아니함으로써 건설공사가 부실하게 될 우려가 있을 때에는 법 제24조제2항에 따라 시정지시 또는 주의조치를 하되, 시정지시에 따르지 아니하면 다시 시정지시를 하고, 그에도 따르지 아니하

법	시 행 령	시 행 규 칙
③ 발주청과 건설공사의 허가·인가·승인 등을 한 행정기관(이하 "인·허가기관"이라 한다)의 장은 건설기술인이 제1항 각 호의 어느 하나에 해당하는 경우에는 그 사실을 국토교통부장관에게 통보하여야 하며, 국토교통부장관은 건설기술인에 대하여 제1항에 따라 업무의 수행을 정지하게 한 경우 해당 발주청 및 인·허가기관의 장에게 그 내용을 통보하여야 한다. 〈개정 2018. 8. 14.〉 ④ 제1항에 따라 업무정지처분을 받은 건설기술인은 지체 없이 건설기술경력증을 국토교통부장관에게 반납하여야 하며, 국토교통부장관은 근무처 및 경력등에 관한 기록의 수정 또는 말소 등 필요한 조치를 하여야 한다. 〈개정 2018. 8. 14.〉 ⑤ 제1항에 따른 업무정지의 기준과 그 밖에 필요한 사항은 국토교통부령으로 정한다. [제목개정 2018. 8. 14.]		면 다시 시정지시를 한 후 국토교통부장관에게 결과를 제출해야 한다. 〈개정 2019. 2. 25.〉 [제목개정 2019. 2. 25.] **제20조(건설기술인의 업무정지 등)** ① 법 제24조제5항에 따른 건설기술인의 업무정지기준은 별표 1과 같다. 〈개정 2019. 2. 25.〉 ② 지방국토관리청장은 법 제24조제1항 또는 「국가기술자격법」 제16조에 따라 건설기술인에 대한 행정처분을 한 경우에는 그 처분내용을 건설기술인 경력관리 수탁기관 및 해당 건설기술인이 소속된 건설사업자·주택건설등록업자(「주택법」 제4조에 따라 주택건설사업자의 등록을 한 자를 말한다. 이하 같다) 또는 건설엔지니어링사업자에게 통보하고, 그 사실을 공고해야 한다. 〈개정 2016. 8. 12., 2019. 2. 25., 2020. 3. 18., 2021. 9. 17.〉

법	시 행 령	시 행 규 칙
		③ 건설기술인 경력관리 수탁기관은 건설기술경력증 또는 제18조제6항에 따른 건설기술인 경력증명서를 발급하는 경우에는 국토교통부장관이 고시하는 기간 동안 제2항에 따라 통보받은 처분내용을 해당 건설기술경력증 또는 건설기술인 경력증명서에 적어야 한다. 〈개정 2019. 2. 25.〉 ④ 제2항에 따라 소속 건설기술인의 업무정지 사실을 통보받은 건설사업자·주택건설등록업자 또는 건설엔지니어링사업자는 통지를 받은 날부터 10일 이내에 해당 건설공사 또는 건설엔지니어링 등을 발주한 발주청에 그 내용을 통지해야 한다. 〈개정 2019. 2. 25., 2020. 3. 18., 2021. 9. 17.〉 [제목개정 2019. 2. 25.]
제4장 건설엔지니어링 등 〈개정 2021. 3. 16.〉	**제4장 건설엔지니어링 등** 〈개정 2021. 9. 14.〉	**제4장 건설엔지니어링 등** 〈개정 2021. 9. 17.〉
제1절 건설엔지니어링업 〈개정 2021. 3. 16.〉	**제1절 건설엔지니어링업** 〈개정 2021. 9. 14.〉	
제25조(건설엔지니어링업의 육성) ① 국토교통부장관은 건설엔지니어링에 관한 기술 수준의 향상과 건설엔지니어링업의 건전한 발전 및 고도화를 도모하기 위하여 필요한 경우에는 산업통상자원부장관 및 관계 중앙행정기관의 장과 협의하여 건설산업의 특성에 맞게 건설엔지니어링업의 육성 및 지원을 위한 시책을 수립하여		

법	시 행 령	시 행 규 칙
시행할 수 있다. 〈개정 2021. 3. 16.〉 ② 국토교통부장관은 건설엔지니어링업의 육성을 위하여 건설엔지니어링사업자에게 다음 각 호의 사항을 지원할 수 있다. 〈개정 2018. 8. 14., 2019. 4. 30., 2021. 3. 16.〉 1. 제7조에 따른 건설기술 연구·개발 사업으로 개발된 건설기술의 활용 2. 제18조에 따른 건설기술정보체계를 통한 건설기술에 관한 자료 및 정보 제공 3. 국내외 건설기술인력의 정보 제공 4. 건설기술인에 대한 전문교육 5. 그 밖에 건설엔지니어링업의 건전한 발전 및 고도화를 위하여 필요하다고 인정하는 사항 [제목개정 2021. 3. 16.]		
제26조(건설엔지니어링업의 등록 등) ① 발주청이 발주하는 건설엔지니어링사업을 수행하려는 자는 전문분야별 요건을 갖추어 특별시장·광역시장·특별자치시장·도지사 또는 특별자치도지사(이하 "시·도지사"라 한다)에게 등록하여야 한다. 다만, 발주청이 발주하는 건설엔지니어링 중 건설공사의 계획·조사·설계를 수행하기 위하여 시·도지사에게 등록하려는 자는 「엔지니어링산업 진흥법」 제2조제4호에 따른 엔지니어링사업자 또는 「기술사법」 제6조제1항에 따른 사무소를 등록한 기술사이어야 한다. 〈개정 2021. 3. 16.〉 ② 시·도지사는 건설엔지니어링사업자에게 국	**제44조(건설엔지니어링업의 등록 등)** ① 법 제26조제1항에 따라 발주청이 발주하는 건설엔지니어링사업을 수행하려는 자는 다음 각 호의 전문분야별로 시·도지사에게 등록해야 한다. 〈개정 2016. 5. 17., 2021. 9. 14.〉 1. 종합 2. 설계·사업관리 가. 일반 나. 설계등용역: 설계등용역일반, 측량 및 수로조사 다. 건설사업관리 3. 품질검사 가. 일반	**제21조(건설엔지니어링업의 등록신청)** ① 법 제26조제1항에 따라 건설엔지니어링업의 등록을 하려는 자(법인인 경우에는 대표자를 말한다. 이하 "신청인"이라 한다)는 별지 제20호서식의 건설엔지니어링업 등록(변경등록)신청서(전자문서로 된 신청서를 포함한다)에 다음 각 호의 서류(전자문서를 포함한다)를 첨부하여 등록 등 업무 수탁기관(영 제117조제3항에 따라 건설엔지니어링사업자의 등록·변경등록, 휴업·폐업의 신고 및 영업 양도·합병의 신고에 대한 접수·확인 및 관리 업무를 위탁받은 기관을 말한다. 이하 같다)에 제출해야 한다. 〈개정 2018. 10. 12., 2019. 2. 25., 2020. 3. 18., 2021. 8. 27.,

<table>
<tr><th>법</th><th>시　행　령</th><th>시　행　규　칙</th></tr>
<tr><td>
토교통부령으로 정하는 바에 따라 등록증을 발급하여야 한다. 〈개정 2019. 4. 30., 2021. 3. 16.〉
③ 건설엔지니어링사업자는 제1항에 따라 등록한 사항 중 국토교통부령으로 정하는 사항이 변경된 경우에는 국토교통부령으로 정하는 기간 이내에 변경등록을 하여야 한다.
〈개정 2019. 4. 30., 2020. 10. 20., 2021. 3. 16.〉
④ 건설엔지니어링사업자는 휴업하거나 폐업하는 경우에는 국토교통부령으로 정하는 바에 따라 시·도지사에게 신고하여야 한다. 이 경우 폐업신고를 받은 시·도지사는 그 등록을 말소하여야 한다. 〈개정 2019. 4. 30., 2021. 3. 16.〉
⑤ 시·도지사는 제1항부터 제4항까지의 규정에 따라 건설엔지니어링사업자가 등록 또는 변경등록을 하거나 건설엔지니어링사업자로부터 휴업 또는 폐업 신고를 받은 경우에는 그 사실을 국토교통부장관에게 통보하여야 한다.
〈개정 2019. 4. 30., 2021. 3. 16.〉
⑥ 제1항 본문에 따른 건설엔지니어링업의 전문분야 구분, 전문분야별 등록요건 및 업무범위 등은 대통령령으로 정한다. 〈개정 2021. 3. 16.〉
⑦ 건설엔지니어링업의 등록 및 변경등록, 휴업·폐업의 절차 등에 관하여 필요한 사항은 국토교통부령으로 정한다. 〈개정 2021. 3. 16.〉
[제목개정 2021. 3. 16.]
제27조(결격사유) 다음 각 호의 어느 하나에 해당하는 자는 제26조제1항에 따른 등록을 할 수 없다. 〈개정 2015. 12. 29., 2021. 3. 16.〉
</td><td>
나. 토목
다. 건축
라. 특수: 골재, 레디믹스트콘크리트, 아스팔트콘크리트, 철강재, 섬유, 용접 및 말뚝재하
② 건설엔지니어링업의 전문분야별 등록요건 및 업무범위는 별표 5와 같다. 〈개정 2021. 9. 14.〉
③ 시·도지사는 법 제26조제1항에 따른 등록 신청이 있는 경우 다음 각 호의 어느 하나에 해당하는 경우를 제외하고는 등록을 해주어야 한다.
1. 법 제27조 각 호의 어느 하나에 해당하는 경우
2. 별표 5의 등록요건을 갖추지 못한 경우
3. 그 밖에 법, 이 영 또는 다른 법령에 따른 제한에 위반되는 경우
[제목개정 2021. 9. 14.]
</td><td>
2021. 9. 17.〉
1. 삭제 〈2018. 10. 12.〉
2. 등록요건에 따른 기술인력을 고용하고 있음을 증명하는 별지 제19호서식의 건설기술인 보유증명서
3. 사무실 또는 시험실을 보유하고 있음을 증명하는 서류(등록요건상 필요한 경우간 해당한다)
4. 등록요건에 따른 자본금을 보유하고 있음을 증명하는 다음 각 목의 구분에 따른 서류(등록요건상 필요한 경우만 해당한다)
가. 법인: 재무상태표 및 손익계산서
나. 개인: 영업용자산액명세서 및 증빙서류
5. 건설기술 관련 분야의 「엔지니어링산업 진흥법」에 따른 엔지니어링사업자 신고증 사본 또는 「기술사법」에 따른 기술사사무소 개설등록증 사본(등록요건상 필요한 경우만 해당한다)
6. 등록요건에 따른 장비를 보유하고 있음을 증명할 수 있는 서류(등록요건상 필요한 경우만 해당한다)
7. 신청인이 외국인인 경우에는 법 제27조의 결격사유에 해당하지 아니함을 증명하는 해당 국가의 정부나 공증인(법률에 의한 공증인의 자격을 가진 자만 해당한다), 그 밖의 권한 있는 기관이 발행한 서류로서 해당 국가에 주재하는 우리나라 영사가 확인한 서류. 다만, 「외국공문서에 대한 인증의 요구
</td></tr>
</table>

법	시 행 령	시 행 규 칙
1. 피성년후견인 2. 파산선고를 받고 복권되지 아니한 자 3. 제31조제1항에 따라 등록취소 처분을 받고, 그 처분을 받은 날부터 1년이 지나지 아니한 자. 다만, 이 조 제1호·제2호 또는 제4호에 해당하여 건설엔지니어링업의 등록이 취소된 경우는 제외한다. 4. 대표자가 제1호 또는 제2호의 어느 하나에 해당하는 법인 **제28조(건설엔지니어링사업자 등의 의무)** ① 건설엔지니어링사업자와 그 건설엔지니어링 업무를 수행하는 건설기술인은 관계 법령에 따라 성실하고 정당하게 업무를 수행하여야 한다. 〈개정 2018. 8. 14., 2019. 4. 30., 2021. 3. 16.〉 ② 건설엔지니어링사업자는 타인에게 자기의 성명 또는 상호를 사용하여 건설엔지니어링을 하게 하거나 등록증을 빌려 주어서는 아니 된다. 〈개정 2019. 4. 30., 2021. 3. 16.〉 [제목개정 2019. 4. 30., 2021. 3. 16.]		를 폐지하는 협약」을 체결한 국가의 경우에는 아포스티유(Apostille)로서 영사 확인을 갈음할 수 있다. 8. 외국인이나 외국법인의 출자를 증명하는 서류(외국인이나 외국법인이 자본금의 100분의 50 이상을 투자하는 경우만 해당한다) ② 제1항 각 호(제5호를 제외한다)의 서류는 건설엔지니어링업 등록 신청 전 1개월 이내에 발행되거나 작성된 것이어야 한다. 〈개정 2021. 9. 17.〉 [제목개정 2021. 9. 17.] **제22조(건설엔지니어링업 등록증의 발급 등)** ① 등록 등 업무 수탁기관은 건설엔지니어링업 등록신청이 등록기준에 적합하다고 인정되면 지체 없이 그 사실을 특별시장·광역시장·특별자치시장·도지사 또는 특별자치도지사(이하 "시·도지사"라 한다)에게 통보하고, 별지 제21호서식의 건설엔지니어링사업자 등록부에 기록하여 시·도지사에게 송부해야 한다. 〈개정 2020. 3. 18., 2021. 9. 17.〉 ② 제1항에 따라 통보 및 송부를 받은 시·도지사는 법 제26조제2항에 따라 신청인에게 별지 제22호서식의 건설엔지니어링업 등록증을 발급(전자문서에 의한 발급을 포함한다)하여야 한다. 〈개정 2021. 9. 17.〉 ③ 시·도지사가 제2항에 따라 건설엔지니어링업 등록증을 발급한 경우에는 그 사실을 지체 없이 등록 등 업무 수탁기관에 통보하여야 한

법	시 행 령	시 행 규 칙
		다. 〈개정 2021. 9. 17.〉 ④ 제1항에 따른 건설엔지니어링사업자 등록부는 전자적 처리가 불가능한 특별한 사유가 없으면 전자적 처리가 가능한 방법으로 작성·관리해야 한다. 〈개정 2020. 3. 18., 2021. 9. 17.〉 ⑤ 등록 등 업무 수탁기관은 등록업무 처리결과를 매월 말일을 기준으로 다음 달 7일까지 시·도지사에게 통보하여야 한다. ⑥ 건설엔지니어링사업자는 건설엔지니어링업 등록증을 잃어버리거나 헐어 못 쓰게 되어 재발급받으려는 경우에는 별지 제23호서식의 건설엔지니어링업 등록증 재발급신청서를 등록 등 업무 수탁기관에 제출해야 한다. 이 경우 헐어서 못 쓰게 되어 건설엔지니어링업 등록증을 재발급 받으려면 해당 등록증을 첨부해야 한다. 〈개정 2020. 3. 18., 2021. 9. 17.〉 [제목개정 2021. 9. 17.] **제23조(건설엔지니어링업의 변경등록 및 휴업·폐업 신고)** ① 법 제26조제3항에서 "국토교통부령으로 정하는 사항"이란 다음 각 호의 사항을 말한다. 〈신설 2021. 9. 17.〉 1. 상호 또는 법인명 2. 사무실 또는 시험실 3. 대표자 4. 전문분야 또는 세부분야 5. 기술인력 6. 장비 ② 법 제26조제3항에서 "국토교통부령으로 정

<table>
<tr><th>법</th><th>시행령</th><th>시행규칙</th></tr>
<tr><td>제29조(건설엔지니어링사업자의 영업 양도 등) ① 건설엔지니어링사업자는 다음 각 호의 어느 하나에 해당하는 경우에는 국토교통부령으로 정하는 바에 따라 시·도지사에게 신고하여야 한다. 〈개정 2019. 4. 30., 2021. 3. 16.〉
1. 건설엔지니어링사업자가 영업을 양도하려는 경우
2. 법인인 건설엔지니어링사업자 간 합병을 하려는 경우</td><td></td><td>하는 기간"이란 변경사유가 발생한 날부터 3개월을 말한다. 〈개정 2021. 9. 17.〉
③ 법 제26조제3항에 따른 변경등록을 하려는 자는 별지 제20호서식의 건설엔지니어링업 등록(변경등록) 신청서에 다음 각 호의 서류를 첨부하여 등록 등 업무 수탁기관에 제출해야 한다. 〈개정 2018. 10. 12., 2021. 9. 17.〉
1. 법 제26조제2항에 따른 건설엔지니어링업 등록증
2. 제21조제1항 각 호의 서류 중 등록사항 변경과 관련된 서류
④ 건설엔지니어링사업자가 법 제26조제4항 전단에 따라 휴업 또는 폐업의 신고를 하려는 경우에는 그 휴업 또는 폐업하는 날부터 1개월 이내에 별지 제24호서식의 건설엔지니어링업 휴업(폐업) 신고서에 휴업 또는 폐업을 증명하는 서류를 첨부하여 등록 등 업무 수탁기관에 제출해야 한다. 〈개정 2020. 3. 18., 2021. 9. 17.〉
[제목개정 2021. 9. 17.]
제24조(건설엔지니어링업의 영업 양도신고 등) ① 건설엔지니어링사업자는 법 제29조제1항제1호에 따른 영업 양도의 신고를 하려는 경우에는 영업 양도일부터 30일 이내에 양수인과 공동으로 별지 제25호서식의 건설엔지니어링업 양도·양수 신고서에 다음 각 호의 서류를 첨부하여 등록 등 업무 수탁기관에 제출해야 한다. 〈개정 2018. 10. 12., 2020. 3. 18., 2021. 9. 17.〉
1. 양도·양수계약서 사본</td></tr>
</table>

법	시 행 령	시 행 규 칙
② 시·도지사는 제1항에 따른 신고를 받은 날부터 30일 이내에 신고수리 여부를 신고인에게 통지하여야 한다. 〈신설 2018. 12. 31.〉 ③ 시·도지사가 제2항에서 정한 기간 내에 신고수리 여부 또는 민원 처리 관련 법령에 따른 처리기간의 연장을 신고인에게 통지하지 아니하면 그 기간(민원 처리 관련 법령에 따라 처리기간이 연장 또는 재연장된 경우에는 해당 처리기간을 말한다)이 끝난 날의 다음 날에 신고를 수리한 것으로 본다. 〈신설 2018. 12. 31.〉 ④ 다음 각 호의 어느 하나에 해당하는 자는 제26조제1항에 따른 등록요건을 갖추고 제1항에 따른 신고가 수리된 때(제3항에 따라 신고가 수리된 것으로 보는 때를 포함한다)부터 건설엔지니어링업의 등록에 관한 권리·의무를 승계한다. 〈개정 2018. 12. 31., 2019. 4. 30., 2021. 3. 16.〉 1. 건설엔지니어링사업자가 그 영업을 양도한 경우 그 양수인 2. 법인인 건설엔지니어링사업자가 합병한 경우 합병 후 존속하는 법인이나 합병으로 설립되는 법인 ⑤ 제4항에 따라 종전의 건설엔지니어링업의 등록에 관한 권리·의무를 승계한 자는 국토교통부령으로 정하는 바에 따라 종전의 건설엔지니어링 실적을 승계한다. 〈개정 2018. 12. 31., 2021. 3. 16.〉 [제목개정 2019. 4. 30., 2021. 3. 16.]		2. 양수인에 관한 제21조제1항 각 호의 서류 3. 수행 중인 건설엔지니어링이 있는 경우에는 해당 용역의 양도·양수에 대한 발주청의 동의를 증명하는 서류 ② 건설엔지니어링사업자가 법 제29조제1항제2호에 따른 법인 간 합병(분할합병을 포함한다)의 신고를 하려는 경우에는 합병일부터 30일 이내에 그 대표자와 합병 후에 존속하는 법인 또는 합병에 따라 설립되는 법인의 대표자가 공동으로 별지 제26호서식의 건설엔지니어링업 법인합병 신고서에 다음 각 호의 서류를 첨부하여 합병 후에 존속하는 법인 또는 합병에 따라 설립되는 법인을 관할하는 시·도의 등록 등 업무 수탁기관에 제출해야 한다. 〈개정 2018. 10. 12., 2020. 3. 18., 2021. 9. 17.〉 1. 합병계약서 사본 2. 합병공고문 3. 합병에 관한 사항을 의결한 총회 또는 창립총회의 결의서 사본 4. 합병 후에 존속하는 법인 또는 합병에 따라 설립되는 법인에 관한 제21조제1항 각 호의 서류 5. 수행 중인 건설엔지니어링이 있는 경우에는 발주청의 동의를 증명하는 서류 ③ 등록 등 업무 수탁기관은 제1항 및 제2항에 따라 신고를 받은 경우에는 양수인 또는 합병 후에 존속하는 법인이나 합병에 따라 설립되는 법인(이하 "양수인등"이라 한다)이 등록기준에

법	시 행 령	시 행 규 칙
		적합한지를 확인하여야 하며, 등록기준에 적합하지 아니하면 보완을 요구할 수 있다. [제목개정 2021. 9. 17.] **제25조(건설엔지니어링 실적의 승계)** ① 등록 등 업무 수탁기관은 제24조제1항 및 제2항에 따라 영업 양도 등의 신고를 받은 경우에는 그 내용을 7일 이내에 건설엔지니어링 실적관리 수탁기관(영 제117조제1항제7호에 따라 건설엔지니어링 실적관리에 관한 업무를 위탁받은 기관을 말한다. 이하 같다)에 통보하여야 한다. 〈개정 2021. 9. 17.〉 ② 건설엔지니어링 실적관리 수탁기관은 제1항에 따라 신고 내용을 통보받은 경우에는 제24조제1항 및 제2항에 따라 영업 양도 등의 신고서를 제출한 날을 기준으로 양수인등의 건설엔지니어링 실적에 양도인 또는 합병에 따라 소멸되는 법인의 건설엔지니어링 실적을 합산하여 관리하여야 한다. 〈개정 2021. 9. 17.〉 [제목개정 2021. 9. 17.] **제26조(등록요건의 확인 등)** ① 등록 등 업무 수탁기관은 제21조제1항 또는 제23조제3항에 따라 건설엔지니어링업의 등록 또는 변경등록의 신청을 받은 경우 다음 각 호의 사항을 확인해야 한다. 다만, 영 제44조제1항제3호에 따른 품질검사 분야의 등록 또는 변경등록 신청의 경우에는 법 제61조에 따른 평가기관으로 하여금 다음 각 호의 사항을 확인하게 할 수 있다. 〈개정 2021. 9. 17.〉

법	시 행 령	시 행 규 칙
		1. 신청인의 사무실 또는 시험실의 확보 및 사용 실태 2. 기술인력 보유현황 3. 장비 보유현황 4. 자본금 현황 및 자산운용 실태 5. 법 제27조의 결격사유 해당 여부 6. 그 밖에 등록요건 확인을 위하여 필요한 사항 ② 등록 등 업무 수탁기관은 제21조부터 제24조까지에 따른 등록, 등록증 발급·재발급, 변경등록, 휴업·폐업 신고 및 영업 양도·합병 신고 업무를 위하여 그 신청인으로부터 실비의 범위에서 수수료를 받을 수 있다.
제30조(건설엔지니어링의 실적 관리) ① 국토교통부장관은 건설엔지니어링업을 체계적으로 육성하기 위하여 다음 각 호의 현황 및 실적을 관리하여야 한다. 〈신설 2019. 11. 26., 2021. 3. 16.〉 1. 건설엔지니어링사업자의 현황 2. 발주청이 발주하는 건설엔지니어링 실적 3. 발주자가 발주하는 건설엔지니어링 실적 중 대통령령으로 정하는 용역의 실적 ② 발주청은 그가 발주하는 건설엔지니어링의 계약을 체결하거나 변경한 경우와 건설엔지니어링을 준공한 경우에는 10일 이내에 그 사실을 국토교통부장관에게 통보하여야 한다. 〈개정 2019. 11. 26., 2021. 3. 16.〉 ③ 국토교통부장관은 발주자가 적절한 건설엔지니어링사업자를 선정할 수 있도록 하기 위하여 제1항에 따른 건설엔지니어링사업자의 현	**제45조(건설엔지니어링의 실적 관리 대상 및 실적 통보 등)** ① 법 제30조제1항제3호에서 "대통령령으로 정하는 용역"이란 다음 각 호의 용역을 말한다. 〈신설 2020. 5. 26., 2021. 9. 14.〉 1. 「건축법 시행령」 제19조제1항제2호에 따라 건설엔지니어링사업자를 공사감리자로 지정한 건축물의 공사감리에 관한 용역 2. 「주택법 시행령」 제47조제1항에 따라 건설엔지니어링사업자를 감리자로 지정한 주택건설공사의 감리에 관한 용역 3. 그 밖에 다음 각 목의 어느 하나에 해당하는 건설공사에 대하여 건설엔지니어링사업자가 수행한 건설사업관리에 관한 용역 가. 「건축법 시행령」 제19조제1항제2호 또는 같은 조 제5항 각 호의 건축공사 나. 「주택법」 제15조에 따라 주택건설사업	**제27조(건설엔지니어링 실적 통보 및 공개 등)** ① 영 제45조제2항·제3항·제5항 및 제8항에 따른 통보와 확인서는 각각 다음 각 호의 서식에 따른다. 〈개정 2019. 2. 25., 2020. 3. 18., 2020. 5. 26., 2021. 9. 17.〉 1. 건설엔지니어링의 종류, 공사비, 계약금액 등 계약 현황: 별지 제27호서식의 건설엔지니어링의 계약체결·계약변경·준공 통보서. 이 경우 건설엔지니어링사업자는 영 제45조제3항제2호에 따라 건설공사의 허가·인가·승인 등을 한 행정기관(이하 "인·허가기관"이라 한다)에 실적 통보를 요청하거나 같은 조 제5항에 따라 국토교통부장관에게 같은 조 제1항제3호의 용역에 대한 실적을 직접 통보할 때에는 건설사업관리용역 계약서를 첨부해야 한다.

법	시행령	시행규칙
황과 건설엔지니어링 실적을 공개할 수 있다. 〈개정 2019. 4. 30., 2019. 11. 26., 2021. 3. 16.〉 ④ 제1항부터 제3항까지의 규정에 따른 건설엔지니어링의 현황 및 실적 관리·통보·공개 등에 필요한 사항은 대통령령으로 정한다. 〈개정 2019. 11. 26., 2021. 3. 16.〉 [제목개정 2021. 3. 16.]	에 대한 사업계획의 승인이나 같은 법 제66조에 따라 리모델링의 허가를 받은 건설공사 ② 법 제30조제2항에 따라 발주청이 국토교통부장관에게 통보해야 하는 건설엔지니어링의 실적은 다음 각 호와 같다. 〈개정 2017. 12. 29., 2018. 12. 11., 2019. 4. 23., 2020. 1. 7., 2020. 5. 26., 2021. 9. 14.〉 1. 건설엔지니어링의 종류, 공사비, 계약금액 등 계약 현황 2. 참여하는 건설기술인 현황(참여하는 건설기술인이 변경된 경우를 포함한다) 3. 시공 단계에서 법 제2조제5호에 따른 감리 업무를 포함하여 시행하는 건설사업관리(이하 "시공 단계의 건설사업관리"라 한다)를 수행하는 건설기술인의 배치 또는 철수 현황 4. 「국가를 당사자로 하는 계약에 관한 법률」 제27조 및 「지방자치단체를 당사자로 하는 계약에 관한 법률」 제31조에 따른 부정당업자의 입찰참가자격 제한을 받은 건설엔지니어링사업자 현황 5. 법 제35조제4항에 따라 승인한 하도급의 계약현황(계약금액 및 참여기술인을 포함한다) ③ 제1항 각 호에 따른 용역의 대상이 되는 건설공사의 허가·인가·승인 등을 한 행정기관(이하 "인·허가기관"이라 한다)의 장은 다음 각 호의 어느 하나에 해당하는 경우에는 그 내용을 확인하여 10일 이내에 제2항제1호부터 제3호까	2. 참여하는 건설기술인 현황(변경): 별지 제28호서식의 건설엔지니어링 참여기술인 현황(변경) 통보서 3. 건설사업관리를 수행하는 건설기술인(이하 "건설사업관리기술인"이라 한다)의 배치 및 철수 현황: 별지 제29호서식의 건설사업기술인 배치 및 철수 현황 통보서 4. 「국가를 당사자로 하는 계약에 관한 법률」 제27조 및 「지방자치단체를 당사자로 하는 계약에 관한 법률」 제31조에 따른 부정당업자의 입찰참가자격 제한을 받은 건설엔지니어링사업자 현황: 별지 제30호서식의 입찰참가자격 제한 건설엔지니어링사업자 현황 통보서 5. 건설엔지니어링 실적에 대한 확인: 별지 제31호서식의 건설엔지니어링 실적 확인서 ② 발주청 또는 인·허가기관의 장은 다음 각 호의 어느 하나에 해당하는 사유로 영 제45조제2항제3호에 따른 건설사업관리기술인의 철수 통보를 하는 경우 건설사업관리 계약이 완료되어 철수한 것으로 통보해야 한다. 〈개정 2018. 10. 12., 2019. 2. 25., 2020. 5. 26.〉 1. 해당 공사현장에 3년 이상 배치된 경우 2. 퇴직한 경우 3. 입대·이민 또는 사망한 경우 4. 질병·부상으로 인하여 3개월 이상 요양이 필요한 경우 5. 3개월 이상 공사 착공이 지연되거나 공사

법	시 행 령	시 행 규 칙
	지에 해당하는 실적을 국토교통부장관에게 통보해야 한다. 〈개정 2020. 5. 26., 2021. 9. 14.〉 1. 제1항제1호·제2호의 용역계약을 체결·변경하거나 용역을 준공한 경우 2. 제1항제3호의 용역을 수행한 건설엔지니어링사업자가 건설엔지니어링의 실적 통보를 인·허가기관의 장에게 요청한 경우 ④ 발주청 및 인·허가기관의 장은 건설엔지니어링사업자에게 제2항 및 제3항에 따른 통보를 위하여 필요한 자료의 제출을 요청할 수 있다. 〈개정 2020. 1. 7., 2020. 5. 26., 2021. 9. 14.〉 ⑤ 건설엔지니어링사업자는 그가 수행하는 건설엔지니어링사업에 대한 제2항 각 호의 실적을 국토교통부장관에게 직접 통보할 수 있다. 〈개정 2020. 1. 7., 2020. 5. 26., 2021. 9. 14.〉 ⑥ 국토교통부장관은 제5항에 따라 통보받은 사실에 대하여 해당 발주청이나 인·허가기관의 장에게 확인을 요청할 수 있다. 이 경우 확인요청을 받은 발주청 또는 인·허가기관의 장은 7일 이내에 사실관계를 확인하고 그 결과를 국토교통부장관에게 통보해야 한다. 〈개정 2020. 5. 26.〉 ⑦ 국토교통부장관은 「전자조달의 이용 및 촉진에 관한 법률」 제12조에 따른 전자조달시스템을 통하여 체결된 건설엔지니어링 계약의 현황 정보를 조달청장으로부터 제공받아 법 제18조제1항에 따라 구축·운영하는 건설기술정보체계를 통하여 관리할 수 있다. 〈신설 2019. 6.	진행이 중단된 경우 5의2. 발주청의 귀책사유로 제35조제4항에 따라 발주청에 제출한 배치계획(이하 이 항에서 "배치계획"이라 한다)에 비하여 3개월 이상 배치가 지연된 경우 5의3. 발주청의 배치계획 조정에 따라 철수한 경우 6. 발주청 또는 인·허가기관의 장이 필요하다고 인정하는 경우 ③ 건설엔지니어링 실적관리 수탁기관은 영 제45조제8항에 따른 확인서를 발급할 때에는 그 신청인(발주청이 신청인인 경우는 제외한다)으로부터 실비의 범위에서 수수료를 받을 수 있다. 〈개정 2020. 5. 26., 2021. 9. 17.〉 [제목개정 2021. 9. 17.]

법	시 행 령	시 행 규 칙
	25., 2020. 5. 26., 2021. 9. 14.〉 ⑧ 국토교통부장관은 법 제30조제3항에 따라 다음 각 호의 사항을 법 제18조에 따른 건설기술정보체계를 통하여 공개할 수 있다. 〈개정 2018. 12. 11., 2019. 6. 25., 2020. 1. 7., 2020. 5. 26., 2021. 9. 14.〉 1. 건설엔지니어링사업자의 성명(법인인 경우에는 법인의 명칭 및 대표자의 성명), 사무실 주소, 연락처 및 기술인력 보유현황 2. 건설엔지니어링사업자의 용역 수행실적 및 계약이행 현황 3. 건설엔지니어링사업자의 용역종합평가 결과 4. 건설엔지니어링사업자의 벌점 및 제재조치 현황 5. 건설엔지니어링별로 참여한 건설기술인의 명단 및 참여기간 등에 관한 현황 6. 그 밖에 적절한 건설엔지니어링사업자의 선정을 위하여 공개가 필요한 사항 ⑨ 국토교통부장관은 발주청 또는 건설엔지니어링사업자가 요청하면 건설엔지니어링 실적에 대한 확인서를 발급할 수 있다. 〈개정 2019. 6. 25., 2020. 1. 7., 2020. 5. 26., 2021. 9. 14.〉 ⑩ 제1항부터 제9항까지에서 규정한 건설엔지니어링의 현황 및 실적 관리·통보·공개와 확인서 발급 등에 필요한 사항은 국토교통부령으로 정한다. 〈개정 2019. 6. 25., 2020. 5. 26., 2021. 9. 14.〉 [제목개정 2021. 9. 14.]	

법	시 행 령	시 행 규 칙
제31조(건설엔지니어링사업자의 등록취소 등) ① 시·도지사는 건설엔지니어링사업자가 다음 각 호의 어느 하나에 해당하면 그 등록을 취소하거나 1년 이내의 기간을 정하여 영업의 전부 또는 일부의 정지를 명할 수 있다. 다만, 제1호부터 제5호까지의 어느 하나에 해당하면 등록을 취소하여야 한다. 〈개정 2018. 6. 12., 2019. 1. 15., 2019. 4. 30., 2020. 6. 9., 2021. 3. 16.〉 1. 거짓이나 그 밖의 부정한 방법으로 제26조제1항에 따라 등록을 한 경우 2. 최근 5년간 3회 이상 영업정지 또는 제32조에 따른 과징금 부과처분을 받은 경우 3. 영업정지기간에 건설엔지니어링 업무를 수행한 경우. 다만, 제33조에 따라 건설엔지니어링을 수행한 경우는 제외한다. 4. 건설엔지니어링사업자로 등록한 후 제27조에 따른 결격사유 중 어느 하나에 해당하게 된 경우. 다만, 법인이 제27조제4호에 해당하게 된 경우로서 그 사유가 발생한 날부터 3개월 이내에 그 사유를 없앤 경우는 제외한다. 5. 제28조제2항을 위반하여 타인에게 자기의 성명 또는 상호를 사용하여 건설엔지니어링을 하게 하거나 등록증을 빌려 준 경우 6. 제35조제2항에 따른 사업수행능력 평가에 관한 서류를 위조하거나 변조하는 등 거짓이나 그 밖의 부정한 방법으로 입찰에 참여한 경우	**제46조(건설엔지니어링사업자에 대한 행정처분기준)** ① 법 제31조제1항 및 제2항에 따른 건설엔지니어링사업자의 등록취소 또는 영업정지에 관한 행정처분기준은 별표 6과 같다. 〈개정 2020. 1. 7., 2021. 9. 14.〉 ② 법 제31조제2항제5호가목에 따른 해당 건설공사의 주요 구조부(이하 "주요 구조부"라 한다)는 다음 각 호에 따른 구조부로 한다. 1. 철근콘크리트구조부 또는 철골구조부 2. 「건축법」 제2조제7호에 따른 주요구조부 3. 교량의 교좌(橋座) 장치 4. 터널의 복공(覆工) 부위 5. 댐의 본체 및 여수로(餘水路) 6. 상수도 관로(管路) 이음부 7. 항만 계류시설의 구조체 8. 그 밖에 발주청이 필요하다고 인정하여 용역계약에서 정한 구조부 [제목개정 2021. 9. 14.] **제47조(등록취소 등의 공고 및 통보)** 시·도지사는 법 제31조에 따라 건설엔지니어링사업자의 등록을 취소하거나 영업정지 처분을 한 경우 또는 법 제32조에 따라 과징금 부과처분을 한 경우에는 그 사실을 해당 시·도의 공보에 공고하고, 7일 이내에 국토교통부장관, 해당 발주청 및 인·허가기관의 장에게 통보해야 한다. 〈개정 2020. 1. 7., 2021. 9. 14.〉	

법	시 행 령	시 행 규 칙
7. 건설엔지니어링사업자로 등록한 후 제26조제1항에 따른 등록기준을 충족하지 못하게 된 경우에 그 날부터 50일 이내에 미달된 사항을 보완하지 아니한 경우 8. 고의 또는 과실로 「산업안전보건법」 제2조제2호에 따른 중대재해가 발생하거나 건설공사의 발주청에 재산상의 손해를 발생하게 하거나 사람에게 위해(危害)를 끼치거나 부실공사를 초래한 경우 9. 다른 행정기관이 관계 법령에 따라 등록취소 또는 영업정지를 요구한 경우 ② 시·도지사는 건설엔지니어링사업자가 다음 각 호의 어느 하나에 해당하면 6개월 이내의 기간을 정하여 영업정지를 명할 수 있다. 〈개정 2016. 1. 19., 2017. 8. 9., 2018. 8. 14., 2018. 12. 31., 2019. 4. 30., 2021. 3. 16.〉 1. 제34조제2항에 따른 보험 또는 공제에 가입하지 아니한 경우 2. 제35조제4항에 따른 발주청의 승인을 받지 아니하고 하도급을 한 경우 3. 제38조제2항에 따른 보고 또는 관계 자료의 제출 명령을 이행하지 아니한 경우 4. 제38조제3항에 따른 검사를 거부·방해·기피한 경우 5. 건설사업관리를 수행하는 건설엔지니어링사업자가 다음 각 목의 어느 하나에 해당하는 경우 가. 건설사업관리보고서를 제출하지 아니하		

법	시 행 령	시 행 규 칙
거나 제39조제4항 후단에 따라 건설기술인이 작성한 건설사업관리보고서를 거짓으로 수정하여 제출하거나 건설사업관리보고서에 해당 건설공사의 주요 구조부에 대한 시공·검사·시험 등의 내용을 빠뜨린 것을 알고도 제출한 경우 나. 건설사업자에게 재시공·공사중지 명령 등 조치를 하고 제40조제3항에 따라 발주청에 보고하지 아니한 경우 다. 제48조제2항에 따른 설계도서 검토 결과 보고를 하지 아니한 경우 라. 건설공사의 품질관리 지도·감독을 성실하게 수행하지 아니한 경우[건설사업자 또는 「주택법」 제4조에 따라 주택건설사업의 등록을 한 자(이하 "주택건설등록업자"라 한다)가 제55조제1항에 따른 건설공사의 품질관리계획 또는 품질시험계획(그 계획에 따른 품질시험 또는 검사를 포함한다)을 이행하지 아니하거나 품질시험의 성과를 조작한 경우로 한정한다] 마. 건설기술인으로서 자격이 없는 사람이나 소속 건설기술인이 아닌 사람에게 건설사업관리를 수행하게 한 경우(건설기술인이 아닌 사람으로서 발주청이 사전에 승인한 사람은 제외한다) 바. 다른 건설엔지니어링사업자에게 소속된 건설기술인으로 하여금 건설사업관리		

법	시 행 령	시 행 규 칙
를 수행하게 한 경우 사. 건설사업관리를 수행하는 건설기술인을 부정한 방법으로 교체하거나 배치한 경우 6. 제54조제1항에 따른 시정명령을 이행하지 아니한 경우 7. 품질시험 또는 검사 업무를 수행하는 건설엔지니어링사업자가 다음 각 목의 어느 하나에 해당하는 경우 가. 품질시험 또는 검사의 결함으로 인하여 건설공사 또는 건설공사에 사용되는 자재(資材)·부재(部材)(이하 "건설자재·부재"라 한다)의 품질을 현저하게 떨어뜨린 경우 나. 품질시험 또는 검사의 성적서를 거짓으로 발급한 경우 다. 정당한 사유 없이 3개월 이상 품질시험 또는 검사의 대행을 거부한 경우 라. 건설기술인으로서 자격이 없는 사람이나 소속 건설기술인이 아닌 사람으로 하여금 품질검사를 실시하게 한 경우 마. 제60조제2항을 위반하여 발주자 또는 건설사업관리를 수행하는 건설엔지니어링사업자의 봉인 또는 확인을 거친 재료로 품질검사를 하지 아니한 경우 바. 제60조제3항을 위반하여 품질검사 성적서 및 품질검사 내용을 제19조에 따른 건설공사 지원 통합정보체계에 입력하지 아니한 경우		

법	시 행 령	시 행 규 칙
사. 제60조제4항에 따른 시정명령 등의 조치를 따르지 아니한 경우 ③ 건설엔지니어링사업자는 제1항과 제2항에 따른 영업정지기간에는 상호를 바꾸어 건설엔지니어링의 입찰에 참가하거나 건설엔지니어링을 수주(受注)할 수 없다. 〈개정 2019. 4. 30., 2021. 3. 16.〉 ④ 발주청과 인·허가기관의 장은 건설엔지니어링사업자가 제1항 각 호 또는 제2항 각 호의 어느 하나에 해당하는 경우에는 그 사실을 시·도지사에게 통보하여야 하며, 시·도지사는 건설엔지니어링사업자에 대하여 제1항·제2항 또는 제32조제1항에 따라 등록취소, 영업정지 또는 과징금 부과 등의 조치를 하는 경우 국토교통부장관, 해당 발주청 및 인·허가기관의 장에게 그 내용을 통보하여야 한다. 〈개정 2019. 4. 30., 2021. 3. 16.〉 ⑤ 제1항과 제2항에 따른 처분의 세부 기준은 대통령령으로 정한다. [제목개정 2019. 4. 30., 2021. 3. 16.] **제32조(과징금)** ① 시·도지사는 제31조제1항에 따라 영업정지를 명하여야 하는 경우에는 영업정지를 갈음하여 2억원 이하의 과징금을, 같은 조 제2항에 따라 영업정지를 명하여야 하는 경우에는 영업정지를 갈음하여 6천만원 이하의 과징금을 부과할 수 있다. ② 제1항에 따라 과징금 부과처분을 받은 자가 과징금을 기한까지 내지 아니하면 「지방행정		

법	시 행 령	시 행 규 칙
제재·부과금의 징수 등에 관한 법률」에 따라 징수한다. 〈개정 2013. 8. 6., 2020. 3. 24.〉 ③ 제1항에 따라 과징금을 부과하는 위반행위의 종류 및 위반 정도 등에 따른 과징금의 금액과 그 밖에 필요한 사항은 대통령령으로 정한다.	**제48조(과징금의 부과기준 등)** ① 법 제32조제3항에 따른 건설엔지니어링사업자의 위반행위의 종류 및 위반 정도 등에 따른 과징금의 산정기준은 별표 6과 같다. 〈개정 2020. 1. 7., 2021. 9. 14.〉 ② 시·도지사는 법 제32조에 따라 과징금을 부과하려면 그 위반행위의 종류와 과징금의 금액 등을 구체적으로 적은 서면으로 통지하여야 한다. ③ 제2항에 따라 통지를 받은 자는 통지받은 날부터 20일 이내에 과징금을 시·도지사가 정하는 수납기관에 내야 한다. 다만, 천재지변이나 그 밖의 부득이한 사유로 그 기간에 과징금을 낼 수 없을 때에는 그 사유가 없어진 날부터 7일 이내에 내야 한다. ④ 제3항에 따라 과징금을 받은 수납기관은 과징금을 낸 자에게 영수증을 내주고, 지체 없이 그 사실을 해당 시·도지사에게 통보하여야 한다.	
제33조(등록취소처분 등을 받은 건설엔지니어링사업자의 업무 계속) ① 제31조제1항 또는 제2항에 따라 등록취소 또는 영업정지의 처분을 받은 건설엔지니어링사업자는 그 처분을 받기 전에 체결한 건설엔지니어링계약에 따른 업무는 계속할 수 있다. 이 경우 건설엔지니어링사업자는 그 처분을 받은 내용을 대통령령으로 정하는 기간 이내에 해당 건설엔지니어링의 발주자에게 통지하여야 한다. 〈개정 2019. 4. 30.,	**제49조(건설엔지니어링사업자의 등록취소 통지)** 법 제33조제1항 후단에서 "대통령령으로 정하는 기간"이란 건설엔지니어링사업자가 법 제31조제1항 및 제2항에 따라 등록취소 또는 영업정지의 처분을 받은 날부터 10일을 말한다. 〈개정 2020. 1. 7., 2021. 9. 14.〉 [제목개정 2021. 9. 14.]	

법	시 행 령	시 행 규 칙
2021. 3. 16.〉 ② 건설엔지니어링의 발주자는 건설엔지니어링사업자로부터 제1항에 따른 통지를 받거나 그 사실을 안 경우에는 그 날부터 30일 이내에만 해당 건설엔지니어링 계약을 해지할 수 있다. 〈개정 2019. 4. 30.〉 [제목개정 2019. 4. 30., 2021. 3. 16.] **제34조(건설엔지니어링사업자의 손해배상 및 하자보증)** ① 건설엔지니어링사업자는 건설엔지니어링 계약을 이행할 때 고의 또는 과실로 해당 건설엔지니어링 목적물 또는 제3자에게 손해를 발생하게 한 경우에는 그 손해를 배상하여야 한다. 〈개정 2015. 7. 24., 2019. 4. 30., 2021. 3. 16.〉 ② 제1항에 따른 배상을 담보하기 위하여 대통령령으로 정하는 건설엔지니어링사업자는 보험 또는 공제에 가입하여야 한다. 이 경우 발주청은 보험 또는 공제 가입에 따른 비용을 건설엔지니어링 비용에 계상(計上)하여야 한다. 〈개정 2019. 4. 30., 2021. 3. 16.〉 ③ 발주청은 건설사업관리 계약을 체결할 때 건설엔지니어링사업자로 하여금 하자책임을 보증하게 하기 위하여 하자보증금을 예치하게 하여야 한다. 〈개정 2019. 4. 30., 2021. 3. 16.〉 ④ 제2항에 따른 보험 또는 공제의 기간, 종류, 대상 및 방법 등에 관하여 필요한 사항은 대통령령으로 정한다.	**제50조(건설엔지니어링사업자의 손해배상 및 하자보증)** ① 법 제34조제2항 전단에서 "대통령령으로 정하는 건설엔지니어링사업자"란 발주청이 발주하는 제73조에 따른 실시설계(이하 "실시설계"라 한다) 또는 건설사업관리 용역을 계약하는 건설엔지니어링사업자를 말한다. 〈개정 2020. 1. 7., 2021. 9. 14.〉 ② 법 제34조제4항에 따른 보험 또는 공제의 가입기간·가입대상 및 가입금액은 다음 각 호와 같다. 〈개정 2020. 1. 7., 2021. 9. 14.〉 1. 가입기간: 건설공사의 착공일부터 완공일까지의 기간 2. 가입대상: 실시설계 또는 건설사업관리 용역 3. 가입금액: 건설공사에 대한 건설엔지니어링의 계약금액. 다만, 다음 각 목의 구분에 따	

법	시 행 령	시 행 규 칙
⑤ 제3항에 따른 하자책임의 범위, 하자보증금의 산정(算定) 및 예치방법 등에 관하여 필요한 사항은 대통령령으로 정한다. [제목개정 2019. 4. 30., 2021. 3. 16.]	른 계약금액은 보험 또는 공제 가입금액 산정 시 제외한다. 가. 기본설계 및 실시설계를 같은 건설엔지니어링사업자가 수행하도록 하는 경우: 기본설계에 해당하는 계약금액 나. 제59조제1항에 따른 건설사업관리의 업무범위 중 기본설계 또는 시공 후 단계를 포함하여 건설사업관리를 수행하도록 하는 경우: 기본설계 또는 시공 후 단계에 해당하는 계약금액 ③ 법 제34조제2항에 따라 보험 또는 공제에 가입한 건설엔지니어링사업자는 다음 각 호에서 정하는 시점까지 보험증서 또는 공제증서를 발주청에 제출해야 한다. 〈개정 2020. 1. 7., 2021. 9. 14.〉 1. 실시설계: 해당 실시설계 용역을 완료하기 전 2. 건설사업관리: 해당 건설사업관리 용역계약을 체결할 때 ④ 보험 또는 공제의 가입금액 산출방법, 가입절차 등에 관하여 필요한 세부 사항은 국토교통부장관이 정하여 고시한다. ⑤ 법 제34조제5항에 따른 하자책임의 범위, 하자보증금의 예치기간, 하자보증금의 금액·예치시기·예치방법 등은 다음 각 호와 같다. 1. 하자책임의 범위: 「건설산업기본법」 제28조에 따라 건설공사 수급인이 발주청에 지는 담보책임의 이행에 대한 감독·검사 책임 2. 예치기간: 「건설산업기본법 시행령」 제30조	

<table>
<tr><th>법</th><th>시 행 령</th><th>시 행 규 칙</th></tr>
<tr><td>
제35조(발주청이 시행하는 건설엔지니어링사업) ① 발주청은 건설엔지니어링사업 중 대통령령으로 정하는 규모 이상의 사업을 시행할 때에는 대통령령으로 정하는 바에 따라 집행계획을 작성하여 공고하여야 한다. 〈개정 2018. 12. 31., 2021. 3. 16.〉
② 제1항에 따라 공고된 사업은 대통령령으로 정하는 사업수행능력 평가에 의한 선정기준 및 선정절차에 따라 선정된 건설엔지니어링사업자에게 맡겨 시행하여야 한다. 〈개정 2018. 12. 31., 2019. 4. 30., 2021. 3. 16.〉
③ 발주청은 제39조제2항에 따라 건설사업관리를 시행할 건설엔지니어링사업자를 선정할 때에는 다음 각 호에 모두 해당하는 건설엔지니어링사업자(각 호에 해당하는 자와 공동수급체를 구성한 건설엔지니어링사업자를 포함한다)를 우대할 수 있다. 〈개정 2019. 4. 30., 2021. 3. 16.〉
1. 「소방시설공사업법」 제4조제1항에 따라 소방시설감리업 수행을 위하여 소방시설업의</td><td>및 별표 4에 따른 하자담보책임기간
3. 하자보증금의 금액·예치시기·예치방법, 면제, 국고귀속 및 직접사용 등: 「국가를 당사자로 하는 계약에 관한 법률」 제18조 및 같은 법 시행령 제62조·제63조를 준용한 금액·예치시기·예치방법, 면제, 국고귀속 및 직접사용 등
[제목개정 2021. 9. 14.]
제51조(발주청이 시행하는 건설엔지니어링사업) ① 법 제35조제1항에서 "대통령령으로 정하는 규모 이상의 사업"이란 예정 용역사업비가 「국가를 당사자로 하는 계약에 관한 법률」 제4조제1항에 따라 고시하는 금액 이상인 사업을 말한다.
② 발주청(제3조제2호부터 제7호까지의 규정에 해당하는 자는 제외하되, 「시설물의 안전 및 유지관리에 관한 특별법」 제11조 및 제12조에 따라 안전점검 또는 정밀안전진단을 실시하는 안전진단전문기관을 선정하는 경우에는 포함한다. 이하 제52조에서 같다)은 법 제35조제1항에 따른 집행계획을 작성한 경우에는 다음 각 호의 사항을 지체 없이 공고해야 한다. 〈개정 2018. 1. 16., 2021. 9. 14.〉
1. 건설엔지니어링명
2. 건설엔지니어링사업 시행기관명
3. 건설엔지니어링사업의 주요 내용
4. 총사업비 및 해당 연도 예산 규모
5. 입찰 예정 시기
6. 그 밖에 입찰 참가에 필요한 사항</td><td></td></tr>
</table>

법	시 행 령	시 행 규 칙
등록을 한 자 2. 「전력기술관리법」 제14조제1항제2호에 따라 전력시설물의 공사감리업의 등록을 한 자 3. 「정보통신공사업법」 제2조제7호에 따른 용역업자로서 같은 법 제8조에 따른 감리원을 보유한 자 ④ 건설엔지니어링사업자는 제2항에 따라 발주청이 발주하는 건설엔지니어링을 도급받은 경우 발주청의 승인을 받아 그 일부를 다른 건설엔지니어링사업자에게 하도급할 수 있다. 〈개정 2019. 4. 30., 2021. 3. 16.〉 ⑤ 제4항에 따른 승인 절차 등에 관하여 필요한 사항은 국토교통부령으로 정한다. [제목개정 2021. 3. 16.]	③ 제2항에 따른 집행계획의 공고는 입찰공고와 함께 할 수 있다. [제목개정 2021. 9. 14.] **제52조(건설엔지니어링사업자 등의 선정)** ① 발주청은 제51조제2항에 따라 공고된 건설엔지니어링을 발주할 때에는 법 제35조제2항에 따라 이에 참여하는 자의 능력, 사업의 수행실적, 신용도 등을 종합적으로 고려한 사업수행능력 평가기준에 따라 평가하여 입찰에 참가할 자를 선정해야 한다. 다만, 예정 용역사업비가 5억원 미만인 건설엔지니어링(건설사업관리 용역의 경우는 제외한다)의 경우에는 사업수행능력 평가 전에 가격입찰을 할 수 있다. 〈개정 2021. 9. 14.〉 ② 발주청은 제51조제2항에 따라 공고된 건설엔지니어링을 발주할 때 설계의 상징성·기념성·예술성 등이 요구되는 경우에는 설계공모의 방법으로 설계자를 선정할 수 있다. 〈개정 2021. 9. 14.〉 ③ 발주청은 건설엔지니어링을 발주할 때 특별히 기술이 뛰어난 자를 낙찰자로 선정하려는 경우에는 먼저 기술평가기준에 따라 입찰에 참가할 수 있는 적격자를 선정하고 기술과 가격을 분리하여 입찰하게 할 수 있다. 〈개정 2021. 9. 14.〉 ④ 발주청은 제1항에 따른 사업수행능력의 평가 및 제2항에 따른 설계공모의 심사를 하는 경우 자체 평가위원회를 구성하여 평가 또는 심사하거나, 중앙심의위원회등 또는 전문기관에 그 평가 또는 심사를 의뢰할 수 있다.	**제28조(건설엔지니어링사업자 등의 선정)** ① 발주청(영 제3조제2호부터 제7호까지의 규정에 해당하는 자는 제외하되, 「시설물의 안전 및 유지관리에 관한 특별법」 제11조 및 제12조에 따라 안전점검 또는 정밀안전진단을 실시하는 안전진단전문기관을 선정하는 경우에는 포함한다. 이하 이 조, 제29조 및 제30조에서 같다)은 영 제52조제1항에 따라 건설엔지니어링을 발주하는 경우에는 다음 각 호의 구분에 따른 사업수행능력 평가기준에 따라 평가하여 입찰에 참가할 자를 선정해야 한다. 〈개정 2018. 1. 18., 2020. 3. 18., 2021. 9. 17.〉 1. 용역비가 영 제51조제1항에 따른 금액 이상인 기본계획, 기본설계, 실시설계, 건설사업관리(제2항에 따라 평가하는 용역은 제외한다)의 경우에는 다음 각 목의 구분에 따른 평가 결과 발주청이 정하는 일정 점수 이상을 받은 자를 선정할 것 가. 기본계획, 기본설계 또는 실시설계: 별표 2 제1호에 따라 평가(영 제52조제1항 단서에 해당하는 용역의 경우에는 가격입찰이 끝난 후에 평가한다) 나. 건설사업관리: 별표 3 제1호에 따라 평가 2. 「시설물의 안전 및 유지관리에 관한 특별법」

법	시 행 령	시 행 규 칙
	⑤ 제1항부터 제3항까지의 규정에 따른 사업수행능력 평가기준, 설계공모, 심사기준, 기술평가기준 등에 관하여 필요한 사항은 국토교통부령으로 정하고, 발주청은 국토교통부령으로 정하는 범위에서 세부평가기준을 정할 수 있다. ⑥ 발주청은 제5항에 따라 세부평가기준을 정하는 경우 중앙심의위원회등의 심의를 받아야 한다. 다만, 지방자치단체가 발주청인 경우에는 해당 지방자치단체에 두는 지방심의위원회(시장·군수 또는 자치구의 구청장이 발주청인 경우에는 해당 시·군 또는 자치구가 있는 시·도에 두는 지방심의위원회를 말한다. 이하 제7항에서 같다)의 심의를 받아야 한다. ⑦ 발주청은 국토교통부령으로 정하는 방법에 따라 사업수행능력을 평가하는 경우 기술평가방법, 기술평가기준 및 입찰공고안의 적정성에 관하여 중앙심의위원회등의 심의를 받아야 한다. 다만, 지방자치단체가 발주청인 경우에는 해당 지방자치단체에 두는 지방심의위원회의 심의를 받아야 한다. ⑧ 발주청은 제1항에 따라 입찰에 참가할 자로 선정된 자 중 낙찰자로 결정되지 않은 건설엔지니어링사업자에 대해서는 국토교통부장관이 정하여 고시하는 바에 따라 예산의 범위에서 사업수행능력 평가에 든 비용의 일부를 보상할 수 있다. 〈개정 2020. 1. 7., 2021. 9. 14.〉 ⑨ 발주청이 「국가를 당사자로 하는 계약에 관한 법률 시행령」 제42조제4항에 따라 각 입찰	제11조 및 제12조에 따른 정밀안전점검 또는 정밀안전진단으로서 용역비가 1억원 이상인 경우에는 별표 4 제1호의 평가기준을 고려하여 발주청이 정한 평가기준에 따른 평가 결과 발주청이 정하는 일정 점수 이상을 받은 자를 선정할 것 ② 발주청은 제1항에도 불구하고 제1호 각 목의 어느 하나에 해당하는 용역에 대하여 제2호 각 목의 구분에 따라 기술인평가서 또는 기술제안서를 제출하게 하여 그 용역별로 각각 구분되어 있는 기술평가기준에 따라 평가하여 입찰에 참가할 자를 선정할 수 있다. 〈개정 2019. 2. 25., 2021. 9. 17.〉 1. 대상용역 가. 공공의 안전확보 및 역사문화 보전 등을 위하여 기술인의 특별한 경험과 기술력이 필요한 건설엔지니어링 나. 국내 실적이 많지 아니하거나 복합공종, 입지, 지반조건 및 인접시설 등으로 인하여 특별한 고려가 필요한 건설엔지니어링 다. 신기술·신공법 및 친환경 건설기법 등 기술발전을 도모하기 위하여 특별한 평가가 필요한 건설엔지니어링 2. 기술평가 기준 및 방법 가. 용역비가 10억원 이상 15억원 미만인 기본계획 또는 기본설계와 용역비가 15억원 이상 25억원 미만인 실시설계: 별

법	시 행 령	시 행 규 칙
	자의 입찰가격, 용역수행능력 및 사회적 책임 등을 종합 심사해서 낙찰자를 결정한 용역입찰의 경우에는 법 제35조제2항에 따른 사업수행능력 평가를 시행해서 낙찰자를 선정한 것으로 본다. 〈신설 2018. 12. 11.〉 [제목개정 2021. 9. 14.]	표 2 제1호에 따른 평가 결과 발주청이 정하는 일정 점수 이상을 받은 자를 선정한 후 같은 표 제2호에 따라 기술인평가서를 평가할 것 나. 용역비가 15억원 이상인 기본계획 또는 기본설계와 용역비가 25억원 이상인 실시설계: 별표 2 제1호에 따른 평가 결과 발주청이 정하는 일정 점수 이상을 받은 자를 선정한 후 같은 표 제3호에 따라 기술제안서를 평가할 것 다. 용역비가 20억원 이상인 건설사업관리: 별표 3 제1호에 따른 평가 결과 발주청이 정하는 일정 점수 이상을 받은 자를 선정한 후 같은 표 제2호에 따라 기술제안서를 평가할 것. 다만, 시공 단계에서 법 제2조제5호에 따른 감리 업무를 포함하여 시행하는 건설사업관리(이하 "시공 단계의 건설사업관리"라 한다)는 별표 3 제1호에 따른 평가 결과 발주청이 정하는 일정 점수 이상을 받은 자를 선정한 후 같은 표 제3호에 따라 기술인평가서를 평가할 것 라. 용역비가 2억원 이상인 정밀점검 또는 정밀안전진단: 별표 4 제1호에 따른 평가 결과 발주청이 정하는 일정 점수 이상을 받은 자를 선정한 후 같은 표 제2호에 따라 기술인평가서를 평가할 것 ③ 국토교통부장관은 영 제52조제1항에 따라

법	시 행 령	시 행 규 칙
		발주청이 건설엔지니어링사업자의 사업수행능력을 평가하려고 할 때 제출받는 서류 등의 표준서식을 정하여 발주청 등이 이용하게 할 수 있다. 〈개정 2020. 3. 18., 2021. 9. 17.〉 ④ 영 제52조제7항에서 "국토교통부령으로 정하는 방법"이란 제2항에 따른 사업수행능력 평가를 말한다. [제목개정 2021. 9. 17.] **제29조(설계공모에 따른 설계자의 선정)** 발주청은 영 제52조제2항에 따라 설계공모의 방법으로 설계자를 선정하는 경우에는 직접 또는 전문기관에 의뢰하여 다음 각 호의 지침 및 기준을 고려하여 따로 정한 평가기준에 따라 공모작품을 평가할 수 있다. 1. 국토교통부장관이 고시한 설계공모운영지침 2. 별표 2 제3호의 기술제안서 평가기준 **제30조(기술·가격분리에 따른 용역사업자의 선정)** 발주청은 영 제52조제3항에 따라 기술과 가격을 분리한 입찰에 참가할 수 있는 적격자를 선정하려는 경우에는 제28조제2항제2호 각 목의 구분에 따라 기술인평가서 또는 기술제안서를 제출하게 하여 평가할 수 있다. 〈개정 2019. 2. 25.〉 [제목개정 2020. 3. 18.] **제31조(건설엔지니어링의 하도급 승인 등)** ① 법 제35조제4항에 따라 하도급에 대하여 승인을 받으려는 자는 별지 제32호서식의 하도급 계약 승인신청서에 다음 각 호의 서류를 첨부하여 발주청에 제출하여야 한다.

법	시행령	시행규칙
		1. 하도급 예정 공정표 2. 용역규모 및 용역금액 등이 명시된 용역내역서 ② 제1항에 따른 신청을 받은 발주청은 국토교통부장관이 고시하는 건설엔지니어링 하도급 관리지침에 따라 하도급 계약의 적정성 여부를 검토하여 7일 이내에 그 승인 여부를 신청인에게 알려야 한다. 다만, 하도급 계약의 적정성 판단에 상당한 시일이 요구되는 등 불가피한 사유가 있는 경우에는 통지기간을 한 차례만 연장할 수 있으며, 통지기간을 연장한 경우에는 그 사유와 7일 이내의 통지예정 기한을 정하여 지체 없이 신청인에게 알려야 한다. 〈개정 2021. 9. 17.〉 ③ 발주청은 제1항에 따라 신청된 하도급에 대한 승인을 위해 필요한 경우 국토교통부장관이 고시하는 건설엔지니어링의 하도급 적정성을 판단할 수 있는 전문기관에게 하도급의 적정성 판단에 필요한 정보나 의견을 요청할 수 있다. 〈개정 2021. 9. 17.〉 [제목개정 2021. 9. 17.]
제36조 삭제 〈2018. 12. 31.〉 **제37조(건설엔지니어링 대가)** ① 발주청은 건설엔지니어링을 건설엔지니어링사업자에게 수행하게 한 경우에는 다른 법령이나 국토교통부장관이 정하여 고시하는 건설엔지니어링비 산정기준에 따라 산정한 건설엔지니어링비를 지급하여야 한다. 이 경우 발주청은 천재지변 등 국	**제53조** 삭제 〈2019. 6. 25.〉 **제54조** 삭제 〈2019. 6. 25.〉	**제31조의2(건설엔지니어링비의 감액)** 법 제37조제1항 후단에서 "천재지변 등 국토교통부령으로 정하는 불가피한 사유가 있는 경우"란 다음 각 호의 경우를 말한다. 1. 「재난 및 안전관리 기본법」 제3조제1호의 재난이 발생하여 해당 건설엔지니어링을 정

법	시 행 령	시 행 규 칙
토교통부령으로 정하는 불가피한 사유가 있는 경우를 제외하고는 건설엔지니어링비를 임의로 감액하여 지급할 수 없다. 〈개정 2019. 4. 30., 2020. 10. 20., 2021. 3. 16.〉 ② 제1항에 따라 국토교통부장관이 건설엔지니어링비 산정기준을 정할 때에는 미리 기획재정부장관 또는 산업통상자원부장관 등 관계 행정기관의 장과 협의하여야 한다. 〈개정 2021. 3. 16.〉 [제목개정 2021. 3. 16.] **제38조(건설엔지니어링사업자의 지도·감독 등)** ① 국토교통부장관 또는 시·도지사는 건설엔지니어링사업자의 업무 수행에 관한 사항을 지도·감독하여야 한다. 〈개정 2019. 4. 30., 2021. 3. 16.〉 ② 국토교통부장관 또는 시·도지사는 제1항에 따른 지도·감독을 위하여 필요하다고 인정하는 경우에는 건설엔지니어링사업자에게 그 업무에 관한 보고 또는 관계 자료의 제출을 명할 수 있다. 〈개정 2019. 4. 30., 2021. 3. 16.〉 ③ 국토교통부장관 또는 시·도지사는 제1항에 따른 지도·감독을 위하여 필요하다고 인정하는 경우에는 소속 공무원으로 하여금 사무실 및 공사현장 등에 출입하여 검사하게 할 수 있다. ④ 제3항에 따른 검사를 하는 사람은 그 권한을 표시하는 증표를 지니고 이를 관계인에게 보여주어야 한다. [제목개정 2019. 4. 30., 2021. 3. 16.]		상적으로 진행하지 못하는 경우 2. 「국가를 당사자로 하는 계약에 관한 법률」 제19조 또는 「지방자치단체를 당사자로 하는 계약에 관한 법률」 제22조에 따라 계약금액을 조정한 경우 3. 그 밖에 설계변경 또는 계약 내용의 변경으로 건설엔지니어링비를 조정하지 않으면 현저하게 불합리하다고 인정되는 경우로서 계약 당사자 간에 계약서에서 정하는 경우(제2호의 경우는 제외한다) [본조신설 2021. 9. 17.]

<table>
<tr><th>법</th><th>시 행 령</th><th>시 행 규 칙</th></tr>
<tr><td>

제2절 건설사업관리

제39조(건설사업관리 등의 시행) ① 발주청은 건설공사를 효율적으로 수행하기 위하여 필요한 경우에는 다음 각 호의 어느 하나에 해당하는 건설공사에 대하여 건설엔지니어링사업자로 하여금 건설사업관리를 하게 할 수 있다.
〈개정 2019. 4. 30., 2021. 3. 16.〉
1. 설계·시공 관리의 난이도가 높아 특별한 관리가 필요한 건설공사
2. 발주청의 기술인력이 부족하여 원활한 공사관리가 어려운 건설공사
3. 제1호 및 제2호 외의 건설공사로서 그 건설공사의 원활한 수행을 위하여 발주청이 필요하다고 인정하는 건설공사

② 발주청은 건설공사의 품질 확보 및 향상을 위하여 대통령령으로 정하는 건설공사에 대하여는 법인인 건설엔지니어링사업자로 하여금 건설사업관리(시공단계에서 품질 및 안전관리 실태의 확인, 설계변경에 관한 사항의 확인, 준공검사 등 발주청의 감독 권한대행 업무를 포함한다)를 하게 하여야 한다. 〈개정 2019. 4. 30., 2021. 3. 16.〉

③ 발주청은 대통령령으로 정하는 설계용역에 대하여 건설엔지니어링사업자로 하여금 건설사업관리를 하게 하여야 한다. 〈개정 2019. 4. 30., 2021. 3. 16.〉

④ 제1항부터 제3항까지의 규정에 따른 건설

</td><td>

제2절 건설사업관리

제55조(감독 권한대행 등 건설사업관리의 시행) ① 법 제39조제2항에서 "대통령령으로 정하는 건설공사"란 다음 각 호의 건설공사를 말한다.
1. 총공사비가 200억원 이상인 건설공사로서 별표 7에 해당하는 건설공사
2. 제1호 외의 건설공사로서 교량, 터널, 배수문, 철도, 지하철, 고가도로, 폐기물처리시설, 폐수처리시설 또는 공공하수처리시설을 건설하는 건설공사 중 부분적으로 법 제39조제2항에 따른 감독 권한대행 업무를 포함하는 건설사업관리(이하 "감독 권한대행 등 건설사업관리"라 한다)가 필요하다고 발주청이 인정하는 건설공사
3. 제1호 및 제2호 외의 건설공사로서 국토교통부장관이 고시하는 건설사업관리 적정성 검토기준에 따라 발주청이 검토한 결과 해당 건설공사의 전부 또는 일부에 대하여 감독 권한대행 등 건설사업관리가 필요하다고 인정하는 건설공사

② 발주청은 제1항에도 불구하고 다음 각 호의 건설공사에 대해서는 감독 권한대행 등 건설사업관리를 적용하지 아니할 수 있다.
〈개정 2018. 12. 11., 2020. 5. 26.〉
1. 「문화재보호법」 제2조제3항 및 제32조에 따른 지정문화재 및 임시지정문화재의 수리·복원·정비공사

</td><td></td></tr>
</table>

법	시행령	시행규칙
사업관리 업무를 수행한 건설엔지니어링사업자는 건설공사의 주요 구조부에 대한 시공, 검사 및 시험 등 세부적인 업무내용을 포함한 보고서를 국토교통부령으로 정하는 바에 따라 작성하여 발주청에 제출하여야 한다. 이 경우 건설사업관리보고서는 건설엔지니어링사업자의 소속 건설기술인 중 대통령령으로 정하는 건설기술인이 작성하여야 한다. 〈개정 2018. 12. 31., 2019. 4. 30., 2021. 3. 16.〉 ⑤ 건설엔지니어링사업자는 다음 각 호의 어느 하나에 해당하는 건설기술인으로 하여금 제1항부터 제3항까지의 규정에 따른 건설사업관리 업무를 수행하게 할 수 없다. 〈개정 2018. 8. 14., 2019. 4. 30., 2021. 3. 16.〉 1. 피성년후견인 2. 파산선고를 받고 복권되지 아니한 사람 3. 이 법 또는 「건축법」, 「건축사법」 또는 「주택법」을 위반하거나 「국가기술자격법」 제26조제2항의 죄를 범하여 금고 이상의 실형을 선고받고 그 집행이 끝나거나(끝난 것으로 보는 경우를 포함한다) 면제된 날부터 3년이 지나지 아니한 사람 4. 「형법」 제129조부터 제132조까지의 죄를 범하여 금고 이상의 실형을 선고받고 그 집행이 끝나거나(끝난 것으로 보는 경우를 포함한다) 면제된 날부터 5년이 지나지 아니한 사람 5. 제3호 또는 제4호에 규정된 죄를 범하여 형	2. 「농어촌정비법」 제2조제4호·제10호 및 같은 법 제78조에 따른 농어촌정비사업·생활환경정비사업 및 농공단지개발사업에 따른 공사 3. 제94조제1항 각 호의 기관 및 「지방공기업법」에 따른 지방공사가 시행하는 공사로서 해당 기관 또는 공사의 소속 직원[건설사업관리를 수행하는 건설기술인(이하 "건설사업관리기술인"이라 한다)를 포함한다]이 제60조에 따른 건설사업관리기술인의 배치기준에 따라 감독 업무를 수행하는 공사 4. 공사의 내용이 단순·반복적인 건설공사로서 국토교통부령으로 정하는 공사 5. 보안이 필요한 군 특수공사, 교정시설공사 및 국가기밀 관련 건설공사 6. 전문기술이 필요한 방송시설공사 7. 「원자력안전법」 제2조제8호부터 제10호까지 및 같은 법 제37조·제63조제1항에 따른 원자로, 방사선발생장치, 관계시설, 핵연료주기시설 및 폐기시설등의 건설공사(이하 "원자력시설공사"라 한다) ③ 발주청은 그가 발주하는 여러 건의 건설공사가 공종(工種)이 유사하고 공사현장이 인접하여 있는 경우에는 특별한 사정이 없는 한 해당 건설공사에 대한 감독 권한대행 등 건설사업관리 용역을 통합하여 발주하여야 한다. 〈개정 2017. 12. 29.〉 ④ 제3항에 따른 감독 권한대행 등 건설사업관	**제32조(감독 권한대행 등 건설사업관리 적용 제외 공사)** 영 제55조제2항제4호에서 "국토교통부령으로 정하는 공사"란 다음 각 호의 공사를 말한다. 〈개정 2021. 8. 27.〉 1. 포장도 덧씌우기 공사 2. 준설 공사 3. 사방(砂防) 공사 또는 「농어촌정비법」에 따른 농업생산기반시설에 해당하는 도로의 공사 4. 굴토(땅파기)·정지(땅고르기) 등 단순 토공사(土工事) 5. 구조물 등을 축조하지 아니하는 단순 하천공사 6. 창고·축사 등의 건축 등 단순 공사 7. 구조물을 포함하지 아니하는 공사로서 발주청이 법 제39조제2항에 따른 감독 권한대행 업무를 포함하는 건설사업관리(이하 "감독 권한대행 등 건설사업관리"라 한다)를 할 필

법	시 행 령	시 행 규 칙
의 집행유예를 선고받고 그 유예기간 중에 있는 사람 ⑥ 제2항에 따라 건설사업관리를 수행하는 건설엔지니어링사업자는 다음 각 호의 업무를 수행하여야 한다. 이 경우 건설엔지니어링사업자는 소속 건설기술인 중 대통령령으로 정하는 건설기술인에게 해당 업무의 수행을 지시하여야 한다. 〈신설 2018. 12. 31., 2019. 4. 30., 2021. 3. 16.〉 1. 시공이 설계도면 및 시방서의 내용에 적합하게 이루어지고 있는지에 대한 확인 2. 제55조제2항에 따른 품질시험 및 검사를 하였는지 여부의 확인 3. 건설자재·부재의 적합성에 대한 확인 ⑦ 건설사업관리의 세부 업무 내용 및 업무 범위 등 제1항부터 제3항까지의 규정에 따라 건설사업관리를 수행하는 데 필요한 사항은 대통령령으로 정한다. 〈개정 2018. 12. 31.〉 **제39조의2(시공단계의 건설사업관리계획 등)** ① 발주청은 건설공사의 부실시공 및 안전사고의 예방 등 건설공사의 시공을 관리하기 위하여 건설공사 착공 전까지 시공단계의 건설사업관리계획(이하 "건설사업관리계획"이라 한다)을 국토교통부장관이 정하여 고시하는 기준에 따라 수립하여야 한다. ② 건설사업관리계획에는 다음 각 호의 사항을 포함하여야 한다. 1. 시공단계의 건설사업관리 방식 2. 건설사업관리 업무를 수행하는 건설기술인	리의 통합시행에 필요한 사항은 국토교통부령으로 정한다. **제56조** 삭제 〈2020. 12. 8.〉 **제57조(건설사업관리 대상 설계용역)** 법 제39조제3항에서 "대통령령으로 정하는 설계용역"이란 다음 각 호의 설계용역을 말한다. 다만, 제94조제1항제2호 및 제6호부터 제10호까지의 규정에 따른 기관 또는 「지방공기업법」에 따른 지방공사가 시행하는 설계로서 해당 기관 또는 공사의 소속 직원이 용역 감독 업무를 수행하는 설계용역과 「국가를 당사자로 하는 계약에 관한 법률 시행령」 제87조제1항 및 「지방자치단체를 당사자로 하는 계약에 관한 법률 시행령」 제100조제1항에 따른 일괄입찰의 실시설계적격자가 시행하는 실시설계용역은 제외한다. 〈개정 2014. 12. 30., 2017. 12. 29., 2018. 1. 16., 2021. 9. 14.〉 1. 「시설물의 안전 및 유지관리에 관한 특별법」 제7조제1호 및 제2호에 따른 1종시설물 및 2종시설물 건설공사의 기본설계 및 실시설계용역 2. 「시설물의 안전 및 유지관리에 관한 특별법」 제7조제1호 및 제2호에 따른 1종시설물 및 2종시설물이 포함되는 건설공사의 기본설계 및 실시설계용역 3. 신공법 또는 특수공법에 따라 시공되는 구조물이 포함되는 건설공사로서 발주청이 건설사업관리가 필요하다고 인정하는 공사의	요가 없다고 인정하는 공사 **제33조(감독 권한대행 등 건설사업관리의 통합시행)** ① 영 제55조제3항에 따라 감독 권한대행 등 건설사업관리를 통합하여 시행할 수 있는 건설공사는 공사현장 간의 직선거리가 20km 이내인 건설공사로 한정한다. ② 영 제55조제3항에 따라 통합하여 시행하는 감독 권한대행 등 건설사업관리에 대하여 법 제40조제5항에 따른 해당 건설사업관리의 책임건설기술인(이하 "책임건설사업관리기술인"이라 한다)을 제35조제1항 각 호의 구분에 따라 배치하는 경우에는 각 공사의 총공사비(관급자재비를 포함하되, 토지 등의 취득·사용에 따른 보상비는 제외한 금액을 말한다. 이하 같다)를 합한 금액을 기준으로 한다. 〈개정 2019. 2. 25.〉 ③ 감독 권한대행 등 건설사업관리를 통합하여 시행하는 건설공사 중 1개 공사의 총공사비가 300억원 이상인 경우에는 해당 건설사업관리에 대하여 책임건설사업관리기술인인 특급기술인 외에 특급기술인 1명을 더 배치해야 한다. 〈개정 2019. 2. 25.〉

법	시 행 령	시 행 규 칙
(이하 "건설사업관리기술인"이라 한다) 또는 공사감독자의 배치 계획 3. 그 밖에 국토교통부령으로 정하는 사항 ③ 발주청은 제62조에 따른 안전관리계획을 수립하여야 하는 건설공사 및 총공사비가 100억원 이상인 건설공사 중 대통령령으로 정하는 건설공사에 대하여 건설사업관리계획을 수립할 때에는 제6조에 따른 기술자문위원회의 심의를 받아야 한다. 건설사업관리계획을 변경하려는 경우에도 또한 같다. ④ 발주청은 건설사업관리계획을 수립하거나 변경한 때에는 이를 국토교통부장관에게 제출하여야 한다. ⑤ 발주청은 건설엔지니어링사업자로 하여금 시공단계의 건설사업관리를 하게 하려는 경우에는 건설사업관리계획을 준수하여 입찰공고하여야 한다. 〈개정 2019. 4. 30., 2021. 3. 16.〉 ⑥ 발주청은 제2항제2호에 따른 건설사업관리기술인 또는 공사감독자의 배치 등 건설사업관리계획을 준수할 수 없는 경우에는 건설공사를 착공하게 하거나 건설공사를 진행하게 하여서는 아니 된다. ⑦ 제1항부터 제5항까지에서 규정한 사항 외에 건설사업관리계획의 수립, 변경 또는 시행 등에 필요한 사항은 대통령령으로 정한다. [본조신설 2018. 12. 31.] **제39조의3(건설사업관리 중 실정보고 등)** ① 제39조제2항에 따라 건설사업관리를 수행하는 건	기본설계 및 실시설계용역 4. 총공사비가 300억원 이상인 건설공사의 기본설계 및 실시설계용역 **제58조(건설사업관리용역사업자의 선정 등)** ① 발주청은 법 제39조에 따라 건설사업관리를 시행하는 경우에는 건설사업관리를 수행하는 건설엔지니어링사업자(이하 "건설사업관리용역사업자"라 한다) 중 다음 각 호의 어느 하나에 해당하는 자를 선정해서는 안 되며, 건설사업관리용역사업자가 다음 각 호의 어느 하나에 해당하게 된 경우에는 즉시 교체해야 한다. 〈개정 2020. 1. 7., 2020. 12. 8., 2021. 9. 14., 2021. 12. 28.〉 1. 설계 단계의 건설사업관리를 시행하게 하는 경우 해당 설계용역을 도급받은 자 및 그 계열회사(「독점규제 및 공정거래에 관한 법률」 제2조제12호에 따른 계열회사를 말한다. 이하 같다) 2. 시공 단계의 건설사업관리를 시행하게 하는 경우 해당 건설공사를 도급받은 자(설계·시공 일괄입찰 등에 의하여 공동도급계약을 한 경우에는 공동수급자 각각을 말한다) 및 그 계열회사 3. 설계 및 시공 단계의 건설사업관리를 통합하여 시행하게 하는 경우 해당 설계용역 또는 건설공사를 도급받은 자 및 그 계열회사 ② 발주청은 건설사업관리용역사업자를 선정할 때 건설공사의 규모 및 구조물의 특수성 등을 고려하여 배치될 건설사업관리기술인의 등급,	

<table>
<tr><th>법</th><th>시 행 령</th><th>시 행 규 칙</th></tr>
<tr><td>설엔지니어링사업자는 건설사업자가 현지여건의 변경이나 건설공사의 품질향상 등을 위한 개선사항의 검토를 요청하는 경우 이를 검토하고, 발주청에 관련 서류를 첨부하여 보고하는 등 필요한 조치(이하 "실정보고"라 한다)를 하여야 한다. 〈개정 2019. 4. 30., 2021. 3. 16.〉
② 건설엔지니어링사업자가 실정보고를 하는 경우에는 관련 기록을 유지·관리하여야 한다. 〈개정 2019. 4. 30., 2021. 3. 16.〉
③ 발주청은 건설엔지니어링사업자가 실정보고를 하는 경우 이를 접수하여 검토하고, 필요하면 설계변경 등 적절한 조치를 하여야 한다. 〈개정 2019. 4. 30., 2021. 3. 16.〉
④ 건설사업관리를 수행하는 건설엔지니어링사업자는 소속 건설기술인 중에서 해당 건설사업관리의 책임건설기술인을 지명하여 실정보고의 권한을 위임할 수 있다. 〈개정 2019. 4. 30., 2021. 3. 16.〉
⑤ 실정보고에 따른 조치 기한 등 필요한 사항은 대통령령으로 정한다.
[본조신설 2018. 12. 31.]
제39조의4(건설사업관리 업무에 대한 부당간섭 배제 등) ① 발주청 소속 직원은 제39조제2항에 따라 건설사업관리를 시행하는 건설공사에 대하여 대통령령으로 정하는 발주청의 업무 외에 정당한 사유 없이 건설사업관리 업무를 수행하는 건설엔지니어링사업자(이하 "건설사업관리용역사업자"라 한다) 및 건설사업관리기술인의</td><td>기술수준 등을 따로 정할 수 있으며, 해당 공사의 특수성에 따라 특히 필요하다고 인정되는 경우에는 건설사업관리용역사업자로 하여금 특수한 자격 또는 기술을 가진 사람(건설기술인이 아닌 사람으로서 발주청이 사전에 승인한 사람을 포함한다)을 건설사업관리 업무에 참여하게 할 수 있다. 〈개정 2018. 12. 11., 2020. 1. 7.〉
③ 발주청은 시공 단계의 건설사업관리를 시행하는 경우에는 특별한 사유가 없으면 건설공사를 착공하기 전에 건설사업관리용역사업자를 선정해야 한다. 〈개정 2020. 1. 7.〉
④ 제3조제2호부터 제7호까지의 자가 시행하는 다음 각 호의 건설공사에 대하여 감독 권한대행 등 건설사업관리를 하는 건설사업관리용역사업자는 다음 각 호의 구분에 따른 자가 선정해야 한다. 이 경우 제1항부터 제3항까지 및 제52조를 준용한다. 〈개정 2020. 1. 7.〉
1. 국가·지방자치단체 또는 공기업·준정부기관이 위탁한 건설공사: 해당 건설공사를 위탁한 자
2. 국가·지방자치단체 또는 공기업·준정부기관이 관계 법령에 따라 관리하여야 하는 시설물의 건설공사: 해당 시설물을 관리하여야 하는 자
3. 「공유수면 관리 및 매립에 관한 법률」 제28조에 따라 공유수면 매립면허를 받은 건설공사: 공유수면 매립면허를 한 자
4. 「사회기반시설에 대한 민간투자법」 제2조제</td><td></td></tr>
</table>

법	시 행 령	시 행 규 칙
업무에 개입 또는 간섭하거나 권한을 침해해서는 아니 된다. 〈개정 2021. 3. 16.〉 ② 발주청의 소속 직원이 건설사업관리용역사업자 및 건설사업관리기술인의 업무에 정당한 사유 없이 개입 또는 간섭하거나 권한을 침해한 경우 해당 건설사업관리용역사업자 및 건설사업관리기술인은 발주청에 이를 보고하고 사실조사를 의뢰할 수 있다. ③ 발주청은 제2항에 따른 사실조사를 의뢰받은 때에는 즉시 이를 조사하여야 하고, 소속 직원이 건설사업관리용역사업자 및 건설사업관리기술인의 업무에 대하여 정당한 사유 없이 개입 또는 간섭하거나 권한을 침해한 사실이 있다고 인정되는 경우에는 방해행위의 중지, 향후 재발방지 등 시정조치를 명할 수 있다. ④ 발주청은 제3항에 따른 사실조사 결과 및 시정조치 명령의 내용을 국토교통부장관, 해당 건설사업관리용역사업자 및 건설사업관리기술인에게 통보하여야 한다. ⑤ 발주청은 제2항에 따른 사실조사 의뢰 등을 이유로 건설사업관리용역사업자 및 건설사업관리기술인에게 용역대가 지급의 거부·지체 등 불이익을 주어서는 아니 된다. [본조신설 2020. 6. 9.]	2호에 따른 사회기반시설사업: 관계 법령에 따라 해당 사회기반시설사업의 업무를 관장하는 해당 기관의 장(이하 이 조에서 "주무관청"이라 한다) 5. 「전기사업법」 제2조제3호에 따른 발전사업: 허가권자 6. 「신항만건설 촉진법」 제2조제2호에 따른 신항만건설사업: 사업시행자를 지정한 자 ⑤ 제4항 각 호의 자가 감독 권한대행 등 건설사업관리를 하게 할 건설사업관리용역사업자를 선정하는 경우에는 다음 각 호의 어느 하나에 해당하는 자를 선정해서는 안 되며, 건설사업관리용역업자가 다음 각 호의 어느 하나에 해당하게 된 경우에는 즉시 건설사업관리용역사업자를 교체해야 한다. 〈개정 2020. 1. 7.〉 1. 해당 건설공사의 발주청 2. 제1호에 따른 발주청에 출자한 법인 ⑥ 제4항 각 호의 자는 건설사업관리용역사업자를 선정한 경우에는 이를 제3조제2호부터 제7호까지의 자에게 통보해야 한다. 〈개정 2020. 1. 7.〉 ⑦ 발주청은 건설사업관리용역사업자가 시공단계의 건설사업관리를 수행할 기간을 정할 때에는 건설공사를 착공하기 전에 설계도서의 검토 등 사전준비에 필요한 기간과 건설공사 준공 후 공사 준공처리 등 사후관리에 필요한 기간이 포함되도록 해야 한다. 〈개정 2020. 1. 7.〉 ⑧ 제4항제4호에 따라 주무관청이 건설사업관리용역사업자를 선정한 경우에는 주무관청과	

법	시 행 령	시 행 규 칙
	해당 사업의 발주청이 공동으로 건설사업관리 용역사업자와 계약할 수 있다. 이 경우 건설사업관리의 수행방법 및 대가 지급방법 등은 주무관청과 발주청이 협의하여 정한다. 〈개정 2020. 1. 7.〉 [제목개정 2020. 1. 7.] **제59조(건설사업관리의 업무범위 및 업무내용)** ① 법 제39조제1항에 따른 건설사업관리의 업무범위는 다음 각 호에 따른 단계별로 구분한다. 1. 설계 전 단계 2. 기본설계 단계 3. 실시설계 단계 4. 구매조달 단계 5. 시공 단계 6. 시공 후 단계 ② 제1항에 따른 단계별 업무내용은 다음 각 호로 한다. 〈개정 2017. 12. 29.〉 1. 건설공사의 계획, 운영 및 조정 등 사업관리 일반 2. 건설공사의 계약관리 3. 삭제 〈2017. 12. 29.〉 4. 건설공사의 사업비 관리 5. 건설공사의 공정관리 6. 건설공사의 품질관리 7. 건설공사의 안전관리 8. 건설공사의 환경관리 9. 건설공사의 사업정보 관리 10. 건설공사의 사업비, 공정, 품질, 안전 등에	

법	시 행 령	시 행 규 칙
	관련되는 위험요소 관리 11. 그 밖에 건설공사의 원활한 관리를 위하여 필요한 사항 ③ 감독 권한대행 등 건설사업관리에는 다음 각 호의 업무가 포함되어야 한다. 〈개정 2017. 12. 29., 2020. 1. 7., 2020. 5. 26.〉 1. 시공계획의 검토 2. 공정표의 검토 3. 시공이 설계도면 및 시방서의 내용에 적합하게 이루어지고 있는지에 대한 확인(제101조의2제1항 각 호의 가설구조물이 시공상세도면 및 시방서의 내용에 적합하게 설치되었는지에 대한 확인을 포함한다) 4. 건설사업자나 주택건설등록업자가 수립한 품질관리계획 또는 품질시험계획의 검토·확인·지도 및 이행상태의 확인, 품질시험 및 검사 성과에 관한 검토·확인 5. 재해예방대책의 확인, 안전관리계획에 대한 검토·확인, 그 밖에 안전관리 및 환경관리의 지도 6. 공사 진척 부분에 대한 조사 및 검사 7. 하도급에 대한 타당성 검토 8. 설계내용의 현장조건 부합성 및 실제 시공 가능성 등의 사전검토 9. 설계 변경에 관한 사항의 검토 및 확인 10. 준공검사 11. 건설사업자나 주택건설등록업자가 작성한 시공상세도면의 검토 및 확인	

법	시 행 령	시 행 규 칙
	12. 구조물 규격 및 사용자재의 적합성에 대한 검토 및 확인 13. 그 밖에 공사의 질적 향상을 위하여 필요한 사항으로서 국토교통부령으로 정하는 사항 ④ 법 제39조제3항에 따라 시행하는 설계용역에 대한 건설사업관리에는 다음 각 호의 업무가 포함되어야 한다. 1. 건설공사 관련 법령, 법 제44조제1항제1호 및 제2호에 따른 건설공사 설계기준 및 건설공사 시공기준에의 적합성 검토 2. 구조물의 설치 형태 및 건설공법 선정의 적정성 검토 3. 사용재료 선정의 적정성 검토 4. 설계내용의 시공 가능성에 대한 사전검토 5. 구조계산의 적정성 검토 6. 제74조에 따른 측량 및 지반조사의 적정성 검토 7. 설계공정의 관리 8. 공사기간 및 공사비의 적정성 검토 9. 제75조에 따른 설계의 경제성등 검토 10. 설계안의 적정성 검토 11. 설계도면 및 공사시방서 작성의 적정성 검토 ⑤ 법 제39조제4항 후단에서 "대통령령으로 정하는 건설기술인"이란 법 제39조의3제4항에 따라 지명된 책임건설기술인(이하 "책임건설사업관리기술인"이라 한다)과 토목, 건축, 기계, 조경 등 각 분야별 건설사업관리기술인을 말한다. 〈신설 2019. 6. 25.〉	**제34조(건설사업관리의 업무내용 등)** ① 영 제59조제3항제13호에서 "국토교통부령으로 정하는 사항"이란 공사현장에 상주하는 건설사업관리기술인(이하 "상주기술인"이라 한다)을 지원하는 건설사업관리기술인(이하 "기술지원기술인"이라 한다)이 수행하는 다음 각 호의 업무를 말한다. 〈개정 2019. 2. 25., 2020. 3. 18.〉 1. 책임건설사업관리기술인이 요청하는 현장조사 내용의 분석 및 주요 구조물의 기술적 검토 2. 사업비 절감을 위한 검토 3. 책임건설사업관리기술인이 요청하는 시공상세도면 검토 4. 기성 및 준공 검사 5. 행정 지원 업무 6. 설계도서의 검토 7. 중요한 설계변경에 대한 기술 검토 8. 현장 시공 상태의 평가 및 기술 지도 ② 상주기술인은 부득이한 사유로 하루 이상 현장을 이탈하는 경우에는 반드시 업무일지에 이를 기록하고 발주청의 확인을 받아야 한다. 〈개정 2019. 2. 25.〉 ③ 건설사업관리를 수행하는 건설엔지니어링사업자(이하 "건설사업관리용역사업자"라 한다)는 기술지원기술인 중 책임자를 지정하여 기술지원기술인이 수행하는 업무를 총괄하도

법	시 행 령	시 행 규 칙
	⑥ 법 제39조제6항 후단에서 "대통령령으로 정하는 건설기술인"이란 제60조제1항에 따라 시공 단계의 건설사업관리 업무에 배치된 건설기술인을 말한다. 〈신설 2019. 6. 25.〉 ⑦ 제1항부터 제4항까지에서 규정한 건설사업관리의 업무내용에 관하여 필요한 사항은 국토교통부장관이 정하여 고시한다. 〈개정 2019. 6. 25.〉	록 해야 한다. 〈개정 2019. 2. 25., 2020. 3. 18., 2021. 9. 17.〉
	제59조의2(건설사업관리계획의 수립 등) ① 발주청은 법 제39조의2제1항에 따른 시공단계의 건설사업관리계획(이하 "건설사업관리계획"이라 한다)을 다음 각 호의 건설공사 착공(건설공사현장의 부지 정리 및 가설사무소의 설치 등의 공사준비는 착공으로 보지 않는다. 이하 이 조에서 같다) 전까지 수립해야 한다. 1. 총공사비가 5억원 이상인 토목공사 2. 연면적이 660제곱미터 이상인 건축물의 건축공사 3. 총공사비가 2억원 이상인 전문공사 4. 그 밖에 건설공사의 부실시공 및 안전사고의 예방 등을 위해 발주청이 건설사업관리계획을 수립할 필요가 있다고 인정하는 건설공사 ② 제1항에도 불구하고 발주청은 다음 각 호의 어느 하나에 해당하는 건설공사의 경우에는 건설사업관리계획을 수립하지 않을 수 있다. 〈개정 2020. 1. 7., 2021. 9. 14.〉 1. 법 제39조제1항에 따라 건설엔지니어링사업자로 하여금 건설사업관리를 하게 하는 건	**제34조의2(시공단계의 건설사업관리계획 수립기준)** ① 법 제39조의2제1항에 따른 시공단계의 건설사업관리계획(이하 이 조에서 "건설사업관리계획"이라 한다)에는 다음 각 호의 사항을 포함해야 한다. 1. 건설공사명, 시행기관명, 건설공사 주요내용 및 총공사비 등 건설공사 기본사항 2. 국토교통부장관이 정하여 고시하는 기준에 따른 사업관리방식 3. 국토교통부장관이 정하여 고시하는 기준에 따른 건설사업관리기술인 또는 공사감독자 배치계획 4. 다음 각 목의 구분에 따른 사항 가. 기술자문위원회를 둔 발주청의 경우: 법 제39조의2제3항에 따른 기술자문위원회의 심의 대상 여부 및 심의 결과(기술자문위원회의 심의 대상인 경우에만 해당한다) 나. 기술자문위원회를 두지 않은 발주청의 경우: 영 제59조의2제6항에 따른 지방심의위원회의 심의 대상 여부 및 심의

법	시 행 령	시 행 규 칙
	설공사 중 예정 용역사업비가 「국가를 당사자로 하는 계약에 관한 법률」 제4조제1항 본문에 따라 기획재정부장관이 정하여 고시하는 금액 미만인 건설공사 2. 제55조제2항제1호·제2호 및 제4호부터 제7호까지의 규정에 해당하는 건설공사 3. 전시·사변이나 그 밖에 이에 준하는 국가비상사태에서 시행하는 건설공사 4. 재해 복구, 안전사고 예방 등을 위해 긴급하게 시행하는 건설공사 ③ 법 제39조의2제3항에서 "대통령령으로 정하는 건설공사"란 법 제62조에 따른 안전관리계획을 수립해야 하는 건설공사로서 총공사비가 100억원 이상인 건설공사 중 기술자문위원회를 둔 발주청이 발주하는 다음 각 호의 어느 하나에 해당하는 건설공사를 말한다. 1. 구조물이 포함된 건설공사 2. 구조물이 포함되지 않은 건설공사 중 건설공사의 부실시공 및 안전사고의 예방을 위하여 건설사업관리계획의 적정성 등의 심의가 필요하다고 발주청이 인정하는 건설공사 ④ 기술자문위원회는 법 제39조의2제3항에 따라 발주청으로부터 건설사업관리계획의 심의를 요청받은 경우에는 그 적정성 등을 심의하고, 다음 각 호의 구분에 따라 심의 결과를 확정하여 심의 요청일부터 15일 이내에 발주청에 통보해야 한다. 이 경우 심의 결과가 제2호에 해당하는 경우에는 보완이 필요한 사유를 포함	결과(지방심의위원회의 심의 대상인 경우에만 해당한다) 5. 공사감독자 또는 건설사업관리기술인 업무범위 6. 그 밖에 발주청이 필요하다고 인정하는 사항 ② 법 제39조에 따라 건설엔지니어링사업자가 건설사업관리를 수행하는 경우에는 제1항 각 호의 사항에 추가하여 다음 각 호의 사항을 건설사업관리계획에 포함해야 한다. 〈개정 2020. 3. 18., 2021. 9. 17.〉 1. 국토교통부장관이 정하여 고시하는 기준에 따른 건설사업관리 대가 산출내역 2. 건설사업관리용역 입찰 예정 시기 3. 법 제50조제1항에 따른 건설엔지니어링사업의 업무 수행에 대한 평가 계획 중 영 제82조제1항제2호에 따른 건설사업관리 용역사업을 대상으로 하는 평가 계획 ③ 발주청이 법 제39조의2제4항에 따라 시공단계의 건설사업관리계획을 국토교통부장관에게 제출할 때에는 별지 제32호의2서식의 시공단계의 건설사업관리계획의 수립·변경 제출서에 따른다. 〈신설 2021. 9. 17.〉 [본조신설 2019. 7. 1.]

법	시 행 령	시 행 규 칙
	하여 통보해야 한다. 1. 적정: 건설사업관리계획의 수립 기준에 따라 건설사업관리계획이 구체적이고 명료하게 마련되어 건설공사의 부실시공 및 안전사고를 충분히 예방할 수 있다고 인정되는 경우 2. 조건부 적정: 건설공사의 품질확보와 안전에 치명적인 영향을 미치지는 않지만 건설사업관리계획의 수립 기준에 따라 건설사업관리계획이 일부 보완이 필요하다고 인정되는 경우 3. 부적정: 건설사업관리계획의 수립 기준에 따르지 않아 건설공사의 부실시공 및 안전사고가 발생할 우려가 있는 등 건설사업관리계획이에 근본적인 결함이 있다고 인정되는 경우 ⑤ 발주청은 제4항에 따른 기술자문위원회의 심의 결과, 부적정 판정을 통보받은 경우에는 건설사업관리계획을 수정·보완하여 다시 심의를 요청해야 한다. ⑥ 기술자문위원회를 두지 않은 발주청은 발주하는 건설공사가 다음 각 호의 모두에 해당하는 공사로서 해당 건설공사에 대한 건설사업관리계획을 수립·변경하려는 경우에는 지방심의위원회의 심의를 받아야 한다. 1. 법 제62조에 따른 안전관리계획을 수립해야 하는 건설공사 2. 총공사비가 100억원 이상인 건설공사	

법	시 행 령	시 행 규 칙
	3. 제3항 각 호의 어느 하나에 해당하는 건설공사 ⑦ 제6항에 따른 지방심의위원회의 심의 등에 관하여는 제4항 및 제5항을 준용한다. 이 경우 "기술자문위원회"는 "지방심의위원회"로 본다. ⑧ 발주청은 제4항 또는 제6항에 따른 심의를 받아 수립된 건설사업관리계획이 다음 각 호의 어느 하나에 해당하는 경우에는 그 건설사업관리계획을 변경해야 한다. 1. 건설공사의 공사규모, 공사기간, 총공사비 등 주요 사업계획이 변경되는 경우. 다만, 주요 사업계획의 변경이 당초 건설사업관리계획이 승인될 당시의 건설공사의 주요 사업계획 대비 100분의 10 이내로 변경된 경우는 제외한다. 2. 법 제39조의2제2항제1호에 따른 건설사업관리방식이 변경되는 경우 3. 법 제39조의2제2항제2호에 따른 배치계획에서 총 건설사업관리기술인의 수가 감소되는 경우 4. 그 밖에 발주청이 건설사업관리계획의 변경이 필요하다고 인정하는 경우 ⑨ 제1항부터 제8항까지에서 규정한 사항 외에 건설사업관리계획의 수립, 변경 또는 시행 등에 필요한 세부사항은 국토교통부장관이 정하여 고시한다. [본조신설 2019. 6. 25.] **제59조의3(실정보고의 조치 기한)** ① 법 제39조의3	

법	시 행 령	시 행 규 칙
	제1항에 따라 건설사업자가 개선사항의 검토를 요청하는 경우 건설엔지니어링사업자는 이를 검토하고, 특별한 사정이 없으면 검토 요청일부터 14일 이내에 발주청에 관련 서류를 첨부하여 보고하는 등 필요한 조치(이하 "실정보고"라 한다)를 해야 한다. 〈개정 2020. 1. 7., 2021. 9. 14.〉 ② 법 제39조의3제3항에 따라 실정보고를 접수한 발주청은 이를 검토하고, 특별한 사정이 없으면 접수일부터 14일 이내에 해당 실정보고에 대한 검토 결과를 제1항에 따른 건설엔지니어링사업자에게 서면으로 통보해야 한다. 〈개정 2020. 1. 7., 2021. 9. 14.〉 [본조신설 2019. 6. 25.]	
	제60조(건설사업관리기술인의 배치) ① 시공 단계의 건설사업관리를 수행하는 건설사업관리용역사업자는 해당 건설공사의 규모 및 공종에 적합하다고 인정하는 건설기술인을 건설사업관리 업무에 배치해야 하며, 책임건설사업관리기술인을 건설공사의 규모 등을 고려하여 국토교통부령으로 정하는 기준에 따라 배치해야 한다. 〈개정 2018. 12. 11., 2019. 6. 25., 2020. 1. 7.〉 ② 발주청은 건설사업관리용역사업자가 건설사업관리기술인을 배치할 때 국토교통부령으로 정하는 배치기준에 따라 등급별로 적절히 배치하도록 해야 한다. 다만, 제55조제3항에 따라 감독 권한대행 등 건설사업관리를 통합하여 시행하는 경우에는 배치기준 이하로 조정하여	**제35조(건설사업관리기술인의 배치기준 등)** ① 영 제60조제1항에 따라 책임건설사업관리기술인을 배치하는 경우 해당 공사분야에 필요한 경력 및 배치기준은 다음 각 호의 구분에 따른다. 〈개정 2019. 2. 25.〉 1. 총공사비 500억원 이상인 건설공사: 총공사비 300억원 이상인 건설공사에 대한 시공 단계 건설사업관리 경력 1년 이상인 특급기술인 2. 총공사비 300억원 이상 500억원 미만인 건설공사: 총공사비 200억원 이상인 건설공사에 대한 시공 단계 건설사업관리 경력 1년 이상인 특급기술인 3. 총공사비 100억원 이상 300억원 미만인 건

법	시 행 령	시 행 규 칙
	배치할 수 있다. 〈개정 2018. 12. 11., 2020. 1. 7.〉 ③ 발주청은 공사예정가격의 70퍼센트 미만으로 낙찰된 공사의 시공 단계에 건설사업관리기술인을 배치하는 경우에는 국토교통부장관이 정한 기준 이상으로 늘려 배치해야 한다. 〈개정 2018. 12. 11.〉 ④ 발주청은 이미 배치되었거나 배치될 건설사업관리기술인이 해당 건설공사의 건설사업관리 업무 수행에 적합하지 않다고 인정되는 경우에는 그 이유를 구체적으로 밝혀 건설사업관리용역사업자에게 건설사업관리기술인의 교체를 요구할 수 있으며, 건설사업관리용역사업자가 스스로 건설사업관리기술인을 교체하려는 경우에는 미리 발주청의 승인을 받아야 한다. 〈개정 2018. 12. 11., 2020. 1. 7.〉 ⑤ 건설사업관리용역사업자는 공사현장에 배치된 건설사업관리기술인이 업무의 수행기간 중 법에 따른 교육이나 「민방위기본법」 또는 「예비군법」에 따른 교육을 받는 경우나 유급휴가 등으로 현장을 이탈하게 되는 경우에는 건설사업관리 업무에 지장이 없도록 필요한 조치를 해야 한다. 〈개정 2016. 11. 29., 2018. 12. 11., 2020. 1. 7.〉 ⑥ 발주청은 건설사업관리기술인이 교육을 받는 기간과 「관공서의 공휴일에 관한 규정」에 따른 공휴일(일요일은 제외한다)에 대한 대가를 감액해서는 아니 된다. 〈개정 2018. 12. 11.〉 ⑦ 건설사업관리기술인의 배치 기준·방법 등	설공사: 총공사비 100억원 이상인 건설공사에 대한 시공 단계 건설사업관리 경력 1년 이상인 고급기술인 ② 건설사업관리용역사업자는 영 제60조제2항에 따라 시공 단계의 건설사업관리기술인을 상주기술인과 기술지원기술인으로 구분하여 배치하되, 해당 공사의 규모 및 공종 등을 고려하여 배치해야 하며, 발주청은 현장 실정을 고려하여 이를 조정할 수 있다. 〈개정 2019. 2. 25., 2020. 3. 18.〉 ③ 건설사업관리기술인의 배치는 등급별로 균등 배치하는 것을 원칙으로 하되, 발주청은 해당 공사의 특수성에 따라 이를 조정할 수 있다. 〈개정 2019. 2. 25.〉 ④ 건설사업관리용역사업자는 제2항 및 제3항에 따른 배치기준에 따라 배치계획을 수립하여 발주청에 제출해야 한다. 제출된 배치계획을 변경하려는 경우에도 또한 같다. 〈개정 2020. 3. 18.〉 ⑤ 발주청은 영 제83조제1항 단서에 따른 용역평가 점수가 국토교통부장관이 정하여 고시하는 점수 이하인 경우에는 영 제60조제4항에 따라 건설사업관리용역사업자에게 해당 건설사업관리기술인의 교체를 요구할 수 있다. 〈개정 2019. 2. 25., 2020. 3. 18.〉 ⑥ 건설사업관리용역사업자는 제4항에 따라 발주청에 제출한 배치계획에 따라 건설사업관리기술인을 배치해야 한다. 다만, 배치계획과 다르게 건설사업관리기술인을 배치하려는 때

법	시 행 령	시 행 규 칙
	에 관하여 필요한 사항은 국토교통부령으로 정한다. 〈개정 2018. 12. 11.〉 [제목개정 2018. 12. 11.] **제60조의2(발주청의 업무범위)** ① 법 제39조의4제1항에서 "대통령령으로 정하는 발주청의 업무"란 다음 각 호의 업무를 말한다. 1. 공사의 시행에 따른 업무연락 및 문제점 파악 2. 용지 보상 지원 및 민원 해결 3. 법 제55조 및 제62조에 따른 품질관리 및 안전관리에 관한 지도 4. 제59조제3항제9호에 따라 확인한 설계 변경에 관한 사항의 검토 5. 예비준공검사 ② 발주청 소속 직원의 업무수행에 필요한 사항은 국토교통부장관이 따로 정할 수 있다. [본조신설 2020. 12. 8.]	에는 미리 발주청의 승인을 받아 배치계획상의 건설사업관리기술인과 별표 3에 따른 등급·경력·실적 및 교육·훈련 등의 점수가 같은 수준 이상인 건설사업관리기술인을 배치해야 한다. 〈개정 2019. 2. 25., 2020. 3. 18.〉 ⑦ 건설사업관리용역사업자는 3개월 이상 요양이 필요한 질병·부상으로 인하여 발주청의 승인을 받아 철수시킨 건설사업관리기술인을 철수일부터 3개월 이내에 다른 건설사업관리용역에 참여시키는 것으로 하여 제28조 및 제30조에 따른 선정평가를 받거나 다른 건설사업관리용역에 배치해서는 안 된다. 다만, 해당 건설사업관리기술인이 배치되었던 건설사업관리용역이 완료된 경우에는 그렇지 않다. 〈개정 2019. 2. 25., 2020. 3. 18.〉 ⑧ 건설사업관리용역사업자는 건설사업관리기술인을 배치하려는 경우에는 별지 제18호서식의 건설기술인 경력증명서를 발주청에 제출해야 한다. 〈개정 2019. 2. 25., 2020. 3. 18.〉 ⑨ 건설사업관리기술인의 배치기준·방법 등에 관하여 필요한 세부 사항은 국토교통부장관이 정하여 고시한다. 〈개정 2019. 2. 25.〉 [제목개정 2019. 2. 25.] **제36조(건설사업관리 보고서의 작성·제출)** ① 법 제39조제4항에 따라 건설사업관리 업무를 수행한 건설엔지니어링사업자가 작성·제출하는 보고서에 포함되어야 할 내용 및 제출방법은 다음 각 호의 구분에 따른다. 〈개정 2016. 7. 4., 2019.

법	시 행 령	시 행 규 칙
		2. 25., 2020. 3. 18., 2021. 8. 27., 2021. 9. 17.〉 1. 설계 단계의 건설사업관리 결과보고서: 설계 단계의 건설사업관리 용역의 만료일부터 14일 이내에 다음 각 목의 내용을 포함하여 발주청에 제출할 것 가. 과업의 개요 나. 설계에 대한 기술자문, 적정성 검토 등 업무수행 내용 다. 설계의 경제성 검토 업무수행 내용 라. 그 밖에 발주청이 필요하다고 인정하여 계약에서 정한 내용 2. 시공 단계의 건설사업관리 중간보고서: 월별로 작성하여 다음달 7일까지 다음 각 목의 내용을 포함하여 발주청에 제출할 것 가. 공사추진현황 나. 건설사업관리기술인 업무일지 다. 품질시험·검사현황 라. 구조물별 콘크리트 타설(打設) 및 철골 설치 공사 현황(작업자 명부를 포함한다) 마. 검측 요청·결과통보 내용 바. 자재 공급원 승인 요청·결과통보 내용 사. 주요 자재 검사 및 출납 내용 아. 공사설계 변경 현황 자. 주요 구조물의 단계별 시공 현황 차. 콘크리트 구조물 균열관리 현황 카. 공사사고 보고서 타. 그 밖에 발주청이 필요하다고 인정하여 계약에서 정한 내용

<table>
<tr><th>법</th><th>시 행 령</th><th>시 행 규 칙</th></tr>
<tr><td></td><td></td><td>3. 시공 단계의 건설사업관리 최종보고서: 시공 단계의 건설사업관리 용역의 만료일부터 14일 이내에 다음 각 목의 내용을 포함하여 발주청에 제출할 것
가. 건설공사 및 건설사업관리용역 개요
나. 분야별 기술 검토 실적 종합
다. 공사 추진내용 실적
라. 검측내용 실적 종합
마. 우수시공 및 실패시공 사례
바. 품질시험·검사 실적 종합
사. 주요 자재 관리실적 종합
아. 안전관리 실적 종합
자. 종합분석
차. 그 밖에 발주청이 필요하다고 인정하여 계약에서 정한 내용</td></tr>
<tr><td>제40조(건설사업관리 중 공사중지 명령 등) ① 제39조제2항에 따라 건설사업관리를 수행하는 건설엔지니어링사업자와 제49조제1항에 따른 공사감독자는 건설사업자가 건설공사의 설계도서·시방서(示方書), 그 밖의 관계 서류의 내용과 맞지 아니하게 그 건설공사를 시공하는 경우 또는 제62조에 따른 안전관리 의무를 위반하거나, 제66조에 따른 환경관리 의무를 위반하여 인적·물적 피해가 우려되는 경우에는 재시공·공사중지(부분 공사중지를 포함한다) 명령이나 그 밖에 필요한 조치를 할 수 있다. 〈개정 2018. 12. 31., 2019. 4. 30., 2021. 3. 16.〉
② 제1항에 따라 건설엔지니어링사업자 또는</td><td>제61조(건설사업관리 중 공사중지 명령 등) ① 법 제40조제1항에 따라 건설사업관리용역사업자와 법 제49조제1항에 따른 공사감독자가 건설사업자에게 재시공·공사중지 명령이나 그 밖에 필요한 조치를 하는 경우에는 서면으로 해야 하며, 그 조치내용과 결과를 기록·관리해야 한다. 〈개정 2019. 6. 25., 2020. 1. 7.〉
② 삭제 〈2019. 6. 25.〉
③ 삭제 〈2019. 6. 25.〉</td><td>② 국토교통부장관은 제1항에 따른 건설사업관리 보고서의 효율적 작성과 전산화를 위하여 필요한 경우에는 건설사업관리 보고서 작성 전산프로그램을 개발하여 이를 활용하게 할 수 있다.
③ 제1항에 따른 건설사업관리 보고서에 포함될 내용 및 제출방법에 관한 세부적인 사항은 국토교통부장관이 정하여 고시한다.</td></tr>
</table>

법	시 행 령	시 행 규 칙
공사감독자로부터 재시공·공사중지 명령이나 그 밖에 필요한 조치에 관한 지시를 받은 건설사업자는 특별한 사유가 없으면 이에 따라야 한다. 〈개정 2018. 12. 31., 2019. 4. 30., 2021. 3. 16.〉 ③ 건설엔지니어링사업자 또는 공사감독자는 제1항에 따라 건설사업자에게 재시공·공사중지 명령이나 그 밖에 필요한 조치를 한 경우에는 지체 없이 이에 관한 사항을 해당 건설공사의 발주청에 보고하여야 한다. 〈개정 2018. 12. 31., 2019. 4. 30., 2021. 3. 16.〉 ④ 제1항에 따라 재시공·공사중지 명령이나 그 밖에 필요한 조치를 한 건설엔지니어링사업자 또는 공사감독자는 시정 여부를 확인한 후 공사재개 지시 등 필요한 조치를 하여야 하며, 이 경우 지체 없이 이에 관한 사항을 해당 건설공사의 발주청에 보고하여야 한다. 〈개정 2018. 12. 31., 2019. 4. 30., 2021. 3. 16.〉 ⑤ 건설사업관리를 수행하는 건설엔지니어링사업자는 소속 건설기술인 중에서 해당 건설사업관리의 책임건설기술인을 지명하여 제1항에 따른 재시공·공사중지 명령이나 그 밖에 필요한 조치의 권한을 위임할 수 있다. 〈개정 2018. 8. 14., 2019. 4. 30., 2021. 3. 16.〉 ⑥ 제1항에 따른 재시공·공사중지 명령이나 그 밖에 필요한 조치의 요건, 절차 및 방법 등에 관하여 필요한 사항은 대통령령으로 정한다. **제40조의2(불이익조치의 금지)** 누구든지 제40조제1항에 따른 재시공·공사중지 명령 등의 조치		

<table>
<tr><th>법</th><th>시행령</th><th>시행규칙</th></tr>
<tr><td>를 이유로 건설엔지니어링사업자·공사감독자 또는 제40조제5항에 따른 책임건설기술인에게 건설기술인의 변경, 현장 상주의 거부, 용역대가 지급의 거부·지체 등 신분이나 처우와 관련하여 불이익을 주어서는 아니 된다.
〈개정 2019. 4. 30., 2021. 3. 16.〉
[본조신설 2018. 12. 31.]
제40조의3(면책) 제40조제1항에 따른 재시공·공사중지 명령 등의 조치로 발주청이나 건설사업자에게 손해가 발생한 경우 건설엔지니어링사업자·공사감독자 또는 제40조제5항에 따른 책임건설기술인은 그 명령에 고의 또는 중대한 과실이 없는 때에는 그 손해에 대한 책임을 지지 아니한다. 〈개정 2019. 4. 30., 2021. 3. 16.〉
[본조신설 2018. 12. 31.]
제41조(총괄관리자의 선정 등) ① 발주청은 건설공사와 그 건설공사에 딸리는 전기·소방 등의 설비공사(이하 "설비공사"라 한다)에 대한 건설사업관리 및 감리를 다음 각 호의 어느 하나에 해당하는 자로 하여금 하게 하는 경우에는 해당 건설사업관리를 수행하는 자와 감리를 수행하는 자 중에서 그 건설공사와 설비공사에 대한 건설사업관리 및 감리 업무를 총괄하여 관리할 자(이하 "총괄관리자"라 한다)를 선정할 수 있다. 〈개정 2019. 4. 30., 2021. 3. 16.〉
1. 건설엔지니어링사업자
2. 「소방시설공사업법」 제4조제1항에 따른 소방시설업의 등록을 한 자</td><td>제62조(총괄관리자의 업무범위 등) ① 법 제41조제1항에 따른 총괄관리자의 업무범위는 다음 각 호와 같다.
1. 법 제41조제1항 각 호의 자가 해당 건설공사 및 설비공사에 대하여 제출하는 시공계획, 공정계획, 품질·안전 및 환경관리계획의 조정·확인
2. 공사 진척 부분에 대한 조사 및 검사 결과에 따른 조정·확인
3. 그 밖에 건설공사 및 설비공사에 대한 효율적인 건설사업관리 및 감리 수행을 위하여 필요한 사항
② 총괄관리자는 제1항의 업무수행을 위하여</td><td></td></tr>
</table>

법	시 행 령	시 행 규 칙
3. 「전력기술관리법」 제14조제1항제2호에 따라 전력시설물의 공사감리업의 등록을 한 자 4. 「정보통신공사업법」 제2조제7호에 따른 용역업자 ② 총괄관리자는 건설공사 및 설비공사의 품질·안전 관리와 효율적인 건설사업관리 및 감리 업무의 수행을 위하여 필요하다고 인정하는 경우에는 다른 건설사업관리를 수행하는 자와 감리를 수행하는 자에게 시정지시 등 필요한 조치를 할 수 있으며, 정당한 사유 없이 조치에 따르지 아니하는 경우에는 그 사실을 발주청에 보고하여야 한다. ③ 총괄관리자의 권한, 업무 범위, 그 밖에 필요한 사항은 대통령령으로 정한다.	필요한 경우에는 법 제41조제1항 각 호의 자에게 자료의 제출을 요구할 수 있다	
제42조(다른 법률과의 관계) 제39조제2항에 따른 건설사업관리를 시행하거나 건설사업관리 중 대통령령으로 정하는 업무를 수행한 경우에는 「건축법」 제25조에 따른 공사감리 또는 「주택법」 제43조 및 제44조에 따른 감리를 한 것으로 본다. 〈개정 2016. 1. 19.〉	**제63조(다른 법률과의 관계)** 법 제42조에서 "대통령령으로 정하는 업무"란 시공 단계의 건설사업관리 업무를 말한다.	
제5장 건설공사의 관리	**제5장 건설공사의 관리**	**제5장 건설공사의 관리**
제1절 건설공사의 표준화 등	**제1절 건설공사의 표준화 등**	
제43조(설계 등의 표준화) ① 국토교통부장관은 건설공사에 드는 비용을 줄이고 시설물의 품질을 향상시키기 위하여 건설자재·부재의 치수		

법	시 행 령	시 행 규 칙
및 시공방법을 표준화하도록 노력하여야 한다. ② 국토교통부장관은 제1항에 따른 표준화를 촉진하기 위하여 다음 각 호의 자에게 대통령령으로 정하는 바에 따라 설계·생산 또는 시공 과정에서 시험생산·시험시공 등을 하도록 권고할 수 있다. 〈개정 2019. 4. 30.〉 1. 시설물의 설계자 2. 건설자재·부재의 생산업자 3. 건설사업자 또는 주택건설등록업자 ③ 국토교통부장관은 관계 기관의 장에게 제1항에 따른 표준화와 관련된 「산업표준화법」 제12조에 따른 한국산업표준 등 기준의 정비 및 자금 지원 등 필요한 사항을 요청할 수 있다.	**제64조(시험생산·시험시공 등의 권고)** 국토교통부장관은 법 제43조제2항에 따라 시험생산·시험시공 등을 권고하는 경우에는 이에 필요한 비용을 지원할 수 있으며, 시험생산을 권고하는 경우에는 발주청에 시험생산된 자재의 사용을 권고할 수 있다.	
제44조(설계 및 시공 기준) ① 국토교통부장관이나 그 밖에 대통령령으로 정하는 자는 건설공사의 기술성·환경성 향상 및 품질 확보와 적정한 공사 관리를 위하여 다음 각 호에 관한 기준(이하 "건설기준"이라 한다)을 정할 수 있다. 〈개정 2014. 5. 14.〉 1. 건설공사 설계기준 2. 건설공사 시공기준 및 표준시방서 등 3. 그 밖에 건설공사의 관리에 필요한 사항 ② 제1항에 따라 대통령령으로 정하는 자가 건설기준을 정하려면 국토교통부장관의 승인을 받아야 한다. 〈개정 2014. 5. 14.〉 ③ 건설기준 설정의 절차 등에 관하여 필요한 사항은 국토교통부령으로 정한다. 〈개정 2014. 5. 14.〉	**제65조(건설기준)** ① 법 제44조제1항에서 "대통령령으로 정하는 자"란 다음 각 호의 자를 말한다. 1. 농림축산식품부장관, 환경부장관 및 해양수산부장관 2. 지방자치단체 3. 공기업·준정부기관 4. 건설기술 관련 기관 또는 단체 5. 건설 관련 기술의 연구를 목적으로 하는 법인 ② 법 제44조제2항에서 "대통령령으로 정하는 자"란 제1항제2호부터 제5호까지에 해당하는 자를 말한다. 〈신설 2014. 12. 30.〉 ③ 국토교통부장관(제116조에 따라 건설기준의 승인에 관한 권한을 위탁받은 자를 포함한다)은 법 제44조제2항에 따라 건설기준을 승인하려는 경우에는 미리 중앙심의위원회의 심의를 거쳐야	**제36조의2(건설기준 설정의 절차 등)** ① 영 제65조제1항 각 호의 자가 법 제44조제1항 각 호에 관한 기준(이하 "건설기준"이라 한다)을 제정·개정 또는 폐지하려는 경우에는 다음 각 호의 사항에 대하여 법 제44조의2제2항에 따른 국가건설기준센터(이하 "건설기준센터"라 한다)에 자문할 수 있다. 1. 건설기준의 제정·개정 또는 폐지 계획 2. 건설기준의 구성체계 3. 다른 건설기준과의 중복·상충 여부 ② 국토교통부장관은 건설기준의 설정·관리에 필요한 건설기준 구성체계 등을 정하여 고시할 수 있다. [본조신설 2015. 1. 29.] **제37조(건설기준의 보급 등)** ① 영 제65조제3항 후

법	시 행 령	시 행 규 칙
	한다. 이를 변경(국토교통부령으로 정하는 경미한 사항의 변경은 제외한다)하거나 폐지하려는 경우에도 또한 같다. 〈개정 2014. 12. 30.〉 ④ 국토교통부장관 및 제1항 각 호의 자는 건설기준을 제정·개정하거나 폐지하였을 때에는 그 주요 사항을 다음 각 호의 구분에 따라 고시하거나 통보하여야 한다. 〈개정 2014. 12. 30.〉 1. 국토교통부장관 또는 제1항제1호에 해당하는 자: 관보에 고시 2. 제1항제2호에 해당하는 자: 해당 지방자치단체의 공보에 고시 3. 제1항제3호부터 제5호까지에 해당하는 자: 관계 중앙행정기관 및 지방자치단체와 그 밖의 관계 기관 등에 통보	단에서 "국토교통부령으로 정하는 경미한 사항의 변경"이란 다음 각 호의 변경을 말한다. 〈개정 2015. 1. 29.〉 1. 건설기준의 내용에 영향을 미치지 아니하는 범위에서 오기(誤記), 누락된 부분을 정정하거나 기관명 등의 변동을 반영하는 변경 2. 다른 건설기준의 변경에 따른 같은 내용으로의 건설기준 변경
	⑤ 국토교통부장관은 제1항 각 호의 자가 요청하는 경우에는 국토교통부령으로 정하는 바에 따라 건설기준에 관한 도서(圖書) 등을 작성하여 유상(有償)으로 보급하게 할 수 있다. 〈개정 2014. 12. 30.〉 ⑥ 법 제44조제1항제2호에 따른 표준시방서는 시설물의 안전 및 공사시행의 적정성과 품질 확보 등을 위하여 시설물별로 정한 표준적인 시공기준으로서 발주청 또는 건설엔지니어링 사업자가 공사시방서를 작성할 때 활용하기 위한 시공기준으로 한다. 〈개정 2014. 12. 30., 2020. 1. 7., 2021. 9. 14.〉 ⑦ 법 제44조제1항제3호에 따른 건설공사의 관리에 필요한 사항은 건설공사의 전문시방서	② 국토교통부장관은 영 제65조제5항에 따라 건설기준에 관한 도서 등을 유상으로 보급하려는 경우에는 다음 각 호의 기준에 따라 유상보급기관 및 단체를 선정하여야 한다. 〈개정 2015. 1. 29.〉 1. 동일한 건설기준에 대하여 영 제65조제1항 각 호에 해당하는 자 중 둘 이상의 자로부터 유상보급 요청이 있는 경우에는 해당 건설기준을 제정하거나 개정한 자 또는 이에 참여한 건설기술 관련 단체 및 연구기관을 우선적으로 유상보급기관 및 단체로 선정한다. 2. 제1호의 경우 해당 건설기준을 제정하거나 개정한 자 또는 이에 참여한 건설기술 관련 단체 및 연구기관이 없는 경우에는 신청순위

법	시행령	시행규칙
	(시설물별 표준시방서를 기본으로 모든 공종을 대상으로 하여 특정한 공사의 시공 또는 공사시방서의 작성에 활용하기 위한 종합적인 시공기준을 말한다)로 한다. 〈개정 2014. 12. 30.〉 ⑧ 국토교통부장관은 법 제44조제1항에 따라 건설기준을 정하거나 변경하는 자에게 국토교통부령으로 정하는 바에 따라 그에 필요한 경비를 지원할 수 있다. 〈개정 2014. 12. 30.〉 [제목개정 2014. 12. 30.]	에 따라 유상보급기관 및 단체를 선정한다. 3. 제1호 및 제2호에 따라 유상보급기관 및 단체를 선정하는 경우에 필요하다고 인정되면 둘 이상의 기관 또는 단체를 선정할 수 있다. [제목개정 2015. 1. 29.] **제38조(건설기준의 정비를 위한 경비의 지원)** ① 영 제65조제8항에 따른 건설기준의 정비에 필요한 경비를 지원받으려는 자는 별지 제33호서식의 국고보조금 교부신청서에 건설기준 정비계획서를 첨부하여 국토교통부장관에게 제출하여야 한다. 〈개정 2015. 1. 29.〉 ② 국토교통부장관은 제1항에 따라 신청한 자에게 경비를 지원하려면 국토교통부장관이 지정·고시하는 기관의 자문 및 중앙심의위원회의 심의를 거쳐야 한다. [제목개정 2015. 1. 29.]
제44조의2(건설기준의 관리) ① 국토교통부장관은 건설기준의 개발 촉진과 그 활용을 위한 시책을 마련하여야 한다. ② 국토교통부장관은 건설기준을 효율적으로 관리하기 위하여 국가건설기준센터를 설치·운영할 수 있다. ③ 국가건설기준센터는 다음 각 호의 업무를 수행한다. 1. 건설기준의 연구·개발 및 보급 2. 건설기준의 관리·운영 3. 건설기준의 검증 및 평가 4. 건설기준의 정보화체계 구축	**제65조의2(건설기준의 관리)** ① 법 제44조의2제2항에 따른 국가건설기준센터(이하 "건설기준센터"라 한다)는 법 제44조의2제3항제3호에 따른 건설기준의 검증 및 평가를 위하여 필요한 경우 발주청에 검증실험 및 시험시공 등의 협조를 요청할 수 있다. ② 건설기준센터는 법 제44조의2제3항제4호에 따른 건설기준 정보화체계의 효율적인 구축·운영을 위하여 필요한 경우 건설기준의 제정·개정 내용 및 이유 등 관련 자료의 제공을 관계 기관의 장에게 요청할 수 있다. ③ 법 제44조의2제3항제8호에서 "대통령령으	

법	시 행 령	시 행 규 칙
5. 건설기준에 대한 교육 및 홍보 6. 주요 국가 건설기준의 제도·정책 동향 조사·분석 7. 건설기준 발전을 위한 국제협력의 추진 8. 그 밖에 건설기준 발전을 위하여 대통령령으로 정하는 사항 ④ 국토교통부장관은 국가건설기준센터의 운영을 대통령령으로 정하는 전문기관에 위탁할 수 있다. ⑤ 국토교통부장관은 국가건설기준센터의 운영에 필요한 비용을 예산의 범위에서 출연할 수 있다. ⑥ 국가건설기준센터의 설치·운영과 제5항에 따른 출연금의 지급범위·사용 및 관리에 필요한 사항은 대통령령으로 정한다. [본조신설 2014. 5. 14.]	로 정하는 사항"이란 다음 각 호의 사항을 말한다. 1. 건설기준에 대한 검토·자문 2. 건설기준의 중앙심의위원회 심의에 대한 의견 제시(중앙심의위원회의 위원장이 요청하는 경우로 한정한다) 3. 그 밖에 건설기준 발전을 위하여 국토교통부장관이 필요하다고 인정하는 사항 ④ 국토교통부장관은 법 제44조의2제4항에 따라 같은 조 제2항에 따른 건설기준센터의 운영을 건설기술연구원에 위탁한다. 〈개정 2020. 1. 7.〉 ⑤ 제1항부터 제4항까지에서 규정한 사항 외에 건설기준센터의 설치·운영에 필요한 사항은 국토교통부령으로 정한다. [본조신설 2014. 12. 30.] **제65조의3(건설기준센터 운영을 위한 출연금)** ① 법 제44조의2제4항 및 이 영 제65조의2제4항에 따라 건설기준센터의 운영을 위탁받은 건설기술연구원이 법 제44조의2제5항에 따라 출연금을 받으려는 경우에는 매년 4월 30일까지 다음 연도의 출연금예산요구서에 다음 각 호의 서류를 첨부하여 국토교통부장관에게 제출해야 한다. 〈개정 2020. 1. 7., 2021. 1. 5.〉 1. 다음 연도의 업무계획서 2. 다음 연도의 추정재무상태표 및 추정손익계산서 ② 국토교통부장관은 제1항 각 호의 서류가 타당하다고 인정하는 경우 출연금을 지급한다.	**제38조의2(건설기준센터의 운영 등)** ① 법 제44조의2제4항 및 영 제65조의2제4항에 따라 건설기준센터의 운영을 한국건설기술연구원에 위탁하는 경우 한국건설기술연구원의 장(이하 "한국건설기술연구원장"이라 한다)은 건설기준에 관한 전문적인 사항을 검토하기 위하여 건설기준센터에 건설기준위원회를 둘 수 있다. ② 제1항에 따른 건설기준위원회의 구성·운영 등에 필요한 사항은 한국건설기술연구원장이 정하여 국토교통부장관에게 보고하여야 한다. [본조신설 2015. 1. 29.]

법	시 행 령	시 행 규 칙
	③ 건설기술연구원은 제2항에 따라 출연금을 지급받은 경우 그 출연금에 대하여 별도의 계정을 설정하여 관리해야 하며, 법 제44조의2제3항에 따른 건설기준센터 업무의 용도에 한정하여 사용해야 한다. 〈개정 2020. 1. 7.〉 ④ 건설기술연구원장은 다음 각 호의 구분에 따른 시기까지 건설기준센터의 운영내용을 국토교통부장관에게 보고해야 한다. 〈개정 2020. 1. 7.〉 1. 해당 연도의 세부운영계획: 매년 1월 31일까지 2. 출연금 사용실적을 포함한 전년도 운영실적: 매년 3월 31일까지 [본조신설 2014. 12. 30.]	
제45조(건설공사 공사비 산정기준) ① 국토교통부장관은 건설공사의 적정한 공사비 산정을 위하여 건설공사의 실적을 토대로 산정한 공사비 및 표준품셈 등 공사비 산정기준을 정할 수 있다. ② 국토교통부장관은 제1항에 따른 공사비 산정기준의 관리를 위하여 국토교통부장관이 정하여 고시하는 관리기관으로 하여금 공사비 산정기준에 관한 조사·연구 등 업무를 수행하게 할 수 있다. 이 경우 국토교통부장관은 필요한 사업비에 충당하도록 출연할 수 있다. ③ 제2항 후단에 따른 출연금의 지급기준, 사용 및 관리에 필요한 사항은 대통령령으로 정한다. **제45조의2(공사기간 산정기준)** ① 발주자는 건설공사의 품질 및 안전성·경제성을 확보할 수 있도록 해당 건설공사의 규모 및 특성, 현장여건	**제66조(공사비 산정기준 조사·연구 등을 위한 출연금)** ① 국토교통부장관은 법 제45조제2항 후단에 따라 비용을 출연하는 경우에는 건설공사 공사비 산정기준 관리업무의 내용, 추진상황 등을 고려하여 출연금을 한꺼번에 지급하거나 분할하여 지급할 수 있다. 〈개정 2015. 7. 6.〉 ② 제1항에 따라 출연금을 지급받은 자는 그 출연금에 대하여 별도의 계정을 설정하여 관리하여야 하며, 국토교통부장관이 정하여 고시하는 바에 따라 건설공사 공사비 산정기준의 관리업무에 한정하여 사용하여야 한다. 〈개정 2015. 7. 6.〉	

법	시행령	시행규칙
등을 고려하여 적정 공사기간을 산정하여야 한다. 다만, 불가항력 등 정당한 사유가 발생한 경우에는 이를 고려하여 적정 공사기간 조정을 검토하여야 한다. ② 국토교통부장관은 발주청이 제1항에 따른 적정 공사기간 산정 및 조정 등과 관련된 업무를 원활히 수행할 수 있도록 대통령령으로 정하는 바에 따라 공사기간 산정기준을 정하여 고시할 수 있다. ③ 국토교통부장관은 제2항에 따른 공사기간 산정기준 마련 등을 위하여 필요한 경우 발주청에 공사기간 산정기준 및 방법 등에 관한 자료를 요청할 수 있으며, 발주청은 특별한 사유가 없으면 이에 따라야 한다. [본조신설 2021. 3. 16.]	③ 국토교통부장관은 제1항에 따라 출연금을 지급받은 자가 정당한 사유 없이 제2항에 따른 건설공사 공사비 산정기준의 관리업무 외의 용도로 출연금을 사용한 경우에는 그 출연금의 전부 또는 일부를 회수할 수 있다. 〈개정 2015. 7. 6.〉 **제66조의2(공사기간 산정기준 등)** ① 법 제45조의2 제2항에 따른 공사기간 산정기준에는 다음 각 호의 사항이 포함되어야 한다. 1. 공사기간 산정 시 고려사항 및 결정절차에 관한 사항 2. 공사기간의 산정방법에 관한 사항 3. 공사기간 단축 및 연장에 관한 사항 4. 그 밖에 적정 공사기간의 산정을 위하여 국토교통부장관이 필요하다고 인정하는 사항 ② 발주청은 제1항에 따른 산정기준의 범위에서 국토교통부장관이 정하여 고시하는 바에 따라 공사기간의 산정 및 조정에 관한 세부기준을 정하여 운영할 수 있다. ③ 발주청은 제2항에 따라 세부기준을 정하는 경우 기술자문위원회의 심의를 받아야 한다. 다만, 지방자치단체가 발주청인 경우로서 기술자문위원회가 설치되지 않은 경우에는 지방심의위원회의 심의를 받아야 한다. [본조신설 2021. 9. 14.]	
제46조(건설공사의 시행과정) ① 발주청은 건설공사를 안전하고 경제적·능률적으로 시행하기 위하여 건설공사의 계획·조사·설계·시공·감리·유지·관리 등(이하 이 조에서 "건설공사의	**제67조(건설공사의 시행과정)** ① 법 제46조제1항에서 "대통령령으로 정하는 절차 및 기준"이란 다음 각 호에 따른 건설공사 시행과정(이하 "건설공사의 시행과정"이라 한다)의 해당 규정	

<table>
<tr><th>법</th><th>시 행 령</th><th>시 행 규 칙</th></tr>
<tr><td>시행과정"이라 한다)을 대통령령으로 정하는 절차 및 기준에 따라 수행하여야 한다.
〈개정 2015. 7. 24., 2018. 12. 31.〉
② 국토교통부장관은 건설공사의 시행과정이 제1항에 따라 수행되지 아니하는 경우에는 발주청에 시정을 요구할 수 있다.</td><td>에서 정하는 절차 및 기준을 말한다. 다만, 다른 법령에서 특별히 정한 경우는 그러하지 아니하다. 〈개정 2016. 1. 12.〉
1. 제68조에 따른 기본구상
2. 법 제47조에 따른 건설공사의 타당성 조사(이하 "타당성 조사"라 한다)
3. 제69조에 따른 건설공사기본계획
4. 제70조에 따른 공사수행방식의 결정
5. 제71조에 따른 기본설계
6. 제72조에 따른 공사비 증가 등에 대한 조치
7. 제73조에 따른 실시설계
8. 제74조에 따른 측량 및 지반조사
9. 제75조에 따른 설계의 경제성등 검토
9의2. 제75조의2에 따른 설계의 안전성 검토
10. 제76조에 따른 시공 상태의 점검·관리
11. 제77조에 따른 공사의 관리
12. 제78조에 따른 준공
13. 제79조에 따른 공사참여자의 실명 관리
14. 법 제52조에 따른 건설공사의 사후평가(이하 "사후평가"라 한다)
15. 제80조에 따른 유지·관리
② 발주청은 제1항 각 호에 따른 건설공사의 시행과정에도 불구하고 다음 각 호의 어느 하나에 해당하는 경우에는 건설공사의 시행과정의 일부를 조정하여 시행할 수 있다.
1. 총공사비가 100억원 미만인 건설공사
2. 재해 복구 등 긴급히 시행하여야 하는 건설공사</td><td></td></tr>
</table>

법	시 행 령	시 행 규 칙
	3. 보수·철거 또는 개량을 위한 건설공사 4. 보안이 필요한 국방·군사시설의 건설공사 5. 해당 건설공사 및 그 시행과정의 특성상 건설공사의 시행과정의 조정이 필요하다고 인정되는 경우로서 발주청이 관계 중앙행정기관의 장과 협의하여 정하는 건설공사 **제68조(기본구상)** ① 발주청은 건설공사를 시행하려면 다음 각 호의 사항을 검토하여 공사내용에 관한 기본적인 개요(이하 "기본구상"이라 한다)를 마련하여야 한다. 1. 공사의 필요성 2. 「국토의 계획 및 이용에 관한 법률」 제2조제4호에 따른 도시·군관리계획(이하 "도시·군관리계획"이라 한다) 등 다른 법령에 따른 계획과의 연계성 3. 공사의 시행에 따른 위험요소의 예측 4. 공사예정지의 입지조건 5. 공사의 규모 및 공사비 6. 공사의 시행이 환경에 미치는 영향 7. 법 제52조제1항에 따라 작성된 동일하거나 유사한 건설공사의 사후평가서의 내용 8. 건설사업관리의 적용 여부, 공사의 기대효과, 그 밖에 발주청이 필요하다고 인정하는 사항 ② 발주청은 기본구상을 마련할 때에는 제86조제7항에 따라 국토교통부장관이 고시하는 기준을 참고하여야 한다. **제69조(건설공사기본계획)** ① 발주청은 타당성 조	

법	시 행 령	시 행 규 칙
	사를 한 결과, 그 필요성이 인정되는 건설공사에 대해서는 기본구상을 기초로 하여 다음 각 호의 사항을 포함한 건설공사기본계획(이하 "건설공사기본계획"이라 한다)을 수립하여야 한다. 1. 공사의 목표 및 기본방향 2. 공사의 내용·기간, 시행자 및 공사수행계획 3. 공사비 및 재원조달계획 4. 개별 공사별 투자 우선순위(도로공사·하천공사·지역개발사업 등 동일하거나 유사한 공종의 공사를 묶어 하나의 사업으로 기획 및 예산편성을 하는 경우만 해당한다) 5. 연차별 공사시행계획 6. 시설물 유지관리계획 7. 환경보전계획 8. 기대효과와 그 밖에 발주청이 필요하다고 인정하는 사항 ② 발주청은 건설공사기본계획을 수립할 때에는 도시·군관리계획 등 다른 법령에 따른 계획과의 연계성을 고려하여야 하며, 해당 건설공사의 시행이 환경 등에 미치는 영향을 분석하여야 한다. ③ 발주청은 건설공사기본계획을 수립할 때에는 관계 행정기관의 장과 미리 협의하여야 한다. 건설공사기본계획 중 다음 각 호의 어느 하나에 해당하는 사항을 변경할 때에도 또한 같다. 1. 공사의 목표 또는 기본방향의 변경	

법	시 행 령	시 행 규 칙
	2. 1년 이상의 공사기간 연장 3. 10퍼센트 이상의 공사비 증가 ④ 발주청은 제1항제4호에 따른 개별 공사별 투자 우선순위를 결정할 때에는 사회·경제적 타당성, 지역 간의 균형 개발 및 해당 지역주민의 의견 등을 종합적으로 고려하여야 한다. ⑤ 발주청은 건설공사기본계획을 수립하거나 건설공사기본계획 중 제3항 각 호의 사항을 변경하였을 때에는 그 사실을 고시하여야 한다. **제70조(공사수행방식의 결정)** ① 발주청은 건설공사기본계획을 수립·고시한 후 해당 건설공사의 규모와 성격을 고려하여 다음 각 호의 어느 하나에 해당하는 공사수행방식을 결정하여야 한다. 1. 삭제 〈2019. 6. 25.〉 2. 「국가를 당사자로 하는 계약에 관한 법률 시행령」 제79조제1항제5호 및 「지방자치단체를 당사자로 하는 계약에 관한 법률 시행령」 제95조제1항제5호에 따른 일괄입찰방식(이하 "일괄입찰방식"이라 한다) 3. 「국가를 당사자로 하는 계약에 관한 법률 시행령」 제98조제3호 및 「지방자치단체를 당사자로 하는 계약에 관한 법률 시행령」 제127조제3호에 따른 기본설계 기술제안입찰방식 4. 제1호부터 제3호까지의 규정에 따른 방식 외의 공사수행방식 ② 발주청은 제1항제4호의 공사수행방식을 결	

법	시행령	시행규칙
	정한 경우 제73조제1항 또는 제2항에 따른 실시설계를 완료하였을 때에는 해당 건설공사의 공종별 성격을 고려하여 다음 각 호의 어느 하나에 해당하는 공사수행방식을 결정하여야 한다. 1. 「국가를 당사자로 하는 계약에 관한 법률 시행령」 제79조제1항제4호 및 「지방자치단체를 당사자로 하는 계약에 관한 법률 시행령」 제95조제1항제4호에 따른 대안입찰방식 2. 「국가를 당사자로 하는 계약에 관한 법률 시행령」 제98조제2호 및 「지방자치단체를 당사자로 하는 계약에 관한 법률 시행령」 제127조제2호에 따른 실시설계 기술제안입찰방식 3. 제1호·제2호 및 제1항제1호부터 제3호까지의 규정에 따른 방식 외의 공사수행방식 **제71조(기본설계)** ① 발주청은 건설공사기본계획을 반영하여 해당 건설공사에서의 주요 구조물의 형식, 지반(地盤) 및 토질, 개략적인 공사비, 실시설계의 방침 등을 포함한 기본설계를 하여야 한다. 다만, 다음 각 호의 어느 하나에 해당하는 경우에는 따로 기본설계를 하지 아니할 수 있다. 1. 기술공모방식 또는 일괄입찰방식으로 시행하는 경우 2. 제73조제2항에 따라 기본설계의 내용을 포함하여 실시설계를 하는 경우 3. 제81조제3항에 따라 기본설계에 반영될 내용을 포함하여 타당성 조사를 한 경우	

법	시 행 령	시 행 규 칙
	② 기본설계의 내용, 설계기간, 설계관리 및 설계도서의 작성기준은 국토교통부장관이 정하여 고시한다. ③ 발주청은 기본설계를 할 때에는 주민 등 이해당사자의 의견을 들어야 한다. 다만, 기본설계를 하기 전에 다른 법령에 따라 의견을 들은 경우에는 그러하지 아니하다. ④ 발주청은 제3항에 따라 이해당사자의 의견을 들으려는 경우에는 일간신문, 인터넷 홈페이지, 방송이나 그 밖의 효과적인 방법으로 다음 각 호의 사항을 공고하고, 기본설계안을 14일 이상 일반인이 공람할 수 있도록 해야 한다. 〈개정 2020. 11. 24.〉 1. 공사의 개요 2. 공사의 필요성 3. 공사의 효과 4. 공사기간 5. 연차별 투자계획 6. 공람기간 및 공람방법 7. 의견제출 방법과 그 밖에 필요한 사항 ⑤ 발주청은 해당 건설공사가 관계 법령에 따라 허가등이 필요한 경우에는 해당 인·허가기관의 장의 의견을 들어 이를 기본설계에 반영하여야 한다. ⑥ 발주청은 제1항 각 호 외의 부분 단서에 따라 따로 기본설계를 하지 아니하는 경우에는 다음 각 호에서 정하는 때에 이해관계자의 의견을 들어야 한다. 이 경우 공고 및 공람에 관	

법	시 행 령	시 행 규 칙
	하여는 제4항을 준용한다. 1. 제1항제1호 또는 제3호의 경우: 실시설계를 할 때 2. 제1항제2호의 경우: 타당성 조사를 할 때 **제72조(공사비 증가 등에 대한 조치)** ① 발주청은 기본설계를 할 때 자재 및 공법의 선택, 구조물의 규격 결정 등 설계내용을 적절히 관리하여 건설공사기본계획에서 정한 공사비가 증가되지 아니하도록 노력하여야 한다. ② 발주청은 기본설계에서 제시되는 공사비가 제81조제2항에 따라 제시된 공사비의 증가 한도를 초과하는 경우에는 해당 건설공사의 타당성 조사를 다시 하여 건설공사의 추진 여부를 결정하여야 한다. ③ 제2항에 따른 타당성 조사의 방법 및 기준은 국토교통부장관이 기획재정부장관과 협의하여 정하고 고시한다. **제73조(실시설계)** ① 발주청은 기본설계를 토대로 실시설계를 하여야 하며, 실시설계를 할 때 구조물에 대해서는 해당 구조물의 이해관계자 등과 합동조사를 하여야 한다. 다만, 발주청이 실시설계의 주요 공종 등을 고려하여 합동조사가 필요하지 아니하다고 인정하는 경우에는 그러하지 아니하다. ② 발주청은 기술자문위원회의 심의를 거쳐 둘 이상의 공종이 결합된 복합공종에 따른 구조물공사가 아닌 경우 또는 건설공사의 신속한 추진이 필요한 경우 등 해당 건설공사의 성질	

법	시행령	시행규칙
	상 기본설계와 실시설계를 구분하여 작성할 필요가 없다고 인정되는 경우에는 기본설계의 내용을 포함하여 실시설계를 할 수 있다. ③ 실시설계의 내용, 설계기간, 설계관리 및 설계도서의 작성기준은 국토교통부장관이 정하여 고시한다. ④ 발주청이 실시설계를 하는 경우에는 제72조를 준용한다. 이 경우 "기본설계"는 "실시설계"로 본다. ⑤ 발주청은 「국가를 당사자로 하는 계약에 관한 법률 시행령」 제80조 및 「지방자치단체를 당사자로 하는 계약에 관한 법률 시행령」 제96조에 따라 일괄입찰방식으로 결정된 건설공사의 경우에는 공사의 종류 및 구간별로 해당 실시설계와 시공을 병행할 수 있다. **제74조(측량 및 지반조사)** ① 발주청은 기본설계 또는 실시설계를 할 때에는 측량 및 지반조사를 하여야 한다. 이 경우 지반조사를 할 때에는 해당 지역의 인구 밀집상태 등을 고려하여야 한다. 〈개정 2016. 1. 12.〉 ② 발주청은 제1항에 따른 측량 및 지반조사에 필요한 비용을 확보하고 조사에 필요한 기간을 충분히 부여하여야 한다. ③ 제1항에 따른 측량 및 지반조사의 항목과 세부 기준은 국토교통부장관이 정하여 고시한다. **제75조(설계의 경제성등 검토)** ① 발주청은 다음 각 호의 어느 하나에 해당하는 경우에는 설계 대상 시설물의 주요 기능별로 설계내용에 대한 대	

법	시 행 령	시 행 규 칙
	안별 경제성과 현장 적용의 타당성(이하 "설계의 경제성등"이라 한다)을 직접 검토하거나 건설엔지니어링사업자 등 전문가가 검토하게 해야 한다. 〈개정 2014. 12. 30., 2020. 1. 7., 2021. 9. 14.〉 1. 총공사비 100억원 이상인 건설공사의 기본설계 및 실시설계를 하는 경우 2. 총공사비 100억원 이상인 건설공사의 시공 중 총공사비 또는 공종별 공사비를 10퍼센트 이상 조정(단순 물량증가나 물가변동으로 인한 변경은 제외한다)하여 설계를 변경하는 경우 3. 총공사비 100억원 이상인 건설공사를 실시설계의 완료일부터 3년 이상 지난 후에 발주하는 경우. 다만, 실시설계의 완료일부터 건설공사의 발주일까지 특별한 여건변동이 없었던 경우는 제외한다. 4. 총공사비 100억원 미만인 건설공사에 대하여 발주청이 필요하다고 인정하는 건설공사의 설계를 하는 경우 5. 건설공사의 시공단계에서 건설공사의 여건변동 등으로 인하여 발주청이 설계의 경제성등의 검토가 필요하다고 인정하는 경우 ② 시공자는 도급받은 건설공사의 성능개선 및 기능향상 등을 위하여 설계의 경제성등을 검토할 필요가 있다고 인정하는 경우에는 미리 발주청과 협의하여 설계의 경제성등을 직접 검토할 수 있다. 이 경우 시공자는 설계의 경제성등의 검토가 완료되면 그 결과를 발주청에	

법	시 행 령	시 행 규 칙
	통보해야 한다. 〈신설 2020. 1. 7.〉 ③ 발주청은 제1항 및 제2항에 따라 실시된 설계의 경제성등 검토의 결과로 제시된 설계의 개선 제안 내용을 적용하는 것이 기술적으로 곤란하거나 비용을 과다하게 증가시키는 등 특별한 사유가 있는 경우를 제외하고는 해당 설계내용에 이를 반영해야 한다. 〈개정 2020. 1. 7.〉 ④ 발주청은 제1항 및 제2항에 따라 실시된 설계의 경제성등 검토의 결과와 해당 설계내용에 대한 반영 결과를 국토교통부장관에게 제출해야 한다. 〈개정 2020. 1. 7.〉 ⑤ 제1항부터 제4항까지에서 규정한 사항 외에 설계의 경제성등 검토의 시기·횟수·대가기준, 구체적인 검토 방법 및 절차 등에 관하여 필요한 사항은 국토교통부장관이 정하여 고시한다. 〈개정 2020. 1. 7.〉 **제75조의2(설계의 안전성 검토)** ① 발주청은 제98조제1항에 따라 안전관리계획을 수립해야 하는 건설공사(같은 항 제5호 각 목의 어느 하나에 해당하는 건설기계가 사용되는 건설공사는 제외한다)의 실시설계를 할 때에는 시공과정의 안전성 확보 여부를 확인하기 위해 법 제62조제18항에 따른 설계의 안전성 검토를 국토안전관리원에 의뢰해야 한다. 〈개정 2019. 6. 25., 2020. 12. 1.〉 ② 발주청은 제1항에 따라 설계의 안전성 검토를 의뢰할 때 다음 각 호의 사항이 포함된 설계의 안전성에 관한 보고서(이하 "설계안전검	

법	시 행 령	시 행 규 칙
	토보고서"라 한다)를 국토안전관리원에 제출해야 한다. 〈신설 2019. 6. 25., 2020. 12. 1.〉 1. 시공단계에서 반드시 고려해야 하는 위험요소, 위험성 및 그에 대한 저감대책에 관한 사항 2. 설계에 포함된 각종 시공법과 절차에 관한 사항 3. 그 밖에 시공과정의 안전성 확보를 위하여 국토교통부장관이 정하여 고시하는 사항 ③ 국토안전관리원은 제1항 및 제2항에 따라 설계의 안전성 검토를 의뢰받은 경우에는 의뢰받은 날부터 20일 이내에 설계안전검토보고서의 내용을 검토하여 발주청에 그 결과를 통보해야 한다. 〈신설 2019. 6. 25., 2020. 12. 1.〉 ④ 발주청은 제1항에 따른 검토의 결과 시공과정의 안전성 확보를 위하여 개선이 필요하다고 인정하는 경우에는 설계도서의 보완·변경 등 필요한 조치를 하여야 한다. 〈개정 2019. 6. 25.〉 ⑤ 발주청은 제1항에 따른 검토 결과를 건설공사를 착공하기 전에 국토교통부장관에게 제출하여야 한다. 〈개정 2019. 6. 25.〉 ⑥ 제1항부터 제5항까지의 규정에 따른 설계의 안전성 검토의 방법 및 절차 등에 관하여 필요한 사항은 국토교통부장관이 정하여 고시한다. 〈개정 2019. 6. 25.〉 [본조신설 2016. 1. 12.] **제76조(시공 상태의 점검·관리)** ① 발주청은 건설공사의 적정한 이행과 품질확보 및 기술 수준	

법	시 행 령	시 행 규 칙
	의 향상을 위하여 해당 건설공사의 시공에 관한 법령에 따라 시공 상태를 점검·관리하여야 한다. ② 발주청은 해당 건설공사에 필요한 기자재가 사전에 구매되도록 하는 등 공사가 원활하게 시행될 수 있도록 필요한 조치를 하여야 한다. ③ 발주청은 해당 건설공사의 시공상 문제점 및 관리상 유의사항을 파악하는 등 시공·관리가 효율적으로 이루어질 수 있도록 하여야 한다. **제77조(공사의 관리)** ① 발주청은 시공자가 해당 건설공사의 공정·비용·품질·안전 및 하도급 관리 등에 관한 계획(법 제55조제1항에 따른 품질관리계획 및 법 제62조제1항에 따른 안전관리계획을 포함하며, 이하 "공사관리계획"이라 한다)과 시공에 따른 교통 소통 및 환경오염 방지에 관한 대책을 적절히 이행하는지 관리·감독하여야 한다. ② 발주청은 총공사비가 500억원 이상인 건설공사의 시공자로 하여금 국토교통부장관이 정하여 고시하는 기준에 따른 세부 공종이 완료될 때마다 투입된 비용과 기간 등에 관한 실적을 제73조에 따른 실시설계와 비교하여 관리하게 할 수 있다. ③ 발주청은 건설공사에서 발생하는 토석(土石)이 다른 건설공사에 효율적으로 활용될 수 있도록 국토교통부장관이 정하여 고시하는 바에 따라 토석을 관리하여야 한다. **제78조(준공)** ① 건설공사의 준공보고서에는 다	

법	시 행 령	시 행 규 칙
	음 각 호의 서류 및 자료를 첨부하여야 한다. 1. 준공도서 2. 품질기록(품질시험 또는 검사 성과 총괄표를 포함한다) 3. 구조계산서(처음 실시설계 시의 구조계산서와 다르게 시공된 경우만 해당한다) 4. 시설물의 유지·관리에 필요한 서류 5. 신공법 또는 특수공법 평가보고서(신공법 또는 특수공법을 적용한 경우만 해당한다) 6. 시운전(試運轉) 평가결과서(시운전을 한 경우만 해당한다) ② 발주청은 건설공사의 성질·규모 등을 고려하여 예비준공검사를 할 수 있다. 이 경우 준공검사를 하는 자는 예비준공검사 시 지적된 사항의 시정 여부를 확인하여야 한다. **제79조(공사참여자의 실명 관리)** ① 발주청은 해당 건설공사의 각 시행과정에 참여한 관계 공무원 및 용역기관 담당자(타당성 조사 시 수요예측을 수행한 사람 및 건설엔지니어링에서 도서를 작성하거나 공사비를 산정한 사람 등을 포함한다)에 대하여 참여자별 참여기간, 수행 업무 등을 기록·관리해야 하며, 건설공사가 준공된 경우에는 그 기록을 시공 단계의 건설사업관리를 수행한 건설사업관리용역사업자에게 통보해야 한다. 〈개정 2020. 1. 7., 2021. 9. 14.〉 ② 시공 단계의 건설사업관리를 수행한 건설사업관리용역사업자는 제1항에 따라 통보받은 기록과 건설사업관리기술인 및 시공자(수급인 및	

<table>
<tr><th>법</th><th>시 행 령</th><th>시 행 규 칙</th></tr>
<tr><td></td><td>하수급인의 현장작업책임자 이상의 직책을 수행한 사람을 말한다)의 공사 참여기간, 수행 업무 등에 대한 기록을 최종 건설사업관리보고서에 수록해야 한다. 〈개정 2018. 12. 11., 2020. 1. 7.〉
제80조(유지·관리) ① 건설공사를 통하여 설치된 시설물의 관리주체는 「시설물의 안전 및 유지관리에 관한 특별법」 등 관계 법령에 따라 안전하고 효율적으로 시설물을 유지·관리하여야 한다. 〈개정 2018. 1. 16.〉
② 시설물의 관리주체는 해당 건설공사에 관한 다음 각 호의 서류 및 자료를 유지·보존하여야 한다.
1. 준공도서
2. 품질기록(품질시험 또는 검사 성과 총괄표를 포함한다)
3. 구조계산서
4. 시공상 특기사항에 관한 보고서
5. 사후평가서
6. 안전점검·안전진단 보고서와 그 밖에 시설물의 관리주체가 시설물의 유지·관리에 필요하다고 인정하는 자료</td><td></td></tr>
<tr><td>제47조(건설공사의 타당성 조사) ① 발주청은 시행하려는 건설공사에 대하여 계획 수립 이전에 경제, 기술, 사회 및 환경 등 종합적인 측면에서 적정성을 검토하기 위하여 타당성 조사를 하여야 한다.
② 발주청이 발주한 타당성 조사 용역을 수행한 건설엔지니어링사업자는 수요예측 자료 등</td><td>제81조(건설공사의 타당성 조사) ① 법 제47조제1항에 따른 타당성 조사는 총공사비가 500억원 이상으로 예상되는 건설공사를 대상으로 한다. 다만, 제67조제2항제2호부터 제5호까지에 해당하는 건설공사는 제외한다.
② 발주청은 타당성 조사를 할 때에는 해당 건설공사로 건축되는 건축물 및 시설물 등의 설</td><td>제39조(타당성 조사 자료의 보고 등) ① 법 제47조제2항에서 "수요예측 자료 등 국토교통부령으로</td></tr>
</table>

법	시행령	시행규칙
국토교통부령으로 정하는 자료를 용역 완료 후 지체 없이 발주청에 보고하여야 한다. 〈신설 2013. 7. 16., 2019. 4. 30., 2021. 3. 16.〉 ③ 발주청은 제2항에 따라 보고받은 자료를 해당 건설공사의 완료 후 10년 동안 보관하여야 한다. 〈신설 2013. 7. 16.〉 ④ 발주청은 타당성을 조사하는 과정에서 작성한 수요예측과 실제 이용실적의 차이가 100분의 30 이상인 경우에는 제3항에 따른 자료를 근거로 건설엔지니어링사업자의 고의 또는 중과실 여부를 조사하여야 한다. 〈신설 2013. 7. 16., 2019. 4. 30., 2021. 3. 16.〉 ⑤ 발주청은 제4항의 조사 결과에 따라 고의 또는 중과실로 발주청에 손해를 끼친 건설엔지니어링사업자에 대하여 제31조제1항에 따른 영업정지처분 등 조치를 시·도지사에게 요청할 수 있다. 〈신설 2013. 7. 16., 2019. 4. 30., 2021. 3. 16.〉 ⑥ 제1항에 따른 타당성 조사 대상 건설공사의 범위, 타당성 조사의 방법 및 절차, 제4항에 따른 수요예측과 이용실적 차이의 평가시점 및 방법 등에 관한 사항은 대통령령으로 정한다. 〈개정 2013. 7. 16.〉	치 단계에서 철거 단계까지의 모든 과정을 대상으로 기술·환경·사회·재정·용지·교통 등 필요한 요소를 고려하여 조사·검토하여야 하며, 그 건설공사의 공사비 추정액과 공사의 타당성이 유지될 수 있는 공사비의 증가 한도를 제시하여야 한다. ③ 발주청은 해당 건설공사의 특성상 필요하다고 인정되는 경우에는 기술자문위원회의 심의를 거쳐 건설공사기본계획 및 기본설계에 반영될 내용을 포함하여 타당성 조사를 할 수 있다. ④ 발주청은 타당성 조사가 완료되었을 때에는 발주청 및 관계 행정기관의 공무원과 관련 분야의 전문가로 하여금 타당성 조사의 적정성을 검토하도록 하여야 한다. ⑤ 타당성 조사의 세부 조사항목 등에 관하여 필요한 사항은 국토교통부장관이 관계 중앙행정기관의 장과 협의하여 정하고 고시한다. ⑥ 제5항에도 불구하고 다른 법령에서 건설공사에 대한 타당성 조사를 하도록 한 경우 해당 법령에서 세부 조사항목 등에 관하여 정하지 아니한 경우에는 관계 중앙행정기관의 장이 국토교통부장관과 협의하여 정할 수 있다. ⑦ 발주청은 법 제47조제4항에 따른 타당성을 조사하는 과정에서 작성한 수요 예측과 실제 이용실적의 차이를 법 제52조제1항에 따른 건설공사의 사후평가를 할 때에 평가하여야 한다. ⑧ 발주청은 법 제52조제2항에 따른 사후평가위원회(이하 "사후평가위원회"라 한다)의 심의	정하는 자료"란 다음 각 호의 자료를 말한다. 1. 건설공사와 관련된 계획, 사회경제적 지표 등 수요예측을 위한 기초 자료 2. 교통량, 시설물 등에 대한 현지조사 결과 및 현황 자료 3. 수요분석 및 예측의 방법, 수요예측 결과 등 수요분석 및 예측을 수행한 자료 4. 대안의 제시 및 검토 등을 수행한 자료 ② 국토교통부장관은 제1항 각 호에 따른 자료의 세부사항을 따로 정할 수 있다. ③ 발주청은 건설엔지니어링사업자로부터 보고받은 제1항의 자료를 타당성 조사 용역이 완료된 후 60일 이내에 건설공사 지원 통합정보체계에 입력해야 한다. 〈개정 2020. 3. 18., 2021. 9. 17.〉

법	시 행 령	시 행 규 칙
	를 거쳐 제7항에 따른 평가 결과의 적절성을 검토하여야 한다. ⑨ 발주청은 제7항 및 제8항에 따른 평가 결과 및 심의·검토 결과를 타당성 조사를 수행한 건설엔지니어링사업자에게 통보해야 한다. 〈개정 2020. 1. 7., 2021. 9. 14.〉	
제48조(설계도서의 작성 등) ① 설계 업무를 수행하는 건설엔지니어링사업자는 설계도서를 작성하여 해당 건설공사에 대한 건설사업관리 업무를 수행하는 건설엔지니어링사업자, 건설사업자 또는 주택건설등록업자에게 제출하여야 한다. 〈개정 2019. 4. 30., 2021. 3. 16.〉 ② 제1항에 따라 설계도서를 제출받은 건설엔지니어링사업자, 건설사업자 또는 주택건설등록업자는 해당 건설공사를 시공하기 전에 설계도서를 검토하고 그 결과를 발주청에 보고하여야 한다. 〈개정 2019. 4. 30., 2021. 3. 16.〉 ③ 제2항에 따른 설계도서의 검토 결과를 보고받은 발주청은 필요하면 설계도서를 작성한 건설엔지니어링사업자에게 시정·보완 등 필요한 조치를 요구하여야 한다. 이 경우 건설엔지니어링사업자는 요구받은 조치를 이행하는 데 필요한 비용의 지급 등을 요청할 수 있고, 발주청은 해당 조치의 원인이 건설엔지니어링사업자에게 있는 등 국토교통부령으로 정하는 불가피한 사유가 없으면 이에 응하여야 한다. 〈개정 2019. 4. 30., 2020. 10. 20., 2021. 3. 16.〉 ④ 건설사업자와 주택건설등록업자는 건설공		**제40조(설계도서의 작성)** ① 발주청 또는 설계 업무를 수행하는 건설엔지니어링사업자는 다음 각 호의 기준에 따라 설계도서(설계도면, 설계명세서, 공사시방서, 발주청이 특히 필요하다고 인정하여 요구한 부대도면과 그 밖의 관련 서류를 말한다. 이하 같다)를 작성해야 한다. 〈개정 2015. 1. 29., 2016. 3. 7., 2019. 2. 25., 2020. 3. 18., 2021. 9. 17.〉 1. 설계도서는 누락된 부분이 없고 현장기술인들이 쉽게 이해하여 안전하고 정확하게 시공할 수 있도록 상세히 작성할 것 2. 설계도서에는 「지진재해대책법」 제14조에 따라 관계 중앙행정기관의 장이 정한 시설물별 내진설계기준에 따라 내진설계 내용을 구체적으로 밝힐 것 3. 공사시방서(건설공사의 계약도서에 포함된 시공기준을 말한다)는 표준시방서 및 전문시방서(영 제65조제6항 및 제7항에 따른 표준시방서 및 전문시방서를 말한다)를 기본으로 하여 작성하되, 공사의 특수성, 지역여건, 공사방법 등을 고려하여 기본설계 및 실시설계 도면에 구체적으로 표시할 수 없는

법	시 행 령	시 행 규 칙
사의 품질 향상과 정확한 시공 및 안전을 위하여 다음 각 호의 사항을 발주자가 선정한 건설사업관리를 수행하는 건설기술인 또는 제49조에 따른 공사감독자의 검토·확인을 받은 후 단계별로 시공하여야 한다. 〈개정 2018. 8. 14., 2019. 4. 30.〉 1. 건설공사의 진행 단계별로 요구되는 시공상태 2. 건설사업자와 주택건설등록업자가 작성하여야 하는 시공상세도면 ⑤ 건설엔지니어링사업자는 설계도서를 작성할 때에는 구조물(가설구조물을 포함한다)에 대한 구조검토를 하여야 하며 그 설계도서의 작성에 참여한 건설기술인의 업무 수행내용을 국토교통부장관이 정하는 바에 따라 적어야 한다. 설계도서의 일부를 변경할 때에도 같다. 〈개정 2015. 1. 6., 2018. 8. 14., 2019. 4. 30., 2021. 3. 16.〉 ⑥ 제1항부터 제5항까지의 규정에 따른 설계도서의 작성, 검토 및 확인에 필요한 사항은 국토교통부령으로 정한다. **제49조(건설공사감독자의 감독 의무)** ① 발주청은 건설공사가 설계도서, 계약서, 그 밖의 관계 서류의 내용대로 시공되도록 하고 건설공사의 품질 및 현장의 안전 등 건설공사를 관리하기 위하여 공사감독자를 선임하여야 한다. 다만, 발주청이 제39조제2항에 따라 건설사업관리를 하게 하는 경우는 제외한다.		내용과 공사 수행을 위한 시공방법, 자재의 성능·규격 및 공법, 품질시험 및 검사 등 품질관리, 안전관리, 환경관리 등에 관한 사항을 기술할 것 4. 교량 등 구조물을 설계하는 경우에는 설계방법을 구체적으로 밝힐 것 5. 설계보고서에는 영 제34조제3항에 따라 신기술과 기존 공법에 대하여 시공성, 경제성, 안전성, 유지관리성, 환경성 등을 종합적으로 비교·분석하여 해당 건설공사에 적용할 수 있는지를 검토한 내용을 포함시킬 것 ② 국토교통부장관은 시설물의 일반적인 설계도서 작성기준을 정하여 발주청이나 건설엔지니어링사업자가 활용하도록 해야 하며, 발주청은 필요한 경우에는 건설공사 분야별로 자체 설계도서 작성기준을 마련하여 시행할 수 있다. 〈개정 2020. 3. 18., 2021. 9. 17.〉 **제41조(설계도서의 검토 등)** ① 법 제48조제2항에 따라 건설사업관리용역사업자, 건설사업자 또는 주택건설등록업자가 설계도서에 대하여 검토해야 할 사항은 다음 각 호와 같다. 〈개정 2020. 3. 18., 2021. 9. 17.〉 1. 설계도서의 내용이 현장 조건과 일치하는지 여부 2. 설계도서대로 시공할 수 있는지 여부 3. 그 밖에 시공과 관련된 사항 ② 법 제48조제3항 후단에서 "해당 조치의 원인이 건설엔지니어링사업자에게 있는 등 국토

법	시 행 령	시 행 규 칙
② 국토교통부장관은 공사감독자의 업무 내용을 정하여 고시하여야 하며, 공사감독자는 이에 따른 감독 업무를 성실히 수행하여야 한다.		교통부령으로 정하는 불가피한 사유"란 다음 각 호의 사유를 말한다. 〈신설 2021. 9. 17.〉 1. 건설엔지니어링사업자의 귀책사유로 설계도서의 시정·보완 등이 필요한 경우 2. 건설엔지니어링사업자와 계약으로 정한 업무범위 내에서 발주청이 추가로 시정·보완 등을 요청한 경우 [제목개정 2021. 9. 17.] **제42조(시공상세도면의 작성 등)** ① 발주청은 건설사업자와 주택건설등록업자가 법 제48조제4항제1호에 따라 시공 상태를 검토·확인받아야 하는 대상공종을 공사시방서에 구체적으로 적어야 한다. 〈개정 2020. 3. 18.〉 ② 발주청은 건설사업자와 주택건설등록업자가 법 제48조제4항제2호에 따라 건설공사의 진행단계별로 작성해야 하는 시공상세도면의 목록을 공사시방서에 명시해야 하며, 시공상세도면 작성기준을 따로 마련하여 건설사업자, 주택건설등록업자나 건설사업관리용역사업자 등이 참고하게 할 수 있다. 〈개정 2020. 3. 18.〉 **제43조(설계도서 작성 참여 기술인의 업무 수행내용 기록)** 건설엔지니어링사업자가 법 제48조제5항에 따라 설계도서의 작성에 참여한 건설기술인의 업무 수행내용을 해당 설계도서에 적는 경우에는 해당 건설기술인의 성명 및 참여기간을 같이 적고, 해당 건설기술인으로 하여금 이를 확인한 후 서명 또는 날인하도록 해야 한다. 〈개정 2019. 2. 25., 2020. 3. 18., 2021. 9. 17.〉

법	시행령	시행규칙
제50조(건설엔지니어링 및 시공 평가 등) ① 발주청(「사회기반시설에 대한 민간투자법」에 따른 민간투자사업인 경우에는 같은 법 제2조제4호에 따른 주무관청을 말한다. 이하 이 조에서 같다)은 그가 발주하는 대통령령으로 정하는 규모 이상의 건설엔지니어링사업[「건축사법」 제2조제3호에 따른 설계(이하 "건축설계"라 한다)에 관한 용역사업을 포함한다. 이하 이 조에서 같다]에 대하여 그 업무 수행에 대한 평가를 하여야 한다. 〈개정 2018. 12. 31., 2021. 3. 16.〉 ② 발주청은 그가 발주하는 대통령령으로 정하는 규모 이상의 건설공사에 대하여 그 시공의 적정성에 대한 평가를 하여야 한다. ③ 발주청은 제1항 및 제2항에 따라 평가를 한 경우에는 국토교통부령으로 정하는 바에 따라 국토교통부장관에게 통보하여야 한다. ④ 국토교통부장관은 제1항 및 제2항에 따른 평가 결과를 건설엔지니어링사업자(「건축사법」 제23조제2항에 따른 건축사사무소개설자를 포함한다. 이하 이 조에서 같다) 및 건설사업자별로 종합하여 건설엔지니어링 종합평가 및 시공 종합평가(이하 "종합평가"라 한다)를 하고 그 결과를 공개할 수 있다. 〈개정 2019. 4. 30., 2021. 3. 16.〉 ⑤ 국토교통부장관은 종합평가를 하기 위하여 필요한 경우에는 건설공사현장 등을 직접 점검하거나 건설엔지니어링사업자 또는 건설사업	**제82조(건설엔지니어링 평가 및 시공평가의 대상)** ① 법 제50조제1항에서 "대통령령으로 정하는 규모 이상의 건설엔지니어링사업"이란 다음 각 호의 사업을 말한다. 〈개정 2015. 7. 6., 2021. 9. 14.〉 1. 계약금액이 「국가를 당사자로 하는 계약에 관한 법률」 제4조제1항에 따라 고시하는 금액 이상인 기본설계 또는 실시설계용역 사업 2. 감독 권한대행 등 건설사업관리 용역사업 ② 법 제50조제2항에서 "대통령령으로 정하는 규모 이상의 건설공사"란 총공사비 100억원 이상인 건설공사를 말한다. 다만, 단순·반복적인 공사로서 국토교통부령으로 정하는 건설공사는 제외한다. [제목개정 2021. 9. 14.] **제83조(건설엔지니어링 평가 및 시공평가의 기준 및 절차)** ① 발주청은 법 제50조제1항에 따른 건설엔지니어링사업의 업무 수행에 대한 평가(이하 "용역평가"라 한다)를 국토교통부령으로 정하는 평가기준에 따라 다음 각 호의 구분에 따른 시기에 실시해야 한다. 다만, 제3호의 경우 해당 건설사업관리 용역 기간이 4년을 초과하는 경우에는 해당 용역의 착수 후 3년마다 용역평가를 하고, 그 결과를 준공 후 최종 용역평가의 결과에 반영할 수 있다. 〈개정 2016. 1. 12., 2020. 5. 26., 2021. 9. 14.〉 1. 기본설계: 해당 기본설계용역이 완료된 날부터 1개월 이내	[제목개정 2021. 8. 27.] **제44조(건설엔지니어링 및 시공 평가)** ① 영 제82조제2항 단서에서 "국토교통부령으로 정하는 건설공사"란 제32조 각 호의 공사를 말한다. ② 발주청이 공동도급 건설공사에 대하여 법 제50조제2항에 따른 건설공사의 시공에 대한 평가(이하 "시공평가"라 한다)를 하는 경우에는 다음 각 호의 구분에 따라 시공평가를 실시한다. 1. 공동이행방식인 경우: 공동수급체의 대표자에 대하여 시공평가를 실시 2. 분담이행방식인 경우: 건설공사를 분담하는 업체별로 시공평가를 실시 ③ 발주청은 법 제54조에 따른 건설공사현장 점검 결과를 법 제50조제1항에 따른 건설엔지니어링사업의 업무 수행에 대한 평가(이하 "용역평가"라 한다) 및 시공평가에 반영할 수 있다. 〈개정 2021. 9. 17.〉 ④ 영 제82조제1항 각 호에 따른 용역사업에 대한 평가의 기준은 각각 별지 제34호서식의 설계용역 평가표 및 별지 제35호서식의 감독 권한대행 등 건설사업관리용역 평가표에 따른다. ⑤ 발주청은 용역평가 및 시공평가의 결과를 별지 제36호서식에 따른 평가 총괄표에 따라 기록·관리하여야 한다. ⑥ 발주청이 용역평가 및 시공평가를 수행한 경우에는 평가 완료 후 15일 이내에 국토교통부장관에게 그 결과를 통보하여야 한다.

법	시 행 령	시 행 규 칙
자에게 종합평가에 필요한 자료 제출을 요구할 수 있다. 〈개정 2019. 4. 30., 2021. 3. 16.〉 ⑥ 제1항부터 제5항까지의 규정에 따른 건설엔지니어링 평가, 시공평가 또는 종합평가의 기준, 절차, 항목, 그 밖에 필요한 사항은 대통령령으로 정한다. 〈개정 2021. 3. 16.〉 [제목개정 2021. 3. 16.]	2. 실시설계: 해당 건설공사가 착공된 때부터 6개월 이내 3. 감독 권한대행 등 건설사업관리: 해당 건설공사가 90퍼센트 이상 진척되었을 때부터 해당 건설공사의 준공 후 60일까지 ② 발주청은 법 제50조제2항에 따른 건설공사의 시공의 적정성에 대한 평가(이하 "시공평가"라 한다)를 해당 공사[계속비(繼續費) 공사 또는 장기계속계약 공사는 전체 공사를 말한다]가 90퍼센트 이상 진척되었을 때부터 해당 건설공사의 준공 후 60일까지 완료하여야 한다. 다만, 발주청이 필요하다고 인정하는 경우에는 해당 공사의 진척이 90퍼센트가 되기 전에 시공평가를 하고 그 결과를 최종 시공평가의 결과에 50퍼센트 이하의 범위에서 반영할 수 있다. 〈개정 2016. 1. 12.〉 ③ 용역평가 및 시공평가는 발주청이 지명하는 5명 이상의 관계 공무원(발주청 소속 직원을 포함한다) 및 전문가가 하여야 한다. ④ 제1항부터 제3항까지에서 규정한 사항 외에 용역평가 및 시공평가의 세부 평가기준 및 방법 등에 관하여 필요한 사항은 국토교통부령으로 정한다. [제목개정 2021. 9. 14.] **제84조(종합평가의 기준 및 절차)** ① 법 제50조제4항에 따라 국토교통부장관이 실시하는 건설엔지니어링 종합평가 및 시공 종합평가(이하 "종합평가"라 한다)는 다음 각 호의 사항을 고려	〈개정 2016. 3. 7.〉 ⑦ 제1항부터 제6항까지의 규정에서 정한 사항 외에 용역평가 및 시공평가에 관한 세부적인 사항은 국토교통부장관이 정하여 고시한다. [제목개정 2021. 9. 17.]

법	시행령	시행규칙
	하여 실시해야 한다. 〈개정 2021. 9. 14.〉 1. 건설공사의 하자 및 재해 2. 「하도급거래 공정화에 관한 법률」의 위반 여부 3. 기술개발투자 실적 ② 국토교통부장관은 종합평가를 위하여 필요하다고 인정할 때에는 소속 직원으로 하여금 건설엔지니어링 성과 또는 시공결과를 확인하거나 검토하게 할 수 있다. 〈개정 2021. 9. 14.〉 ③ 국토교통부장관은 종합평가의 결과를 인터넷 홈페이지 등을 통하여 공개할 수 있다. ④ 종합평가의 세부 평가기준 및 방법 등에 관하여 필요한 사항은 국토교통부장관이 정하여 고시한다.	
제51조(우수건설엔지니어링사업자 등의 선정) ① 국토교통부장관은 종합평가 결과 등 대통령령으로 정하는 바에 따라 우수건설엔지니어링사업자, 우수건설사업자 또는 우수건설기술인을 선정할 수 있다. 〈개정 2018. 8. 14., 2018. 12. 31., 2019. 4. 30., 2021. 3. 16.〉 ② 발주청은 건설엔지니어링사업 또는 건설공사를 발주할 때 제1항에 따른 우수건설엔지니어링사업자, 우수건설사업자 또는 우수건설기술인을 우대할 수 있다. 〈개정 2018. 8. 14., 2019. 4. 30., 2021. 3. 16.〉 ③ 국토교통부장관은 제1항에 따른 우수건설엔지니어링사업자, 우수건설사업자 또는 우수건설기술인이 다음 각 호의 어느 하나에 해당	**제85조(우수건설엔지니어링사업자 등의 선정)** ① 국토교통부장관은 법 제51조제1항에 따른 우수건설엔지니어링사업자, 우수건설사업자 또는 우수건설기술인(이하 "우수건설엔지니어링사업자등"이라 한다)을 다음 각 호의 요건을 갖춘 자 중에서 국토교통부령으로 정하는 기준에 따라 선정한다. 〈개정 2018. 12. 11., 2020. 1. 7., 2021. 9. 14.〉 1. 최근 3년간 법 제31조에 따른 등록취소 또는 영업정지 처분, 법 제32조에 따른 과징금 부과처분을 받은 사실이 없는 자(우수건설엔지니어링사업자를 선정하는 경우만 해당하며, 「행정소송법」 또는 「행정심판법」에 따라 그 처분이 집행정지 중에 있는 자는 우수건설엔	**제45조(우수건설엔지니어링사업자 등의 세부 선정기준)** 법 제51조제1항에 따른 우수건설엔지니어링사업자, 우수건설사업자 또는 우수건설기술인(이하 "우수건설엔지니어링사업자등"이라 한다)은 국토교통부장관이 정하여 고시하는 세부분야별로 다음 각 호의 기준을 모두 충족하는 자로서 평가대상자의 20퍼센트 이내의 범위(20퍼센트 이내의 범위에 드는 업체 또는 건설기술인의 수가 소수인 경우에는 반올림한 수로 산정한다)에서 법 제50조제4항에 따른 종합평가 결과의 순위에 따라 선정한다. 다만, 제2호부터 제4호까지의 규정은 우수건설사업자에 대해서만 적용한다. 〈개정 2019. 2. 25., 2020. 3. 18., 2021. 9. 17.〉

법	시 행 령	시 행 규 칙
하면 대통령령으로 정하는 바에 따라 그 선정을 취소하여야 한다. 〈개정 2018. 8. 14., 2018. 12. 31., 2019. 4. 30., 2021. 3. 16.〉 1. 거짓이나 그 밖의 부정한 방법으로 선정된 경우 2. 부실공사 등으로 인하여 「건설산업기본법」 제82조에 따른 영업정지 처분 또는 과징금 부과처분을 받은 경우 3. 제1항에 따른 우수건설엔지니어링사업자(법인의 경우 그 대표자를 말한다), 우수건설사업자(법인의 경우 그 대표자를 말한다) 또는 우수건설기술인이 각각의 업무와 관련하여 금고 이상의 형(집행유예를 포함한다)을 선고받은 경우 4. 위법·부당한 행위로 등록취소·영업정지·과징금 등 대통령령으로 정하는 행정처분을 받은 경우 ④ 제1항부터 제3항까지에서 규정한 사항 외에 우수건설엔지니어링사업자, 우수건설사업자 또는 우수건설기술인의 선정에 필요한 세부사항은 대통령령으로 정한다. 〈신설 2018. 12. 31., 2019. 4. 30., 2021. 3. 16.〉 [제목개정 2018. 12. 31., 2019. 4. 30., 2021. 3. 16.]	지니어링사업자로 선정할 수 없다) 2. 최근 3년간 「건설산업기본법」 제82조제1항·제2항 또는 제82조의2제1항·제2항에 따른 영업정지 처분 또는 과징금 부과처분을 받은 사실이 없는 자(우수건설사업자를 선정하는 경우만 해당하며, 「행정소송법」 또는 「행정심판법」에 따라 그 처분이 집행정지 중에 있는 자는 우수건설사업자로 선정할 수 없다) 3. 최근 3년간 「국가를 당사자로 하는 계약에 관한 법률」 제27조에 따른 입찰참가자격 제한을 받은 사실이 없는 자 4. 최근 3년간 「하도급거래 공정화에 관한 법률」 제30조에 따른 벌금형을 받은 사실이 없는 자 5. 최근 3년간 법 제24조제1항에 따른 업무정지 처분을 받은 사실이 없는 자(우수건설기술인을 선정하는 경우만 해당한다) ② 제1항에 따른 우수건설엔지니어링사업자등의 선정에 대한 유효기간은 선정일부터 1년으로 한다. 〈개정 2020. 1. 7., 2021. 9. 14.〉 ③ 국토교통부장관은 법 제51조제1항에 따라 우수건설엔지니어링사업자등을 선정하거나 법 제51조제3항에 따라 우수건설엔지니어링사업자등의 선정을 취소했을 때에는 다음 각 호의 사항을 인터넷 홈페이지 등을 통하여 공개해야 한다. 〈개정 2020. 1. 7., 2021. 9. 14.〉 1. 우수건설엔지니어링사업자등의 선정현황	1. 법 제50조제4항에 따른 종합평가 결과가 90점 이상일 것 2. 최근 3년간 시공평가한 실적이 있는 경우에는 그 시공평가 점수 각각이 80점 이상으로 평가되었을 것 3. 최근 5년간 계속하여 해당 공사에 관한 면허를 보유하였을 것 4. 해당 공사에 관한 면허의 취소를 받은 사실이 없을 것 [제목개정 2021. 9. 17.]

법	시 행 령	시 행 규 칙
	(업체명·면허번호·대표자 및 소재지) 2. 선정날짜 및 유효기간 3. 선정 분야 4. 취소사유(취소의 경우만 해당한다) [제목개정 2021. 9. 14.]	
제52조(건설공사의 사후평가) ① 발주청은 대통령령으로 정하는 건설공사가 완료되었을 때에는 공사 내용 및 효과를 조사·분석하여 사후평가를 하고 사후평가서를 작성하여야 한다. ② 사후평가서의 적절성에 대한 발주청의 자문에 응하게 하기 위하여 발주청에 사후평가위원회를 둔다. ③ 발주청은 사후평가위원회에 자문하여 의견을 받은 결과 그 내용이 타당하면 사후평가서에 반영하는 등 필요한 조치를 하여야 한다. ④ 발주청은 사후평가서를 공개하여야 하며, 공개의 방법과 절차 등은 국토교통부령으로 정한다. ⑤ 국토교통부장관은 발주청의 사후평가서가 유사한 건설공사의 효율적 수행을 위한 자료로 활용될 수 있도록 방안을 마련하여야 한다. ⑥ 제1항에 따른 건설공사 사후평가의 내용·방법, 사후평가위원회의 구성 및 운영 등에 필요한 사항은 대통령령으로 정한다. **제52조의2(사후평가 관리 등)** ① 국토교통부장관은 사후평가에 관한 업무를 효율적으로 추진하기 위하여 다음 각 호의 업무를 수행한다. 1. 사후평가 수행결과의 적정성 확인·점검	**제86조(건설공사의 사후평가)** ① 법 제52조제1항에서 "대통령령으로 정하는 건설공사"란 총공사비가 300억원 이상인 건설공사를 말한다. 다만, 건설공사의 특성상 법 제52조제1항에 따른 사후평가서(이하 "사후평가서"라 한다)의 작성이 필요하지 아니하다고 국토교통부장관이 정하여 고시하는 건설공사는 제외한다. ② 발주청은 사후평가서를 작성하는 경우에는 용역평가 및 시공평가와 제78조제1항에 따른 준공보고서를 토대로 다음 각 호의 사항을 조사·분석하여야 한다. 다만, 총공사비가 500억원 미만인 건설공사의 경우에는 제2호 및 제4호의 사항은 제외한다. 1. 예상 공사비 및 공사기간과 실제로 투입된 공사비 및 공사기간의 비교·분석 2. 공사 기획 시 예측한 수요 및 기대효과와 공사 완료 후의 실제 수요 및 공사효과의 비교·분석 3. 해당 공사의 문제점과 개선방안 4. 주민의 호응도 및 사용자의 만족도 5. 그 밖에 발주청이 평가에 필요하다고 인정하는 사항 ③ 사후평가위원회의 위원은 다음 각 호의 어	**제46조(사후평가 결과의 공개)** 발주청은 법 제52조제1항에 따른 사후평가서를 국토교통부장관이 정하여 고시하는 바에 따라 건설공사 지원 통합정보체계에 입력하고, 사후평가 결과를 인터넷 홈페이지 등을 통하여 공개하여야 한다.

법	시 행 령	시 행 규 칙
2. 사후평가 관련 정보의 축적·분석, 분석정보의 보급 3. 사후평가의 기준·절차·평가기법 등에 관한 조사·연구 4. 사후평가 관련 교육·훈련·기술교류·국제협력 5. 그 밖에 대통령령으로 정하는 사항 ② 국토교통부장관은 전문관리기관을 지정하여 대통령령으로 정하는 바에 따라 제1항의 업무 전부 또는 일부를 위탁할 수 있다. ③ 국토교통부장관은 전문관리기관의 운영에 필요한 비용을 예산의 범위에서 출연할 수 있다. ④ 전문관리기관의 지정·운영과 제3항에 따른 출연금의 지급범위·사용 및 관리에 필요한 사항은 대통령령으로 정한다. [본조신설 2019. 11. 26.]	느 하나에 해당하는 사람 중에서 발주청이 임명하거나 위촉한다. 1. 중앙심의위원회, 지방심의위원회, 특별심의위원회 또는 다른 발주청의 사후평가위원회 위원 2. 관계 시민단체가 추천하는 사람 3. 해당 분야의 전문가 ④ 사후평가위원회는 다음 각 호의 사항을 심의한다. 1. 제2항에 따른 조사·분석의 결과에 관한 사항 2. 제2항에 따른 조사·분석에 필요한 객관적이고 투명한 평가지표 및 측정방법에 관한 사항 3. 그 밖에 사후평가서의 적절성에 관하여 발주청이 요청하는 사항 ⑤ 제3항과 제4항에서 규정한 사항 외에 사후평가위원회의 구성 및 운영 등에 필요한 사항은 발주청이 정한다. ⑥ 제2항부터 제4항까지에서 규정한 사항 외에 공종 및 규모 등에 따른 사후평가의 시점, 내용 및 방법 등에 관하여 필요한 사항은 국토교통부장관이 정하여 고시한다. ⑦ 국토교통부장관은 사후평가서를 축적·분석하여 건설공사의 시행과정별로 표준적인 소요기간 및 비용의 기준을 정하여 고시할 수 있다. **제86조의2(사후평가 관리 등)** ① 법 제52조의2제1항제5호에서 "대통령령으로 정하는 사항"이란 다음 각 호의 사항을 말한다. 1. 사후평가 시행에 관한 검토·자문	

법	시 행 령	시 행 규 칙
	2. 사후평가 수행 여부에 대한 확인·점검 3. 그 밖에 사후평가 제도의 발전을 위하여 국토교통부장관이 필요하다고 인정하는 사항 ② 국토교통부장관은 법 제52조의2제2항에 따라 건설기술연구원을 사후평가 전문관리기관으로 지정하고, 같은 조 제1항 각 호의 사후평가 관리 업무를 건설기술연구원에 위탁한다. ③ 건설기술연구원은 법 제52조의2제1항제1호의 업무를 수행하기 위하여 대상공사 현황 및 사후평가서 등 사후평가와 관련된 자료를 발주청에게 요청할 수 있다. [본조신설 2020. 5. 26.] **제86조의3(사후평가 전문관리기관 운영을 위한 출연금)** ① 법 제52조의2제2항 및 이 영 제86조의2제2항에 따라 사후평가 전문관리기관으로 지정된 건설기술연구원은 법 제52조의2제3항에 따라 출연금을 받으려는 경우에는 매년 4월 30일까지 다음 연도의 출연금예산요구서에 다음 각 호의 서류를 첨부하여 국토교통부장관에게 제출해야 한다. 1. 다음 연도의 업무계획서 2. 다음 연도의 추정 재무상태표 및 추정 손익계산서 ② 국토교통부장관은 제1항 각 호의 서류가 타당하다고 인정하는 경우에는 출연금을 지급한다. ③ 건설기술연구원은 제2항에 따라 출연금을 지급받은 경우에는 그 출연금에 대하여 별도의 계정을 설정하여 관리해야 하며, 법 제52조의2	

법	시 행 령	시 행 규 칙
	제1항 각 호에 따른 사후평가 관리 업무에 한정하여 사용해야 한다. ④ 건설기술연구원은 위탁받은 사후평가 업무에 대한 계획 및 실적을 다음 각 호의 구분에 따른 시기까지 국토교통부장관에게 보고해야 한다. 1. 해당 연도의 세부업무계획: 매년 1월 31일까지 2. 출연금 사용실적을 포함한 전년도 업무실적: 매년 3월 31일까지 [본조신설 2020. 5. 26.]	
제2절 건설공사의 품질 및 안전 관리 등	**제2절 건설공사의 품질 및 안전 관리 등**	
제53조(건설공사 등의 부실 측정) ① 국토교통부장관, 발주청(「사회기반시설에 대한 민간투자법」에 따른 민간투자사업인 경우에는 같은 법 제2조제5호에 따른 주무관청을 말한다. 이하 이 조에서 같다)과 인·허가기관의 장은 다음 각 호의 어느 하나에 해당하는 자가 건설엔지니어링, 건축설계, 「건축사법」 제2조제4호에 따른 공사감리 또는 건설공사를 성실하게 수행하지 아니함으로써 부실공사가 발생하였거나 발생할 우려가 있는 경우 및 제47조에 따른 건설공사의 타당성 조사(이하 "타당성 조사"라 한다)에서 건설공사에 대한 수요 예측을 고의 또는 과실로 부실하게 하여 발주청에 손해를 끼친 경우에는 부실의 정도를 측정하여 벌점을 주어야 한다. 〈개정 2018. 8. 14., 2019. 4. 30., 2021. 3. 16.〉	**제87조(건설공사 등의 부실 측정에 따른 벌점 부과 등)** ① 삭제 〈2019. 6. 25.〉 ② 건설엔지니어링, 건축설계(「건축사법」 제2조제3호에 따른 설계를 말한다), 공사감리(「건축사법」 제2조제4호에 따른 공사감리를 말한다) 또는 건설공사를 공동도급하는 경우에는 다음 각 호의 구분에 따라 벌점을 부과한다. 〈개정 2019. 6. 25., 2020. 11. 10., 2021. 9. 14.〉 1. 공동이행방식인 경우: 공동수급체 구성원 모두에 대하여 공동수급협정서에서 정한 출자비율에 따라 부과. 다만, 부실공사에 대한 책임 소재가 명확히 규명된 경우에는 해당 구성원에게만 부과한다. 2. 분담이행방식인 경우: 분담업체별로 부과 ③ 국토교통부장관, 발주청(「사회기반시설에	**제47조(건설공사 등의 부실측정 결과의 관리)** 국토교통부장관, 발주청 및 인·허가기관의 장은 법 제53조제1항에 따라 건설공사 등의 부실의 정도를 측정한 경우(벌점을 부과하지 아니한 경우를 포함한다)에는 그 측정 결과를 관리하여야 하며, 별지 제37호서식 및 별지 제38호서식의 벌점 총괄표를 매반기 말일을 기준으로 다음달 15일까지 영 제117조제1항에 따라 벌점의 종합관리를 위탁받은 기관에 통보하여야 한다.

법	시 행 령	시 행 규 칙
1. 건설사업자 2. 주택건설등록업자 3. 건설엔지니어링사업자(「건축사법」 제23조제2항에 따른 건축사사무소개설자를 포함한다) 4. 제1호부터 제3호까지의 어느 하나에 해당하는 자에게 고용된 건설기술인 또는 건축사 ② 발주청은 제1항에 따라 벌점을 받은 자에게 건설엔지니어링 또는 건설공사 등을 위하여 발주청이 실시하는 입찰 시 그 벌점에 따라 불이익을 주어야 한다. 〈개정 2021. 3. 16.〉 ③ 발주청과 인·허가기관의 장은 제1항에 따라 벌점을 준 경우 그 내용을 국토교통부장관에게 통보하여야 하며, 국토교통부장관은 그 벌점을 종합관리하고, 제1항제1호부터 제3호까지의 자에게 준 벌점을 공개하여야 한다. ④ 제1항부터 제3항까지의 규정에 따른 부실 정도의 측정기준, 불이익 내용, 벌점의 관리 및 공개 등에 필요한 사항은 대통령령으로 정한다.	대한 민간투자법」에 따른 민간투자사업인 경우에는 같은 법 제2조제5호에 따른 주무관청을 말한다) 또는 인·허가기관의 장(이하 이 조, 제87조의2, 제87조의3 및 별표 8에서 "측정기관"이라 한다)은 법 제53조제1항에 따라 건설엔지니어링 등의 부실 정도를 측정하거나 벌점을 부과한 경우에는 국토교통부령으로 정하는 바에 따라 관리하고 제117조제1항에 따라 벌점의 종합관리를 위탁받은 기관에 이를 통보해야 한다. 〈개정 2020. 11. 10., 2021. 9. 14.〉 ④ 제3항에 따라 벌점 부과 결과를 통보받은 기관은 벌점을 부과받은 자에 대한 벌점을 누계하여 관리하여야 하며, 발주청의 요청이 있는 경우에는 그 내용을 통보하거나 정보통신망을 통하여 발주청이 확인할 수 있도록 하여야 한다. ⑤ 법 제53조제1항 및 제2항에 따른 부실 정도의 측정기준, 불이익 내용, 벌점의 공개 대상·방법·시기·절차 및 관리 등은 별표 8의 벌점관리기준에 따른다. [제목개정 2019. 6. 25.] **제87조의2(이의 신청 등)** ① 벌점 부과 내용을 통보받은 벌점 부과 대상자는 그 통보를 받은 날부터 30일 이내에 측정기관에 이의 신청을 할 수 있다. 이 경우 벌점 부과에 대하여 불복하는 사유를 분명하게 밝혀 신청해야 한다. ② 제1항에 따라 이의 신청을 받은 측정기관은 제87조의3에 따른 벌점심의위원회의 심의를	

법	시 행 령	시 행 규 칙
	거쳐 그 결과를 이의 신청일부터 40일 이내에 이의신청인에게 통보해야 한다. ③ 측정기관은 제2항에 따른 심의 결과 부실측정과 벌점 부과에 잘못이 있는 경우에는 벌점 부과 결과를 정정해야 한다. [본조신설 2020. 11. 10.] **제87조의3(벌점심의위원회)** ① 제87조의2에 따른 벌점 부과 결과에 대한 이의 신청을 심의하기 위하여 각 측정기관별로 벌점심의위원회를 둔다. ② 벌점심의위원회는 측정기관이 벌점을 부과한 사유·근거와 벌점 부과 대상자가 심의를 의뢰한 사유·근거를 충분히 고려하여 심의해야 한다. ③ 벌점심의위원회는 위원장 및 6명 이상의 위원으로 구성한다. ④ 벌점심의위원회 위원장은 국토교통부, 발주청 또는 인·허가기관에 소속된 공무원, 임원·직원 중에서 측정기관이 임명하거나 위촉한다. ⑤ 벌점심의위원회 위원은 건설기술에 관한 학식과 경험이 풍부한 외부 전문가 중에서 측정기관이 위촉한다. ⑥ 제1항부터 제5항까지에서 규정한 사항 외에 벌점심의위원회 구성·운영에 필요한 사항은 국토교통부장관이 정하여 고시한다. [본조신설 2020. 11. 10.]	
제54조(건설공사현장 등의 점검) ① 국토교통부장관 또는 특별자치시장, 특별자치도지사, 시장·군수·구청장(자치구의 구청장을 말한다. 이하	**제88조(건설공사현장 등의 점검 등)** ① 법 제54조제1항에서 "대통령령으로 정하는 건설공사"란 다음 각 호의 건설공사를 말한다. 〈개정 2016.	**제48조(건설공사현장 등의 점검)** ① 지방국토관리청장 또는 특별자치시장, 특별자치도지사, 시장·군수·구청장(자치구의 구청장을 말한다. 이

법	시 행 령	시 행 규 칙
같다), 발주청은 건설공사의 부실방지, 품질 및 안전 확보가 필요한 경우에는 대통령령으로 정하는 건설공사에 대하여는 현장 등을 점검할 수 있으며, 점검 결과 필요한 경우에는 대통령령으로 정하는 바에 따라 제53조제1항 각 호의 자에게 시정명령 등의 조치를 하거나 관계 기관에 대하여 관계 법률에 따른 영업정지 등의 요청을 할 수 있다. 〈개정 2015. 5. 18., 2018. 12. 31., 2019. 8. 27.〉 ② 제1항에 따라 건설공사현장을 점검한 특별자치시장, 특별자치도지사, 시장·군수·구청장, 발주청은 점검결과 및 그에 따른 조치결과(시정명령 또는 영업정지 등을 포함한다)를 국토교통부장관에게 제출하여야 한다. 〈신설 2018. 12. 31.〉 ③ 발주청(발주자가 발주청이 아닌 경우 해당 건설공사의 인·허가기관을 말한다)은 제1항에 따른 건설공사로 인하여 안전사고나 부실공사가 우려되어 대통령령으로 정하는 요건을 갖춘 민원이 제기되는 경우 그 민원을 접수한 날부터 3일 이내에 현장 등을 점검하여야 하고, 그 점검결과 및 조치결과(시정명령 또는 영업정지 등을 포함한다)를 국토교통부장관에게 제출하여야 한다. 〈신설 2019. 8. 27.〉 ④ 제1항에 따라 건설공사현장을 점검하는 자는 점검의 중복 등으로 인하여 그 건설공사에 지장을 주는 일이 없도록 하여야 한다. 〈개정 2018. 12. 31., 2019. 8. 27.〉 ⑤ 제1항에 따른 건설공사현장 점검 등에 관하	1. 12., 2018. 1. 16., 2020. 5. 26.〉 1. 건설공사의 현장에서 「자연재해대책법」 제2조제1호에 따른 재해 또는 「재난 및 안전관리 기본법」 제3조제1호나목에 따른 재난이 발생한 경우의 해당 건설공사 2. 건설공사의 현장에서 「시설물의 안전 및 유지관리에 관한 특별법 시행령」 제18조제1항 각 호에 따른 중대한 결함이 발생한 경우의 해당 건설공사 3. 인·허가기관의 장이 부실에 대하여 구체적인 민원이 제기되거나 안전사고 예방 등을 위하여 점검이 필요하다고 인정하여 점검을 요청하는 건설공사 4. 그 밖에 건설공사의 부실에 대하여 구체적인 민원이 제기되거나 안전사고 예방, 부실공사 방지 및 품질 확보 등을 위하여 국토교통부장관, 특별자치시장, 특별자치도지사, 시장·군수·구청장(자치구의 구청장을 말한다. 이하 같다) 또는 발주청이 점검이 필요하다고 인정하는 건설공사 ② 법 제54조제1항에 따라 특별자치시장, 특별자치도지사, 시장·군수·구청장 또는 발주청이 건설공사 현장 등을 점검할 수 있는 건설공사는 자신이 발주한 건설공사 및 허가등을 한 건설공사로 한정한다. 〈개정 2016. 1. 12.〉 ③ 법 제54조제3항에서 "대통령령으로 정하는 요건"이란 다음 각 호의 요건을 말한다. 〈신설 2020. 1. 7.〉	하 같다), 발주청은 법 제54조제1항에 따라 건설공사현장 등을 점검하기 3일 전까지 다음 각 호의 사항을 해당 건설공사현장의 건설사업관리용역사업자 또는 「건설산업기본법」 제40조제1항에 따라 건설공사의 현장에 배치된 건설기술인에게 통보해야 한다. 다만, 안전사고의 발생, 발생 우려 또는 건설공사의 부실에 대하여 구체적인 민원이 제기된 경우로서 긴급히 조치할 필요가 있거나 사전에 통지할 경우 증거인멸 등으로 점검 목적을 달성할 수 없다고 인정하는 경우에는 통보하지 않을 수 있다. 〈개정 2016. 3. 7., 2016. 7. 4., 2019. 2. 25., 2020. 3. 18.〉 1. 점검 근거 및 목적 2. 점검일시 3. 점검자의 인적사항(소속·직급 및 성명) 4. 점검내용 ② 법 제54조제1항에 따라 건설공사현장 등을 점검하는 자(이하 "점검자"라 한다)는 별지 제39호서식에 따른 점검요원증을 이해관계인에게 보여 주어야 한다. 〈개정 2016. 3. 7.〉 ③ 건설공사현장 등을 점검한 점검자는 별지 제40호서식에 따른 점검방문 일지에 점검일시 및 점검내용 등을 적어야 한다. 〈개정 2016. 3. 7.〉 ④ 건설공사의 발주자, 건설사업관리용역사업자 및 현장에 배치된 건설기술인은 현장점검이 원활히 시행될 수 있도록 설계도서 및 시험성과표 등 관련 자료를 점검자에게 제시해야 하며, 점검자가 점검에 필요한 자료를 요구하는 경우

법	시 행 령	시 행 규 칙
여 필요한 사항은 국토교통부령으로 정한다. 〈개정 2018. 12. 31., 2019. 8. 27.〉	1. 안전사고나 부실공사가 우려되는 대상이 다음 각 목의 어느 하나일 것 가. 건설공사의 주요 구조부 및 가설구조물 나. 건설공사로 인한 지하 10미터 이상의 굴착지점 다. 건설공사에 사용되는 천공기, 항타·항발기 및 타워크레인 라. 건설공사의 인근 지역에 위치한 시설물 2. 다음 각 목의 어느 하나에 해당하는 자료나 의견을 첨부할 것 가. 파손, 균열 및 침하 등으로 인한 심각한 안전사고나 부실공사가 우려된다는 것을 증명할 수 있는 해당 파손, 균열 및 침하 등에 대한 도면, 사진 및 영상물 등 구체적인 자료 나. 건설공사의 안전과 관련된 분야의 박사·석사 학위 취득자, 「기술사법」에 따른 기술사 및 그 밖의 관계 전문가의 안전사고나 부실공사가 우려된다는 의견 ④ 국토교통부장관, 특별자치시장, 특별자치도지사, 시장·군수·구청장 또는 발주청은 법 제54조에 따라 건설공사현장 등을 점검한 결과 부실시공으로 지적된 경우에는 법 제53조제1항 각 호의 자에게 다음 각 호의 조치를 명할 수 있다. 다만, 「원자력안전법 시행령」 제153조에 따른 수탁기관이 원자력시설공사의 현장에 대한 검사를 하여 시정 또는 보완을 명한 경우에는 그렇지 않다. 〈개정 2016. 1. 12., 2020.	에는 특별한 사유가 없으면 이에 따라야 한다. 〈개정 2016. 3. 7., 2019. 2. 25., 2020. 3. 18.〉 ⑤ 지방국토관리청장 또는 특별자치시장, 특별자치도지사, 시장·군수·구청장, 발주청은 건설공사현장 등의 효율적인 점검을 위하여 필요한 경우에는 소속 공무원 또는 직원 외에 해당 분야의 관계 전문가를 점검에 참여시킬 수 있다. 〈개정 2016. 3. 7.〉 ⑥ 영 제88조제3항제3호에서 "국토교통부령으로 정하는 표지판"이란 별지 제41호서식에 따른 부실시공현장 표지를 말한다. ⑦ 국토교통부장관은 건설공사 현장점검의 실효성을 제고하고 객관성을 확보하기 위하여 현장점검의 세부적인 절차 및 방법을 정하여 고시할 수 있다. 〈신설 2016. 3. 7.〉

법	시 행 령	시 행 규 칙
	1. 7., 2020. 5. 26.〉 1. 다음 각 목의 어느 하나에 해당하는 경우 일정 기간의 공사중지 가. 해당 시설물의 구조안전에 지장을 준다고 인정되는 경우 나. 법 제55조에 따른 건설공사의 품질관리에 관한 사항을 위반하여 주요 구조부의 부실시공이 우려되는 경우 다. 법 제62조에 따른 건설공사의 안전관리에 관한 사항을 위반하여 인적·물적 피해가 우려되는 경우 2. 설계도서에서 정하는 기준에 적합한지의 진단 및 이에 따른 시정조치 3. 건설공사현장의 출입구에 국토교통부령으로 정하는 표지판의 설치 ⑤ 국토교통부장관, 특별자치시장, 특별자치도지사, 시장·군수·구청장 또는 발주청은 제4항제1호에 따른 공사중지 명령을 할 때에는 서면으로 해야 하며, 공사중지기간이 끝난 때에는 지적사항 시정 여부를 확인한 후 서면으로 공사재개를 명해야 한다. 〈신설 2020. 5. 26.〉 ⑥ 제4항제3호에 따른 표지판은 시정조치 등이 완료될 때까지 설치해야 하며, 누구든지 표지판을 훼손해서는 안 된다. 〈개정 2020. 1. 7., 2020. 5. 26.〉	
제55조(건설공사의 품질관리) ① 건설사업자와 주택건설등록업자는 대통령령으로 정하는 건설공사에 대하여는 그 종류에 따라 품질 및 공정	**제89조(품질관리계획 등의 수립대상 공사)** ① 법 제55조제1항에 따른 품질관리계획(이하 "품질관리계획"이라 한다)을 수립해야 하는 건설공사	

법	시행령	시행규칙
관리 등 건설공사의 품질관리계획(이하 "품질관리계획"이라 한다) 또는 시험 시설 및 인력의 확보 등 건설공사의 품질시험계획(이하 "품질시험계획"이라 한다)을 수립하고, 이를 발주자에게 제출하여 승인을 받아야 한다. 이 경우 발주청이 아닌 발주자는 미리 품질관리계획 또는 품질시험계획의 사본을 인·허가기관의 장에게 제출하여야 한다. 〈개정 2019. 4. 30.〉	는 다음 각 호의 건설공사로 한다. 〈개정 2014. 11. 11., 2020. 5. 26.〉 1. 감독 권한대행 등 건설사업관리 대상인 건설공사로서 총공사비(도급자가 설치하는 공사의 관급자재비를 포함하되, 토지 등의 취득·사용에 따른 보상비는 제외한 금액을 말한다. 이하 같다)가 500억원 이상인 건설공사 2. 「건축법 시행령」 제2조제17호에 따른 다중이용 건축물의 건설공사로서 연면적이 3만제곱미터 이상인 건축물의 건설공사 3. 해당 건설공사의 계약에 품질관리계획을 수립하도록 되어 있는 건설공사 ② 법 제55조제1항에 따른 품질시험계획(이하 "품질시험계획"이라 한다)을 수립하여야 하는 건설공사는 제1항에 따른 품질관리계획 수립 대상인 건설공사 외의 건설공사로서 다음 각 호의 어느 하나에 해당하는 건설공사로 한다. 이 경우 품질시험계획에 포함하여야 하는 내용은 별표 9와 같다. 1. 총공사비가 5억원 이상인 토목공사 2. 연면적이 660제곱미터 이상인 건축물의 건축공사 3. 총공사비가 2억원 이상인 전문공사 ③ 제1항과 제2항에도 불구하고 건설사업자와 주택건설등록업자는 원자력시설공사와 건설공사의 성질상 품질관리계획 또는 품질시험계획을 수립할 필요가 없다고 인정되는 건설공사로서 국토교통부령으로 정하는 건설공사에 대해	**제49조(품질관리계획 등을 수립할 필요가 없는 건설공사)** 영 제89조제3항 본문에서 "국토교통부령으로 정하는 건설공사"란 다음 각 호의 공사를 말한다. 1. 조경식재공사

법	시 행 령	시 행 규 칙
	서는 품질관리계획 또는 품질시험계획을 수립하지 않을 수 있다. 다만, 건설공사의 설계도서에서 품질관리계획 또는 건설공사의 품질시험계획을 수립하도록 되어 있는 건설공사에 대해서는 품질관리계획 또는 품질시험계획을 수립해야 한다. 〈개정 2020. 1. 7.〉 ④ 품질관리계획은 「산업표준화법」 제12조에 따른 한국산업표준(이하 "한국산업표준"이라 한다)인 케이에스 큐 아이에스오(KS Q ISO) 9001 등에 따라 국토교통부장관이 정하여 고시하는 기준에 적합하여야 한다. **제90조(품질관리계획 등의 수립절차)** ① 건설사업자와 주택건설등록업자는 품질관리계획 또는 품질시험계획을 수립하여 건설공사의 발주자(이하 이 절에서 "발주자"라 한다)에게 제출하는 경우에는 미리 공사감독자 또는 건설사업관리기술인(「건축법」 제25조 또는 「주택법」 제43조 및 제44조에 따라 감리업무를 수행하는 자를 포함한다. 이하 같다)의 검토·확인을 받아야 하며, 건설공사를 착공(건설공사현장의 부지 정리 및 가설사무소의 설치 등의 공사준비는 착공으로 보지 않는다. 이하 제98조제2항에서 같다)하기 전에 발주자의 승인을 받아야 한다. 품질관리계획 또는 품질시험계획의 내용을 변경하는 경우에도 또한 같다. 〈개정 2015. 7. 6., 2016. 8. 11., 2018. 12. 11., 2020. 1. 7.〉 ② 법 제55조제1항에 따라 품질관리계획 또는 품질시험계획을 제출받은 발주청 또는 인·허	2. 삭제 〈2016. 7. 4.〉 3. 철거공사

법	시 행 령	시 행 규 칙
	가기관의 장은 품질관리계획 또는 품질시험계획의 내용을 심사하고, 다음 각 호의 구분에 따라 심사 결과를 확정하여 건설사업자 또는 주택건설등록업자에게 그 결과를 서면으로 통보해야 한다. 이 경우 인·허가기관의 장은 발주청이 아닌 발주자에게 그 결과를 함께 통보해야 한다. 〈신설 2020. 5. 26.〉 1. 적정: 품질관리에 필요한 조치가 구체적이고 명료하게 계획되어 건설공사의 품질관리를 충분히 할 수 있다고 인정될 때 2. 조건부 적정: 품질관리에 치명적인 영향을 미치지는 않지만 일부 보완이 필요하다고 인정될 때 3. 부적정: 품질관리가 어려울 것으로 우려되거나 품질관리계획 및 품질시험계획에 근본적인 결함이 있다고 인정될 때 ③ 발주자는 품질관리계획 또는 품질시험계획의 내용이 제2항제1호의 적정 또는 같은 항 제2호의 조건부 적정 판정을 받은 경우에는 승인서를 건설사업자 또는 주택건설등록업자에게 발급해야 한다. 이 경우 제2항제2호의 판정을 받은 경우에는 보완이 필요한 부분을 승인서에 기재해야 한다. 〈신설 2020. 5. 26.〉 ④ 발주청 또는 인·허가기관의 장은 품질관리계획 또는 품질시험계획의 내용이 제2항제3호의 부적정 판정을 받은 경우에는 건설사업자 또는 주택건설등록업자로 하여금 품질관리계획 또는 품질시험계획을 변경하게 하는 등 필요한 조치	

법	시 행 령	시 행 규 칙
	를 하도록 해야 한다. 〈개정 2020. 5. 26.〉 ⑤ 제3항 및 제4항에 따른 품질관리계획 또는 품질시험계획에 대한 승인서 발급 및 부적정 판정에 대한 필요한 조치 등에 관한 세부적인 절차 및 방법은 국토교통부장관이 정하여 고시한다. 〈신설 2020. 5. 26.〉	
② 건설사업자와 주택건설등록업자는 품질관리계획 또는 품질시험계획에 따라 품질시험 및 검사를 하여야 한다. 이 경우 건설사업자나 주택건설등록업자에게 고용되어 품질관리 업무를 수행하는 건설기술인은 품질관리계획 또는 품질시험계획에 따라 그 업무를 수행하여야 한다. 〈개정 2018. 8. 14., 2019. 4. 30.〉	**제91조(품질시험 및 검사)** ① 법 제55조제2항 전단에 따른 품질시험 및 검사(이하 "품질검사"라 한다)는 한국산업표준, 건설기준 또는 국토교통부장관이 정하여 고시하는 건설공사 품질검사기준에 따라 실시해야 한다. 〈개정 2014. 12. 30., 2020. 5. 26.〉 ② 제1항에도 불구하고 건설사업자와 주택건설등록업자는 다음 각 호의 재료에 대해서는 품질검사를 하지 않을 수 있다. 다만, 시간경과 또는 장소 이동 등으로 재료의 품질 변화가 우려되어 발주자가 품질검사가 필요하다고 인정하는 경우와 자재를 재사용하는 경우에는 품질검사를 해야 한다. 〈개정 2020. 1. 7., 2020. 12. 8., 2021. 9. 14.〉 1. 법 제60조제1항에 따라 품질검사를 대행하는 국립·공립 시험기관 또는 건설엔지니어링사업자의 시험성적서가 제출되는 재료. 이 경우 시험성적서가 제출되는 재료(자재·부재를 포함한다. 이하 같다)는 발주자 또는 건설사업관리용역사업자의 봉인(封印) 또는 확인을 거쳐 시험한 것으로 한정한다. 2. 한국산업표준 인증제품	**제50조(품질시험 및 검사의 실시)** ① 법 제55조제2항 또는 법 제60조제1항에 따라 품질시험 및 검사(이하 "품질검사"라 한다)를 하거나 대행하는 자는 별지 제42호서식의 품질검사 대장에 품질검사의 결과를 적되, 전자적 처리가 불가능한 특별한 사유가 없으면 전자적 처리가 가능한 방법으로 작성·관리하여야 한다. ② 건설공사현장에서 하는 것이 적절한 품질검사는 건설공사현장에서 하여야 하며, 구조물의 안전에 중요한 영향을 미치는 시험종목의 품질시험을 할 때에는 발주자가 확인하여야 한다. ③ 삭제 〈2020. 12. 14.〉

법	시행령	시행규칙
	3. 「산업안전보건법」 제84조에 따른 안전인증을 받은 제품 4. 「주택법」 등 관계 법령에 따라 품질검사를 받았거나 품질을 인증받은 재료 ③ 법 제55조제2항 후단에 따른 품질관리 업무를 수행하는 건설기술인은 품질관리계획 또는 품질시험계획에 따라 다음 각 호의 업무를 수행해야 한다. 다만, 다음 각 호 외의 업무를 수행하려는 경우에는 발주청 또는 인·허가기관의 장의 승인을 받아야 한다. 〈신설 2020. 5. 26.〉 1. 품질관리계획 또는 품질시험계획의 수립 및 시행 2. 건설자재·부재 등 주요 사용자재의 적격품 사용 여부 확인 3. 공사현장에 설치된 시험실 및 시험·검사 장비의 관리 4. 공사현장 근로자에 대한 품질교육 5. 공사현장에 대한 자체 품질점검 및 조치 6. 부적합한 제품 및 공정에 대한 지도·관리 ④ 법 제55조제2항에 따라 품질시험 및 검사를 하는 건설사업자와 주택건설등록업자가 갖춰야 하는 건설공사 품질관리를 위한 시설 및 건설기술인 배치기준은 국토교통부령으로 정한다. 〈개정 2018. 12. 11., 2020. 1. 7., 2020. 5. 26.〉 **제92조(품질관리의 지도·감독 등)** ① 발주자는 건설사업자 또는 주택건설등록업자가 품질검사를 해야 하는 대상 공종 및 재료를 설계도서에 구체적으로 표시해야 한다. 〈개정 2020. 1. 7.〉	④ 영 제91조제3항에 따른 건설공사 품질관리를 위한 시설 및 건설기술인 배치기준은 별표 5와 같다. 〈개정 2019. 2. 25.〉 ⑤ 건설사업자 또는 주택건설등록업자는 발주청이나 인·허가기관의 장의 승인을 받아 공종이 유사하고 공사현장이 인접한 건설공사를 통합하여 품질관리를 할 수 있다. 〈개정 2020. 3. 18.〉 ⑥ 영 제92조제2항에 따른 건설사업자 또는 주택건설등록업자가 품질관리 업무를 적정하게 수행하고 있는지에 대한 확인은 제52조제2항에 따라 국토교통부장관이 고시하는 적정성 확인 기준 및 요령에 따른다. 〈개정 2020. 3. 18.〉

<table>
<tr><th>법</th><th>시 행 령</th><th>시 행 규 칙</th></tr>
<tr><td></td><td>② 발주자는 건설사업자 또는 주택건설등록업자가 수립한 품질관리계획 또는 품질시험계획에 따라 건설공사의 시공 및 사용재료에 대한 품질관리 업무를 적절하게 수행하고 있는지 확인할 수 있다. 다만, 법 제55조제3항에 따른 품질관리의 적절성이 확인된 경우에는 따로 확인하지 않을 수 있다. 〈개정 2020. 1. 7.〉
③ 발주자는 제2항에 따라 품질관리 업무를 적절하게 수행하고 있는지를 확인하려는 경우에는 건설사업자 또는 주택건설등록업자가 참여할 수 있도록 해야 한다. 〈개정 2020. 1. 7.〉
④ 발주자는 제2항에 따른 확인 결과 시정이 필요하다고 인정하는 경우에는 해당 건설사업자 또는 주택건설등록업자에게 시정을 요구할 수 있다. 이 경우 시정을 요구받은 건설사업자 또는 주택건설등록업자는 지체 없이 이를 시정한 후 그 결과를 발주자에게 통보해야 한다. 〈개정 2020. 1. 7.〉
⑤ 발주자는 제2항에 따른 확인을 법 제60조제1항에 따라 품질검사를 대행하는 국립·공립 시험기관 또는 건설엔지니어링사업자에게 의뢰하여 실시할 수 있다. 〈개정 2020. 1. 7., 2021. 9. 14.〉
제93조(품질시험 또는 검사 성과의 관리 등) ① 건설사업자나 주택건설등록업자는 품질검사를 완료하였을 때에는 국토교통부령으로 정하는 바에 따라 품질시험 또는 검사 성과 총괄표를 작성하고, 해당 건설공사에 대한 기성부분검사·예비준공검사 또는 준공검사를 신청할 때 발주자</td><td>제51조(품질검사 성과 총괄표) 영 제93조제1항에 따른 품질검사 성과 총괄표는 별지 제43호서식과 같다.</td></tr>
</table>

법	시 행 령	시 행 규 칙
	에게 이를 제출해야 한다. 〈개정 2020. 1. 7.〉 ② 건설공사의 기성부분검사·예비준공검사 또는 준공검사를 하는 자는 품질시험 또는 검사 성과 총괄표의 내용을 검토하여야 한다. ③ 「시설물의 안전 및 유지관리에 관한 특별법」 제7조제1호 및 제2호에 따른 1종시설물 및 2종시설물에 관한 발주자는 해당 건설공사가 완공되면 같은 법 제2조제4호에 따른 관리주체(이하 "관리주체"라 한다)에게 품질시험 또는 검사 성과 총괄표를 인계하여야 한다. 〈개정 2018. 1. 16.〉 ④ 발주자(제3항에 따라 품질시험 또는 검사 성과 총괄표를 관리주체에게 인계한 경우에는 관리주체를 말한다)는 품질시험 또는 검사 성과 총괄표를 해당 시설물이 존속하는 기간 동안 보존하여야 한다.	
③ 발주청, 인·허가기관의 장 및 대통령령으로 정하는 기관의 장은 품질관리계획을 수립하여야 하는 건설공사에 대하여 건설사업자와 주택건설등록업자가 제2항에 따라 품질관리계획에 따른 품질관리를 적절하게 하는지를 확인할 수 있다. 〈개정 2019. 4. 30.〉 ④ 품질관리계획 또는 품질시험계획의 수립기준·승인 절차, 제3항에 따른 품질관리의 확인 방법·절차와 그 밖에 확인에 필요한 사항은 대통령령으로 정한다.	**제94조(품질관리의 확인)** ① 법 제55조제3항에서 "대통령령으로 정하는 기관"이란 다음 각 호의 기관을 말한다. 〈개정 2018. 6. 8., 2020. 5. 26.〉 1. 지방국토관리청 2. 국토교통부장관의 지도·감독을 받는 공기업·준정부기관 3. 「방사성폐기물 관리법」에 따른 한국원자력환경공단 4. 「수도권매립지관리공사의 설립 및 운영 등에 관한 법률」에 따른 수도권매립지관리공사 5. 「집단에너지사업법」에 따른 한국지역난방공사	**제52조(품질관리의 적절성 확인)** ① 법 제55조제3항에 따른 품질관리의 적절성 확인은 해마다 한 번 이상 실시하되, 해당 건설공사의 준공 2개월 전까지 하여야 한다. ② 제1항에 따른 적절성 확인의 기준 및 요령은 국토교통부장관이 정하여 고시한다.

법	시 행 령	시 행 규 칙
	6. 「한국가스공사법」에 따른 한국가스공사 7. 「한국농어촌공사 및 농지관리기금법」에 따른 한국농어촌공사 8. 「한국석유공사법」에 따른 한국석유공사 9. 「한국전력공사법」에 따른 한국전력공사 및 한국전력공사가 출자하여 설립한 발전회사 10. 「한국환경공단법」에 따른 한국환경공단 11. 「항만공사법」에 따른 항만공사 12. 「한국수자원공사법」에 따른 한국수자원공사 ② 법 제55조제3항에 따라 품질관리를 적절하게 하는지를 확인한 자는 그 확인 결과에 따라 필요한 조치를 하여야 한다. ③ 법 제55조제3항에 따른 품질관리의 적절성을 확인하는 방법 등은 국토교통부령으로 정한다.	
제56조(품질관리 비용의 계상 및 집행) ① 건설공사의 발주자는 건설공사 계약을 체결할 때에는 건설공사의 품질관리에 필요한 비용(이하 "품질관리비"라 한다)을 국토교통부령으로 정하는 바에 따라 공사금액에 계상하여야 한다. ② 건설공사의 규모 및 종류에 따른 품질관리비의 사용 방법 등에 관한 기준은 국토교통부령으로 정한다.		**제53조(품질관리비의 산출 및 사용 기준)** ① 법 제56조제1항에 따른 건설공사의 품질관리에 필요한 비용(이하 "품질관리비"라 한다)의 산출 및 사용기준은 별표 6과 같다. 다만, 품질검사를 실시하는 자가 영 제97조제1항 각 호에 따른 국립·공립 시험기관이고 해당 기관이 검사비용의 기준을 따로 정하고 있는 경우에는 그 기준을 따른다. ② 건설사업자 또는 주택건설등록업자는 제1항에 따라 산출된 품질관리비를 해당 목적에만 사용해야 하며, 발주자 또는 건설사업관리용역사업자는 품질관리비 사용에 관하여 지도·감독할 수 있다. 〈개정 2020. 3. 18.〉 ③ 건설사업자 또는 주택건설등록업자는 법

법	시 행 령	시 행 규 칙
제57조(건설자재·부재의 품질 확보 등) ① 국토교통부장관은 대통령령으로 정하는 건설자재·부재의 품질 확보를 위하여 필요한 경우에는 관계 중앙행정기관의 장과 협의하여 건설자재·부재의 생산, 공급 및 보관 등에 필요한 사항을 정하여 고시할 수 있다. ② 제1항에 따른 건설자재·부재를 생산(채취를 포함한다) 또는 수입·판매하는 자와 대통령령으로 정하는 공사에 이를 사용하는 건설사업자 또는 주택건설등록업자와 레디믹스트콘크리트(시멘트, 골재 및 물 등을 배합한 굳지 아니한 상태의 콘크리트를 말한다) 또는 아스팔트콘크리트 제조업자는 다음 각 호의 어느 하나에 적합한 건설자재·부재를 공급하거나 사용하여야 한다. 〈개정 2013. 7. 16., 2019. 4. 30.〉 1. 「산업표준화법」 제12조에 따른 한국산업표준에 적합하다는 인증을 받은 건설자재·부재 2. 그 밖에 대통령령으로 정하는 바에 따라 국토교통부장관이 적합하다고 인정한 건설자재·부재 ③ 레디믹스트콘크리트 제조업자가 반품된 레디믹스트콘크리트를 재사용하려는 경우에는 제2항 각 호의 어느 하나에 적합하여야 한다. 〈신설 2013. 7. 16.〉 ④ 국토교통부장관은 건설자재·부재의 품질이	**제95조(건설자재·부재의 범위)** ① 법 제57조제1항에서 "대통령령으로 정하는 건설자재·부재"란 다음 각 호의 어느 하나에 해당하는 건설자재·부재를 말한다. 〈개정 2020. 5. 26.〉 1. 레디믹스트콘크리트 2. 아스팔트콘크리트 3. 바닷모래 4. 부순 골재 5. 철근, 에이치(H)형강, 구조용 아이(I)형강, 두께 6밀리미터 이상의 건설용 강판, 구조용·기초용 강관, 고장력 볼트, 용접봉, 피시(PC)강선, 피시(PC)강연선 및 피시(PC)강봉. 다만, 가시설용(假施設用)은 제외한다. 6. 「건설폐기물의 재활용촉진에 관한 법률」 제2조제7호에 따른 순환골재(이하 "순환골재"라 한다) ② 법 제57조제2항 각 호 외의 부분에서 "대통령령으로 정하는 공사"란 다음 각 호의 구분에 따른 건설공사 중 어느 하나에 해당하는 공사를 말한다. 〈개정 2020. 1. 7.〉 1. 건설사업자나 주택건설등록업자가 제1항 각 호의 건설자재·부재를 사용하려는 경우: 제89조제2항제1호·제3호에 해당하는 건설공사 또는 「건설산업기본법」 제41조에 따라 시공자 제한을 받는 건설공사	제60조제1항에 따라 품질검사 등을 대행하게 하는 경우에는 그 비용을 부담해야 한다. 〈개정 2020. 3. 18.〉

법	시 행 령	시 행 규 칙
적절한지 확인할 수 있으며, 확인 결과 건설공사에 사용하는 것이 적합하지 아니하다고 인정되는 경우에는 관계 중앙행정기관의 장에게 시정명령 등 필요한 조치를 하도록 요청할 수 있다. 〈개정 2013. 7. 16.〉	2. 레디믹스트콘크리트 또는 아스팔트콘크리트 제조업자가 제1항제3호·제4호 또는 제6호의 건설자재를 사용하려는 경우: 건설사업자 또는 주택건설등록업자가 제1호에 따른 건설공사를 시공하는 경우로서 해당 공사의 총설계량이 레디믹스트콘크리트 1천세제곱미터 또는 아스팔트콘크리트 2천톤 이상인 건설공사 ③ 법 제57조제2항제2호에 따른 건설자재·부재는 다음 각 호의 어느 하나에 해당하는 건설자재·부재로 한다. 〈개정 2020. 1. 7., 2021. 9. 14.〉 1. 건설사업자 또는 주택건설등록업자와 레디믹스트콘크리트 또는 아스팔트콘크리트 제조업자가 법 제60조제1항에 따라 품질검사를 대행하는 국립·공립 시험기관 또는 건설엔지니어링사업자에게 품질검사를 의뢰하여 시험을 실시한 결과 한국산업표준에서 정한 기준과 같은 수준 이상이거나 해당 공사의 시방서에 적합한 건설자재·부재 2. 해당 공사의 건설사업관리용역사업자 또는 법 제49조에 따른 공사감독자가 참관하여 품질검사를 한 결과 한국산업표준에서 정한 기준과 같은 수준 이상이거나 해당 공사의 시방서에 적합한 건설자재·부재 3. 「건설폐기물의 재활용촉진에 관한 법률」 제35조에 따른 품질기준에 적합한 순환골재 4. 「골재채취법」 제22조의4에 따른 품질기준에 적합한 골재(바닷모래 및 부순 골재만 해당	

법	시 행 령	시 행 규 칙
제58조(철강구조물공장의 공장인증) ① 국토교통부장관은 건설공사에 사용되는 철강구조물을 제작하는 자의 신청을 받아 그 능력에 따라 철강구조물의 제작공장(이하 "철강구조물공장"이라 한다)을 등급별로 인증(이하 "공장인증"이라 한다)할 수 있다. ② 국토교통부장관은 공장인증을 받은 철강구조물공장의 운영 실태와 사후관리 상태에 대한 조사(이하 이 조에서 "실태조사"라 한다)를 실시하고 그 결과를 공표할 수 있다. 〈개정 2015. 12. 29.〉 ③ 국토교통부장관은 실태조사 결과 공장인증의 기준에 맞지 아니하다고 인정하면 시정에 필요한 조치를 명할 수 있다. 〈개정 2015. 12. 29.〉 ④ 국토교통부장관은 실태조사를 위하여 관계 행정기관 및 철강구조물공장을 운영하는 자 등 국토교통부령으로 정하는 자(이하 "철강구조물공장운영자등"이라 한다)에 대하여 필요한 자료의 제출을 요청할 수 있다. 이 경우 철강구조물공장운영자등은 정당한 사유가 없으면 이에 협조하여야 한다. 〈신설 2015. 12. 29.〉 ⑤ 제1항 및 제2항에 따른 공장인증의 대상, 기준, 절차 및 실태조사, 실태조사 결과의 공표 등에 필요한 사항은 대통령령으로 정한다. 〈신설 2015. 12. 29.〉	한다) **제96조(공장인증의 대상·기준 및 절차)** ① 법 제58조제1항에 따른 철강구조물의 제작공장(이하 "철강구조물공장"이라 한다)의 등급별 인증(이하 "공장인증"이라 한다)은 건설공사현장에 철강구조물을 제작·납품하는 공장을 대상으로 한다. ② 공장인증을 받으려는 자는 국토교통부령으로 정하는 바에 따라 다음 각 호의 분야별로 공장인증신청서를 국토교통부장관에게 제출하여야 한다. 1. 교량 분야 2. 건축 분야 ③ 공장인증은 1급·2급·3급 및 4급으로 구분하여 한다. ④ 공장인증의 기준은 별표 10과 같다. ⑤ 공장인증의 세부 기준 및 절차는 국토교통부장관이 정하여 고시한다. ⑥ 국토교통부장관은 공장인증을 한 경우에는 그 사실을 관보에 고시하고, 국토교통부령으로 정하는 바에 따라 공장인증서를 신청자에게 발급하여야 한다. ⑦ 국토교통부장관은 공장인증을 받은 자가 제4항에 따른 공장인증기준을 계속 유지하고 있는지를 확인하기 위하여 매년 정기적으로 철강구조물공장의 운영 실태와 사후관리 상태를 조사하고, 그 결과를 조사가 완료된 날부터 2개월 이내에 국토교통부 인터넷 홈페이지 또는	**제54조(공장인증 등)** ① 영 제96조제2항에 따라 공장인증을 받으려는 자는 별지 제44호서식의 공장인증신청서에 다음 각 호의 서류를 첨부하여 국토교통부장관에게 제출하여야 한다. 1. 공장 기술인력 현황을 기록한 서류 2. 공장 규모 및 설비 현황을 기록한 서류 3. 그 밖에 국토교통부장관이 공장인증을 위하여 필요하다고 인정하여 고시하는 서류 ② 영 제96조제6항에 따른 공장인증서는 별지 제45호서식과 같다. ③ 국토교통부장관은 공장인증을 한 경우에는 별지 제46호서식의 공장인증서 발급대장에 적고, 별지 제47호서식의 공장인증대장을 작성·관리하여야 한다. ④ 법 제58조제4항 전단에서 "관계 행정기관 및 철강구조물공장을 운영하는 자 등 국토교통부령으로 정하는 자"란 다음 각 호의 자를 말한다. 〈신설 2016. 7. 4.〉 1. 관계 행정기관 2. 철강구조물공장을 운영하는 자

법	시 행 령	시 행 규 칙
	관보에 공표하여야 한다. 〈개정 2016. 5. 17.〉 ⑧ 공장인증을 받은 철강구조물공장을 양수하거나 다른 지역으로 이전한 자는 공장 양수일 또는 공장 이전일부터 3개월 이내에 그 사실을 국토교통부장관에게 신고하여야 하며, 신고를 받은 국토교통부장관은 해당 공장이 공장인증 기준을 계속 유지하고 있는지를 확인하기 위하여 운영 실태와 사후관리 상태를 조사하여야 한다.	
제59조(공장인증의 취소 등) ① 국토교통부장관은 공장인증을 받은 철강구조물공장이 다음 각 호의 어느 하나에 해당하면 그 공장인증을 취소할 수 있다. 다만, 제1호에 해당하는 경우에는 그 공장인증을 취소하여야 한다. 〈개정 2015. 12. 29.〉 1. 거짓이나 그 밖의 부정한 방법으로 공장인증을 받은 경우 2. 제58조제3항에 따른 시정명령을 이행하지 아니한 경우 3. 철강구조물이 규격에 맞지 아니하거나 부적합하게 제작되어 일반인에게 위해를 끼친 경우 ② 제1항에 따른 공장인증 취소 절차 등에 관하여 필요한 사항은 국토교통부령으로 정한다.		**제55조(공장인증의 취소 공고)** 국토교통부장관은 법 제59조제1항에 따라 공장인증을 취소한 경우에는 그 사실을 지체 없이 철강구조물을 제작하는 자에게 서면으로 알리고 관보에 고시하여야 한다.
제60조(품질검사의 대행 등) ① 건설공사의 발주자, 건설사업자 또는 주택건설등록업자는 대통령령으로 정하는 국립·공립 시험기관 또는 건설엔지니어링사업자로 하여금 건설공사의 품질관리를 위한 시험·검사(이하 "품질검사"라	**제97조(품질검사의 대행 등)** ① 법 제60조제1항에서 "대통령령으로 정하는 국립·공립 시험기관"이란 다음 각 호의 기관을 말한다. 〈개정 2015. 1. 6.〉 1. 지방국토관리청 2. 지방중소기업청	**제56조(품질검사의 대행 의뢰 등)** ① 발주자, 건설사업자 또는 주택건설등록업자는 법 제60조제1항에 따라 건설공사의 품질검사의 대행을 의뢰하려는 경우에는 별지 제48호서식의 품질검사 의뢰서를 법 제60조제1항에 따른 국립·공

법	시 행 령	시 행 규 칙
한다) 등을 대행하게 할 수 있다. 〈개정 2019. 4. 30., 2021. 3. 16.〉 ② 제1항에 따라 품질검사의 대행을 의뢰받은 자는 발주자 또는 건설사업관리를 수행하는 건설엔지니어링사업자의 봉인 또는 확인을 거친 재료로 품질검사를 하여야 한다. 〈신설 2017. 8. 9., 2019. 4. 30., 2021. 3. 16.〉 ③ 제1항에 따라 품질검사의 대행을 의뢰받은 자는 건설공사에 사용되는 재료 등에 대한 품질검사를 하여 품질검사 성적서를 발급한 경우에는 발급한 날부터 7일 이내에 품질검사 성적서 및 품질검사 내용을 열람이 가능하도록 제19조에 따른 건설공사 지원 통합정보체계에 입력하여야 한다. 〈신설 2017. 8. 9.〉 ④ 국토교통부장관은 품질검사를 대행하는 건설엔지니어링사업자가 제1항에 따라 품질검사를 정확하게 하는지 조사하고, 필요한 경우에는 시정을 명하는 등의 조치를 할 수 있다. 이 경우 국토교통부장관이 필요하다고 인정하면 조사 결과를 공표할 수 있다. 〈개정 2015. 12. 29., 2017. 8. 9., 2019. 4. 30., 2021. 3. 16.〉 ⑤ 그 밖에 제1항에 따른 품질검사의 대행, 제3항에 따른 건설공사 지원 통합정보체계 입력 방법, 제4항에 따른 조사 및 조사 결과의 공표 등에 필요한 사항은 국토교통부령으로 정한다. 〈개정 2015. 12. 29., 2017. 8. 9.〉	3. 국가기술표준원 4. 시·도의 건설시험 분야 시험소 및 사업소 5. 국방시설본부 6. 조달청 품질관리단 7. 지방해양수산청 8. 국립·공립 대학이 설립한 건설시험 관련 연구소 ② 법 제60조제1항에 따라 품질검사를 대행하는 국립·공립 시험기관 또는 건설엔지니어링사업자는 다음 각 호의 사항을 매년 1월 31일까지 국토교통부장관에게 제출해야 한다. 〈개정 2020. 1. 7., 2021. 9. 14.〉 1. 품질검사에 사용되는 장비·기술인력의 현황 2. 「국가표준기본법 시행령」 제16조에 따른 시험·검사기관의 인정을 받은 분야 현황 3. 시험 실시 종목 4. 전년도의 품질검사 대행 실적 ③ 건설사업자와 주택건설등록업자는 계열회사를 품질검사를 대행하는 건설엔지니어링사업자로 선정해서는 안 된다. 〈개정 2020. 1. 7., 2021. 9. 14.〉	립 시험기관 또는 건설엔지니어링사업자에게 제출해야 한다. 〈개정 2020. 3. 18., 2021. 9. 17.〉 ② 건설사업자 또는 주택건설등록업자는 제1항에 따라 건설공사의 품질검사의 대행을 의뢰하려는 경우에는 그 의뢰 내용에 대하여 미리 해당 건설공사 발주자 또는 건설사업관리를 수행하는 건설엔지니어링사업자의 확인을 받아야 하며, 품질검사의 대행을 의뢰하기 위하여 시료(試料)를 채취하였을 때에는 해당 건설공사 발주자 또는 건설사업관리를 수행하는 건설엔지니어링사업자의 봉인 또는 확인을 받아야 한다. 〈개정 2018. 10. 12., 2020. 3. 18., 2021. 9. 17.〉 ③ 제1항에 따라 품질검사의 대행을 의뢰받은 자는 해당 품질검사에 걸리는 기간을 미리 의뢰자에게 통지하고, 품질검사가 끝났을 때에는 그 결과에 대하여 별지 제49호서식에 따른 품질검사 성적서를 작성·통보해야 한다. 〈개정 2020. 3. 18.〉 ④ 발주자는 건설공사에 사용되는 재료 중 중요하다고 인정되는 재료에 대한 품질검사 과정에 참관·확인할 수 있다. ⑤ 건설엔지니어링사업자가 법 제60조제3항에 따라 건설공사 지원 통합정보체계에 입력해야 하는 서류는 다음 각 호와 같다. 〈개정 2018. 10. 12., 2020. 3. 18., 2021. 9. 17.〉 1. 제3항에 따라 작성·통보한 품질검사 성적서 사본 2. 품질검사 결과에 대한 품질시험 내용인 원

법	시 행 령	시 행 규 칙
제61조(품질검사의 대행에 대한 평가기관) ① 국토교통부장관은 품질검사를 대행하는 건설엔지니어링사업자가 제26조제1항에 따른 등록기준을 갖추었는지와 품질검사를 정확하게 하는지에 관하여 전문적이고 기술적으로 조사·평가하기 위하여 「공공기관의 운영에 관한 법률」에 따른 공공기관 중에서 평가기관(이하 이 조에서 "평가기관"이라 한다)을 지정할 수 있다. 〈개정 2019. 4. 30., 2021. 3. 16.〉 ② 정부는 평가기관에 대하여 예산의 범위에서 필요한 경비를 지원할 수 있다. ③ 국토교통부장관은 평가기관의 운영 실태를 조사할 수 있으며, 조사 결과 필요하다고 인정하는 경우에는 시정을 명할 수 있다. 이 경우 국토교통부장관이 필요하다고 인정하면 운영실태조사의 결과를 공표할 수 있다. 〈개정 2015. 12. 29.〉 ④ 국토교통부장관은 평가기관이 부정한 방법		시데이터(품질검사 과정을 기록한 서류를 말한다) ⑥ 삭제 〈2018. 10. 12.〉 ⑦ 건설사업자 및 주택건설등록업자는 제3항에 따른 품질검사 성적서를 해당 목적 외에 다른 목적으로 사용해서는 안 된다 〈개정 2018. 10. 12., 2020. 3. 18.〉 ⑧ 영 제97조제2항제4호에 따른 전년도의 품질검사 대행 실적의 제출은 별지 제50호서식의 품질검사 대행 실적 통보서에 따른다. **제57조(품질검사 대행에 대한 평가기관)** ① 국토교통부장관은 법 제61조제1항에 따라 품질검사를 대행하는 건설엔지니어링사업자의 조사 및 평가를 위한 평가기관(이하 "평가기관"이라 한다)을 지정하거나 취소한 경우에는 이를 관보에 고시해야 한다. 〈개정 2020. 3. 18., 2021. 9. 17.〉 ② 국토교통부장관은 평가기관의 업무 수행에 필요한 운영지침을 정할 수 있으며, 평가기관은 그 운영지침에 따라 업무를 수행하여야 한다. ③ 법 제61조제3항 후단에 따른 평가기관 운영실태조사의 결과공표는 조사가 완료된 날부터 2개월 이내에 국토교통부 인터넷 홈페이지에 게시하거나 관보에 공표하는 방법으로 하여야 한다. 〈신설 2016. 7. 4.〉

법	시 행 령	시 행 규 칙
으로 조사·평가를 한 경우에는 그 지정을 취소하여야 하며, 시정명령에 따르지 아니한 경우에는 그 지정을 취소할 수 있다. ⑤ 국토교통부장관은 제3항에 따른 운영 실태조사를 위하여 평가기관에 대하여 필요한 자료의 제출을 요청할 수 있다. 이 경우 요청을 받은 평가기관은 정당한 사유가 없으면 이에 협조하여야 한다. 〈개정 2015. 12. 29.〉 ⑥ 제1항부터 제4항까지에 따른 평가기관의 지정, 지정취소, 관리 및 운영 실태조사, 운영 실태조사의 결과 공표 등에 필요한 사항은 국토교통부령으로 정한다. 〈신설 2015. 12. 29.〉		
제62조(건설공사의 안전관리) ① 건설사업자와 주택건설등록업자는 대통령령으로 정하는 건설공사를 시행하는 경우 안전점검 및 안전관리조직 등 건설공사의 안전관리계획(이하 "안전관리계획"이라 한다)을 수립하고, 착공 전에 이를 발주자에게 제출하여 승인을 받아야 한다. 이 경우 발주청이 아닌 발주자는 미리 안전관리계획의 사본을 인·허가기관의 장에게 제출하여 승인을 받아야 한다. 〈개정 2018. 12. 31., 2019. 4. 30., 2020. 6. 9.〉 ② 제1항에 따라 안전관리계획을 제출받은 발주청 또는 인·허가기관의 장은 안전관리계획의 내용을 검토하여 그 결과를 건설사업자와 주택건설등록업자에게 통보하여야 한다. 〈개정 2018. 12. 31., 2019. 4. 30.〉 ③ 발주청 또는 인·허가기관의 장은 제1항에	**제98조(안전관리계획의 수립)** ① 법 제62조제1항에 따른 안전관리계획(이하 "안전관리계획"이라 한다)을 수립해야 하는 건설공사는 다음 각 호와 같다. 이 경우 원자력시설공사는 제외하며, 해당 건설공사가 「산업안전보건법」 제42조에 따른 유해위험방지계획을 수립해야 하는 건설공사에 해당하는 경우에는 해당 계획과 안전관리계획을 통합하여 작성할 수 있다. 〈개정 2016. 1. 12., 2016. 5. 17., 2016. 8. 11., 2018. 1. 16., 2019. 12. 24., 2021. 1. 5.〉 1. 「시설물의 안전 및 유지관리에 관한 특별법」 제7조제1호 및 제2호에 따른 1종시설물 및 2종시설물의 건설공사(같은 법 제2조제11호에 따른 유지관리를 위한 건설공사는 제외한다) 2. 지하 10미터 이상을 굴착하는 건설공사. 이	**제58조(안전관리계획의 수립기준)** 법 제62조제1항에 따른 안전관리계획(이하 "안전관리계획"이라 한다)의 수립기준은 별표 7과 같다.

법	시 행 령	시 행 규 칙
따라 제출받아 승인한 안전관리계획서 사본과 제2항에 따른 검토결과를 국토교통부장관에게 제출하여야 한다. 〈신설 2018. 12. 31.〉 ④ 건설사업자와 주택건설등록업자는 안전관리계획에 따라 안전점검을 하여야 한다. 이 경우 대통령령으로 정하는 안전점검에 대해서는 발주자(발주청이 아닌 경우에는 인·허가기관의 장을 말한다)가 대통령령으로 정하는 바에 따라 안전점검을 수행할 기관을 지정하여 그 업무를 수행하여야 한다. 〈신설 2018. 12. 31., 2019. 4. 30.〉 ⑤ 건설사업자와 주택건설등록업자는 제4항에 따라 실시한 안전점검 결과를 국토교통부장관에게 제출하여야 한다. 〈신설 2018. 12. 31., 2019. 4. 30.〉 ⑥ 안전관리계획의 수립 기준, 제출·승인의 방법 및 절차, 안전점검의 시기·방법 및 안전점검 대가(代價) 등에 필요한 사항은 대통령령으로 정한다. 〈개정 2018. 8. 14., 2018. 12. 31., 2020. 6. 9.〉 ⑦ 건설사업자나 주택건설등록업자는 안전관리계획을 수립하였던 건설공사를 준공하였을 때에는 대통령령으로 정하는 방법 및 절차에 따라 안전점검에 관한 종합보고서(이하 "종합보고서"라 한다)를 작성하여 발주청(발주자가 발주청이 아닌 경우에는 인·허가기관의 장을 말한다)에게 제출하여야 한다. 〈개정 2018. 12. 31., 2019. 4. 30.〉	경우 굴착 깊이 산정 시 집수정(물저장고), 엘리베이터 피트 및 정화조 등의 굴착 부분은 제외하며, 토지에 높낮이 차가 있는 경우 굴착 깊이의 산정방법은 「건축법 시행령」 제119조제2항을 따른다. 3. 폭발물을 사용하는 건설공사로서 20미터 안에 시설물이 있거나 100미터 안에 사육하는 가축이 있어 해당 건설공사로 인한 영향을 받을 것이 예상되는 건설공사 4. 10층 이상 16층 미만인 건축물의 건설공사 4의2. 다음 각 목의 리모델링 또는 해체공사 가. 10층 이상인 건축물의 리모델링 또는 해체공사 나. 「주택법」 제2조제25호다목에 따른 수직증축형 리모델링 5. 「건설기계관리법」 제3조에 따라 등록된 다음 각 목의 어느 하나에 해당하는 건설기계가 사용되는 건설공사 가. 천공기(높이가 10미터 이상인 것만 해당한다) 나. 항타 및 항발기 다. 타워크레인 5의2. 제101조의2제1항 각 호의 가설구조물을 사용하는 건설공사 6. 제1호부터 제4호까지, 제4호의2, 제5호 및 제5호의2의 건설공사 외의 건설공사로서 다음 각 목의 어느 하나에 해당하는 공사 가. 발주자가 안전관리가 특히 필요하다고	

법	시 행 령	시 행 규 칙
⑧ 제7항에 따라 종합보고서를 받은 발주청 또는 인·허가기관의 장은 대통령령으로 정하는 바에 따라 종합보고서를 국토교통부장관에게 제출하여야 한다. 〈개정 2018. 12. 31.〉 ⑨ 국토교통부장관, 발주청 및 인·허가기관의 장은 제7항 및 제8항에 따라 받은 종합보고서를 대통령령으로 정하는 바에 따라 보존·관리하여야 한다. 〈개정 2018. 12. 31.〉 ⑩ 국토교통부장관은 건설공사의 안전을 확보하기 위하여 제3항에 따라 제출받은 안전관리계획서 및 계획서 검토결과와 제5항에 따라 제출받은 안전점검결과의 적정성을 대통령령으로 정하는 바에 따라 검토할 수 있으며, 적정성 검토 결과 필요한 경우 대통령령으로 정하는 바에 따라 발주청 또는 인·허가기관의 장으로 하여금 건설사업자 및 주택건설등록업자에게 시정명령 등 필요한 조치를 하도록 요청할 수 있다. 〈신설 2018. 12. 31., 2019. 4. 30.〉 ⑪ 건설사업자 또는 주택건설등록업자는 동바리, 거푸집, 비계 등 가설구조물 설치를 위한 공사를 할 때 대통령령으로 정하는 바에 따라 가설구조물의 구조적 안전성을 확인하기에 적합한 분야의 「국가기술자격법」에 따른 기술사(이하 "관계전문가"라 한다)에게 확인을 받아야 한다. 〈신설 2015. 1. 6., 2018. 12. 31., 2019. 4. 30.〉 ⑫ 관계전문가는 가설구조물이 안전에 지장이 없도록 가설구조물의 구조적 안전성을 확인하여야 한다. 〈신설 2015. 1. 6., 2018. 12. 31.〉	인정하는 건설공사 나. 해당 지방자치단체의 조례로 정하는 건설공사 중에서 인·허가기관의 장이 안전관리가 특히 필요하다고 인정하는 건설공사 ② 건설사업자와 주택건설등록업자는 법 제62조제1항에 따라 안전관리계획을 수립하여 발주청 또는 인·허가기관의 장에게 제출하는 경우에는 미리 공사감독자 또는 건설사업관리기술인의 검토·확인을 받아야 하며, 건설공사를 착공하기 전에 발주청 또는 인·허가기관의 장에게 제출해야 한다. 안전관리계획의 내용을 변경하는 경우에도 또한 같다. 〈개정 2015. 7. 6., 2016. 1. 12., 2018. 12. 11., 2020. 1. 7.〉 ③ 법 제62조제1항에 따라 안전관리계획을 제출받은 발주청 또는 인·허가기관의 장은 안전관리계획의 내용을 검토하여 안전관리계획을 제출받은 날부터 20일 이내에 건설사업자 또는 주택건설등록업자에게 그 결과를 통보해야 한다. 〈개정 2016. 1. 12., 2017. 12. 29., 2019. 6. 25., 2020. 1. 7.〉 ④ 발주청 또는 인·허가기관의 장이 제3항에 따라 안전관리계획의 내용을 심사하는 경우에는 제100조제2항에 따른 건설안전점검기관에 검토를 의뢰하여야 한다. 다만, 「시설물의 안전 및 유지관리에 관한 특별법」 제7조제1호 및 제2호에 따른 1종시설물 및 2종시설물의 건설공사의 경우에는 국토안전관리원에 안전관리	

<table>
<tr><th>법</th><th>시 행 령</th><th>시 행 규 칙</th></tr>
<tr><td>⑬ 국토교통부장관은 건설공사의 안전을 확보하기 위하여 건설공사에 참여하는 다음 각 호의 자(이하 "건설공사 참여자"라 한다)가 갖추어야 하는 안전관리체계와 수행하여야 하는 안전관리 업무 등을 정하여 고시하여야 한다. 〈신설 2015. 5. 18., 2018. 12. 31., 2019. 4. 30., 2021. 3. 16.〉
1. 발주자(발주청이 아닌 경우에는 인·허가기관의 장을 말한다)
2. 건설엔지니어링사업자
3. 건설사업자 및 주택건설등록업자
⑭ 국토교통부장관은 건설공사의 안전을 확보하기 위하여 건설공사 참여자의 안전관리 수준을 대통령령으로 정하는 절차 및 기준에 따라 평가하고 그 결과를 공개할 수 있다.
〈신설 2015. 5. 18., 2018. 12. 31.〉
⑮ 국토교통부장관은 건설사고 통계 등 건설안전에 필요한 자료를 효율적으로 관리하고 공동활용을 촉진하기 위하여 건설공사 안전관리 종합정보망(이하 "정보망"이라 한다)을 구축·운영할 수 있다. 〈신설 2015. 5. 18., 2018. 12. 31.〉
⑯ 국토교통부장관은 건설공사 참여자의 안전관리 수준을 평가하고, 정보망을 구축·운영하기 위하여 건설공사 참여자, 관련 협회, 중앙행정기관 또는 지방자치단체의 장에게 필요한 자료를 요청할 수 있다. 이 경우 요청을 받은 자는 특별한 사유가 없으면 그 요청에 따라야 한다. 〈신설 2015. 5. 18., 2018. 12. 31.〉</td>
<td>계획의 검토를 의뢰하여야 한다. 〈개정 2016. 1. 12., 2017. 12. 29., 2018. 1. 16., 2020. 12. 1.〉
⑤ 발주청 또는 인·허가기관의 장은 제3항에 따른 안전관리계획의 검토 결과를 다음 각 호의 구분에 따라 판정한 후 제1호 및 제2호의 경우에는 승인서(제2호의 경우에는 보완이 필요한 사유를 포함해야 한다)를 건설사업자 또는 주택건설등록업자에게 발급해야 한다.
〈개정 2016. 1. 12., 2019. 6. 25., 2020. 1. 7.〉
1. 적정: 안전에 필요한 조치가 구체적이고 명료하게 계획되어 건설공사의 시공상 안전성이 충분히 확보되어 있다고 인정될 때
2. 조건부 적정: 안전성 확보에 치명적인 영향을 미치지는 아니하지만 일부 보완이 필요하다고 인정될 때
3. 부적정: 시공 시 안전사고가 발생할 우려가 있거나 계획에 근본적인 결함이 있다고 인정될 때
⑥ 발주청 또는 인·허가기관의 장은 건설사업자 또는 주택건설등록업자가 제출한 안전관리계획서가 제5항제3호에 따른 부적정 판정을 받은 경우에는 안전관리계획의 변경 등 필요한 조치를 해야 한다. 〈개정 2016. 1. 12., 2020. 1. 7.〉
⑦ 발주청 또는 인·허가기관의 장은 법 제62조제3항에 따른 안전관리계획서 사본 및 검토결과를 제3항에 따라 건설사업자 또는 주택건설등록업자에게 통보한 날부터 7일 이내에 국토교통부장관에게 제출해야 한다. 〈신설 2019. 6.</td>
<td></td></tr>
</table>

법	시 행 령	시 행 규 칙
⑰ 정보망의 구축 및 운영 등에 필요한 사항은 대통령령으로 정한다. 〈신설 2015. 5. 18., 2018. 12. 31.〉 ⑱ 발주청은 대통령령으로 정하는 방법과 절차에 따라 설계의 안전성을 검토하고 그 결과를 국토교통부장관에게 제출하여야 한다. 〈신설 2018. 12. 31.〉 **제62조의2(소규모 건설공사의 안전관리)** ① 건설사업자와 주택건설등록업자는 제62조제1항에 따른 안전관리계획의 수립 대상이 아닌 건설공사 중 건설사고가 발생할 위험이 있는 공종이 포함된 경우 그 건설공사를 착공하기 전에 시공절차 및 주의사항 등 안전관리에 대한 계획(이하 "소규모안전관리계획"이라 한다)을 수립하고, 이를 발주자(발주자가 발주청이 아닌 경우에는 인·허가기관의 장을 말한다. 이하 이 조에서 같다)에게 제출하여 승인을 받아야 한다. 소규모안전관리계획을 변경하려는 경우에도 또한 같다. ② 제1항에 따라 소규모안전관리계획을 제출받은 발주자는 소규모 안전관리계획의 내용을 검토하여 그 결과를 건설사업자와 주택건설등록업자에게 통보하여야 한다. ③ 소규모안전관리계획을 수립하여야 하는 건설공사의 범위, 소규모안전관리계획의 수립 기준, 제출·승인의 방법 및 절차에 관하여 필요한 사항은 대통령령으로 정한다. [본조신설 2020. 6. 9.]	25., 2020. 1. 7.〉 ⑧ 국토교통부장관은 법 제62조제3항에 따라 제출받은 안전관리계획서 및 계획서 검토결과가 다음 각 호의 어느 하나에 해당하여 건설안전에 위험을 발생시킬 우려가 있다고 인정되는 경우에는 법 제62조제10항에 따라 안전관리계획서 및 계획서 검토결과의 적정성을 검토할 수 있다. 〈신설 2019. 6. 25., 2020. 1. 7.〉 1. 건설사업자 또는 주택건설등록업자가 안전관리계획을 성실하게 수립하지 않았다고 인정되는 경우 2. 발주청 또는 인·허가기관의 장이 안전관리계획서를 성실하게 검토하지 않았다고 인정되는 경우 3. 그 밖에 안전사고가 자주 발생하는 공종이 포함된 건설공사의 안전관리계획서 및 계획서 검토결과 등 국토교통부장관이 정하여 고시하는 사항에 해당하는 경우 ⑨ 법 제62조제10항에 따라 시정명령 등 필요한 조치를 하도록 요청받은 발주청 및 인·허가기관의 장은 건설사업자 및 주택건설등록업자에게 안전관리계획서 및 계획서 검토결과에 대한 수정이나 보완을 명해야 하며, 수정이나 보완조치가 완료된 경우에는 7일 이내에 국토교통부장관에게 제출해야 한다. 〈신설 2019. 6. 25., 2020. 1. 7.〉 ⑩ 제8항 및 제9항에 따른 안전관리계획서 및 계획서 검토결과의 적정성 검토와 그에 필요한 조	

법	시 행 령	시 행 규 칙
제62조의3(스마트 안전관리 보조·지원) ① 국토교통부장관은 건설사고를 예방하기 위하여 건설공사 참여자에게 무선안전장비와 융·복합건설기술을 활용한 스마트 안전장비 및 안전관리시스템의 구축·운영에 필요한 비용 등 대통령령으로 정하는 비용의 전부 또는 일부를 예산의 범위에서 보조하거나 그 밖에 필요한 지원(이하 "보조·지원"이라 한다)을 할 수 있다. ② 국토교통부장관은 보조·지원이 건설사고 예방의 목적에 맞게 효율적으로 사용되도록 관리·감독하여야 한다.	치 등에 관한 세부적인 절차 및 방법은 국토교통부장관이 정하여 고시한다. 〈신설 2019. 6. 25.〉 **제99조(안전관리계획의 수립 기준)** ① 법 제62조제6항에 따른 안전관리계획의 수립 기준에는 다음 각 호의 사항이 포함되어야 한다. 〈개정 2016. 1. 12., 2019. 6. 25.〉 1. 건설공사의 개요 및 안전관리조직 2. 공정별 안전점검계획(계측장비 및 폐쇄회로 텔레비전 등 안전 모니터링 장비의 설치 및 운용계획이 포함되어야 한다) 3. 공사장 주변의 안전관리대책(건설공사 중 발파·진동·소음이나 지하수 차단 등으로 인한 주변지역의 피해방지대책과 굴착공사로 인한 위험징후 감지를 위한 계측계획을 포함한다) 4. 통행안전시설의 설치 및 교통 소통에 관한 계획 5. 안전관리비 집행계획 6. 안전교육 및 비상시 긴급조치계획 7. 공종별 안전관리계획(대상 시설물별 건설공법 및 시공절차를 포함한다) ② 제1항 각 호에 따른 안전관리계획의 수립 기준에 관한 세부적인 내용은 국토교통부령으로 정한다.	
	제100조(안전점검의 시기·방법 등) ① 건설사업자와 주택건설등록업자는 건설공사의 공사기간 동안 매일 자체안전점검을 하고, 제2항에 따른 기관에 의뢰하여 다음 각 호의 기준에 따라 정	**제59조(정기안전점검 및 정밀안전점검)** ① 영 제100조제1항제1호에 따른 정기안전점검에서의 점검사항은 다음 각 호와 같다. 〈개정 2020. 12. 14.〉 1. 공사목적물의 안전시공을 위한 임시시설 및

법	시 행 령	시 행 규 칙
③ 국토교통부장관은 보조·지원을 받은 자가	기안전점검 및 정밀안전점검 등을 해야 한다. 〈개정 2020. 1. 7.〉 1. 건설공사의 종류 및 규모 등을 고려하여 국토교통부장관이 정하여 고시하는 시기와 횟수에 따라 정기안전점검을 할 것 2. 정기안전점검 결과 건설공사의 물리적·기능적 결함 등이 발견되어 보수·보강 등의 조치를 위하여 필요한 경우에는 정밀안전점검을 할 것 3. 제98조제1항제1호에 해당하는 건설공사에 대해서는 그 건설공사를 준공(임시사용을 포함한다)하기 직전에 제1호에 따른 정기안전점검 수준 이상의 안전점검을 할 것 4. 제98조제1항 각 호의 어느 하나에 해당하는 건설공사가 시행 도중에 중단되어 1년 이상 방치된 시설물이 있는 경우에는 그 공사를 다시 시작하기 전에 그 시설물에 대하여 제1호에 따른 정기안전점검 수준의 안전점검을 할 것 ② 제1항 각 호의 구분에 따른 정기안전점검 및 정밀안전점검 등을 건설사업자나 주택건설등록업자로부터 의뢰받아 실시할 수 있는 기관(이하 "건설안전점검기관"이라 한다)은 다음 각 호의 기관으로 한다. 다만, 그 기관이 해당 건설공사의 발주자인 경우에는 정기안전점검만을 할 수 있다. 〈개정 2018. 1. 16., 2020. 1. 7., 2020. 12. 1.〉 1. 「시설물의 안전 및 유지관리에 관한 특별법」	가설공법의 안전성 2. 공사 목적물의 품질, 시공상태 등의 적정성 3. 인접 건축물 또는 구조물의 안정성 등 공사장 주변 안전조치의 적정성 4. 영 제98조제1항제5호각 목에 해당하는 건설기계의 설치(타워크레인 인상을 포함한다)·해체 등 작업절차 및 작업 중 건설기계의 전도·붕괴 등을 예방하기 위한 안전조치의 적정성 ② 영 제100조제1항제2호에 따른 정밀안전점검에서는 시설물의 물리적·기능적 결함에 대한 구조적 안전성 및 결함의 원인 등을 조사·측정·평가하여 보수·보강 등의 방법을 제시하여야 한다. ③ 영 제100조제6항 후단에서 "국토교통부령으로 정하는 자격요건"이란 「건설기계관리법 시행규칙」 별표 9 제2호나목1) 또는 2)의 검사주임 또는 검사원의 자격요건을 말한다. 〈신설 2020. 12. 14.〉 ④ 제1항 및 제2항에 따른 정기안전점검 및 정밀안전점검에 관한 세부사항은 국토교통부장관이 정하여 고시한다. 〈개정 2020. 12. 14.〉 **제59조의2(소규모안전관리계획의 수립기준)** 법 제62조의2제1항에 따른 소규모안전관리계획(이하 "소규모안전관리계획"이라 한다)의 수립기준은 별표 7의2와 같다. [본조신설 2020. 12. 14.] **제59조의3(보조·지원의 환수와 제한)** ① 법 제62조

법	시 행 령	시 행 규 칙
다음 각 호의 어느 하나에 해당하는 경우 보조·지원의 전부 또는 일부를 취소하여야 한다. 다만, 제1호 및 제2호의 경우에는 보조·지원의 전부를 취소하여야 한다. 1. 거짓이나 그 밖의 부정한 방법으로 보조·지원을 받은 경우 2. 건설사고 예방의 목적에 맞게 사용되지 아니한 경우 3. 보조·지원을 받은 자가 이 법에 따른 안전관리 의무를 위반하여 건설사고를 발생시킨 경우로서 국토교통부령으로 정하는 경우 ④ 제3항에 따라 보조·지원의 전부 또는 일부가 취소된 자에 대해서는 국토교통부령으로 정하는 바에 따라 취소된 날부터 3년 이내의 기간을 정하여 보조·지원을 하지 아니할 수 있다. ⑤ 보조·지원의 대상·절차, 관리 및 감독, 그 밖에 필요한 사항은 국토교통부장관이 정하여 고시한다. [본조신설 2021. 3. 16.]	제28조에 따라 등록한 안전진단전문기관 2. 국토안전관리원 ③ 건설사업자와 주택건설등록업자는 국토교통부장관이 정하여 고시하는 절차에 따라 발주자(발주자가 발주청이 아닌 경우에는 인·허가기관의 장을 말한다)가 지정하는 건설안전점검기관에 정기안전점검 또는 정밀안전점검 등의 실시를 의뢰해야 한다. 이 경우 그 건설공사를 발주·설계·시공·감리 또는 건설사업관리를 수행하는 자의 계열회사인 건설안전점검기관에 의뢰해서는 안 된다. 〈개정 2019. 6. 25., 2020. 1. 7.〉 ④ 안전점검을 한 건설안전점검기관은 안전점검 실시 결과를 안전점검 완료 후 30일 이내에 발주자, 해당 인·허가기관의 장(발주자가 발주청이 아닌 경우만 해당한다), 건설사업자 또는 주택건설등록업자에게 통보해야 한다. 이 경우 점검 결과를 통보받은 발주자나 인·허가기관의 장은 건설사업자 또는 주택건설등록업자에게 보수·보강 등 필요한 조치를 요청할 수 있다. 〈개정 2019. 6. 25., 2020. 1. 7.〉 ⑤ 제4항에 따라 안전점검 결과를 통보받은 건설사업자 또는 주택건설등록업자는 통보받은 날부터 15일 이내에 안전점검 결과를 국토교통부장관에게 제출해야 한다. 〈신설 2019. 6. 25., 2020. 1. 7.〉 ⑥ 제1항 각 호에 따라 정기안전점검 및 정밀안전점검 등을 할 수 있는 사람(이하 "안전점검책임기술인"이라 한다)은 별표 1에 따른 해	의3제3항제3호에서 "국토교통부령으로 정하는 경우"란 보조·지원을 받은 후 3년 이내에 해당 시설 및 장비의 관리상 중대한 과실로 사망자가 발생하는 경우를 말한다. ② 법 제62조의3제4항에 따라 보조·지원을 제한할 수 있는 기간은 다음 각 호의 구분에 따른다. 1. 법 제62조의3제3항제1호 또는 제2호의 경우: 3년 2. 법 제62조의3제3항제3호의 경우: 1년 3. 법 제62조의3제3항제3호를 위반한 후 2년 이내에 동일한 사항을 위반한 경우: 2년 [본조신설 2021. 9. 17.]

법	시 행 령	시 행 규 칙
	당 분야의 특급기술인으로서 「시설물의 안전 및 유지관리에 관한 특별법 시행령」 제9조에 따라 국토교통부장관이 인정하는 해당 기술 분야의 안전점검교육 또는 정밀안전진단교육을 이수한 사람으로 한다. 이 경우 안전점검책임기술인은 타워크레인에 대한 정기안전점검을 할 때에는 국토교통부령으로 정하는 자격요건을 갖춘 사람으로 하여금 자신의 감독하에 안전점검을 하게 해야 하고, 그 밖에 안전점검을 할 때 필요한 경우에는 「시설물의 안전 및 유지관리에 관한 특별법 시행령」 별표 11의 기술인력의 구분란에 규정된 자격요건을 갖춘 사람으로 하여금 자신의 감독하에 안전점검을 하게 할 수 있다. 〈개정 2018. 1. 16., 2018. 12. 11., 2019. 6. 25., 2020. 12. 8.〉 ⑦ 제1항에 따른 정기안전점검 및 정밀안전점검의 실시에 관한 세부 사항은 국토교통부령으로 정한다. 〈개정 2019. 6. 25.〉 ⑧ 법 제62조제6항에 따른 안전점검의 대가는 다음 각 호의 비용을 합한 금액으로 한다. 〈개정 2019. 6. 25.〉 1. 직접인건비: 안전점검 업무를 수행하는 인원의 급료·수당 등 2. 직접경비: 안전점검 업무를 수행하는 데에 필요한 여비, 차량운행비 등 3. 간접비: 직접인건비 및 직접경비에 포함되지 아니하는 각종 경비 4. 기술료	

법	시 행 령	시 행 규 칙
	5. 그 밖에 각종 조사·시험비 등 안전점검에 필요한 비용 ⑨ 제8항에 따른 안전점검 대가의 세부 산출기준은 건설공사의 종류 및 규모 등을 고려하여 국토교통부장관이 정하여 고시한다. 〈개정 2019. 6. 25.〉 **제100조의2(안전점검 대상 및 수행기관 지정 방법 등)** ① 법 제62조제4항 후단에서 "대통령령으로 정하는 안전점검"이란 제100조제1항 각 호의 기준에 따라 실시하는 안전점검을 말한다. ② 발주자(발주청이 아닌 경우에는 인·허가기관의 장을 말한다. 이하 이 조에서 같다)는 법 제62조제4항 후단에 따른 안전점검을 수행할 기관(이하 "안전점검 수행기관"이라 한다)을 지정하기 위해 제100조제2항에 따른 건설안전점검기관을 대상으로 모집공고를 거쳐 안전점검 수행기관의 명부를 작성하고 관리해야 한다. ③ 건설사업자와 주택건설등록업자는 법 제62조제4항 후단에 따른 안전점검을 실시하려는 경우에는 발주자에게 안전점검 수행기관의 지정을 요청해야 한다. 〈개정 2020. 1. 7.〉 ④ 제3항에 따라 안전점검 수행기관의 지정 요청을 받은 발주자는 제2항에 따라 작성·관리 중인 명부에서 안전점검 수행기관을 지정하고, 이를 건설사업자 또는 주택건설등록업자에게 통보해야 한다. 〈개정 2020. 1. 7.〉 ⑤ 제2항부터 제4항까지에서 규정한 사항 외에 안전점검 수행기관의 모집공고, 지정 방법	

법	시 행 령	시 행 규 칙
	및 절차에 관한 세부사항은 국토교통부장관이 정하여 고시한다. [본조신설 2019. 6. 25.] **제100조의3(안전점검결과의 적정성 검토)** ① 국토교통부장관은 법 제62조제5항에 따라 제출받은 안전점검결과가 다음 각 호의 어느 하나에 해당하여 안전사고의 위험이 있다고 인정되는 경우에는 법 제62조제10항에 따라 안전점검결과의 적정성을 검토할 수 있다. 1. 안전점검 수행기관이 안전점검을 성실하게 수행하지 않았다고 인정되는 경우 2. 그 밖에 안전사고가 자주 발생하는 공종이 포함된 건설공사의 안전점검결과 등 국토교통부장관이 정하여 고시하는 사항에 해당하는 경우 ② 법 제62조제10항에 따라 안전점검결과의 적정성을 검토하는 경우에는 다음 각 호의 사항이 포함되어야 한다. 1. 임시시설, 가설공법, 공사목적물 및 공사장 주변에 대한 조사·분석의 방법과 그 결과의 적정성 2. 안전점검 실시결과에 따라 제시된 보수·보강 등의 방법에 대한 적정성 3. 그 밖에 국토교통부장관이 해당 건설공사의 안전을 위하여 필요하다고 인정하는 사항 ③ 법 제62조제10항에 따라 시정명령 등 필요한 조치를 하도록 요청받은 발주청 및 인·허가기관의 장은 건설사업자와 주택건설등록업자	

법	시 행 령	시 행 규 칙
	에게 안전점검결과에 대한 수정이나 보완을 명해야 한다. 이 경우 국토교통부장관은 해당 안전점검결과가 안전점검 수행기관에 의해 작성된 경우에는 그 안전점검 수행기관을 제100조의2제2항에 따라 작성·관리 중인 명부에서 제외할 수 있다. 〈개정 2020. 1. 7.〉 ④ 제1항부터 제3항까지에서 규정한 사항 외에 안전점검결과의 적정성 검토대상, 검토방법 및 조치 등에 관한 세부사항은 국토교통부장관이 정하여 고시한다. [본조신설 2019. 6. 25.] **제101조(안전점검에 관한 종합보고서의 작성 및 보존 등)** ① 법 제62조제7항에 따른 안전점검에 관한 종합보고서(이하 "종합보고서"라 한다)에는 제100조제1항 각 호의 기준에 따라 실시한 안전점검의 내용 및 그 조치사항을 포함해야 한다. 〈개정 2019. 6. 25.〉 ② 법 제62조제7항에 따라 종합보고서를 제출받은 발주청 또는 인·허가기관의 장은 해당 건설공사의 준공 후 3개월 이내에 종합보고서(「시설물의 안전 및 유지관리에 관한 특별법」 제7조제1호 및 제2호에 따른 1종시설물 및 2종시설물에 대한 종합보고서로 한정한다)를 국토교통부장관에게 제출해야 한다. 〈개정 2018. 1. 16., 2019. 6. 25.〉 ③ 법 제62조제9항에 따라 국토교통부장관, 발주청 및 인·허가기관의 장은 제출받은 종합보고서를 다음 각 호의 구분에 따라 보존해야 한	

법	시 행 령	시 행 규 칙
	다. 〈개정 2018. 1. 16., 2019. 6. 25.〉 1. 국토교통부장관: 「시설물의 안전 및 유지관리에 관한 특별법」 제7조제1호 및 제2호에 따른 1종시설물 및 2종시설물에 대한 종합보고서를 시설물의 존속기간까지 보존할 것 2. 발주청 및 인·허가기관의 장: 제1호에 따른 종합보고서 외의 종합보고서를 해당 건설공사의 하자담보책임기간 만료일까지 보존할 것 ④ 관리주체는 시설물의 안전 및 유지·관리를 위하여 필요한 경우에는 국토교통부장관에게 종합보고서의 열람이나 그 사본의 발급을 요청할 수 있다. 이 경우 요청을 받은 국토교통부장관은 특별한 사유가 없으면 이에 따라야 한다. ⑤ 국토교통부장관은 종합보고서의 작성 및 보존·관리에 관한 세부 지침을 따로 정할 수 있다. **제101조의2(가설구조물의 구조적 안전성 확인)** ① 법 제62조제11항에 따라 건설사업자 또는 주택건설등록업자가 같은 항에 따른 관계전문가(이하 "관계전문가"라 한다)로부터 구조적 안전성을 확인받아야 하는 가설구조물은 다음 각 호와 같다. 〈개정 2019. 6. 25., 2020. 1. 7., 2020. 5. 26.〉 1. 높이가 31미터 이상인 비계 1의2. 브라켓(bracket) 비계 2. 작업발판 일체형 거푸집 또는 높이가 5미터 이상인 거푸집 및 동바리 3. 터널의 지보공(支保工) 또는 높이가 2미터 이상인 흙막이 지보공	

법	시 행 령	시 행 규 칙
	4. 동력을 이용하여 움직이는 가설구조물 4의2. 높이 10미터 이상에서 외부작업을 하기 위하여 작업발판 및 안전시설물을 일체화하여 설치하는 가설구조물 4의3. 공사현장에서 제작하여 조립·설치하는 복합형 가설구조물 5. 그 밖에 발주자 또는 인·허가기관의 장이 필요하다고 인정하는 가설구조물 ② 관계전문가는 「기술사법」에 따라 등록되어 있는 기술사로서 다음 각 호의 요건을 갖추어야 한다. 〈개정 2020. 5. 26.〉 1. 「기술사법 시행령」 별표 2의2에 따른 건축구조, 토목구조, 토질 및 기초와 건설기계 직무 범위 중 공사감독자 또는 건설사업관리기술인이 해당 가설구조물의 구조적 안전성을 확인하기에 적합하다고 인정하는 직무 범위의 기술사일 것 2. 해당 가설구조물을 설치하기 위한 공사의 건설사업자나 주택건설등록업자에게 고용되지 않은 기술사일 것 ③ 건설사업자 또는 주택건설등록업자는 제1항 각 호의 가설구조물을 시공하기 전에 다음 각 호의 서류를 공사감독자 또는 건설사업관리기술인에게 제출해야 한다. 〈개정 2018. 12. 11., 2020. 1. 7.〉 1. 법 제48조제4항제2호에 따른 시공상세도면 2. 관계전문가가 서명 또는 기명날인한 구조계산서	

법	시 행 령	시 행 규 칙
	[본조신설 2015. 7. 6.] **제101조의3(건설공사 참여자의 안전관리 수준 평가기준 및 절차)** ① 국토교통부장관은 법 제62조제14항에 따라 건설공사 참여자(같은 조 제13항 각 호의 자를 말한다. 이하 같다)의 안전관리 수준 평가(이하 "안전관리 수준평가"라 한다)를 할 때에는 다음 각 호의 구분에 따른 기준에 따른다. 〈개정 2019. 6. 25., 2020. 1. 7., 2021. 9. 14.〉 1. 발주청 또는 인·허가기관의 장에 대한 평가기준 가. 안전한 공사조건의 확보 및 지원 나. 안전경영 체계의 구축 및 운영 다. 건설현장의 법적 요건 준수 및 안전관리 체계 운영 실태 라. 수급자의 안전관리 수준 마. 건설사고 발생 현황 2. 건설엔지니어링사업자, 건설사업자 및 주택건설등록업자에 대한 평가기준 가. 안전경영 체계의 구축 및 운영 나. 관련 법에 따른 안전관리 활동 실적 다. 자발적 안전관리 활동 실적 라. 건설사고 위험요소 확인 및 제거 활동 마. 사후관리 실태 ② 국토교통부장관은 「건설산업기본법」 제24조제3항에 따른 건설산업정보망에 등록된 공사정보를 확인하여 매년 11월 30일까지 다음 해의 안전관리 수준평가의 대상을 선정하고,	

법	시 행 령	시 행 규 칙
	그 선정사실을 해당 건설공사 참여자에게 매년 12월 31일까지 통보하여야 한다. ③ 국토교통부장관은 안전관리 수준평가를 위하여 필요하다고 인정하는 경우에는 소속 공무원으로 하여금 건설공사현장 등을 점검하게 할 수 있다. ④ 국토교통부장관은 안전관리 수준평가 결과의 전부 또는 일부를 인터넷 홈페이지 등을 통하여 공개할 수 있다. ⑤ 제1항부터 제5항까지에서 규정한 사항 외에 안전관리 수준평가에 필요한 세부사항은 국토교통부장관이 정하여 고시한다. [본조신설 2016. 1. 12.] **제101조의4(건설공사 안전관리 종합정보망의 구축·운영 등)** ① 국토교통부장관은 법 제62조제15항에 따른 건설공사 안전관리 종합정보망(이하 "정보망"이라 한다)의 효율적인 구축과 공동활용을 촉진하기 위하여 다음 각 호의 업무를 수행할 수 있다. 〈개정 2019. 6. 25.〉 1. 정보망의 구축·운영에 관한 각종 연구개발 및 기술지원 2. 정보망의 구축을 위한 공동사업의 시행 3. 정보망의 표준화 4. 정보망을 이용한 정보의 공동활용 촉진 5. 그 밖에 정보망의 구축·운영을 위하여 필요한 사항 ② 법 제62조제15항에 따라 정보망을 구축·운영하기 위해 필요한 정보는 다음 각 호와 같	

법	시행령	시행규칙
	다. 〈신설 2019. 6. 25., 2021. 9. 14.〉 1. 법 제50조제1항에 따른 건설엔지니어링사업 수행에 대한 평가, 같은 조 제2항에 따른 시공의 적정성에 대한 평가 및 같은 조 제4항에 따른 건설엔지니어링 종합평가 및 시공 종합평가에 관한 정보 2. 법 제54조제2항에 따른 건설공사현장 점검 결과 및 그에 따른 조치결과 3. 법 제62조제3항에 따라 제출받아 승인한 안전관리계획서 사본 및 검토결과 4. 법 제62조제4항에 따라 실시한 안전점검의 결과 5. 법 제62조제7항에 따라 제출받은 종합보고서 6. 법 제62조제14항에 따라 실시한 건설공사 참여자의 안전관리 수준 평가 결과 7. 법 제62조제18항에 따라 실시한 설계의 안전성 검토 및 그 결과 8. 법 제67조제2항에 따라 제출받은 건설공사 현장의 사고 사실, 같은 조 제4항에 따라 제출받은 건설공사 현장의 사고 경위 및 사고 원인 등을 조사한 결과 9. 그 밖에 건설안전에 관한 사항으로서 국토교통부장관이 정하여 고시하는 정보 ③ 제2항 각 호에 해당하는 정보를 생산·제출·검토하거나 제출받은 자는 해당 정보를 생산·제출·검토·승인 및 통보하는 등의 경우에 정보망을 이용해야 한다. 〈신설 2019. 6. 25.〉 ④ 제1항부터 제3항까지에서 규정한 사항 외	

법	시 행 령	시 행 규 칙
	에 정보망의 구축 및 운영 등에 필요한 사항은 국토교통부장관이 정하여 고시한다. 〈신설 2019. 6. 25.〉 [본조신설 2016. 1. 12.] [제목개정 2019. 6. 25.] **제101조의5(소규모 건설공사 안전관리계획의 수립 등)** ① 법 제62조의2제1항 전단에 따른 소규모안전관리계획(이하 "소규모안전관리계획"이라 한다)을 수립해야 하는 건설공사는 다음 각 호의 어느 하나에 해당하는 건축물의 건설공사로서 2층 이상 10층 미만인 건축물의 건설공사로 한다. 1. 연면적 1,000제곱미터 이상인 「건축법 시행령」 별표 1 제2호의 공동주택 2. 연면적 1,000제곱미터 이상인 「건축법 시행령」 별표 1 제3호 및 제4호의 제1종 근린생활시설 및 제2종 근린생활시설 3. 연면적 1,000제곱미터 이상(「산업집적활성화 및 공장설립에 관한 법률」 제2조제14호에 따른 산업단지에서 공장을 건축하는 경우에는 2,000제곱미터 이상으로 한다)인 「건축법 시행령」 별표 1 제17호의 공장 4. 연면적 5,000제곱미터 이상인 「건축법 시행령」 별표 1 제8호가목의 창고 ② 법 제62조의2제1항에 따라 소규모안전관리계획을 제출받은 발주청 또는 인·허가기관의 장은 그 내용을 검토하여 소규모안전관리계획을 제출받은 날부터 15일 이내에 해당 건설사	

<table>
<tr><th>법</th><th>시 행 령</th><th>시 행 규 칙</th></tr>
<tr><td></td><td>업자 또는 주택건설등록업자에게 그 결과를 통보해야 한다. 이 경우 검토 결과는 적정, 조건부 적정, 부적정으로 구분한다.
③ 제2항 후단에 따른 검토 결과 구분의 기준, 승인 절차 및 부적정 판정을 받은 경우 필요한 조치에 관하여는 제98조제5항 및 제6항을 준용한다. 이 경우 제98조제5항 및 제6항 중 "안전관리계획"은 "소규모안전관리계획"으로, 제98조제6항 중 "안전관리계획서"는 "소규모안전관리계획서"로 본다.
[본조신설 2020. 12. 8.]
제101조의6(소규모안전관리계획의 수립 기준) ① 법 제62조의2제3항에 따른 소규모안전관리계획의 수립 기준에는 다음 각 호의 사항이 포함되어야 한다.
1. 건설공사의 개요
2. 비계 설치계획
3. 안전시설물 설치계획
② 제1항의 소규모안전관리계획의 수립 기준에 관한 세부적인 내용은 국토교통부령으로 정한다.
[본조신설 2020. 12. 8.]
제101조의7(스마트 안전관리 보조·지원 대상) 법 제62조의3제1항에서 "무선안전장비와 융·복합건설기술을 활용한 스마트 안전장비 및 안전관리시스템의 구축·운영에 필요한 비용 등 대통령령으로 정하는 비용"이란 다음 각 호의 비용을 말한다.</td><td></td></tr>
</table>

법	시 행 령	시 행 규 칙
	1. 공사작업자의 실시간 위치 확인과 긴급구호 등이 가능한 스마트 안전보호 장구를 포함한 무선안전장비 및 통신 설비의 구입·사용·유지·대여 비용 2. 건설기계·장비의 접근 위험 경보장치 및 자동화재 감지센서 등 스마트 안전장비의 구입·대여를 위한 비용 3. 가설구조물, 지하구조물 및 지반 등의 붕괴 방지를 위한 스마트 계측 또는 지능형 폐쇄회로텔레비전(CCTV) 등을 포함하여 실시간 모니터링이 가능한 안전관리시스템의 구축·사용·유지·대여 비용 4. 그 밖에 국토교통부장관이 건설사고 예방을 위하여 스마트 안전관리 보조·지원이 필요하다고 인정하는 사항에 관한 비용 [본조신설 2021. 9. 14.]	
제63조(안전관리비용) ① 건설공사의 발주자는 건설공사 계약을 체결할 때에 건설공사의 안전관리에 필요한 비용(이하 "안전관리비"라 한다)을 국토교통부령으로 정하는 바에 따라 공사금액에 계상하여야 한다. ② 건설공사의 규모 및 종류에 따른 안전관리비의 사용방법 등에 관한 기준은 국토교통부령으로 정한다.		**제60조(안전관리비)** ① 법 제63조제1항에 따른 건설공사의 안전관리에 필요한 비용(이하 "안전관리비"라 한다)에는 다음 각 호의 비용이 포함되어야 한다. 〈개정 2016. 3. 7., 2020. 3. 18., 2020. 12. 14.〉 1. 안전관리계획의 작성 및 검토 비용 또는 소규모안전관리계획의 작성 비용 2. 영 제100조제1항제1호 및 제3호에 따른 안전점검 비용 3. 발파·굴착 등의 건설공사로 인한 주변 건축물 등의 피해방지대책 비용 4. 공사장 주변의 통행안전관리대책 비용

법	시 행 령	시 행 규 칙
		5. 계측장비, 폐쇄회로 텔레비전 등 안전 모니터링 장치의 설치·운용 비용 6. 법 제62조제11항에 따른 가설구조물의 구조적 안전성 확인에 필요한 비용 7. 「전파법」 제2조제1항제5호 및 제5호의2에 따른 무선설비 및 무선통신을 이용한 건설공사 현장의 안전관리체계 구축·운용 비용 ② 건설공사의 발주자는 법 제63조제1항에 따라 안전관리비를 공사금액에 계상하는 경우에는 다음 각 호의 기준에 따라야 한다. 〈개정 2016. 3. 7., 2016. 7. 4., 2020. 3. 18.〉 1. 제1항제1호의 비용: 작성 대상과 공사의 난이도 등을 고려하여 「엔지니어링산업 진흥법」 제31조에 따른 엔지니어링사업 대가기준을 적용하여 계상 2. 제1항제2호의 비용: 영 제100조제8항에 따른 안전점검 대가의 세부 산출기준을 적용하여 계상 3. 제1항제3호의 비용: 건설공사로 인하여 불가피하게 발생할 수 있는 공사장 주변 건축물 등의 피해를 최소화하기 위한 사전보강, 보수, 임시이전 등에 필요한 비용을 계상 4. 제1항제4호의 비용: 공사시행 중의 통행안전 및 교통소통을 위한 시설의 설치비용 및 신호수(信號手)의 배치비용에 관해서는 토목·건축 등 관련 분야의 설계기준 및 인건비기준을 적용하여 계상 5. 제1항제5호의 비용: 영 제99조제1항제2호의

법	시 행 령	시 행 규 칙
		공정별 안전점검계획에 따라 계측장비, 폐쇄회로 텔레비전 등 안전 모니터링 장치의 설치 및 운용에 필요한 비용을 계상 6. 제1항제6호의 비용: 법 제62조제11항에 따라 가설구조물의 구조적 안전성을 확보하기 위하여 같은 항에 따른 관계전문가의 확인에 필요한 비용을 계상 7. 제1항제7호의 비용: 건설공사 현장의 안전관리체계 구축·운용에 사용되는 무선설비의 구입·대여·유지 등에 필요한 비용과 무선통신의 구축·사용 등에 필요한 비용을 계상 ③ 건설공사의 발주자는 다음 각 호의 어느 하나에 해당하는 사유로 인하여 추가로 발생하는 안전관리비에 대해서는 제2항 각 호의 기준에 따라 안전관리비를 증액 계상하여야 한다. 다만, 발주자의 요구 또는 귀책사유로 인한 경우로 한정한다. 〈신설 2016. 7. 4.〉 1. 공사기간의 연장 2. 설계변경 등으로 인한 건설공사 내용의 추가 3. 안전점검의 추가편성 등 안전관리계획의 변경 4. 그 밖에 발주자가 안전관리비의 증액이 필요하다고 인정하는 사유 ④ 건설사업자 또는 주택건설등록업자는 안전관리비를 해당 목적에만 사용해야 하며, 발주자 또는 건설사업관리용역사업자가 확인한 안전관리 활동실적에 따라 정산해야 한다. 〈개정 2016. 7. 4., 2020. 3. 18.〉 ⑤ 안전관리비의 계상 및 사용에 관한 세부사

<table>
<tr><th>법</th><th>시 행 령</th><th>시 행 규 칙</th></tr>
<tr><td>
제64조(건설공사의 안전관리조직) ① 안전관리계획을 수립하는 건설사업자 및 주택건설등록업자는 다음 각 호의 사람으로 구성된 안전관리조직을 두어야 한다. 〈개정 2019. 4. 30.〉
1. 해당 건설공사의 시공 및 안전에 관한 업무를 총괄하여 관리하는 안전총괄책임자
2. 토목, 건축, 전기, 기계, 설비 등 건설공사의 각 분야별 시공 및 안전관리를 지휘하는 분야별 안전관리책임자
3. 건설공사 현장에서 직접 시공 및 안전관리를 담당하는 안전관리담당자
4. 수급인(受給人)과 하수급인(下受給人)으로 구성된 협의체의 구성원
② 제1항에 따른 안전관리조직의 구성, 직무, 그 밖에 필요한 사항은 대통령령으로 정한다.
</td><td>
제102조(안전관리조직의 구성 및 직무 등) ① 법 제64조제1항제4호에 따른 협의체(이하 이 조에서 "협의체"라 한다)는 수급인 대표자 및 하수급인 대표자로 구성한다.
② 법 제64조제1항제1호에 따른 안전총괄책임자가 수행하여야 할 직무의 범위는 다음 각 호와 같다.
1. 안전관리계획서의 작성 및 제출
2. 안전관리 관계자의 업무 분담 및 직무 감독
3. 안전사고가 발생할 우려가 있거나 안전사고가 발생한 경우의 비상동원 및 응급조치
4. 안전관리비의 집행 및 확인
5. 협의체의 운영
6. 안전관리에 필요한 시설 및 장비 등의 지원
7. 제100조제1항 각 호 외의 부분에 따른 자체
</td><td>
항은 국토교통부장관이 정하여 고시한다. 〈개정 2016. 7. 4.〉
</td></tr>
</table>

법	시 행 령	시 행 규 칙
제65조(건설공사의 안전교육) ① 안전관리계획을 수립하는 건설사업자 및 주택건설등록업자는 건설공사의 안전관리를 위하여 건설공사에 참여하는 공사작업자 등에게 안전교육을 실시하	안전점검(이하 이 조에서 "자체안전점검"이라 한다)의 실시 및 점검 결과에 따른 조치에 대한 지휘·감독 8. 제103조에 따른 안전교육의 지휘·감독 ③ 법 제64조제1항제2호에 따른 분야별 안전관리책임자가 수행하여야 할 직무의 범위는 다음 각 호와 같다. 1. 공사 분야별 안전관리 및 안전관리계획서의 검토·이행 2. 각종 자재 등의 적격품 사용 여부 확인 3. 자체안전점검 실시의 확인 및 점검 결과에 따른 조치 4. 건설공사현장에서 발생한 안전사고의 보고 5. 제103조에 따른 안전교육의 실시 6. 작업 진행 상황의 관찰 및 지도 ④ 법 제64조제1항제3호에 따른 안전관리담당자가 수행하여야 할 직무의 범위는 다음 각 호와 같다. 1. 분야별 안전관리책임자의 직무 보조 2. 자체안전점검의 실시 3. 제103조에 따른 안전교육의 실시 ⑤ 협의체는 매월 1회 이상 회의를 개최하여야 하며, 안전관리계획의 이행에 관한 사항과 안전사고 발생 시 대책 등에 관한 사항을 협의한다. **제103조(안전교육)** ① 법 제64조제1항제2호 또는 제3호에 따른 분야별 안전관리책임자 또는 안전관리담당자는 법 제65조에 따른 안전교육을 당일 공사작업자를 대상으로 매일 공사 착수	

법	시 행 령	시 행 규 칙
여야 한다. 〈개정 2019. 4. 30.〉 ② 제1항에 따른 안전교육의 시기 및 방법과 그 밖에 필요한 사항은 대통령령으로 정한다.	전에 실시하여야 한다. ② 제1항에 따른 안전교육은 당일 작업의 공법 이해, 시공상세도면에 따른 세부 시공순서 및 시공기술상의 주의사항 등을 포함하여야 한다. ③ 건설사업자와 주택건설등록업자는 제1항에 따른 안전교육 내용을 기록·관리해야 하며, 공사 준공 후 발주청에 관계 서류와 함께 제출해야 한다. 〈개정 2020. 1. 7.〉	
제65조의2(일요일 건설공사 시행의 제한) 건설사업자가 발주청이 발주하는 건설공사를 시행하는 때에는 긴급 보수·보강 공사 등 대통령령으로 정하는 경우로서 발주청이 사전에 승인한 경우를 제외하고는 일요일에 건설공사를 시행해서는 아니 된다. 다만, 재해가 발생하거나 발생할 것으로 예상되어 일요일에 긴급 공사 등이 필요한 경우에는 건설사업자가 우선 건설공사를 시행하고 발주청이 이를 사후에 승인할 수 있다. [본조신설 2020. 6. 9.]	**제103조의2(일요일 건설공사 시행 제한의 예외)** 법 제65조의2 본문에서 "긴급 보수·보강 공사 등 대통령령으로 정하는 경우"란 다음 각 호의 어느 하나에 해당하는 경우를 말한다. 1. 사고·재해의 복구 및 예방과 안전 확보를 위하여 긴급 보수·보강 공사가 필요한 경우 2. 날씨·감염병 등 환경조건에 따라 작업일수가 부족하여 추가 작업이 필요한 경우 3. 교통·환경 등의 문제로 평일 공사 시행이 어려운 경우 4. 공법·공사의 특성상 연속적인 시공이 필요한 경우 5. 민원, 소송, 보상 문제 등 건설사업자의 귀책사유가 아닌 외부 요인으로 인하여 공정이 지연된 경우 6. 도서·산간벽지 등 낙후지역의 10일 미만의 단기공사로서 짧은 시일 내에 공사를 마칠 필요성이 크다고 인정되는 경우 [본조신설 2020. 12. 8.]	
제66조(건설공사의 환경관리) ① 국토교통부장관	**제104조(건설공사의 환경관리)** ① 법 제66조제1항	**제61조(환경관리비의 산출 등)** ① 법 제66조제3항

<table>
<tr><th>법</th><th>시 행 령</th><th>시 행 규 칙</th></tr>
<tr><td>은 건설공사가 환경과 조화되게 시행될 수 있도록 관련 기술을 개발·보급하고, 다음 각 호의 사항을 관계 중앙행정기관의 장과 협의하여 마련하여야 한다.
1. 건설폐자재의 재활용
2. 친환경 건설기술의 보급을 위한 시범사업의 추진
3. 그 밖에 대통령령으로 정하는 환경친화적인 건설공사에 필요한 시책
② 건설공사의 발주자, 건설사업자 및 주택건설등록업자는 건설공사로 인한 환경피해를 최소한으로 줄일 수 있도록 건설공사의 환경관리를 위하여 노력하여야 한다. 〈개정 2019. 4. 30.〉
③ 건설공사의 발주자는 건설공사 계약을 체결할 때에는 환경 훼손 및 오염 방지 등 건설공사의 환경관리에 필요한 비용(이하 "환경관리비"라 한다)을 국토교통부령으로 정하는 바에 따라 공사금액에 계상하여야 한다.
④ 환경관리비의 사용방법 등에 관한 기준은 국토교통부령으로 정한다.
제67조(건설공사 현장의 사고조사 등) ① 건설사고가 발생한 것을 알게 된 건설공사 참여자(발주자는 제외한다)는 지체 없이 그 사실을 발주청 및 인·허가기관의 장에게 통보하여야 한다. 〈신설 2015. 5. 18.〉
② 발주청 및 인·허가기관의 장은 제1항에 따라 사고 사실을 통보받았을 때에는 대통령령으로 정하는 바에 따라 다음 각 호의 사항을 즉</td>
<td>제3호에서 "대통령령으로 정하는 환경친화적인 건설공사에 필요한 시책"이란 다음 각 호의 시책을 말한다.
1. 제77조에 따른 공사의 관리에 관하여 정한 내용을 이행하기 위한 건설공사현장의 환경관리
2. 건설공사현장 환경의 정비·복원
3. 환경친화적인 건설산업의 육성·지원
4. 환경친화적인 건설공사를 위한 기술인력의 육성·관리 및 건설환경정보시스템의 구축·활용 촉진
5. 「국토의 계획 및 이용에 관한 법률」 제2조제11호에 따른 도시·군계획사업 등에 대한 환경친화적인 건설기술의 지원
6. 그 밖에 환경친화적인 건설공사를 위하여 국토교통부장관이 필요하다고 인정하여 고시하는 사항
② 제1항제1호에 따른 건설공사현장의 환경관리를 위하여 필요한 절차·방법 등에 관한 세부사항은 국토교통부장관이 정하여 고시한다.
제105조(건설공사현장의 사고조사 등) ① 건설공사 참여자(발주자는 제외한다)는 건설사고의 발생 사실을 알게 된 경우에는 법 제67조제1항에 따라 다음 각 호의 사항을 발주청 및 인·허가기관의 장에게 전화·팩스 또는 그 밖의 적절한 방법으로 통보하여야 한다.
1. 사고발생 일시 및 장소
2. 사고발생 경위</td>
<td>에 따른 건설공사의 환경관리에 필요한 비용(이하 "환경관리비"라 한다)은 다음 각 호의 비용을 합하여 산정한다.
1. 건설공사현장에 설치하는 환경오염 방지시설의 설치 및 운영에 필요한 비용
2. 건설공사현장에서 발생하는 폐기물의 처리 및 재활용에 필요한 비용
② 건설사업자 또는 주택건설등록업자는 제1항에 따른 비용의 사용계획을 같은 항 제1호에 따른 환경오염 방지시설을 최초로 설치하기 전까지 발주자에게 제출하고, 발주자 또는 건설사업관리용역사업자가 확인한 비용 중 간접공사비에 대해서는 그 사용실적에 따라 정산해야 한다. 〈개정 2018. 6. 18., 2020. 3. 18.〉
③ 제1항 각 호에 따른 비용의 세부 산출기준은 별표 8과 같다.
④ 제1항부터 제3항까지에서 정한 사항 외에 환경관리비의 산출기준 및 관리에 관하여 필요한 세부사항은 국토교통부장관이 정하여 고시한다. 〈개정 2018. 6. 18.〉
제62조(중대건설현장사고의 공동조사) ① 삭제 〈2016. 3. 7.〉
② 국토교통부장관, 발주청 및 인·허가기관의 장은 영 제105조제3항에 따른 사고(이하 "중대건설현장사고"라 한다)에 대하여 고용노동부장관이 「산업안전보건법」 제26조제4항에 따른 중대재해 발생원인 조사(이하 "중대재해 발생원인 조사"라 한다)를 하는 경우에는 영 제106</td></tr>
</table>

법	시 행 령	시 행 규 칙
시 국토교통부장관에게 제출하여야 한다. 〈신설 2015. 5. 18., 2018. 12. 31.〉 1. 사고발생 일시 및 장소 2. 사고발생 경위 3. 조치사항 4. 향후 조치계획 ③ 국토교통부장관, 발주청 및 인·허가기관의 장은 대통령령으로 정하는 중대한 건설사고(이하 "중대건설현장사고"라 한다)가 발생하면 그 원인 규명과 사고 예방을 위하여 건설공사 현장에서 사고 경위 및 사고 원인 등을 조사할 수 있다. 〈개정 2015. 5. 18., 2018. 12. 31.〉 ④ 제3항에 따라 사고 경위 및 사고 원인 등을 조사한 발주청과 인·허가기관의 장은 그 결과를 국토교통부장관에게 제출하여야 한다. 〈개정 2015. 5. 18.〉 ⑤ 국토교통부장관, 발주청 및 인·허가기관의 장은 필요한 경우 제68조에 따른 건설사고조사위원회로 하여금 중대건설현장사고의 경위 및 원인을 조사하게 할 수 있다. 〈개정 2015. 5. 18.〉 ⑥ 제1항에 따른 건설사고에 대한 통보방법 및 절차 등과 제2항에 따른 중대건설현장사고의 조사에 필요한 사항은 대통령령으로 정한다. 〈개정 2015. 5. 18.〉 [제목개정 2015. 5. 18.]	3. 조치사항 4. 향후 조치계획 ② 제1항에 따라 건설사고를 통보받은 발주청 및 인·허가기관의 장은 건설사고를 통보한 자의 의사에 반하여 해당 통보자의 신분을 공개해서는 아니 된다. ③ 법 제67조제3항에서 "대통령령으로 정하는 중대한 건설사고"란 건설공사의 현장에서 하나의 건설사고로 다음 각 호의 어느 하나에 해당하는 사고(원자력시설공사의 현장에서 발생한 사고는 제외한다)가 발생한 경우를 말한다. 이 경우 동일한 원인으로 일련의 사고가 발생한 경우 하나의 건설사고로 본다. 〈개정 2019. 6. 25.〉 1. 사망자가 3명 이상 발생한 경우 2. 부상자가 10명 이상 발생한 경우 3. 건설 중이거나 완공된 시설물이 붕괴 또는 전도(顚倒)되어 재시공이 필요한 경우 ④ 국토교통부장관, 발주청 및 인·허가기관의 장은 제3항에 따른 중대한 건설사고(이하 "중대건설현장사고"라 한다)에 대하여 법 제67조제3항 및 제5항에 따른 사고조사를 완료하였을 때에는 다음 각 호의 사항이 포함된 사고조사 보고서를 작성하고, 유사한 사고의 예방을 위한 자료로 활용될 수 있도록 관계기관에 배포하여야 한다. 1. 사고 개요 2. 사고원인 분석 3. 조치 결과 및 사후 대책	조제2항 각 호에 해당하는 사람을 참여시켜 공동조사할 수 있도록 고용노동부장관에게 요청할 수 있다. 〈개정 2016. 3. 7.〉 ③ 제2항에 따른 공동조사를 하는 경우에는 법 제67조에 따른 사고조사를 하지 아니한다. ④ 삭제 〈2016. 3. 7.〉 ⑤ 삭제 〈2016. 3. 7.〉 ⑥ 삭제 〈2016. 3. 7.〉 [제목개정 2016. 3. 7.]

<table>
<tr><th>법</th><th>시 행 령</th><th>시 행 규 칙</th></tr>
<tr><td></td><td>4. 그 밖에 사고와 관련되어 필요한 사항
⑤ 국토교통부장관, 발주청, 인·허가기관의 장 및 건설사고조사위원회는 사고조사를 위하여 필요하다고 인정하는 경우에는 건설사업자 및 주택건설등록업자 등에게 관련 자료의 제출을 요청할 수 있다. 〈개정 2020. 1. 7.〉
⑥ 제1항부터 제5항까지에서 규정한 사항 외에 건설사고 발생 보고 및 중대건설현장사고의 조사에 필요한 세부사항은 국토교통부장관이 정하여 고시한다.
[전문개정 2016. 1. 12.]</td><td></td></tr>
<tr><td>제68조(건설사고조사위원회) ① 국토교통부장관, 발주청 및 인·허가기관의 장은 중대건설현장사고의 조사를 위하여 필요하다고 인정하는 경우에는 건설사고조사위원회를 구성·운영할 수 있다.
② 건설사고조사위원회는 중대건설현장사고의 조사를 마쳤을 때에는 유사한 건설사고의 재발 방지를 위한 대책을 국토교통부장관, 발주청, 인·허가기관의 장, 그 밖의 관계 행정기관의 장에게 권고하거나 건의할 수 있다.
③ 국토교통부장관, 발주청, 인·허가기관의 장, 그 밖의 관계 행정기관의 장은 특별한 사유가 없으면 제2항에 따른 건설사고조사위원회의 권고 또는 건의에 따라야 한다.
④ 국토교통부장관이 제82조제2항에 따라 건설사고조사위원회의 운영에 관한 사무를 「공공기관의 운영에 관한 법률」에 따른 공공기관</td><td>제106조(건설사고조사위원회의 구성·운영 등) ① 건설사고조사위원회는 위원장 1명을 포함한 12명 이내의 위원으로 구성한다.
② 건설사고조사위원회의 위원은 다음 각 호의 어느 하나에 해당하는 사람 중에서 해당 건설사고조사위원회를 구성·운영하는 국토교통부장관, 발주청 또는 인·허가기관의 장이 임명하거나 위촉한다.
1. 건설공사 업무와 관련된 공무원
2. 건설공사 업무와 관련된 단체 및 연구기관 등의 임직원
3. 건설공사 업무에 관한 학식과 경험이 풍부한 사람
③ 제2항제2호 및 제3호에 따른 위원의 임기는 2년으로 하며, 위원의 사임 등으로 새로 위촉된 위원의 임기는 전임위원 임기의 남은 기간으로 한다.</td><td></td></tr>
</table>

법	시 행 령	시 행 규 칙
에 위탁한 경우에는 그 사무 처리에 필요한 경비를 해당 공공기관에 출연하거나 보조할 수 있다. ⑤ 건설사고조사위원회의 구성 및 운영에 필요한 사항은 대통령령으로 정한다.	④ 건설사고조사위원회 위원의 제척·기피·회피에 관하여는 제20조를 준용한다. 이 경우 "중앙심의위원회등"은 "건설사고조사위원회"로, "각 위원회의 심의·의결"은 "건설사고조사위원회의 심의·의결"로, "안건"은 "사고"로, "심의"는 "조사"로 본다. ⑤ 법 제68조제2항에 따른 건설사고조사위원회의 권고 또는 건의를 받은 국토교통부장관, 발주청 또는 인·허가기관의 장, 그 밖의 관계 행정기관의 장은 그 조치 결과를 국토교통부장관 및 건설사고조사위원회에 통보하여야 한다. ⑥ 건설사고조사위원회의 회의에 출석하는 위원에게는 예산의 범위에서 수당과 여비 등을 지급할 수 있다. 다만, 공무원인 위원이 그 소관 업무와 직접적으로 관련되어 출석하는 경우에는 그러하지 아니하다. ⑦ 제1항부터 제6항까지에서 규정한 사항 외에 건설사고조사위원회의 구성 및 운영 등에 필요한 사항은 국토교통부장관이 정하여 고시한다.	
제6장 건설엔지니어링사업자 등의 단체 및 공제조합 〈개정 2019. 4. 30., 2021. 3. 16.〉	**제6장 건설엔지니어링사업자 등의 단체 및 공제조합** 〈개정 2021. 9. 14.〉	
제1절 건설엔지니어링사업자 등의 단체 〈개정 2019. 4. 30., 2021. 3. 16.〉	**제1절 건설엔지니어링사업자 등의 단체** 〈개정 2021. 9. 14.〉	
제69조(협회의 설립) ① 건설기술인 또는 건설엔	**제107조(협회 정관의 기재사항)** 법 제69조제1항에	

법	시행령	시행규칙
지니어링사업자는 품위 유지, 복리 증진 및 건설기술 개발 등을 위하여 건설기술인단체 또는 건설엔지니어링사업자단체를 설립할 수 있다. 〈개정 2018. 8. 14., 2019. 4. 30., 2021. 3. 16.〉 ② 제1항에 따른 건설기술인단체 및 건설엔지니어링사업자단체(이하 이 장에서 "협회"라 한다)는 각각 법인으로 한다. 〈개정 2018. 8. 14., 2019. 4. 30., 2021. 3. 16.〉 ③ 협회는 주된 사무소의 소재지에서 설립등기를 함으로써 성립한다. **제70조(협회의 설립인가 등)** ① 협회를 설립하려면 협회 회원이 될 자격이 있는 자의 10분의 1 이상 또는 50명 이상이 발기인이 되어 정관을 작성하여 발기인총회의 의결을 마친 후 국토교통부장관의 인가를 받아야 한다. ② 협회 회원의 자격과 임원에 관한 사항, 협회의 업무 등은 정관으로 정하며, 그 밖에 정관에 포함하여야 할 사항은 대통령령으로 정한다. ③ 국토교통부장관은 제1항에 따른 인가를 하였을 때에는 그 사실을 공고하여야 한다. **제71조(보고 등)** 국토교통부장관은 협회에 대하여 건설엔지니어링에 대한 조사·연구를 하게 하거나 국토교통부의 업무에 필요한 보고를 하게 할 수 있다. 〈개정 2021. 3. 16.〉 **제72조(지도·감독 등)** 국토교통부장관은 협회를 감독하기 위하여 필요한 경우에는 그 업무에 관한 사항을 보고하게 하거나 자료의 제출을 명할 수 있으며, 소속 공무원으로 하여금 그 업	따른 건설기술인단체 및 건설엔지니어링사업자단체(이하 이 조에서 "협회"라 한다)의 정관에는 다음 각 호의 사항이 포함되어야 한다. 〈개정 2018. 12. 11., 2020. 1. 7., 2021. 9. 14.〉 1. 목적 2. 명칭 3. 사무소의 소재지 4. 협회의 업무와 그 집행에 관한 사항 5. 회원의 자격, 가입과 탈퇴, 권리·의무에 관한 사항 6. 임원에 관한 사항 7. 회비에 관한 사항 8. 총회에 관한 사항 9. 재정·회계에 관한 사항 10. 정관의 변경에 관한 사항 11. 해산 및 잔여재산의 처리에 관한 사항 12. 그 밖에 필요한 사항	

법	시 행 령	시 행 규 칙
무를 검사하게 할 수 있다. 〈개정 2020. 6. 9.〉 **제73조(다른 법률의 준용)** 이 법에서 규정한 사항 외에 협회에 관하여는 「민법」 중 사단법인에 관한 규정을 준용한다.		
제2절 공제조합	**제2절 공제조합**	
제74조(공제조합의 설립 등) ① 건설사업관리(「건설산업기본법」 제26조제2항 단서에 따라 건설사업관리와 설계업무를 함께 수행하는 경우는 제외한다. 이하 이 조에서 같다)를 수행하는 건설엔지니어링사업자는 건설사업관리에 필요한 각종 보증과 융자 등을 위하여 국토교통부장관의 인가를 받아 공제조합을 설립할 수 있다. 〈개정 2019. 4. 30., 2021. 3. 16.〉 ② 공제조합은 법인으로 하며, 주된 사무소의 소재지에서 설립등기를 함으로써 성립한다. ③ 공제조합의 조합원 자격, 임원, 출자 및 운영 등에 필요한 사항은 정관으로 정한다. ④ 공제조합의 설립인가 기준·절차, 정관 기재사항 및 감독 등에 필요한 사항은 대통령령으로 정한다.	**제108조(공제조합의 설립 등)** ① 법 제74조제1항에 따른 공제조합(이하 "공제조합"이라 한다)의 정관에 포함하여야 할 사항은 다음 각 호와 같다. 1. 목적 2. 명칭 3. 사무소의 소재지 4. 출자 1좌(座)의 금액과 그 납입 방법 및 지분 계산에 관한 사항 5. 조합원의 자격과 가입·탈퇴에 관한 사항 6. 자산 및 회계에 관한 사항 7. 총회에 관한 사항 8. 임원 및 직원에 관한 사항 9. 보증 또는 융자에 관한 사항 10. 업무와 그 집행에 관한 사항 11. 정관의 변경에 관한 사항 12. 해산과 잔여재산의 처리에 관한 사항 13. 공고의 방법에 관한 사항 ② 공제조합을 설립하려는 경우에는 조합원 자격이 있는 건설사업관리용역사업자 5인 이상이 발기하고 조합원 자격이 있는 건설사업관	

법	시 행 령	시 행 규 칙
	리용역사업자 20인 이상의 동의를 받아 총회의 의결을 거쳐 정관을 작성한 후 국토교통부장관에게 인가를 신청해야 한다. 〈개정 2020. 1. 7.〉 ③ 국토교통부장관은 법 제74조제1항에 따라 설립인가를 하였을 때에는 그 인가사실을 관보에 공고하여야 한다. ④ 공제조합이 성립되고 임원이 선임될 때까지 필요한 사무는 발기인이 맡는다. **제109조(공제조합의 등기)** ① 공제조합은 설립인가를 받으면 주사무소의 소재지에서 다음 각 호의 사항을 등기하여야 한다. 1. 목적 2. 명칭 3. 사업 4. 사무소의 소재지 5. 설립인가의 연월일 6. 출자금의 총액 7. 출자 1좌의 금액 8. 출자의 방법 9. 출자증권양도의 제한에 관한 사항 10. 임원의 성명 및 주민등록번호(이사장의 경우에는 주소를 포함한다) 11. 대표권의 제한에 관한 사항 12. 대리인에 관한 사항 13. 공고의 방법 ② 제1항 각 호의 등기사항에 변경이 있는 경우에는 그 변경이 발생한 날부터 3주 이내에 이를 등기하여야 한다. 다만, 제1항제6호에 따	

법	시 행 령	시 행 규 칙
	른 출자금 총액의 변경등기는 매 회계연도 말일을 기준으로 회계연도 종료 후에 변경등기를 하여야 한다. **제110조(출자 및 조합원의 책임)** ① 공제조합의 총출자금은 그 조합원이 출자한 출자좌의 액면총액으로 한다. ② 출자 1좌의 금액은 균일하여야 한다. ③ 공제조합은 정관으로 정하는 바에 따라 조합원에게 그의 출자를 나타내는 출자증권을 발급하여야 한다. ④ 조합원의 책임은 그 출자지분액을 한도로 한다. **제111조(지분의 양도·취득 등)** ① 조합원은 그 지분을 다른 조합원이나 조합원이 되려는 자에게만 양도할 수 있다. 이 경우 지분을 양수한 자는 그 지분에 관한 양도인의 권리와 의무를 승계한다. ② 조합원이나 조합원이었던 자가 그의 지분을 양도하려는 경우에는 정관에서 정하는 바에 따라 공제조합으로부터 출자증권에 명의개서(名義改書)를 받아야 한다. ③ 공제조합은 다음 각 호에 해당하는 사유가 있을 때에는 조합원 또는 조합원이었던 자의 지분을 취득할 수 있다. 다만, 제1호에 해당할 때에는 그 지분을 취득하여야 한다. 1. 출자금을 감소하려는 경우 2. 조합원에 대하여 조합이 권리자로서 담보권을 실행하기 위하여 필요한 경우	

법	시　행　령	시　행　규　칙
제75조(공제조합의 사업) ① 공제조합은 다음 각 호의 사업을 한다. 1. 조합원의 업무 수행에 따른 입찰, 계약, 선급금 지급 및 하자보수 등의 모든 보증 2. 조합원에 대한 자금의 융자 3. 조합원의 업무 수행에 따른 손해배상책임을 보장하는 공제사업 및 조합원에게 고용된 사람의 복지 향상과 업무상 재해로 인한 손실을 보상하는 공제사업 4. 건설기술의 개선·향상과 관련된 연구 및 교육에 관한 사업 5. 조합원을 위한 공동이용시설의 설치·운영	3. 조합원 또는 조합에서 제명되거나 탈퇴한 자가 출자금의 회수를 위하여 공제조합에 그 지분의 취득을 요구한 경우 ④ 제3항에 따라 공제조합이 지분을 취득하였을 때에는 지체 없이 다음 각 호의 구분에 따라 조치를 이행하여야 한다. 1. 제3항제1호의 사유로 취득한 경우에는 출자금의 감소 절차 2. 제3항제2호 및 제3호의 사유로 취득한 경우에는 다른 조합원 또는 조합원이 되려는 자에게 처분하되, 처분되지 아니한 지분은 정관으로 정하는 바에 따라 출자금을 감소시킬 수 있다. ⑤ 조합원의 지분은 조합에 대한 채무의 담보로 제공되는 경우 외에는 질권(質權)의 목적으로 할 수 없다.	

법	시 행 령	시 행 규 칙
및 조합원의 편익 증진을 위한 사업 6. 조합원의 업무 수행에 필요한 기자재의 구매 알선 7. 조합의 목적 달성에 필요한 수익 사업 8. 제1호부터 제7호까지의 사업의 부대사업으로서 정관으로 정하는 사업 ② 공제조합은 제1항제1호에 따른 보증사업 및 같은 항 제3호에 따른 공제사업을 하려면 사업에 필요한 보증규정 및 공제규정을 정하여 국토교통부장관의 인가를 받아야 한다. ③ 제2항의 보증규정 및 공제규정에 포함하여야 할 사항은 대통령령으로 정한다.	**제112조(보증규정 및 공제규정)** ① 법 제75조제2항에 따른 보증규정에는 다음 각 호의 사항이 포함되어야 한다. 1. 보증사업의 범위 2. 보증계약의 내용 3. 보증한도 4. 보증수수료 5. 보증에 충당하기 위한 책임준비금 6. 보증금지급 대비자금 7. 그 밖에 보증사업의 운영에 필요한 사항 ② 법 제75조제2항에 따른 공제규정에는 다음 각 호의 사항이 포함되어야 한다. 1. 공제사업의 범위 2. 공제계약의 내용 3. 공제료 4. 공제금 및 공제금에 충당하기 위한 책임준비금 5. 그 밖에 공제사업의 운영에 필요한 사항 ③ 공제조합은 보증규정 및 공제규정에 따른 사업연도 말에 그 사업의 책임준비금을 계상(計上)하고 적립하여야 한다. **제113조(보증한도)** ① 제112조제1항제3호에 따라	

법	시행령	시행규칙
	공제조합이 보증할 수 있는 보증한도는 총출자금과 준비금을 합산한 금액의 40배까지로 한다. 다만, 금융기관·보험회사 또는 이와 유사한 기관의 보증이나 보험에 의하여 보장을 받거나 그 밖에 담보물을 받고 보증하는 경우에는 공제조합의 보증한도에 이를 포함하지 아니한다. ② 제1항에 따라 보증한도를 정하는 경우 그 총출자금과 준비금은 각 사업연도의 전년도 말 결산액을 기준으로 한다. 다만, 사업연도 중에 증자를 하였거나 자산을 재평가한 경우에는 증자 또는 자산 재평가를 마친 때의 총출자금과 준비금을 기준으로 한다. ③ 조합원에 대하여 보증할 수 있는 보증종류별 한도는 공제조합이 보증종류별 사고율과 조합원에 대한 신용평가 등을 고려하여 정한다.	
제76조(조사 및 검사 등) ① 국토교통부장관은 공제조합의 재무건전성 유지 등을 위하여 필요한 경우에는 소속 공무원으로 하여금 공제조합의 업무 상황 또는 회계 상황을 조사하게 하거나 장부 또는 그 밖의 서류를 검사하게 할 수 있다. ② 제75조제1항제3호의 공제사업에 대하여는 대통령령으로 정하는 바에 따라 금융위원회가 제1항에 따른 조사 또는 검사를 할 수 있다. ③ 국토교통부장관은 제75조제1항제1호의 보증사업에 따른 재무건전성 유지 등을 지도·감독하기 위하여 필요한 기준을 정하여 고시하여야 한다.	**제114조(조사 및 검사)** ① 법 제76조제2항에 따른 금융위원회의 조사 또는 검사는 국토교통부장관이 조사 또는 검사가 필요한 사유를 명시하여 금융위원회에 요청한 경우에만 한다. ② 금융위원회는 제1항에 따라 조사 또는 검사를 한 경우 그 결과를 지체 없이 국토교통부장관에게 통보하여야 한다. 이 경우 시정하여야	

법	시 행 령	시 행 규 칙
④ 국토교통부장관은 제75조제1항제3호에 따른 공제사업을 건전하게 육성하고 계약자를 보호하기 위하여 금융위원회 위원장과 협의하여 감독에 필요한 기준을 정한 후 고시하여야 한다. ⑤ 국토교통부장관은 제3항 및 제4항에 따른 기준을 정할 때 자기자본비율, 유동성비율, 지급여력비율 등 공제조합의 건전성을 보호하기 위한 기준을 포함하여야 한다. 〈신설 2018. 12. 31.〉 **제77조(지도·감독 등)** ① 국토교통부장관은 공제조합의 감독을 위하여 필요한 경우에는 공제조합에 그 업무에 관한 사항의 보고 또는 자료 제출을 명할 수 있다. ② 국토교통부장관은 공제조합이 제76조제3항 및 제4항에 따른 기준에 미달하거나 미달하게 될 것이 명백하다고 판단되는 경우에는 공제조합의 부실화를 예방하고 건전경영을 유도하기 위하여 공제조합이나 그 임원에 대하여 다음 각 호의 사항을 권고·요구 또는 명령하거나 그 이행계획의 제출을 명할 수 있다. 1. 자본 증가 또는 자본 감소 2. 자산의 취득·처분이나 사업장 또는 조직의 축소에 관한 사항 3. 이익배당 및 손익이체의 제한 4. 대손충당금, 대위변제금, 이익준비금 등 준비금의 추가적립 및 재공제 처리 5. 임원의 직무정지나 임원의 직무를 대행하는 관리인의 선임 6. 보증수수료 또는 융자이자율의 조정	할 사항이 있으면 시정을 요구할 수 있다. **제114조의2(지도·감독)** ① 법 제77조제2항제10호에서 "대통령령으로 정하는 조치"란 다음 각 호의 조치를 말한다. 1. 공제 요율의 조정 2. 임원의 교체 3. 채무의 전부 또는 일부의 지급정지 ② 법 제77조제4항에서 "대통령령으로 정하는 기간"이란 공제조합이 법 제76조제3항 및 제4항에 따른 기준에 미달하거나 미달하게 될 것이 명백하다고 판단되는 날부터 6개월을 말한다. [본조신설 2019. 6. 25.]	

<table>
<tr><th>법</th><th>시 행 령</th><th>시 행 규 칙</th></tr>
<tr><td>7. 영업의 전부 또는 일부 정지
8. 영업의 양도나 보증사업 또는 공제사업과 관련된 계약의 이전
9. 사업의 축소 및 신규업무 또는 신규투자의 제한
10. 그 밖에 제1호부터 제9호까지의 규정에 준하는 조치로서 공제조합의 재무건전성을 높이기 위하여 필요하다고 대통령령으로 정하는 조치
③ 국토교통부장관은 제2항에 따른 조치를 하려면 미리 그 내용 및 기준을 정하여 고시하여야 한다.
④ 국토교통부장관은 제2항에도 불구하고 공제조합이 대통령령으로 정하는 기간 이내에 그 기준을 충족시킬 것으로 판단되거나 그에 준하는 사유가 있다고 인정되는 경우에는 기간을 정하여 필요한 조치를 유예할 수 있다.
[전문개정 2018. 12. 31.]
제78조(다른 법률의 준용) 이 법에서 규정한 사항 외에 공제조합에 관하여는 「민법」 중 사단법인에 관한 규정과 「상법」 중 주식회사의 회계에 관한 규정을 준용한다.</td><td></td><td></td></tr>
<tr><td>제7장 보칙</td><td>제7장 보칙</td><td>제6장 보칙</td></tr>
<tr><td>제79조(수수료) 다음 각 호의 어느 하나에 해당하는 자는 국토교통부령 또는 조례로 정하는 바에 따라 수수료를 내야 한다. 다만, 제1호에 해당</td><td></td><td>제63조(수수료) 법 제79조제2호부터 제4호까지의 어느 하나에 해당하는 자가 내야 하는 수수료의 산출기준은 별표 9와 같다.</td></tr>
</table>

법	시행령	시행규칙
하는 자에 대하여는 조례로 정하는 바에 따라 수수료를 면제할 수 있다. 〈개정 2018. 12. 31.〉 1. 지방심의위원회에 건설기술의 심의를 요청하는 자 2. 제14조제1항에 따라 신기술의 지정을 신청하는 자 3. 제14조제3항에 따라 신기술 보호기간의 연장을 신청하는 자 3의2. 제14조의2제1항 후단에 따라 신기술사용협약에 관한 증명서의 발급을 신청하는 자 4. 제58조제1항에 따라 공장인증을 신청하는 자 **제80조(시정명령)** 국토교통부장관은 다음 각 호의 어느 하나에 해당하는 건설사업자 또는 주택건설등록업자에 대하여는 기간을 정하여 시정을 명하거나 그 밖에 필요한 지시를 할 수 있다. 〈개정 2018. 12. 31., 2019. 4. 30.〉 1. 제48조제2항에 따른 보고 의무를 이행하지 아니한 경우 2. 제55조제1항 및 제2항에 따른 품질관리계획 또는 품질시험계획을 성실히 이행하지 아니하거나 품질시험 또는 검사를 성실하게 수행하지 아니한 경우 3. 제62조제1항 및 제4항에 따른 안전관리계획을 성실히 이행하지 아니하거나 안전점검을 성실하게 수행하지 아니한 경우 **제80조의2(제척기간)** ① 국토교통부장관은 제24조제1항 각 호(제1호·제2호·제6호는 제외한다)에 해당하는 경우 해당 위반행위의 종료일		**제63조의2(행정정보의 공동이용)** 건설기술인 경력관리 수탁기관 또는 등록 등 업무 수탁기관은 다음 각 호의 어느 하나에 해당하는 신고 또는 신청을 받은 경우 「전자정부법」 제36조제1항에 따른 행정정보 공동이용을 통하여 다음 각 호의 구분에 따른 서류를 확인해야 한다. 다만, 신고인 또는 신청인이 확인에 동의하지 않는 경우에는 해당 서류(제1호가목의 경우에는 국가기술자격증 사본으로 갈음할 수 있다)를 첨부하게 해야 한다. 〈개정 2019. 2. 25., 2021. 9. 17.〉 1. 제18조제1항·제2항에 따른 건설기술인의 신고·변경신고: 다음 각 목의 서류(신고·변경신고 사무처리를 위하여 필요한 경우만 해당한다) 가. 국가기술자격취득사항확인서 나. 건강보험자격득실확인서 또는 국민연금가입자가입증명 2. 제21조제1항·제23조제3항에 따른 건설엔지니어링업의 등록신청·변경등록 신고: 다음 각 목의 서류 가. 사업자등록증명서(개인만 해당한다) 나. 「출입국관리법」 제88조제2항에 따른 외국인등록 사실증명서(대표자·임원 또는 소속 건설기술인이 국내에 체류하는 외국인인 경우만 해당한다) 다. 법인 등기사항증명서 [본조신설 2018. 10. 12.]

법	시 행 령	시 행 규 칙
부터 5년이 지난 경우에는 업무정지를 할 수 없다. 다만, 해당 기간이 지나기 전에 제24조제1항제7호에 따라 다른 행정기관이 업무정지를 요청한 경우에는 그러하지 아니하다. ② 시·도지사는 다음 각 호의 기간이 지난 경우에는 제31조제1항 및 제2항에 따른 등록취소나 영업정지를 할 수 없다. 다만, 해당 기간이 지나기 전에 제31조제1항제9호에 따라 다른 행정기관이 등록취소 또는 영업정지를 요구한 경우에는 그러하지 아니하다. 1. 제31조제2항제5호라목을 위반한 경우 해당 건설공사의 하자담보책임기간(「건설산업기본법」 제28조에 따른 하자담보책임기간을 말한다) 종료일부터 5년 2. 제31조제1항 각 호(제8호는 제외한다) 또는 제2항 각 호(제5호라목 및 제7호가목·나목·라목은 제외한다)를 위반한 경우 해당 위반행위 종료일부터 5년 [본조신설 2021. 3. 16.] **제81조(비밀의 누설 등 금지)** 이 법에 따른 건설사업관리의 업무나 신기술 또는 외국 도입 건설기술 및 건설기술인의 관리에 종사하는 사람은 직무상 알게 된 비밀을 다른 사람에게 누설하거나 도용(盜用)하여서는 아니 된다. 〈개정 2018. 8. 14.〉		
제82조(권한 등의 위임·위탁) ① 국토교통부장관은 이 법에 따른 권한의 일부를 대통령령으로 정하는 바에 따라 중앙행정기관의 장에게 위탁하거	**제115조(권한의 위임)** ① 국토교통부장관은 법 제82조제1항에 따라 법 제91조제2항제1호, 제2호, 제3호, 제3호의2, 제4호, 제5호, 같은 조 제	

법	시 행 령	시 행 규 칙
나 시·도지사 또는 대통령령으로 정하는 국토교통부 소속 기관의 장에게 위임할 수 있다. ② 국토교통부장관 또는 시·도지사는 이 법에 따른 업무의 일부를 대통령령으로 정하는 바에 따라 「공공기관의 운영에 관한 법률」에 따른 공공기관, 협회, 그 밖에 건설기술 또는 시설안전과 관련된 기관 또는 단체에 위탁할 수 있다.	3항제1호부터 제4호까지, 제14호 및 제16호에 해당하는 자(「건설산업기본법」 제8조제1항에 따른 종합공사를 시공하는 업종을 등록한 건설사업자 및 전문공사를 시공하는 업종을 등록한 건설사업자와 그에 소속되어 근무하는 건설기술인에 한정한다)에 대한 과태료의 부과·징수 권한을 시·도지사에게 위임한다. 〈개정 2018. 12. 11., 2019. 6. 25., 2020. 1. 7.〉 ② 국토교통부장관은 법 제82조제1항에 따라 다음 각 호의 사항에 관한 권한을 지방국토관리청장에게 위임한다. 〈개정 2018. 12. 11., 2019. 6. 25., 2020. 1. 7., 2021. 9. 14.〉 1. 법 제22조의3에 따른 공정건설지원센터 운영업무 1의2. 법 제24조제1항에 따른 건설기술인에 대한 업무정지 2. 법 제53조제1항에 따른 국토교통부장관의 부실 정도의 측정 및 부실벌점의 부과 3. 법 제54조제1항에 따른 건설공사현장 등의 점검과 점검 결과에 따른 시정명령 등의 조치 및 영업정지 등의 요청 4. 법 제60조제4항에 따른 품질검사를 대행하는 건설엔지니어링사업자에 대한 조사 및 시정명령 등 5. 법 제83조의 권한 중 위임된 권한에 관한 청문 6. 법 제91조제1항제1호, 제2호, 같은 조 제2항제1호, 제1호의2, 제2호, 제3호의2, 제3호의3, 제4호, 제5호, 같은 조 제3항제1호부터	

법	시　행　령	시　행　규　칙
	제4호까지 및 제12호부터 제16호까지의 규정에 해당하는 자에 대한 과태료의 부과·징수. 다만, 제1항에 따른 과태료의 부과·징수는 제외한다. 7. 제97조제2항에 따른 품질검사에 사용되는 장비·기술인력 현황 등의 접수 ③ 시·도지사 또는 지방국토관리청장은 제1항 및 제2항에 따라 위임된 사항을 처리한 경우에는 그 처리 내용을 국토교통부장관이 제117조제2항에 따라 지정·고시하는 기관에 통보하고, 그 처리 현황을 매년 12월 31일을 기준으로 다음 해 1월 31일까지 국토교통부장관에게 제출하여야 한다. **제116조(권한의 위탁)** 국토교통부장관은 법 제82조제1항에 따라 법 제44조제2항에 따른 건설기준의 승인에 관한 권한 중 농림축산식품부 소관 사항에 관한 권한을 농림축산식품부장관에게 위탁하고, 환경부 소관 사항에 관한 권한을 환경부장관에게 위탁하며, 해양수산부 소관 사항에 관한 권한을 해양수산부장관에게 위탁한다. 〈개정 2014. 12. 30.〉 **제117조(업무의 위탁)** ① 국토교통부장관은 법 제82조제2항에 따라 다음 각 호의 업무를 제2항에 따라 지정·고시하는 기관에 위탁한다. 〈개정 2016. 1. 12., 2018. 12. 11., 2019. 6. 25., 2020. 1. 7., 2020. 5. 26., 2021. 9. 14.〉 1. 법 제14조에 따른 신기술에 관한 다음 각 목의 업무	

법	시 행 령	시 행 규 칙
	가. 제31조에 따른 신기술 지정신청서의 접수 나. 제32조제2항에 따른 이해관계인 등의 의견 청취 다. 제33조제2항에 따른 신기술의 유지·관리 라. 제34조제6항에 따른 신기술 활용실적의 접수 및 관리 마. 제35조제3항에 따른 신기술 보호기간 연장신청서의 접수 1의2. 법 제14조의2에 따른 신기술사용협약에 관한 증명서의 발급 신청 접수, 발급 및 관리에 관한 업무 2. 법 제16조제1항에 따른 외국에서 도입된 건설기술의 관리에 관한 업무 3. 법 제18조에 따른 건설기술정보체계의 구축·보급 및 운영에 관한 업무 4. 법 제21조에 따른 건설기술인 신고에 관한 다음 각 목의 업무 가. 법 제21조제1항에 따른 신고사항의 접수 나. 법 제21조제2항에 따른 근무처 및 경력 등에 관한 기록의 유지·관리 및 건설기술경력증의 발급 다. 법 제21조제3항에 따른 관계자료 제출의 요청(위탁된 사무를 처리하기 위하여 필요한 경우만 해당한다) 라. 법 제21조제4항에 따른 건설기술인의 근무처 및 경력등의 확인 5. 법 제24조제1항에 따른 건설기술인 업무정지 현황의 관리와 같은 조 제4항에 따른 건설기	

법	시 행 령	시 행 규 칙
	술경력증의 반납 접수 및 근무처·경력등에 관한 기록의 수정 또는 말소 등의 업무 6. 법 제26조제5항에 따라 시·도지사가 통보하는 건설엔지니어링업의 등록, 변경등록 또는 휴업·폐업 신고 사실의 접수 및 관리 7. 법 제30조에 따른 건설엔지니어링 실적 관리에 관한 다음 각 목의 업무 가. 법 제30조제1항제1호에 따른 건설엔지니어링사업자 현황의 관리 나. 법 제30조제3항에 따른 건설엔지니어링사업자 현황 및 건설엔지니어링 실적의 공개 다. 제45조제2항 및 제3항에 따라 발주청 및 인·허가기관의 장이 통보하는 건설엔지니어링 실적의 접수·확인·관리 라. 제45조제5항 및 제6항에 따라 건설엔지니어링사업자가 직접 통보하는 건설엔지니어링 실적의 접수·확인·관리 마. 제45조제9항에 따른 건설엔지니어링 실적에 대한 확인서의 발급 8. 법 제31조제4항에 따라 시·도지사가 통보하는 건설엔지니어링사업자에 대한 등록취소, 영업정지 또는 과징금 부과 내용의 접수 및 관리 8의2. 법 제39조의2제4항에 따른 건설사업관리계획의 접수 및 관리 9. 법 제50조제3항에 따라 발주청이 통보하는 용역평가·시공평가 결과의 접수 및 관리와	

법	시 행 령	시 행 규 칙
	같은 조 제4항에 따른 종합평가의 시행과 그 결과의 공개 10. 법 제53조제3항에 따른 벌점의 종합관리 11. 법 제58조에 따른 철강구조물공장의 공장인증에 관한 다음 각 목의 업무 가. 법 제58조제1항에 따른 공장인증 신청의 접수 및 신청에 대한 전문·기술적인 심사 나. 법 제58조제2항에 따른 운영 실태 및 사후관리 상태의 조사를 위한 전문·기술적인 사항 11의2. 법 제62조제3항에 따른 안전관리계획서 사본과 안전관리계획 검토결과의 접수·확인·관리 11의3. 법 제62조제5항에 따른 안전점검 결과의 접수·확인·관리 12. 법 제62조제7항에 따른 종합보고서에 관한 다음 각 목의 업무 가. 법 제62조제8항에 따라 제출되는 종합보고서의 접수·확인 나. 법 제62조제9항에 따른 종합보고서의 보존·관리 다. 제101조제4항에 따른 종합보고서의 열람 및 그 사본의 발급 13. 법 제62조제10항에 따른 안전관리계획서 검토결과 및 안전점검결과의 적정성 검토 14. 법 제62조제14항에 따른 안전관리 수준평가의 시행 및 그 결과의 공개와 같은 조 제	

법	시 행 령	시 행 규 칙
	15항에 따른 정보망의 구축·운영 15. 법 제62조제18항에 따라 발주청이 제출하는 설계의 안전성 검토 결과에 관한 접수·확인·관리 15의2. 법 제62조의3제1항 및 제2항에 따른 스마트 안전관리 보조·지원과 관리·감독에 필요한 지원 업무 16. 법 제68조제4항에 따른 건설사고조사위원회의 운영에 관한 사무 ② 제1항에 따른 업무를 위탁받을 수 있는 자는 다음 각 호의 어느 하나에 해당하는 기관으로서 위탁업무를 수행할 수 있는 인력과 장비를 갖춘 기관 중에서 국토교통부장관이 지정하여 고시한다. 〈개정 2015. 6. 1., 2020. 12. 1.〉 1. 법 제69조제1항에 따라 설립된 협회 2. 「건설산업기본법」, 「건축사법」, 「기술사법」, 「엔지니어링산업 진흥법」, 「주택법」 또는 「공간정보산업 진흥법」에 따라 설립된 협회 3. 「정부출연연구기관 등의 설립·운영 및 육성에 관한 법률」 또는 「과학기술분야 정부출연연구기관 등의 설립·운영 및 육성에 관한 법률」에 따라 설립된 정부출연연구기관 4. 「민법」 제32조에 따라 국토교통부장관의 허가를 받아 설립된 비영리법인 5. 법 제11조에 따라 설립된 기술평가기관 6. 국토안전관리원 ③ 시·도지사는 법 제82조제2항에 따라 다음 각 호의 업무를 제2항제1호 및 제2호에 따른	

법	시 행 령	시 행 규 칙
	기관 중에서 시·도지사가 지정·고시하는 기관에 위탁한다. 〈개정 2021. 9. 14.〉 1. 법 제26조에 따른 건설엔지니어링업 등록 등에 관한 다음 각 목의 업무에 대한 접수·확인 및 관리 가. 법 제26조제1항에 따른 건설엔지니어링업 등록 나. 법 제26조제3항에 따른 변경등록 다. 법 제26조제4항에 따른 휴업·폐업 신고 2. 법 제29조제1항에 따른 영업 양도·합병의 신고에 대한 접수·확인 및 관리 ④ 국토교통부장관 또는 시·도지사는 제2항 및 제3항에 따라 위탁기관을 지정하는 경우에는 위탁할 업무의 내용 및 처리방법, 그 밖에 필요한 사항을 정하여 관보 또는 공보에 고시하여야 한다. ⑤ 제1항 및 제3항에 따라 업무를 위탁받은 기관은 위탁업무의 처리 결과를 매 반기(半期) 말일을 기준으로 다음 달 말일까지 국토교통부장관 또는 시·도지사에게 통보하여야 한다. **제117조의2(고유식별정보의 처리)** ① 국토교통부장관(법 제82조에 따라 국토교통부장관의 권한을 위임·위탁받은 자를 포함한다) 및 시·도지사(법 제82조제2항에 따라 시·도지사의 업무를 위탁받은 자를 포함한다)는 다음 각 호의 사무를 수행하기 위하여 불가피한 경우 「개인정보 보호법 시행령」 제19조제1호 또는 제4호에 따른 주민등록번호 또는 외국인등록번호가	

법	시 행 령	시 행 규 칙
	포함된 자료를 처리할 수 있다. 〈개정 2018. 12. 11., 2019. 6. 25., 2020. 1. 7., 2021. 9. 14.〉 1. 법 제20조에 따른 건설기술인의 육성과 교육·훈련에 관한 사무 1의2. 법 제20조의2에 따른 교육·훈련의 대행에 관한 사무 1의3. 법 제20조의3에 따른 교육·훈련 대행의 갱신에 관한 사무 1의4. 법 제20조의4에 따른 교육·훈련 대행의 취소에 관한 사무 1의5. 법 제20조의5에 따른 교육·훈련의 관리에 관한 사무 1의6. 법 제20조의6에 따른 교육·훈련 업무의 위탁에 관한 사무 2. 법 제21조에 따른 건설기술인의 신고사항에 관한 사무 2의2. 법 제22조의3에 따른 공정건설지원센터의 운영에 관한 사무 3. 법 제24조에 따른 건설기술인의 업무정지 현황에 관한 사무 4. 법 제26조에 따른 건설엔지니어링업의 등록 및 변경등록에 관한 사무 5. 법 제30조에 따른 건설엔지니어링의 실적 관리에 관한 사무 6. 법 제31조에 따른 건설엔지니어링사업자에 대한 등록취소, 영업정지 또는 과징금 부과 등의 내용 통보에 관한 사무 7. 법 제39조의2에 따른 건설사업관리기술인	

법	시 행 령	시 행 규 칙
제83조(청문) 국토교통부장관 또는 시·도지사는 이 법에 따른 지정 또는 등록을 취소하려면 청문을 하여야 한다. **제84조(벌칙 적용 시의 공무원 의제)** 다음 각 호의 어느 하나에 해당하는 사람은 「형법」 제129조부터 제132조까지의 규정을 적용할 때에는 공무원으로 본다. 〈개정 2015. 5. 18., 2017. 11. 28., 2018. 8. 14., 2020. 6. 9.〉 1. 중앙심의위원회, 지방심의위원회 또는 특별심의위원회의 위원 중 공무원이 아닌 위원 2. 제6조에 따른 기술자문위원회의 위원 중 공무원이 아닌 위원 2의2. 제20조의6제1항에 따라 국토교통부장관이 위탁한 자에게 소속되어 그 업무에 종사	또는 공사감독자의 배치 관리에 관한 사무 8. 법 제50조에 따른 용역평가·시공평가 결과의 접수 및 관리, 종합평가의 시행과 그 결과의 공개에 관한 사무 9. 법 제53조제3항에 따른 벌점의 종합관리에 관한 사무 10. 법 제62조제7항부터 제9항까지의 규정에 따른 종합보고서에 관한 사무 ② 공제조합은 법 제75조제1항에 따른 보증, 융자 및 공제 사업을 하기 위하여 불가피한 경우 「개인정보 보호법 시행령」 제19조제1호 또는 제4호에 따른 주민등록번호 또는 외국인등록번호가 포함된 자료를 처리할 수 있다. [본조신설 2016. 1. 12.]	

법	시 행 령	시 행 규 칙
하는 임직원 3. 제39조에 따른 건설사업관리 업무 중 대통령령으로 정하는 업무를 수행하는 건설기술인 4. 제68조에 따른 건설사고조사위원회의 위원 중 공무원이 아닌 위원 5. 제82조제2항에 따라 국토교통부장관 또는 시·도지사가 위탁한 협회, 기관 또는 단체에서 그 업무에 종사하는 임직원	**제118조(벌칙 적용 시의 공무원 의제)** 법 제84조제3호에서 "대통령령으로 정하는 업무"란 시공단계의 건설사업관리 업무 중 법 제2조제5호에 따른 감리 업무를 말한다.	
	제119조(규제의 재검토) ① 삭제 〈2020. 3. 3.〉 ② 국토교통부장관은 다음 각 호의 사항에 대하여 다음 각 호의 기준일을 기준으로 3년마다(매 3년이 되는 해의 기준일과 같은 날 전까지를 말한다) 그 타당성을 검토하여 개선하는 등의 조치를 해야 한다. 〈개정 2018. 12. 11., 2020. 1. 7., 2021. 3. 2., 2021. 9. 14.〉 1. 제42조제2항 및 별표 3에 따른 건설기술인 교육·훈련의 종류·시간, 내용 및 면제의 기준: 2014년 5월 23일 2. 제44조제2항 및 별표 5에 따른 건설엔지니어링사업자의 등록요건 및 업무범위: 2014년 5월 23일 3. 제89조에 따른 품질관리계획 등의 수립대상 공사: 2014년 5월 23일 4. 제91조에 따른 품질시험 및 검사의 실시 기준 및 대상: 2014년 5월 23일 ③ 국토교통부장관은 별표 8 제5호바목에 따른 벌점 경감기준에 대하여 2021년 1월 1일을 기준으로 2년마다(매 2년이 되는 해의 기준일	**제64조** 삭제 〈2020. 12. 14.〉

법	시 행 령	시 행 규 칙
	과 같은 날 전까지를 말한다) 그 타당성을 검토하여 개선하는 등의 조치를 해야 한다. 〈신설 2020. 11. 10.〉	
제8장 벌칙	**제8장 벌칙**	
제85조(벌칙) ① 제28조제1항을 위반하여 착공 후부터 「건설산업기본법」 제28조에 따른 하자담보책임기간까지의 기간에 다리, 터널, 철도, 그 밖에 대통령령으로 정하는 시설물의 구조에서 주요 부분에 중대한 손괴(損壞)를 일으켜 사람을 다치거나 죽음에 이르게 한 자는 무기 또는 3년 이상의 징역에 처한다. 〈개정 2018. 12. 31.〉 ② 제1항의 죄를 범하여 사람을 위험하게 한 자는 10년 이하의 징역 또는 1억원 이하의 벌금에 처한다. **제86조(벌칙)** ① 업무상 과실로 제85조제1항의 죄를 범하여 사람을 다치거나 죽음에 이르게 한 자는 10년 이하의 징역이나 금고 또는 1억원 이하의 벌금에 처한다. ② 업무상 과실로 제85조제2항의 죄를 범한 자는 5년 이하의 징역이나 금고 또는 5천만원 이하의 벌금에 처한다. **제87조(벌칙)** ① 제47조제1항에 따른 타당성 조사를 할 때 고의로 수요 예측을 부실하게 하여 발주청에 손해를 끼친 건설엔지니어링사업자는 5년 이하의 징역 또는 5천만원 이하의 벌금	**제120조(주요 시설물 등)** 법 제85조제1항 및 제88조제1호의4에서 "대통령령으로 정하는 시설물"이란 각각 다음 각 호의 시설물을 말한다. 〈개정 2019. 6. 25.〉 1. 고가도로 2. 지하도 3. 활주로 4. 삭도(索道) 5. 댐 6. 항만시설 중 외곽시설·임항교통시설(臨港交通施設)·계류시설(繫留施設) 7. 연면적 5천제곱미터 이상인 공항청사·철도역사·자동차여객터미널·종합여객시설·종합병원·판매시설·관광숙박시설·관람집회시설 8. 그 밖에 16층 이상인 건축물	

법	시행령	시행규칙
에 처한다. 〈개정 2019. 4. 30., 2021. 3. 16.〉 ② 제47조제1항에 따른 타당성 조사를 할 때 중대한 과실로 수요 예측을 부실하게 하여 발주청에 손해를 끼친 건설엔지니어링사업자는 3년 이하의 금고 또는 3천만원 이하의 벌금에 처한다. 〈개정 2019. 4. 30., 2021. 3. 16.〉 **제87조의2(벌칙)** 다음 각 호의 어느 하나에 해당하는 자는 2년 이하의 징역 또는 1억원 이하의 벌금에 처한다. 〈개정 2019. 4. 30., 2021. 3. 16.〉 1. 제40조제1항에 따른 건설엔지니어링사업자 또는 공사감독자의 재시공·공사중지 명령이나 그 밖에 필요한 조치를 이행하지 아니한 자 2. 제40조의2를 위반하여 불이익을 준 자 [본조신설 2018. 12. 31.] **제88조(벌칙)** 다음 각 호의 어느 하나에 해당하는 자는 2년 이하의 징역 또는 2천만원 이하의 벌금에 처한다. 〈개정 2013. 7. 16., 2015. 1. 6., 2018. 12. 31., 2019. 4. 30., 2021. 3. 16.〉 1. 제26조제1항에 따른 등록을 하지 아니하고 건설엔지니어링 업무를 수행한 자 1의2. 제39조제4항 전단을 위반하여 건설사업관리보고서를 제출하지 아니하거나 같은 항 후단에 따라 건설기술인이 작성한 건설사업관리보고서를 거짓으로 수정하여 제출한 건설엔지니어링사업자 1의3. 제39조제4항 후단을 위반하여 정당한 사유 없이 건설사업관리보고서를 작성하지 아		

법	시 행 령	시 행 규 칙
니하거나 거짓으로 작성한 건설기술인 1의4. 고의로 제39조제6항에 따른 건설사업관리 업무를 게을리하여 교량, 터널, 철도, 그 밖에 대통령령으로 정하는 시설물에 대하여 다음 각 목의 주요 부분의 구조안전에 중대한 결함을 초래한 건설엔지니어링사업자 또는 건설기술인 가. 철근콘크리트구조부 또는 철골구조부 나. 「건축법」 제2조제7호에 따른 주요구조부 다. 교량의 교좌장치 라. 터널의 복공부위 마. 댐의 본체 및 여수로 바. 항만 계류시설의 구조체 2. 삭제 〈2018. 12. 31.〉 3. 제48조제5항에 따른 구조검토를 하지 아니한 건설엔지니어링사업자 4. 제55조제1항 및 제2항에 따른 품질관리계획 또는 품질시험계획을 수립·이행하지 아니하거나 품질시험 및 검사를 하지 아니한 건설사업자 또는 주택건설등록업자 5. 제57조제2항을 위반하여 품질이 확보되지 아니한 건설자재·부재를 공급하거나 사용한 자 6. 제57조제3항을 위반하여 반품된 레디믹스트 콘크리트를 품질인증을 받지 아니하고 재사용한 자 7. 제62조제1항에 따른 안전관리계획을 수립·제출, 이행하지 아니하거나 거짓으로 제출		

법	시 행 령	시 행 규 칙
한 건설사업자 또는 주택건설등록업자 7의2. 제62조제4항에 따른 안전점검을 하지 아니한 건설사업자 또는 주택건설등록업자 8. 제62조제11항에 따른 관계전문가의 확인 없이 가설구조물 설치공사를 한 건설사업자 또는 주택건설등록업자 9. 제62조제12항에 따라 가설구조물의 구조적 안전성 확인 업무를 성실하게 수행하지 아니함으로써 가설구조물이 붕괴되어 사람을 죽거나 다치게 한 관계전문가 10. 제81조를 위반하여 직무상 알게 된 비밀을 누설하거나 도용한 사람 **제89조(벌칙)** 다음 각 호의 어느 하나에 해당하는 자는 1년 이하의 징역 또는 1천만원 이하의 벌금에 처한다. 〈개정 2014. 5. 14., 2015. 5. 18., 2018. 8. 14., 2018. 12. 31., 2019. 4. 30., 2021. 3. 16.〉 1. 제14조제3항에 따른 신기술 활용실적을 거짓으로 제출한 자 1의2. 제14조의2제1항 후단에 따른 신기술사용협약에 관한 증명서의 발급 신청을 거짓으로 한 자 2. 제21조제1항에 따른 신고·변경신고를 하면서 근무처 및 경력등을 거짓으로 신고하여 건설기술인이 된 자 3. 제23조를 위반한 다음 각 목의 어느 하나에 해당하는 사람 가. 다른 사람에게 자기의 성명을 사용하여 건설공사 또는 건설엔지니어링 업무를		

법	시 행 령	시 행 규 칙
수행하게 하거나 자신의 건설기술경력증을 빌려 준 사람 나. 다른 사람의 성명을 사용하여 건설공사 또는 건설엔지니어링 업무를 수행하거나 다른 사람의 건설기술경력증을 빌린 사람 다. 가목 및 나목의 행위를 알선한 사람 4. 제38조제3항에 따른 검사를 거부·방해 또는 기피한 자 4의2. 정당한 사유 없이 제39조의3제1항 및 제5항에 따른 실정보고를 하지 아니하거나 거짓으로 한 자 4의3. 정당한 사유 없이 제39조의3제3항에 따른 실정보고를 접수하지 아니한 자 5. 제53조제1항에 따른 부실 측정 또는 제54조제1항에 따른 건설공사현장 등의 점검을 거부·방해 또는 기피한 자 5의2. 제62조제1항에 따른 안전관리계획의 승인 없이 착공한 건설사업자 또는 주택건설등록업자 6. 제67조제3항 및 제5항에 따른 국토교통부장관, 발주청, 인·허가기관 및 건설사고조사위원회의 중대건설현장사고 조사를 거부·방해 또는 기피한 자 **제90조(양벌규정)** ① 법인의 대표자나 법인 또는 개인의 대리인, 사용인, 그 밖의 종업원이 그 법인 또는 개인의 업무에 관하여 제85조의 위반행위를 하면 그 행위자를 벌하는 외에 그 법		

법	시 행 령	시 행 규 칙
인 또는 개인에게도 10억원 이하의 벌금에 처한다. 다만, 법인 또는 개인이 그 위반행위를 방지하기 위하여 해당 업무에 관하여 상당한 주의와 감독을 게을리하지 아니한 경우에는 그러하지 아니하다. ② 법인의 대표자나 법인 또는 개인의 대리인, 사용인, 그 밖의 종업원이 그 법인 또는 개인의 업무에 관하여 제86조, 제88조 또는 제89조의 위반행위를 하면 그 행위자를 벌하는 외에 그 법인 또는 개인에게도 해당 조문의 벌금형을 과(科)한다. 다만, 법인 또는 개인이 그 위반행위를 방지하기 위하여 해당 업무에 관하여 상당한 주의와 감독을 게을리하지 아니한 경우에는 그러하지 아니하다.		
제91조(과태료) ① 다음 각 호의 어느 하나에 해당하는 자에게는 2천만원 이하의 과태료를 부과한다. 〈신설 2018. 12. 31.〉 1. 제39조의2제1항을 위반하여 건설사업관리계획을 수립하지 아니한 자 2. 제39조의2제6항을 위반하여 건설공사를 착공하게 하거나 건설공사를 진행하게 한 자 3. 제77조제2항에 따른 명령을 이행하지 아니한 자 ② 다음 각 호의 어느 하나에 해당하는 자에게는 1천만원 이하의 과태료를 부과한다. 〈개정 2018. 8. 14., 2018. 12. 31., 2020. 6. 9.〉 1. 제22조의2제2항을 위반하여 부당한 요구를 하거나 부당한 요구를 따르지 아니한다는	**제121조(과태료의 부과기준)** ① 법 제91조제1항부터 제3항까지의 규정에 따른 과태료의 부과기준은 별표 11과 같다. 〈개정 2019. 6. 25.〉 ② 법 제91조제1항 각 호, 같은 조 제2항 각 호, 같은 조 제3항제1호부터 제4호까지 및 제12호부터 제16호까지의 규정에 해당하는 자에 대한 과태료(이 영 제115조제1항에 따른 과태료는 제외한다)는 국토교통부장관이 부과·징수하고, 법 제91조제3항제5호부터 제11호까지의 규정에 해당하는 자에 대한 과태료는 시·도지사가 부과·징수한다. 〈개정 2016. 5. 17., 2019. 6. 25.〉 ③ 시·도지사는 제2항에 따라 과태료를 부과·징수한 경우에는 그 처리 내용을 국토교통부장관이 제117조제2항에 따라 지정·고시하는 기	

법	시 행 령	시 행 규 칙
이유로 건설기술인에게 불이익을 준 자 1의2. 제50조제1항 및 제2항에 따른 평가를 하지 아니한 자 2. 제56조제1항에 따른 품질관리비를 공사금액에 계상하지 아니한 자 또는 같은 조 제2항을 위반하여 품질관리비를 사용한 자 3. 제62조제7항에 따른 종합보고서를 제출하지 아니하거나 거짓으로 작성하여 제출한 자 3의2. 제62조제14항에 따른 건설공사 참여자 안전관리 수준 평가를 거부·방해 또는 기피한 자 3의3. 제62조제18항에 따른 설계의 안전성을 검토하지 아니한 자 4. 제63조제1항에 따른 안전관리비를 공사금액에 계상하지 아니한 자 또는 같은 조 제2항을 위반하여 안전관리비를 사용한 자 5. 제66조제3항에 따른 환경관리비를 공사금액에 계상하지 아니한 자 또는 같은 조 제4항을 위반하여 환경관리비를 사용한 자 ③ 다음 각 호의 어느 하나에 해당하는 자에게는 300만원 이하의 과태료를 부과한다. 〈개정 2015. 5. 18., 2018. 6. 12., 2018. 8. 14., 2018. 12. 31., 2019. 4. 30., 2020. 10. 20., 2021. 3. 16.〉 1. 제20조제2항 전단에 따른 교육·훈련을 정당한 사유 없이 받지 아니한 건설기술인 2. 제20조제3항에 따른 경비를 부담하지 아니하거나 경비부담을 이유로 건설기술인에게 불이익을 준 사용자	관에 통보하여야 한다.	

법	시 행 령	시 행 규 칙
3. 제21조제3항에 따른 자료를 제출하지 아니하거나 거짓으로 자료를 제출한 자 4. 제24조제4항을 위반하여 건설기술경력증을 반납하지 아니한 건설기술인 5. 제26조제3항에 따른 변경등록을 하지 아니하거나 거짓으로 변경등록을 한 자 6. 제26조제4항에 따라 휴업 또는 폐업 신고를 하지 아니한 자 7. 제29조제1항에 따라 영업 양도 또는 합병 신고를 하지 아니한 자 8. 제31조제1항·제2항에 따른 영업정지명령을 받고 영업정지기간에 건설엔지니어링 업무를 수행한 자(제33조에 따라 건설엔지니어링 업무를 수행한 경우는 제외한다) 9. 제31조제3항을 위반하여 영업정지기간에 상호를 바꾸어 건설엔지니어링을 수주한 자 10. 제33조제1항 후단에 따라 등록취소처분 등을 받은 사실과 그 내용을 해당 건설엔지니어링의 발주자에게 통지하지 아니한 자 11. 제38조제2항에 따른 업무에 관한 보고를 하지 아니하거나 관계 자료를 제출하지 아니한 자 12. 제54조제2항에 따른 점검결과 및 조치결과를 제출하지 아니하거나 거짓으로 제출한 자 13. 제62조제1항에 따른 안전관리계획의 승인 없이 건설사업자 및 주택건설등록업자가 착공했음을 알고도 묵인한 발주자 14. 제62조제3항·제5항 및 제8항에 따른 서류를		

법	시 행 령	시 행 규 칙
제출하지 아니하거나 거짓으로 제출한 자 15. 제62조제18항에 따른 설계의 안전성 검토 결과를 제출하지 아니하거나 거짓으로 제출한 자 16. 제67조제1항에 따른 건설사고 발생사실을 발주청 및 인·허가기관에 통보하지 아니한 건설공사 참여자(발주자는 제외한다) ④ 제1항부터 제3항까지에 따른 과태료는 대통령령으로 정하는 바에 따라 국토교통부장관 또는 시·도지사가 부과·징수한다. 〈개정 2018. 12. 31.〉 **제91조의2(과태료 부과 유예 특례)** 제91조제3항제1호에도 불구하고 제20조제2항 전단에 따른 교육·훈련을 받지 아니한 건설기술인에 대한 과태료 부과는 2021년 12월 31일까지 유예한다. 다만, 제20조제2항 전단에 따른 교육·훈련을 받지 아니하고 퇴직 또는 이직 등의 사유로 2021년 12월 31일까지 건설기술업무를 수행하지 아니하는 건설기술인에 대하여는 해당업무를 다시 수행할 때까지 과태료 부과를 유예한다. 〈개정 2018. 8. 14., 2020. 6. 9. 2022. 6. 10〉 [본조신설 2018. 6. 12.]		

법	시 행 령	시 행 규 칙
부 칙 〈제11794호, 2013. 5. 22.〉 **제1조(시행일)** 이 법은 공포 후 1년이 경과한 날부터 시행한다. **제2조(건설기술용역의 실적 관리에 관한 적용례)** 제30조제1항의 개정규정은 이 법 시행 후 입찰공고를 하는 건설기술용역부터 적용한다. **제3조(발주청의 하도급 승인에 관한 적용례)** 제35조제4항의 개정규정은 이 법 시행 후 입찰공고를 하는 건설기술용역 업무부터 적용한다. **제4조(건설기술용역비의 산정기준에 관한 적용례)** 제37조제2항의 개정규정에 따라 고시되는 건설기술용역비의 산정기준은 이 법 시행 후 입찰공고를 하는 건설기술용역부터 적용한다. **제5조(건설사업관리 등의 시행에 관한 적용례)** 제39조제2항의 개정규정은 이 법 시행 후 발주청이 건설공사를 발주하는 경우부터 적용한다. **제6조(공장인증의 취소 등에 관한 적용례)** 제59조제1항 각 호 외의 부분 단서의 개정규정은 이 법 시행 후 공장인증을 받은 철강구조물공장부터 적용한다. **제7조(처분 등에 관한 일반적 경과조치)** 이 법 시행 전에 종전의 규정에 따라 행한 처분절차나 그 밖의 행정기관의 행위와 행정기관에 대한 행위는 그에 해당하는 이 법에 따른 처분절차나 행정기관의 행위 또는 행정기관에 대한 행위로 본다. **제8조(건설기술진흥기본계획에 관한 경과조치)** 이	**부 칙** 〈제25358호, 2014. 5. 22.〉 **제1조(시행일)** 이 영은 2014년 5월 23일부터 시행한다. **제2조(등록취소 등의 통보에 관한 적용례)** 제47조의 개정규정은 이 영 시행 후 등록취소 등을 공고하는 경우부터 적용한다. **제3조(건설기술용역업자의 손해배상 및 하자보증에 관한 적용례)** 제50조의 개정규정은 이 영 시행 후 입찰공고를 하는 건설기술용역부터 적용한다. **제4조(안전진단전문기관 선정 등에 관한 적용례)** 제51조제2항 및 제52조의 개정규정은 이 영 시행 후 입찰공고를 하는 건설기술용역부터 적용한다. **제5조(건설사업관리용역업자의 선정 제한에 관한 적용례)** 제58조제1항의 개정규정은 이 영 시행 후 입찰공고를 하는 건설기술용역부터 적용한다. **제6조(건설사업관리의 업무범위 및 업무내용에 관한 적용례)** 제59조의 개정규정은 이 영 시행 후 입찰공고를 하는 건설기술용역부터 적용한다. **제7조(용역평가 등에 관한 적용례 등)** ① 제83조제1항제1호 및 제3호의 개정규정은 이 영 시행 후 준공되는 기본설계 및 감독 권한대행 등 건설사업관리 용역부터 적용한다. ② 제83조제1항제2호의 개정규정은 이 영 시행 전에 준공된 실시설계 용역의 경우에도 적용하되, 해당 건설공사가 이미 착공된 경우에는 이 영 시행 후 6개월 이내에 해당 실시설계에 관한 용역평가를 실시하여야 한다.	**부 칙** 〈제94호, 2014. 5. 22.〉 **제1조(시행일)** 이 규칙은 2014년 5월 23일부터 시행한다. **제2조(건설사업관리용역업자의 선정에 관한 적용례)** 제28조제1항제1호나목, 제28조제2항제2호 다목 및 별표 3의 개정규정은 이 규칙 시행 후 입찰공고를 하는 건설사업관리용역부터 적용한다. **제3조(감독 권한대행 등 건설사업관리의 통합시행에 관한 적용례)** 제33조제1항의 개정규정은 이 규칙 시행 후 입찰공고를 하는 감독권한 대행 등 건설사업관리 용역부터 적용한다. **제4조(건설사업관리 보고서의 작성·제출에 관한 적용례)** 제36조의 개정규정은 이 규칙 시행 후 입찰공고를 하는 건설사업관리 용역부터 적용한다. **제5조(수요예측 자료 등의 건설공사 지원 통합정보체계 입력에 관한 적용례)** 제39조제3항의 개정규정은 이 규칙 시행 후 완료되는 타당성 조사 용역부터 적용한다. **제6조(건설기술용역업자의 등록에 관한 경과조치)** ① 영 부칙 제11조제2항 각 호 외의 부분 중 "국토교통부령으로 정하는 신청서 및 첨부서류"란 다음 각 호의 구분에 따른 신청서 및 첨부서류를 말한다. 1. 종전의 법 제20조의2에 따른 설계 등 용역업자(이하 "설계 등 용역업자"라 한다): 별지 제20호서식의 건설기술용역업 등록(변경등록)신청서와 제21조제1항제2호부터 제4호

법

법 시행 당시 종전의 규정에 따라 수립된 건설기술진흥기본계획은 제3조제1항의 개정규정에 따른 건설기술진흥 기본계획으로 본다.

제9조(설계자문위원회에 대한 경과조치) 이 법 시행 당시 종전의 규정에 따른 설계자문위원회는 제6조제1항의 개정규정에 따른 기술자문위원회로 본다.

제10조(신기술에 관한 경과조치) 이 법 시행 당시 종전의 규정에 따라 고시된 신기술은 제14조제1항의 개정규정에 따라 지정·고시된 신기술로 본다. 이 경우 해당 신기술의 보호기간·기술사용료 등에 대하여는 종전의 규정에 따른다.

제11조(건설기술자의 신고 및 건설기술경력증에 관한 경과조치) ① 이 법 시행 당시 종전의 규정에 따라 건설기술자 또는 품질관리자로 신고하거나 감리전문회사에 소속된 감리원은 제21조제1항의 개정규정에 따라 건설기술자로 신고한 것으로 본다.

② 이 법 시행 당시 종전의 규정에 따라 발급받은 건설기술경력증이나 감리원증은 제21조제2항의 개정규정에 따라 발급받은 건설기술경력증으로 본다.

제12조(건설기술자 등에 대한 업무정지처분에 관한 경과조치) 이 법 시행 전의 위반행위에 대한 건설기술자, 감리원 및 품질관리자에 대한 업무정지는 종전의 규정에 따른다.

제13조(건설기술용역업자 등록에 관한 경과조치) ① 이 법 시행 당시 종전의 규정에 따른 설계 등

시행령

③ 제83조제3항의 개정규정은 이 영 시행 후 준공되는 건설기술용역 또는 건설공사부터 적용한다.

제8조(건설공사의 사후평가에 관한 적용례) 제86조의 개정규정은 이 영 시행 후 준공되는 건설공사부터 적용한다.

제9조(건설기술자 등급에 대한 경과조치) 이 영 시행 전에 건설기술자 또는 품질관리자로 신고하거나 감리전문회사에 소속된 감리원에 대하여 별표 1 제2호의 개정규정에 따라 등급을 산정한 결과, 종전 규정에 따른 등급보다 낮은 등급이 된 경우에는 별표 1 제2호의 개정규정에도 불구하고 종전 규정에 따른 등급을 보유한 것으로 본다. 이 경우 감리원의 등급에 대해서는 종전의 수석감리사는 특급에, 감리사는 고급에, 감리사보는 중급에, 검측감리원은 초급에 각각 해당하는 것으로 보고 비교한다.

제10조(건설기술자의 교육·훈련에 대한 경과조치) ① 이 영 시행 당시 다음 표의 왼쪽 난에 기재된 종전의 규정에 따른 교육·훈련 이수 실적이 있는 경우에는 같은 표의 오른쪽 난에 기재된 별표 3의 개정규정에 따른 교육·훈련을 받은 것으로 본다.

종전의 규정에 따라 이수한 교육·훈련		개정규정에 따른 교육·훈련	
건설 기술자	별표 3 제1호 나목1)	설계·시공 등 업무를 수행하는 건설기술자	별표 3 제2호 가목1)

시행규칙

까지의 규정에 해당하는 서류

2. 종전의 법 제28조제1항에 따른 감리전문회사(이하 "감리전문회사"라 한다): 별지 제20호서식의 건설기술용역업 등록(변경등록)신청서와 제21조제1항제2호부터 제4호까지의 규정에 해당하는 서류
3. 종전의 법 제25조제2항에 따른 품질검사전문기관(이하 "품질검사전문기관"이라 한다): 별지 제20호서식의 건설기술용역업 등록(변경등록)신청서

② 법 부칙 제13조제1항 후단 및 영 부칙 제11조제2항에 따라 신고를 받은 시·도지사는 설계 등 용역업자, 감리전문회사 또는 품질검사전문기관이 영 별표 5의 개정규정에 따른 요건을 갖춘 경우에는 법 부칙 제13조제2항에 따라 별지 제22호서식의 건설기술용역업 등록증을 발급하여야 한다.

③ 대통령령 제25358호 건설기술진흥법 시행령 일부개정령 부칙 제11조제3항 각 호 외의 부분에서 "국토교통부령으로 정하는 신청서"란 별지 제20호서식의 건설기술용역업 등록(변경등록)신청서를 말한다. 〈신설 2016. 5. 25.〉

제7조(다른 법령의 개정) ① 건설산업기본법 시행규칙 일부를 다음과 같이 개정한다.

제25조의3제1호 및 제6호 중 "「건설기술관리법 시행령」"을 각각 "「건설기술진흥법 시행령」"으로 한다.

제25조의4제1항제7호 중 "「건설기술관리법」에

법	시행령	시행규칙

법

용역업자, 감리전문회사 및 품질검사전문기관은 제26조제1항의 개정규정에 따른 건설기술용역업자로 본다. 이 경우 이 법 시행 후 1년 이내에 대통령령으로 정하는 바에 따라 시·도지사에게 신고하여야 한다.

② 이 법 시행 당시 종전의 「측량·수로조사 및 지적에 관한 법률」에 따라 등록한 측량업자 및 수로사업자는 건설기술용역업자로 본다. 이 경우 업무범위는 「측량·수로조사 및 지적에 관한 법률」에 따라 등록된 분야에 한정하며, 2016년 6월 30일까지 대통령령으로 정하는 바에 따라 시·도지사에게 신고하여야 한다.
〈신설 2015. 7. 24.〉

③ 제1항 및 제2항 후단에 따라 신고를 받은 시·도지사는 국토교통부령으로 정하는 바에 따라 등록증을 발급하여야 한다. 〈개정 2015. 7. 24.〉

제14조(건설기술용역업자에 대한 등록취소 등 처분에 관한 경과조치) 이 법 시행 전의 위반행위에 대한 건설기술용역업자의 등록취소, 영업정지 및 과징금 등의 처분에 관하여는 종전의 규정에 따른다.

제15조(피성년후견인에 대한 경과조치) 제27조제1호 및 제39조제5항제1호의 개정규정에 따른 피성년후견인에는 법률 제10429호 민법 일부개정법률 부칙 제2조에 따라 금치산 또는 한정치산 선고의 효력이 유지되는 자를 포함하는 것으로 본다.

시행령

감리원	별표 3 제2호 나목1)	건설사업관리 업무를 수행하는 건설기술자	별표 3 제2호 나목1)
품질 관리자	별표 3 제3호 나목1)	품질관리 업무를 수행하는 건설기술자	별표 3 제2호 다목1)

② 이 영 시행 당시 종전의 규정에 따른 건설기술자 및 품질관리자가 최초로 기술등급을 받은 날부터 3년 이내에 받아야 하는 교육을 받지 아니한 경우에는 별표 3의 개정규정에도 불구하고 이 영 시행 후 3년 이내에 기본교육 및 전문교육을 각각 35시간씩 받아야 한다. 이 경우 이 영 시행 전에 종전의 규정에 따라 이수한 교육·훈련 실적이 있는 경우 해당 시간만큼을 제외하고 받을 수 있다.

제11조(건설기술용역업자의 등록에 관한 경과조치)
① 법률 제11794호 건설기술관리법 전부개정법률 부칙(이하 "개정법률 부칙"이라 한다) 제13조제1항 전단에 따라 이 영 시행 당시 다음 표의 왼쪽 난에 기재된 자는 같은 표의 오른쪽 난에 기재된 제44조제1항의 개정규정에 따른 건설기술용역업의 전문분야로 등록한 것으로 본다. 〈개정 2016. 5. 17.〉

설계 등 용역업자	제44조제1항제2호나목에 따른 설계 등 용역 분야
감리 전문회사	제44조제1항제2호다목에 따른 건설사업관리 분야
품질검사 전문기관	제44조제1항제3호에 따른 품질검사 분야 중 해당 분야

시행규칙

의한 감리전문회사등록"을 "「건설기술진흥법」에 따른 건설기술용역업 등록"으로 한다.
제25조의6제1호가목 중 "「건설기술관리법」 제18조"를 "「건설기술진흥법」 제14조"로 한다.
별표 1 제1호다목(1)(나) 중 "「건설기술관리법」"을 "「건설기술진흥법」"으로 하고, 같은 호 라목(1) 전단 중 "「건설기술관리법」 제18조의 규정에 의하여 신기술의 지정을 받은 자, 동법 제36조의 규정에 의한 우수건설업자로 지정된 자"를 "「건설기술진흥법」 제14조에 따라 신기술의 지정을 받은 자, 같은 법 제51조에 따라 우수건설업자로 지정된 자"로 하며, 같은 목(4) 중 "「건설기술관리법」 제21조의4의 규정에 의한 부실벌점"을 "「건설기술진흥법」 제53조에 따른 벌점"으로 한다.
별표 2 제1호다목(1)(나) 중 "「건설기술관리법」"을 "「건설기술진흥법」"으로 하고, 같은 호 라목(1) 전단 중 "「건설기술관리법」 제18조의 규정에 의하여 신기술의 지정을 받은 자, 동법 제36조의 규정에 의한 우수건설업자로 지정된 자"를 "「건설기술진흥법」 제14조에 따라 신기술의 지정을 받은 자, 같은 법 제51조에 따라 우수건설업자로 지정된 자"로 한다.
② 건축물의 구조기준 등에 관한 규칙 일부를 다음과 같이 개정한다.
제3조제4항 중 "「건설기술관리법」 제5조의 규정에 의한"을 "「건설기술진흥법」 제5조에 따른"으로 한다.

법	시행령	시행규칙
제16조(보험 또는 공제가입에 관한 경과조치) 이 법 시행 당시 종전의 규정에 따른 보험 또는 공제에 가입한 자는 제34조제2항의 개정규정에 따른 보험 또는 공제에 가입한 것으로 본다. **제17조(건설기술용역 대가에 관한 경과조치)** 이 법 시행 당시 종전의 규정에 따라 국토교통부장관이 고시한 건설사업관리 및 감리의 대가기준은 제37조제2항의 개정규정에 따른 건설기술용역비의 산정기준으로 본다. **제18조(건설사업관리의 시행에 관한 경과조치)** ① 이 법 시행 당시 종전의 규정에 따라 발주청에서 발주한 설계감리, 검측감리, 시공감리, 책임감리 및 건설사업관리를 수행하는 자는 제39조의 개정규정에 따른 건설사업관리 중 해당 업무를 수행하는 것으로 본다. ② 이 법 시행 당시 종전의 규정에 따라 건설사업관리를 위탁받은 자로서 건설기술용역업자가 아닌 자는 해당 건설사업관리가 완료될 때까지 제26조제1항의 개정규정에 따른 건설기술용역업자로 본다. **제19조(건설사업관리 중 공사중지명령에 관한 경과조치)** 이 법 시행 당시 종전의 규정에 따라 감리원이 한 재시공·공사중지 명령 등은 제40조제1항의 개정규정에 따라 건설기술용역업자가 한 재시공·공사중지 명령 등으로 본다. **제20조(설비공사의 총괄관리자 지정에 관한 경과조치)** 이 법 시행 당시 종전의 규정에 따라 발주청이 지정한 총괄관리자는 제41조제1항의 개	② 이 영 시행 당시 종전의 법 제20조의2에 따른 설계 등 용역업자(이하 이 항에서 "설계 등 용역업자"라 한다), 종전의 법 제28조제1항에 따른 감리전문회사(이하 이 항에서 "감리전문회사"라 한다) 또는 종전의 법 제25조제2항에 따른 품질검사전문기관(이하 이 항에서 "품질검사전문기관"이라 한다)이 개정법률 부칙 제13조제1항 후단에 따라 신고하려는 경우에는 각 전문분야별로 별표 5의 개정규정에 따른 등록요건을 갖추어 다음 각 호의 구분에 따른 서류와 국토교통부령으로 정하는 신청서 및 첨부서류를 시·도지사에게 제출하여야 한다. 〈개정 2016. 5. 17.〉 1. 설계 등 용역업자: 건설기술 관련 분야의 「엔지니어링산업 진흥법」에 따른 엔지니어링사업자 신고증 사본 또는 「기술사법」에 따른 기술사사무소 개설등록증 사본 2. 감리전문회사: 종전의 법 제28조제1항에 따른 감리전문회사 등록증 3. 품질검사전문기관: 종전의 법 제25조제2항에 따른 품질검사전문기관 등록증 ③ 이 영 시행 당시 종전의 「공간정보의 구축 및 관리 등에 관한 법률」에 따라 등록한 측량업자(이하 이 항에서 "측량업자"라 한다) 또는 수로사업자(이하 이 항에서 "수로사업자"라 한다)가 개정법률 부칙 제13조제2항 후단에 따라 신고하려는 경우에는 국토교통부령으로 정하는 신청서에 다음 각 호의 구분에 따른 서류를	③ 건축물의 피난·방화구조 등의 기준에 관한 규칙 일부를 다음과 같이 개정한다. 제6조제1호 중 "「건설기술관리법」 제34조제1항제2호의 규정에 의하여"를 "「건설기술진흥법」 제44조제1항제2호에 따라"로 한다. ④ 골재채취법 시행규칙 일부를 다음과 같이 개정한다. 제14조의7제1항 중 "「건설기술관리법」 제25조에 따른 품질검사전문기관으로"를 "「건설기술진흥법」 제26조에 따른 건설기술용역업자로"로 한다. ⑤ 순환골재 품질인증 및 관리에 관한 규칙 일부를 다음과 같이 개정한다. 제8조제3항제2호를 다음과 같이 한다. 2. 「건설기술진흥법」 제60조제1항에 따라 품질검사를 대행하는 건설기술용역업자 ⑥ 시설물의 안전관리에 관한 특별법 시행규칙 일부를 다음과 같이 개정한다. 제4조제1항제1호 중 "「건설기술관리법 시행령」 제25조제1항"을 "「건설기술진흥법 시행령」 제43조제2항"으로 한다. 제9조 단서 중 "「건설기술관리법 시행령」 별표 1 제1호"를 "「건설기술진흥법 시행령」 별표 1 제4호"로 한다. ⑦ 주택법 시행규칙 일부를 다음과 같이 개정한다. 제6조제1항제3호가목 중 "「건설기술관리법」 제6조의2제2항의 규정에 의한"을 "「건설기술진

법	시 행 령	시 행 규 칙
정규정에 따라 선정한 총괄관리자로 본다. **제21조(용역 및 시공평가 등에 관한 경과조치)** ① 이 법 시행 당시 종전의 규정에 따라 발주청이 시행한 건설기술용역사업 또는 건설공사에 대한 평가는 제50조제1항 및 제2항의 개정규정에 따라 평가한 것으로 본다. ② 이 법 시행 당시 종전의 규정에 따라 발주청이 지정한 우수업자 및 우수감리원은 각각 제51조제1항의 개정규정에 따라 국토교통부장관이 선정한 우수건설기술용역업자, 우수건설업자 및 우수건설기술자로 본다. **제22조(건설기술용역업자 등의 단체에 대한 경과조치)** 이 법 시행 당시 종전의 규정에 따라 설립된 건설감리협회 및 건설기술인협회는 각각 제69조제1항 및 제2항의 개정규정에 따라 설립된 단체로 본다. **제23조(건설감리협회가 수행하는 공제사업에 관한 경과조치)** ① 이 법 시행 당시 종전의 규정에 따른 건설감리협회는 제74조제1항의 개정규정에 따른 공제조합이 설립되기 전까지는 제74조제1항의 개정규정에 따른 공제조합으로 본다. 이 경우 이 법 시행 후 6개월 이내에 법인을 분리하여 제74조제1항의 개정규정에 따라 공제조합으로 국토교통부장관의 인가를 받아야 한다. ② 이 법 시행 당시 종전의 규정과 제1항에 따라 건설감리협회가 수행하는 공제사업과 관련된 모든 재산과 권리·의무는 제74조제1항의 개정규정에 따라 설립되는 공제조합이 승계한다.	첨부하여 시·도지사에게 제출하여야 한다. 〈신설 2016. 5. 17.〉 1. 측량업자: 「공간정보의 구축 및 관리 등에 관한 법률」 제44조제3항에 따른 측량업등록증 사본 2. 수로사업자: 「공간정보의 구축 및 관리 등에 관한 법률」 제54조제3항에 따른 수로사업등록증 사본 **제12조(안전관리계획의 검토 의뢰에 관한 경과조치)** 이 영 시행 전에 발주된 건설공사에 대해서는 제98조제4항 단서의 개정규정에도 불구하고 종전의 규정에 따른다. **제13조(다른 법령의 개정)** ① 2011대구세계육상선수권대회, 2013충주세계조정선수권대회, 2014인천아시아경기대회, 2014인천장애인아시아경기대회 및 2015광주하계유니버시아드대회 지원법 시행령 일부를 다음과 같이 개정한다. 제16조 중 "「건설기술관리법 시행령」 제102조제1항제1호가목에 따른 전면책임감리대상인 공사에 해당하면 감리전문회사의 감리조서 및 준공검사조서"를 "「건설기술진흥법 시행령」 제55조제1항제1호에 따른 감독 권한대행 등 건설사업관리 대상인 공사에 해당하면 건설기술용역업자의 건설사업관리조서 및 준공검사조서"로 한다. ② 2015경북문경세계군인체육대회 지원법 시행령 일부를 다음과 같이 개정한다. 제17조 후단 중 "「건설기술관리법 시행령」 제	흥법」 제21조제2항에 따른"으로 한다. 제13조제2항제1호가목 본문 중 "「건설기술관리법 시행령」 별표 7에 따른 수석감리사 또는 감리사"를 "「건설기술진흥법 시행령」 별표 1 제2호에 따른 건설사업관리 업무를 수행하는 특급기술자 또는 고급기술자"로, 같은 목 단서 중 "「건설기술관리법 시행령」 별표 7중 수석감리사 또는 감리사의 자격기준에 해당하고 「건설기술관리법 시행령」 별표 3 제2호가목의 기본교육"을 "「건설기술진흥법 시행령」 별표 1 제2호에 따른 건설사업관리 업무를 수행하는 특급기술자 또는 고급기술자의 등급에 해당하고 「건설기술진흥법 시행령」 별표 3 제2호나목에 따른 기본교육"으로 하고, 같은 호 나목 중 "「건설기술관리법 시행령」 별표 7에 따른 수석감리사"를 "「건설기술진흥법 시행령」 별표 1 제2호에 따른 건설사업관리 업무를 수행하는 특급기술자"로 하며, 같은 항 제2호 본문 중 "「건설기술관리법 시행령」 별표 7에 따른 감리원"을 "「건설기술진흥법 시행령」 별표 1 제2호에 따른 건설사업관리 업무를 수행하는 건설기술자"로 하고, 같은 호 단서 중 "「건설기술관리법 시행령」 별표 7에 따른 감리원의 자격기준에 해당하고 「건설기술관리법 시행령」 별표 3 제2호가목의 기본교육"을 "「건설기술진흥법 시행령」 별표 1 제2호에 따른 건설사업관리 업무를 수행하는 건설기술자 등급에 해당하고 「건설기술진흥법 시행령」 별표 3 제2호나목에 따

법	시 행 령	시 행 규 칙
③ 제1항 후단에 따라 공제조합이 설립되기 전에 건설감리협회의 공제사업과 관련하여 건설감리협회에 대하여 한 행위 및 건설감리협회가 한 행위는 각각 이 법에 따른 공제조합에 대한 행위와 공제조합의 행위로 본다. ④ 제1항 후단에 따라 공제조합이 설립되기 전에 공제사업과 관련하여 건설감리협회에 출자한 회원은 제74조제1항의 개정규정에 따라 설립되는 공제조합에 출자한 조합원으로 본다. ⑤ 제1항 후단에 따라 공제조합이 설립되기 전에 공제사업과 관련하여 건설감리협회에 납부된 가입금 및 출자금 등은 제74조제1항의 개정규정에 따른 공제조합에 출자한 것으로 본다. **제24조(행정처분 및 과태료에 관한 경과조치)** 이 법 시행 전의 행위에 대하여 행정처분 또는 과태료를 적용할 때에는 종전의 규정에 따른다. **제25조(다른 법률의 개정)** ① 건설산업기본법 일부를 다음과 같이 개정한다. 제26조제2항 단서 중 "「건설기술관리법」 제28조제1항"을 "「건설기술진흥법」 제26조제1항"으로 한다. 제49조제3항 중 "「건설기술관리법」 제2조제12호에 따른 감리원"을 "「건설기술진흥법」 제2조제9호에 따른 건설기술용역업자"로 한다. 제82조제1항제6호가목 중 "「건설기술관리법」 제21조의5제1항"을 "「건설기술진흥법」 제54조제1항"으로 하고, 같은 호 나목 중 "「건설기술관리법」 제23조의2제3항"을 "「건설기술진흥법」	102조제1항제1호가목에 따른 전면 책임감리 대상인 건설공사에 해당하는 경우에는 감리전문회사의 감리조서 및 준공검사조서"를 "「건설기술진흥법 시행령」 제55조제1항제1호에 따른 감독 권한대행 등 건설사업관리 대상인 공사에 해당하면 건설기술용역업자의 건설사업관리조서 및 준공검사조서"로 한다. ③ 2018 평창 동계올림픽대회 및 장애인동계올림픽대회 지원 등에 관한 특별법 시행령 일부를 다음과 같이 개정한다. 제19조 중 "「건설기술관리법 시행령」 제102조제1항제1호가목에 따른 전면 책임감리대상인 공사에 해당하면 감리전문회사의 감리조서 및 준공검사조서"를 "「건설기술진흥법 시행령」 제55조제1항제1호에 따른 감독 권한대행 등 건설사업관리 대상인 공사에 해당하면 건설기술용역업자의 건설사업관리조서 및 준공검사조서"로 한다. ④ 개발이익환수에 관한 법률 시행령 일부를 다음과 같이 개정한다. 제12조제4항제2호 중 "「건설기술관리법」 제28조에 따라 등록된 감리전문회사"를 "「건설기술진흥법」 제26조에 따라 등록된 건설기술용역업자"로 한다. ⑤ 건설산업기본법 시행령 일부를 다음과 같이 개정한다. 제2조제1항 단서 중 "「건설기술관리법」 제3조제1항의 규정에 의하여 수립되는 건설기술진	른 기본교육"으로 한다. ⑧ 철도안전법 시행규칙 일부를 다음과 같이 개정한다. 제92조제1항제3호 중 "「건설기술관리법」에 따른 건설기술인 경력증"을 "「건설기술진흥법」에 따른 건설기술경력증"으로 한다. ⑨ 표준설계도서등의운영에관한규칙 일부를 다음과 같이 개정한다. 제2조제3항제2호 중 "건설기술관리법 제5조제1항 단서의 규정에 의한 특별건설기술심의위원회"를 "「건설기술진흥법」 제5조제2항에 따른 특별건설기술심의위원회"로 하고, 같은 항 제3호 중 "건설기술관리법시행령 제21조의 규정에 의한 설계자문위원회"를 "「건설기술진흥법」 제6조에 따른 기술자문위원회"로 한다. **부 칙** 〈제178호, 2015. 1. 29.〉 이 규칙은 공포한 날부터 시행한다. **부 칙** 〈제213호, 2015. 7. 1.〉 (주택도시기금법 시행규칙) **제1조(시행일)** 이 규칙은 2015년 7월 1일부터 시행한다. **제2조(다른 법령의 개정)** ① 건설기술진흥법 시행규칙 일부를 다음과 같이 개정한다. 제5조제3호 중 "「주택법」 제76조에 따른 대한

<table>
<tr><th>법</th><th>시 행 령</th><th>시 행 규 칙</th></tr>
<tr><td>제48조제4항"으로, "감리원"을 "건설사업관리를 수행하는 건설기술자"로 하며, 같은 호 다목 중 "「건설기술관리법」 제24조"를 "「건설기술진흥법」 제55조"로 하고, 같은 호 라목 중 "「건설기술관리법」 제26조의2제2항"을 "「건설기술진흥법」 제62조제2항"으로 하며, 같은 호 마목 중 "「건설기술관리법」 제36조의17"을 "「건설기술진흥법」 제80조"로 한다.
② 건설폐기물의 재활용촉진에 관한 법률 일부를 다음과 같이 개정한다.
제2조제12호 중 "「건설기술관리법」 제2조제4호에 따른 설계등 용역"을 "「건설기술진흥법」 제2조제3호에 따른 건설기술용역"으로 한다.
제38조제2항 중 "「건설기술관리법」 제5조"를 "「건설기술진흥법」 제5조"로, "같은 법 제5조의2에 따른 설계자문위원회"를 "같은 법 제6조에 따른 기술자문위원회"로 한다.
③ 건축법 일부를 다음과 같이 개정한다.
제25조제9항 중 "「건설기술관리법」 제27조에 따른 책임감리 대상"을 "「건설기술진흥법」 제39조제2항에 따라 건설사업관리를 하게 하는"으로 한다.
제72조제8항 전단 중 "「건설기술관리법」 제2조제5호"를 "「건설기술진흥법」 제2조제6호"로 한다.
④ 건축사법 일부를 다음과 같이 개정한다.
제23조제8항제1호를 다음과 같이 한다.
1. 「건설기술진흥법」 제26조에 따른 건설기술</td>
<td>흥기본계획"을 "「건설기술진흥법」 제3조제1항에 따라 수립되는 건설기술진흥 기본계획"으로 한다.
제19조제1호가목 및 제20조제1호가목 중 "「건설기술관리법」 제18조"를 각각 "「건설기술진흥법」 제14조"로 한다.
별표 2의 기술능력란 중 "건설기술관리법"을 각각 "「건설기술진흥법」"으로, "「건설기술관리법」"을 각각 "「건설기술진흥법」"으로 하고, 같은 표 비고 제1호가목 중 "건설기술관리법"을 "「건설기술진흥법」"으로 한다.
별표 5의 건설기술자의 배치기준란 중 "「건설기술관리법」"을 각각 "「건설기술진흥법」"으로 하고, 같은 표 비고 제1호 중 "「건설기술관리법 시행령」 별표 1"을 "「건설기술진흥법 시행령」 별표 1"로 한다.
⑥ 건축법 시행령 일부를 다음과 같이 개정한다.
제19조제1항제2호 중 "「건설기술관리법」에 따른 건축감리전문회사·종합감리전문회사(공사시공자 본인이거나 「독점규제 및 공정거래에 관한 법률」 제2조에 따른 계열회사인 건축감리전문회사·종합감리전문회사는 제외한다) 또는 건축사(「건설기술관리법 시행령」 제105조에 따라 감리원을 배치하는 경우만 해당한다)"를 "「건설기술진흥법」에 따른 건설기술용역업자(공사시공자 본인이거나 「독점규제 및 공정거래에 관한 법률」 제2조에 따른 계열회사인 건설기술용역업자는 제외한다) 또는 건축사(「건</td>
<td>주택보증주식회사"를 "「주택도시기금법」 제16조에 따른 주택도시보증공사"로 한다.
②부터 ⑪까지 생략
제3조 생략

부 칙 〈제295호, 2016. 3. 7.〉

제1조(시행일) 이 규칙은 2016년 5월 19일부터 시행한다.
제2조(안전관리비 및 안전관리계획에 관한 적용례) 제60조제1항제5호·제6호, 같은 조 제2항제5호·제6호 및 별표 7의 개정규정은 이 규칙 시행 이후 입찰공고(발주자가 발주청이 아닌 경우에는 건설공사의 허가·인가·승인 등을 말한다)하는 건설공사부터 적용한다.

부 칙 〈제312호, 2016. 5. 25.〉

이 규칙은 공포한 날부터 시행한다.

부 칙 〈제333호, 2016. 7. 4.〉

제1조(시행일) 이 규칙은 공포한 날부터 시행한다. 다만, 제49조제2호의 개정규정은 2017년 7월 1일부터 시행한다.
제2조(건설사업관리 보고서의 작성·제출에 관한 적용례) 제36조제1항제2호라목의 개정규정은 이 규칙 시행 이후 입찰공고하는 건설공사부터 적</td></tr>
</table>

법	시 행 령	시 행 규 칙
용역업자에게 소속된 건축사가 같은 법 제39조제2항에 따라 수행하는 건설사업관리 ⑤ 골재채취법 일부를 다음과 같이 개정한다. 제22조의4제2항 중 "「건설기술관리법」 제25조에 따른 품질검사전문기관으로"를 "「건설기술진흥법」 제26조제1항에 따른 건설기술용역업자로"로 한다. ⑥ 국가통합교통체계효율화법 일부를 다음과 같이 개정한다. 제94조제3항제2호를 다음과 같이 한다. 2. 「건설기술진흥법」 제3조에 따른 건설기술진흥 기본계획 ⑦ 농업생산기반시설 및 주변지역 활용에 관한 특별법 일부를 다음과 같이 개정한다. 제15조제1항제1호 중 "「건설기술관리법」 제5조"를 "「건설기술진흥법」 제5조"로 한다. ⑧ 도시가스사업법 일부를 다음과 같이 개정한다. 제15조제1항 단서 중 "「건설기술관리법」에 따른 책임 감리"를 "「건설기술진흥법」 제39조제2항에 따른 건설사업관리"로 하고, 같은 조 제3항 중 "책임 감리"를 각각 "건설사업관리"로 한다. ⑨ 도시개발법 일부를 다음과 같이 개정한다. 제20조제1항 본문 중 "「건설기술관리법」에 따른 감리전문회사"를 "「건설기술진흥법」에 따른 건설기술용역업자"로, "책임감리 또는 시공감리"를 "감리"로 하고, 같은 항 단서 중 "「건설기술관리법」 제2조제5호"를 "「건설기술진흥법」 제2	설기술진흥법 시행령」 제60조에 따라 건설사업관리기술자를 배치하는 경우만 해당한다)"로 하고, 같은 조 제2항 중 "「건설기술관리법」"을 "「건설기술진흥법」"으로 하며, 같은 조 제5항 각 호 외의 부분 전단 중 "「건설기술관리법 시행령」 제104조에 따른 토목·전기 또는 기계 분야의 감리원 자격"을 "「건설기술진흥법 시행령」 제4조에 따른 건설사업관리를 수행할 자격"으로 한다. 제23조의2제6항제2호 중 "「건설기술관리법」 제28조제1항에 따라 등록한 건축감리전문회사 및 종합감리전문회사"를 "「건설기술진흥법」 제26조제1항에 따라 등록한 건설기술용역업자"로 한다. ⑦ 경관법 시행령 일부를 다음과 같이 개정한다. 제18조제2항제1호 본문 중 "「건설기술관리법 시행령」 제60조"를 "「건설기술진흥법 시행령」 제71조"로, 같은 호 단서 중 "「건설기술관리법 시행령」 제62조"를 "「건설기술진흥법 시행령」 제73조"로 한다. ⑧ 공간정보산업 진흥법 시행령 일부를 다음과 같이 개정한다. 제15조제5호를 다음과 같이 한다. 5. 「건설기술진흥법」 제11조에 따른 기술평가기관 ⑨ 국가공간정보에 관한 법률 시행령 일부를 다음과 같이 개정한다. 제14조제1항제1호 중 "「건설기술관리법」 제16	용한다. **제3조(품질관리계획의 수립에 관한 적용례)** 제49조제2호의 개정규정은 부칙 제1조 단서에 따른 시행일 이후 입찰공고(발주자가 발주청이 아닌 경우에는 건설공사의 허가·인가·승인 등을 말한다)하는 건설공사부터 적용한다. **제4조(안전관리비에 관한 적용례)** 제60조제2항 및 제3항의 개정규정은 이 규칙 시행 이후 입찰공고(발주자가 발주청이 아닌 경우에는 건설공사의 허가·인가·승인 등을 말한다)하는 건설공사부터 적용한다. **부 칙** 〈제353호, 2016. 8. 12.〉 (주택법 시행규칙) **제1조(시행일)** 이 규칙은 2016년 8월 12일부터 시행한다. 〈단서 생략〉 **제2조** 생략 **제3조(다른 법령의 개정)** ① 생략 ② 건설기술진흥법 시행규칙 일부를 다음과 같이 개정한다. 제20조제2항 중 "「주택법」 제9조"를 "「주택법」 제4조"로 한다. ③부터 ⑰까지 생략 **제5조** 생략

법	시 행 령	시 행 규 칙
조제6호"로 하며, 같은 조 제2항제3호 중 "「건설기술관리법」 제24조"를 "「건설기술진흥법」 제55조"로 하고, 같은 조 제8항 중 "책임감리 또는 시공감리"를 "감리"로 하며, 같은 조 제9항 중 "「건설기술관리법」 제27조의3, 제27조의4, 제28조의7 및 제30조부터 제33조까지의 규정을"을 "「건설기술진흥법」 제24조, 제28조, 제31조, 제32조, 제33조, 제37조, 제38조 및 제41조를"로 한다. ⑩ 부동산개발업의 관리 및 육성에 관한 법률 일부를 다음과 같이 개정한다. 제5조제1항제3호 중 "「건설기술관리법」 제2조제8호"를 "「건설기술진흥법」 제2조제8호"로 한다. ⑪ 사회기반시설에 대한 민간투자법 일부를 다음과 같이 개정한다. 제60조의 제목 중 "책임감리"를 "건설사업관리"로 하고, 같은 조 제1항 중 "「건설기술관리법」 제5조"를 "「건설기술진흥법」 제5조"로, "같은 법 제5조의2에 따른 설계자문위원회"를 "같은 법 제6조에 따른 기술자문위원회"로 하며, 같은 조 제2항 중 "책임감리"를 "건설사업관리"로, "「건설기술관리법」 제27조"를 "「건설기술진흥법」 제39조제2항"로 한다. ⑫ 산업안전보건법 일부를 다음과 같이 개정한다. 제14조제2항 중 "「건설기술관리법」 제26조의3제1항제2호"를 "「건설기술진흥법」 제64조제1	조의3"을 "「건설기술진흥법」 제11조"로 한다. ⑩ 국가를 당사자로 하는 계약에 관한 법률 시행령 일부를 다음과 같이 개정한다. 제21조제1항제10호 중 "「건설기술관리법」"을 "「건설기술진흥법」"으로 한다. 제26조제1항제2호마목 및 같은 항 제3호마목 중 "「건설기술관리법」 제18조"를 각각 "「건설기술진흥법」 제14조"로 한다. 제37조제2항제4호거목을 다음과 같이 한다. 거. 「건설기술진흥법」에 따른 공제조합 제43조의2제1항제1호 단서 중 "「건설기술관리법」"을 "「건설기술진흥법」"으로 한다. 제54조제1항제1호 중 "「건설기술관리법」 제27조"를 "「건설기술진흥법」 제39조제2항"으로, "책임감리"를 "건설사업관리 또는 감리"로 하고, 같은 조 제2항 중 "「건설기술관리법」"을 "「건설기술진흥법」"으로, "감리원의 수"를 "건설사업관리기술자 또는 감리원의 수"로 한다. 제65조제2항 중 "「건설기술관리법 시행령」 제21조의 규정에 의한 설계자문위원회(이하 "설계자문위원회"라 한다)"를 "「건설기술진흥법 시행령」 제19조에 따른 기술자문위원회(이하 "기술자문위원회"라 한다)"로 하고, 같은 조 제5항 전단 중 "설계자문위원회"를 각각 "기술자문위원회"로, "「건설기술관리법」"을 "「건설기술진흥법」"으로 한다. 제76조제1항제4호의2 중 "「건설기술관리법」 제2조"를 "「건설기술진흥법」 제47조"로 하고,	**부 칙** 〈제483호, 2018. 1. 18.〉 (시설물의 안전 및 유지관리에 관한 특별법 시행규칙) **제1조(시행일)** 이 규칙은 2018년 1월 18일부터 시행한다. **제2조** 부터 **제5조**까지 생략 **제6조(다른 법령의 개정)** ① 건설기술진흥법 시행규칙 일부를 다음과 같이 개정한다. 제28조제1항 각 호 외의 부분 중 "「시설물의 안전관리에 관한 특별법」 제6조 및 제7조"를 "「시설물의 안전 및 유지관리에 관한 특별법」 제11조 및 제12조"로 하고, 같은 항 제2호 중 "「시설물의 안전관리에 관한 특별법」 제6조 및 제7조에 따른 정밀점검 또는 정밀안전진단"을 "「시설물의 안전 및 유지관리에 관한 특별법」 제11조 및 제12조에 따른 정밀안전점검 또는 정밀안전진단"으로 한다. 별지 제12호서식 중 "「시설물의 안전관리에 관한 특별법」"을 "「시설물의 안전 및 유지관리에 관한 특별법」"으로 한다. ②부터 ⑧까지 생략 **제7조** 생략 **부 칙** 〈제521호, 2018. 6. 18.〉 **제1조(시행일)** 이 규칙은 2019년 1월 1일부터 시행한다. **제2조(환경관리비의 산출 등에 관한 적용례)** 제61조

법	시 행 령	시 행 규 칙
항제2호"로 한다. 제18조제2항 중 "「건설기술관리법」 제26조의3제1항제1호"를 "「건설기술진흥법」 제64조제1항제1호"로 한다. ⑬ 산지관리법 일부를 다음과 같이 개정한다. 제40조의2제1항제3호 중 "「건설기술관리법」"을 "「건설기술진흥법」"으로 한다. ⑭ 새만금사업 촉진을 위한 특별법 일부를 다음과 같이 개정한다. 제15조제1항제2호 중 "「건설기술관리법」 제5조"를 "「건설기술진흥법」 제5조"로 한다. ⑮ 법률 제11542호 새만금사업 추진 및 지원에 관한 특별법 일부를 다음과 같이 개정한다. 제17조제1항제2호 중 "「건설기술관리법」 제5조"를 "「건설기술진흥법」 제5조"로 한다. ⑯ 수도권신공항건설 촉진법 일부를 다음과 같이 개정한다. 제8조제1항제21호 중 "「건설기술관리법」 제5조의 규정에 의한"을 "「건설기술진흥법」 제5조에 따른"으로 한다. ⑰ 신항만건설촉진법 일부를 다음과 같이 개정한다. 〈개정 2014. 3. 24.〉 제9조제2항제20호 중 "「건설기술관리법」"을 "「건설기술진흥법」"으로 한다. ⑱ 신행정수도 후속대책을 위한 연기·공주지역 행정중심복합도시 건설을 위한 특별법 일부를 다음과 같이 개정한다. 제63조의5 중 "「건설기술관리법」 제21조의5"	같은 항 제10호 중 "건설기술관리법에 의한 중앙건설기술심의위원회·특별건설기술심의위원회 및 설계자문위원회"를 "「건설기술진흥법」에 따른 중앙건설기술심의위원회·특별건설기술심의위원회 및 기술자문위원회"로 하며, 같은 항 제16호를 다음과 같이 한다. 16. 시공 단계의 건설사업관리 용역계약에 있어서 「건설기술진흥법 시행령」 제60조 및 계약서 등에 따른 건설사업관리기술자 교체 사유 및 절차에 의하지 아니하고 건설사업관리기술자를 교체한 자 제79조제2항 본문 중 "「건설기술관리법」"을 "「건설기술진흥법」"으로 하고, 같은 항 단서 중 "설계자문위원회"를 각각 "기술자문위원회"로 한다. 제84조제1항제2호 중 "「건설기술관리법」 제20조의2에 따른 설계등 용역업자"를 "「건설기술진흥법」 제26조에 따른 건설기술용역업자"로 한다. 제85조제2항제2호, 같은 조 제3항제1호나목 및 같은 항 제2호나목 중 "「건설기술관리법 시행령」 제13조"를 각각 "「건설기술진흥법 시행령」 제11조"로 하고, 같은 조 제6항 본문 및 단서, 같은 조 제7항, 제86조제8항, 제87조제2항·제5항, 제91조제2항제3호 및 제103조제4항·제5항 중 "설계자문위원회"를 각각 "기술자문위원회"로 한다. 제105조제3항제2호 중 "「건설기술관리법 시행	제2항·제4항 및 별표 8의 개정규정은 이 규칙 시행 이후 발주된 건설공사부터 적용한다. **부 칙** 〈제547호, 2018. 10. 12.〉 **제1조(시행일)** 이 규칙은 공포한 날부터 시행한다. **제2조(건설기술자의 신고 등에 관한 적용례)** 제18조·제21조·제23조·제63조의2, 별지 제11호서식부터 별지 제14호서식까지 및 별지 제20호서식의 개정규정은 이 규칙 시행 이후 건설기술자의 신고·변경신고 또는 건설기술용역업의 등록신청·변경등록 신고를 하는 경우부터 적용한다. **제3조(건설기술용역업자의 영업 양도신고 등에 관한 적용례)** 제24조의 개정규정은 이 규칙 시행 이후 건설기술용역업자가 영업을 양도를 하거나 법인인 건설기술용역업자 간 합병을 하여 신고를 하는 경우부터 적용한다. **제4조(건설사업관리기술자의 철수 통보에 관한 적용례)** 제27조의 개정규정은 이 규칙 시행 이후 영 제45조제1항제3호에 따른 건설사업관리기술자의 철수 통보를 하는 경우부터 적용한다. **부 칙** 〈제596호, 2019. 2. 25.〉 **제1조(시행일)** 이 규칙은 공포한 날부터 시행한다. **제2조(다른 법령의 개정)** ① 건설산업기본법 시행규칙 일부를 다음과 같이 개정한다.

법	시 행 령	시 행 규 칙
를 "「건설기술진흥법」 제54조"로 한다. ⑲ 제주특별자치도 설치 및 국제자유도시 조성을 위한 특별법 일부를 다음과 같이 개정한다. 〈개정 2013. 7. 16.〉 제248조의 제목 중 "건설기술관리"를 "건설기술진흥"으로 하고, 같은 조 중 "「건설기술관리법」 제6조의4제1항, 제20조의4제1항, 제21조의5제1항, 제24조의2제4항, 제25조제1항·제3항, 제26조제1항, 제33조제1항, 제36조의17, 제37조의2(이양된 권한에 관한 청문에 한한다) 및 제43조"를 "「건설기술진흥법」 제24조제1항, 제57조제4항, 제60조제2항, 제80조, 제83조(이양된 권한에 관한 청문으로 한정한다) 및 제91조"로 한다. ⑳ 주택법 일부를 다음과 같이 개정한다. 제13조제1항제6호가목 중 "「건설기술관리법」 제21조의5제1항 또는 제36조의17"을 "「건설기술진흥법」 제54조제1항 또는 제80조"로 하고, 같은 호 나목 중 "「건설기술관리법」 제23조의2제3항"을 "「건설기술진흥법」 제48조제4항"으로, "감리원(監理員)"을 "건설사업관리를 수행하는 건설기술자"로 하며, 같은 호 다목 중 "「건설기술관리법」 제24조"를 "「건설기술진흥법」 제55조"로 하고, 같은 호 라목 중 "「건설기술관리법」 제26조의2"를 "「건설기술진흥법」 제62조"로 한다. 제24조제1항 본문 중 "「건설기술관리법」"을 "「건설기술진흥법」"으로 하고, 같은 조 제2항	령」 제13조"를 "「건설기술진흥법 시행령」 제11조"로 하고, 같은 조 제5항·제6항 및 제106조제2항 중 "설계자문위원회"를 각각 "기술자문위원회"로 한다. ⑪ 국가재정법 시행령 일부를 다음과 같이 개정한다. 제14조의2제2호가목 중 "「건설기술관리법 시행령」 제62조"를 "「건설기술진흥법 시행령」 제73조"로 한다. ⑫ 국가통합교통체계효율화법 시행령 일부를 다음과 같이 개정한다. 제85조제1항제1호, 제100조제2항제2호 및 제114조제4항 각 호 외의 부분 중 "「건설기술관리법」 제16조의3"을 각각 "「건설기술진흥법」 제11조"로 한다. ⑬ 국제경기대회 지원법 시행령 일부를 다음과 같이 개정한다. 제20조 후단 중 "「건설기술관리법 시행령」 제102조제1항제1호가목에 따른 전면 책임감리"를 "「건설기술진흥법 시행령」 제55조제1항제1호에 따른 감독 권한대행 등 건설사업관리"로, "「건설기술관리법」 제28조에 따른 감리전문회사의 감리조서"를 "「건설기술진흥법」 제26조에 따른 건설기술용역업자의 건설사업관리조서"로 한다. ⑭ 기술사법 시행령 일부를 다음과 같이 개정한다. 제14조제1항제2호 중 "「건설기술관리법」"을	제25조의3제1호 중 "고급기술자 및 특급기술자"를 "고급기술인 및 특급기술인"으로 한다. ② 건축법 시행규칙 일부를 다음과 같이 개정한다. 제43조의2제4항제2호나목 중 "건설기술자 중 건축구조 분야 특급기술자"를 "건설기술인 중 건축구조 분야 특급기술인"으로 하고, 같은 항 제4호나목 중 "건설기술자 중 건축기계설비 분야 특급기술자"를 "건설기술인 중 건축기계설비 분야 특급기술인"으로 하며, 같은 항 제5호나목 중 "건설기술자 중 토질·지질 분야 특급기술자"를 "건설기술인 중 토질·지질 분야 특급기술인"으로 한다. ③ 공간정보의 구축 및 관리 등에 관한 법률 시행규칙 일부를 다음과 같이 개정한다. 별표 12 제3호의 수수료란 중 "중급기술자"를 "중급기술인"으로 한다. 별표 13 제2호가목1) 중 "고급기술자"를 "고급기술인"으로 하고, 같은 목 2)가)의 심사인원수(명)란 중 "고급기술자"를 "고급기술인"으로, "중급기술자"를 "중급기술인"으로, "초급기술자"를 "초급기술인"으로 하며, 같은 목 2)나)의 심사인원수(명)란 중 "고급기술자"를 "고급기술인"으로, "중급기술자"를 "중급기술인"으로, "초급기술자"를 "초급기술인"으로 하고, 같은 호 나목 중 "심사인원수(고급기술자)"를 "심사인원수(고급기술인)"로 하며, 같은 호 다목 중 "심사인원수(고급기술자)"를 "심사인원수(고급기

<table>
<tr><th>법</th><th>시 행 령</th><th>시 행 규 칙</th></tr>
<tr><td>제3호 중 "「건설기술관리법」 제24조"를 "「건설기술진흥법」 제55조"로 한다.
제35조제2항제1호 중 "「건설기술관리법」 제18조"를 "「건설기술진흥법」 제14조"로 한다.
㉑ 주한미군 공여구역주변지역 등 지원 특별법 일부를 다음과 같이 개정한다.
제29조제1항제23호 중 "「건설기술관리법」 제5조제1항 단서의 규정에 의한"을 "「건설기술진흥법」 제5조제2항에 따른"으로 한다.
㉒ 주한미군기지 이전에 따른 평택시 등의 지원에 관한 특별법 일부를 다음과 같이 개정한다.
제5조제1항제22호 중 "건설기술관리법 제5조제1항 단서의 규정에 의한"을 "「건설기술진흥법」 제5조제2항에 따른"으로 한다.
㉓ 지방자치단체를 당사자로 하는 계약에 관한 법률 일부를 다음과 같이 개정한다.
제17조제1항제1호를 다음과 같이 한다.
1. 「건설기술진흥법」 제39조제2항에 따라 건설사업관리를 하게 하는 공사
제42조제1항제2호 단서 및 같은 조 제3항 각 호 외의 부분 중 "「건설기술관리법」 제36조"를 각각 "「건설기술진흥법」 제50조"로 한다.
㉔ 철도건설법 일부를 다음과 같이 개정한다.
제11조제1항제1호를 다음과 같이 한다.
1. 「건설기술진흥법」 제5조에 따른 건설기술심의위원회의 심의
㉕ 측량·수로조사 및 지적에 관한 법률 일부를 다음과 같이 개정한다.</td><td>"「건설기술진흥법」"으로 한다.
⑮ 농어촌정비법 시행령 일부를 다음과 같이 개정한다.
제90조제3항 중 "「건설기술관리법」 제28조에 따라 시·도지사에게 등록한 감리전문회사"를 "「건설기술진흥법」 제26조에 따라 시·도지사에게 등록한 건설기술용역업자"로 한다.
제91조제1항제4호를 다음과 같이 한다.
4. 「건설기술진흥법」 제26조에 따라 등록을 한 건설기술용역업자
⑯ 농어촌주택개량촉진법시행령 일부를 다음과 같이 개정한다.
제12조 중 "「건설기술관리법 시행령」 별표 8에 따라 건축감리전문회사가 갖추어야 하는 감리원"을 "「건설기술진흥법 시행령」 별표 5에 따라 건설기술용역업자가 갖추어야 하는 기술인력"으로 한다.
⑰ 도시개발법 시행령 일부를 다음과 같이 개정한다.
제42조제5항 중 "「건설기술관리법 시행령」 제105조에 따른다"를 "「건설기술진흥법 시행령」 제59조 및 제60조를 준용한다"로 한다.
⑱ 마리나항만의 조성 및 관리 등에 관한 법률 시행령 일부를 다음과 같이 개정한다.
제24조제1항제5호가목 중 "「건설기술관리법」 제27조의4에 따른 책임감리등의 대가기준에 따른 건설공사 감리비"를 "「건설기술진흥법」 제37조에 따른 건설기술용역비 산정기준에 따</td><td>술인)"로 하고, 같은 호 마목1) 중 "심사인원수(고급기술자)"를 "심사인원수(고급기술인)"로 하며, 같은 목 2) 중 "심사인원수(고급기술자)"를 "심사인원수(고급기술인)"로 하고, 같은 목 3) 중 "심사인원수(고급기술자)"를 "심사인원수(고급기술인)"로 하며, 같은 호 바목1) 중 "심사인원수(고급기술자)"를 "심사인원수(고급기술인)"로 하고, 같은 목 2)의 심사인원수(명)란 중 "고급기술자"를 "고급기술인"으로, "중급기술자"를 "중급기술인"으로, "초급기술자"를 "초급기술인"으로 하고, 같은 호 사목 중 "심사인원수(고급기술자)"를 "심사인원수(고급기술인)"로 하며, 같은 호 아목 중 "심사인원수(고급기술자)"를 "심사인원수(고급기술인)"로 하고, 같은 호 자목 중 "심사인원수(고급기술자)"를 "심사인원수(고급기술인)"로 하며, 같은 호 차목 중 "심사인원수(고급기술자)"를 "심사인원수(고급기술인)"로 하고, 같은 호 카목 중 "심사인원수(고급기술자)"를 "심사인원수(고급기술인)"로 하며, 같은 호 타목 중 "심사인원수(고급기술자)"를 "심사인원수(고급기술인)"로 하고, 같은 호 파목 중 "심사인원수(고급기술자)"를 "심사인원수(고급기술인)"로 한다.
별표 16의 노임란 중 "고급기술자"를 각각 "고급기술인"으로 한다.
별지 제9호서식의 작성방법 및 수수료란 중 "중급기술자"를 각각 "중급기술인"으로 한다.
④ 국토교통부와 그 소속기관 직제 시행규칙</td></tr>
</table>

법	시 행 령	시 행 규 칙
제40조제1항 및 제42조제1항 각 호 외의 부분 중 "「건설기술관리법」 제2조제8호"를 각각 "「건설기술진흥법」 제2조제8호"로 한다. **제26조(다른 법령과의 관계)** 이 법 시행 당시 다른 법령에서 「건설기술관리법」 또는 그 규정을 인용하고 있는 경우에 이 법 가운데 그에 해당하는 규정이 있을 때에는 종전의 「건설기술관리법」 또는 그 규정을 갈음하여 이 법 또는 이 법의 해당 규정을 인용한 것으로 본다. **부 칙** 〈제11920호, 2013. 7. 16.〉 **제1조(시행일)** 이 법은 공포 후 6개월이 경과한 날부터 시행한다. 다만, 법률 제11794호 건설기술관리법 전부개정법률 제47조, 제57조, 제88조 및 부칙의 개정규정은 2014년 5월 23일부터 시행한다. **제2조(타당성 조사 자료의 보관 등에 관한 적용례)** 제20조의3의 개정규정은 이 법 시행 후 최초로 설계 등 용역 계약을 체결하는 경우부터 적용한다. **제3조(건설자재·부재의 품질확보 등에 관한 적용례)** 제24조의2의 개정규정은 이 법 시행 후 최초로 건설자재·부재를 공급하거나 사용하는 경우부터 적용한다. **제4조(다른 법률의 개정)** 제주특별자치도 설치 및 국제자유도시 조성을 위한 특별법 일부를 다음과 같이 개정한다.	른 건설사업관리비"로 한다. ⑲ 물의 재이용 촉진 및 지원에 관한 법률 시행령 일부를 다음과 같이 개정한다. 제16조제2항제9호 중 "「건설기술관리법」 제18조"를 "「건설기술진흥법」 제14조"로 한다. ⑳ 민·군기술협력사업 촉진법 시행령 일부를 다음과 같이 개정한다. 제3조제2항제6호 중 "「건설기술관리법」 제16조의2제1항"을 "「건설기술진흥법」 제7조제1항"으로 한다. ㉑ 사회기반시설에 대한 민간투자법 시행령 일부를 다음과 같이 개정한다. 제35조의2제1항제2호 중 "「건설기술관리법 시행령」 제57조"를 "「건설기술진흥법 시행령」 제81조"로 한다. ㉒ 새만금사업 추진 및 지원에 관한 특별법 시행령 일부를 다음과 같이 개정한다. 제14조제4항 중 "「건설기술관리법」 제28조에 따라 등록한 감리전문회사"를 "「건설기술진흥법」 제26조에 따라 등록한 건설기술용역업자"로 한다. ㉓ 수도권신공항건설 촉진법 시행령 일부를 다음과 같이 개정한다. 제8조제1항제11호 중 "「건설기술관리법」"을 "「건설기술진흥법」"으로 한다. ㉔ 신항만건설촉진법 시행령 일부를 다음과 같이 개정한다. 제10조제1항제9호 중 "「건설기술관리법」"을 "「	일부를 다음과 같이 개정한다. 제9조제7항제7호부터 제11호까지 중 "건설기술자"를 각각 "건설기술인"으로 한다. 제18조제4항제6호 중 "건설기술자"를 "건설기술인"으로 한다. ⑤ 시설물의 안전 및 유지관리에 관한 특별법 시행규칙 일부를 다음과 같이 개정한다. 제24조제1항제3호 중 "건설기술자"를 "건설기술인"으로 한다. 별지 제10호서식 앞쪽 신청인(대표자) 제출서류란 제3호 중 "건설기술자"를 "건설기술인"으로 한다. ⑥ 주택법 시행규칙 일부를 다음과 같이 개정한다. 제4조제1항제2호가목 중 "건설기술자"를 각각 "건설기술인"으로 하고, 같은 조 제7항 중 "기술자의 수"를 "기술인의 수"로 한다. 제18조제1항제1호가목1), 2) 및 3) 외의 부분 본문 중 "특급기술자 또는 고급기술자"를 "특급기술인 또는 고급기술인"으로 하고, 같은 목 2) 중 "건설기술자"를 "건설기술인"으로, "특급기술자 또는 고급기술자"를 "특급기술인 또는 고급기술인"으로 하며, 같은 호 나목 중 "특급기술자"를 "특급기술인"으로 하고, 같은 항 제2호 각 목 외의 부분 본문 및 같은 호 나목 중 "건설기술자"를 각각 "건설기술인"으로 한다. 별지 제1호서식의 앞쪽 중 "기술자(위탁관리부동산투자회사인 경우 자산관리회사 소속 기

법	시 행 령	시 행 규 칙
제248조 중 "제24조의2제3항"을 "제24조의2제4항"으로 한다. **부 칙** 〈제11998호, 2013. 8. 6.〉 (지방세외수입금의 징수 등에 관한 법률) **제1조(시행일)** 이 법은 공포 후 1년이 경과한 날부터 시행한다. **제2조** 생략 **제3조(다른 법률의 개정)** ① 및 ② 생략 ③ 법률 제11794호 건설기술관리법 전부개정법률 일부를 다음과 같이 개정한다. 제32조제2항 중 "지방세 체납처분의 예에 따라 징수한다"를 "「지방세외수입금의 징수 등에 관한 법률」에 따라 징수한다"로 한다. ④부터 〈71〉까지 생략 **부 칙** 〈제12542호, 2014. 3. 24.〉 (신항만건설 촉진법) **제1조(시행일)** 이 법은 공포한 날부터 시행한다. 다만, 부칙 제3조는 2014년 5월 23일부터 시행한다. **제2조** 생략 **제3조(다른 법률의 개정)** 법률 제11794호 건설기술관리법 전부개정법률 부칙 제25조제17항을 다음과 같이 한다. ⑰ 신항만건설 촉진법 일부를 다음과 같이 개	건설기술진흥법」"으로 한다. 제21조의2 후단 중 "「건설기술관리법 시행령」 제102조제1항제1호가목에 따른 전면책임감리 대상인 공사에 해당하는 때에는 감리전문회사의 감리조서"를 "「건설기술진흥법 시행령」 제55조제1항제1호에 따른 감독 권한대행 등 건설사업관리 대상인 공사에 해당하면 건설기술용역업자의 건설사업관리조서"로 한다. ㉕ 어촌·어항법 시행령 일부를 다음과 같이 개정한다. 제12조 중 "「건설기술관리법 시행령」 제102조제1항제1호가목 및 제2호가목에 따른 책임감리대상으로서 당해 사업의 감리전문회사의 감리조서"를 "「건설기술진흥법 시행령」 제55조제1항제1호 및 제2호에 따른 감독 권한대행 등 건설사업관리 대상으로서 해당 사업의 건설기술용역업자의 건설사업관리조서"로 한다. ㉖ 어촌특화발전 지원 특별법 시행령 일부를 다음과 같이 개정한다. 제12조제2항제3호를 다음과 같이 한다. 3. 「건설기술진흥법」 제26조에 따른 건설기술용역업자 ㉗ 엔지니어링산업 진흥법 시행령 일부를 다음과 같이 개정한다. 제36조제2항제3호 및 제42조제1항 각 호 외의 부분 단서 중 "「건설기술관리법」"을 각각 "「건설기술진흥법」"으로 한다. ㉘ 유비쿼터스도시의 건설 등에 관한 법률 시	술자)"를 "기술인(위탁관리 부동산투자회사인 경우 자산관리회사 소속 기술인)"으로 하고, 같은 쪽의 첨부서류란 제2호가목 중 "건설기술자"를 각각 "건설기술인"으로 한다. 별지 제7호서식의 기술인력 보유현황란 중 "건축분야 기술자(건축분야 기술사 제외)"를 "건축분야 기술인(건축분야 기술사 제외)"으로, "토목분야 기술자"를 "토목분야 기술인"으로, "기계분야 기술자"를 "기계분야 기술인"으로, "전기분야 기술자"를 "전기분야 기술인"으로, "안전관리 기술자"를 "안전관리분야 기술인"으로 한다. **부 칙** 〈제617호, 2019. 4. 4.〉 이 규칙은 공포한 날부터 시행한다. **부 칙** 〈제632호, 2019. 7. 1.〉 이 규칙은 2019년 7월 1일부터 시행한다. **부 칙** 〈제709호, 2020. 3. 18.〉 **제1조(시행일)** 이 규칙은 공포한 날부터 시행한다. **제2조(안전관리비 및 안전관리계획에 관한 적용례)** 제60조제1항·제2항 및 별표 7의 개정규정은 이 규칙 시행 이후 입찰공고(발주자가 발주청이 아닌 경우에는 건설공사의 허가·인가·승인 등의 신청을 말한다)하는 건설공사부터 적용한다.

법	시 행 령	시 행 규 칙
정한다. 제9조제2항제20호 중 "「건설기술관리법」"을 "「건설기술진흥법」"으로 한다. **부 칙** 〈제12579호, 2014. 5. 14.〉 **제1조(시행일)** 이 법은 2014년 5월 23일부터 시행한다. **제2조(벌칙에 관한 경과조치)** 이 법 시행 전의 행위에 대한 벌칙 규정을 적용할 때에는 종전의 규정에 따른다. **부 칙** 〈제12967호, 2015. 1. 6.〉 **제1조(시행일)** 이 법은 공포 후 6개월이 경과한 날부터 시행한다. **제2조(가설구조물의 구조적 안전성 검토 등에 관한 적용례)** 제48조제5항 및 제62조제7항의 개정규정은 이 법 시행 후 입찰공고를 하는 설계용역과 그 설계에 따른 건설공사부터 적용한다. **부 칙** 〈제13324호, 2015. 5. 18.〉 이 법은 공포 후 1년이 경과한 날부터 시행한다. **부 칙** 〈제13430호, 2015. 7. 24.〉 이 법은 공포한 날부터 시행한다. 다만, 법률	행령 일부를 다음과 같이 개정한다. 제5조제1호 중 "「건설기술관리법」"을 "「건설기술진흥법」"으로 한다. ㉙ 주택법 시행령 일부를 다음과 같이 개정한다. 제10조제2항제2호 및 제13조제1항제2호 중 "「건설기술관리법 시행령」"을 각각 "「건설기술진흥법 시행령」"으로 한다. 제26조제1항제1호 중 "「건설기술관리법」에 따른 건축감리전문회사 또는 종합감리전문회사"를 "「건설기술진흥법」에 따른 건설기술용역업자"로 하고, 같은 항 제2호 중 "「건설기술관리법」에 의한 건축감리전문회사 또는 종합감리전문회사"를 "「건설기술진흥법」에 따른 건설기술용역업자"로 하며, 같은 조 제5항 중 "「건설기술관리법」"을 "「건설기술진흥법」"으로 한다. 별표 8 비고 제2호 중 "「건설기술관리법」"을 "「건설기술진흥법」"으로 한다. ㉚ 지능형 로봇 개발 및 보급 촉진법 시행령 일부를 다음과 같이 개정한다. 제28조제1항 중 "「건설기술관리법 시행령」 제102조제1항제1호가목에 따른 전면책임감리대상인 공사에 해당하면 감리전문회사의 감리조서"를 "「건설기술진흥법 시행령」 제55조제1항제1호에 따른 감독 권한대행 등 건설사업관리대상인 공사에 해당하면 건설기술용역업자의 건설사업관리조서"로 한다. ㉛ 지방자치단체를 당사자로 하는 계약에 관한 법률 시행령 일부를 다음과 같이 개정한다.	**제3조(건설공사 품질관리를 위한 건설기술인 배치기준에 관한 적용례)** 별표 5의 개정규정은 이 규칙 시행 이후 입찰공고(발주자가 발주청이 아닌 경우에는 건설공사의 허가·인가·승인 등의 신청을 말한다)하는 건설공사부터 적용한다. **제4조(품질관리비의 산출 및 사용기준에 관한 적용례)** 별표 6의 개정규정은 이 규칙 시행 이후 입찰공고(발주자가 발주청이 아닌 경우에는 건설공사의 허가·인가·승인 등의 신청을 말한다)하는 건설공사부터 적용한다. **제5조(다른 법령의 개정)** ① 골재채취법 시행규칙 일부를 다음과 같이 개정한다. 제14조의7제1항 중 "건설기술용역업자"를 "건설기술용역사업자"로 한다. ② 순환골재 품질인증 및 관리에 관한 규칙 일부를 다음과 같이 개정한다. 제8조제3항제2호 중 "건설기술용역업자"를 "건설기술용역사업자"로 한다. **부 칙** 〈제726호, 2020. 5. 26.〉 이 규칙은 2020년 5월 27일부터 시행한다. **부 칙** 〈제758호, 2020. 9. 9.〉 (한국철도시설공단 명칭 변경 반영을 위한 9개 부령의 일부개정에 관한 국토교통부령) 이 규칙은 2020년 9월 10일부터 시행한다.

법	시 행 령	시 행 규 칙
제13324호 건설기술진흥법 일부개정법률 제2조 제10호 및 제11호의 개정규정은 2016년 5월 19일부터 시행한다. **부 칙** 〈제13671호, 2015. 12. 29.〉 **제1조(시행일)** 이 법은 공포 후 6개월이 경과한 날부터 시행한다. 다만, 제27조의 개정규정은 공포한 날부터 시행한다. **제2조(신기술 활용에 관한 적용례)** 제14조제5항·제6항의 개정규정은 이 법 시행 후 최초로 발주청이 발주하는 건설공사부터 적용한다. **부 칙** 〈제13805호, 2016. 1. 19.〉 (주택법) **제1조(시행일)** 이 법은 2016년 8월 12일부터 시행한다. **제2조** 부터 **제20조**까지 생략 **제21조(다른 법률의 개정)** ①부터 ④까지 생략 ⑤ 건설기술진흥법 일부를 다음과 같이 개정한다. 제31조제2항제5호라목 중 "「주택법」 제9조"를 "「주택법」 제4조"로 하고, 제42조 중 "「주택법」 제24조"를 "「주택법」 제43조 및 제44조"로 한다. ⑥부터 〈86〉까지 생략 **제22조** 생략	제25조제1항제4호마목 및 같은 항 제6호라목 4) 중 "「건설기술관리법」 제18조"를 각각 "「건설기술진흥법」 제14조"로 한다. 제37조제2항제4호가목을 다음과 같이 한다. 가. 「건설기술진흥법」에 따른 공제조합 제43조제5항 및 제44조제1항제1호 단서 중 "「건설기술관리법」"을 각각 "「건설기술진흥법」"으로 한다. 제56조제1항제1호 중 "「건설기술관리법」 제27조"를 "「건설기술진흥법」 제39조제2항"으로, "책임감리"를 "건설사업관리 또는 감리"로 하고, 같은 조 제2항 중 "「건설기술관리법」 등에 따라 정해진 감리원(監理員)"을 "「건설기술진흥법」 등에 따라 정해진 건설사업관리기술자 또는 감리원(監理員)"으로 한다. 제74조제6항 본문 중 "「건설기술관리법 시행령」 제21조에 따른 설계자문위원회(이하 "설계자문위원회"라 한다)"를 "「건설기술진흥법 시행령」 제19조에 따른 기술자문위원회(이하 "기술자문위원회"라 한다)"로 하고, 같은 항 단서 중 "설계자문위원회"를 "기술자문위원회"로, "「건설기술관리법」"을 "「건설기술진흥법」"으로 한다. 제92조제1항제10호 중 "설계자문위원회"를 "기술자문위원회"로 하고, 같은 항 제17호를 다음과 같이 하며, 같은 항 제20호 중 "「건설기술관리법」 제2조"를 "「건설기술진흥법」 제2조제3호"로 한다. 17. 시공 단계의 건설사업관리 용역계약에 있	**부 칙** 〈제792호, 2020. 12. 14.〉 **제1조(시행일)** 이 규칙은 공포한 날부터 시행한다. **제2조(정기안전점검에 관한 적용례)** 제59조제1항 및 제3항의 개정규정은 이 규칙 시행 이후 입찰공고(발주자가 발주청이 아닌 경우에는 건설공사의 허가·인가·승인 등을 말한다)하는 건설공사부터 적용한다. **제3조(안전관리비에 포함되는 사항에 관한 적용례)** 제60조제1항의 개정규정은 이 규칙 시행 이후 입찰공고(발주자가 발주청이 아닌 경우에는 건설공사의 허가·인가·승인 등을 말한다)하는 건설공사부터 적용한다. **제4조(안전관리계획에 관한 적용례)** 별표 7의 개정규정은 이 규칙 시행 이후 입찰공고(발주자가 발주청이 아닌 경우에는 건설공사의 허가·인가·승인 등을 말한다)하는 건설공사부터 적용한다. **부 칙** 〈제882호, 2021. 8. 27.〉 (어려운 법령용어 정비를 위한 80개 국토교통부령 일부개정령) 이 규칙은 공포한 날부터 시행한다. 〈단서 생략〉 **부 칙** 〈제887호, 2021. 9. 17.〉 **제1조(시행일)** 이 규칙은 공포한 날부터 시행한다.

법	시 행 령	시 행 규 칙
부 칙 〈제14848호, 2017. 8. 9.〉 이 법은 공포 후 6개월이 경과한 날부터 시행한다. **부 칙** 〈제15112호, 2017. 11. 28.〉 이 법은 공포한 날부터 시행한다. **부 칙** 〈제15667호, 2018. 6. 12.〉 **제1조(시행일)** 이 법은 공포 후 6개월이 경과한 날부터 시행한다. 다만, 제31조제1항제4호의 개정규정은 공포한 날부터 시행한다. **제2조(건설기술용역업자의 등록취소에 관한 적용례)** 제31조제1항제4호 단서의 개정규정은 법인이 같은 개정규정 시행 전에 제27조제4호에 해당하게 된 경우에도 적용한다. **부 칙** 〈제15719호, 2018. 8. 14.〉 **제1조(시행일)** 이 법은 2018년 12월 13일부터 시행한다. **제2조(다른 법률의 개정)** ① 공간정보의 구축 및 관리 등에 관한 법률 일부를 다음과 같이 개정한다. 제40조제1항 전단 및 제42조제1항 각 호 외의 부분 전단 중 "건설기술자"를 각각 "건설기술	어 「건설기술진흥법 시행령」 제60조제4항 및 계약서 등에 따른 건설사업관리기술자 교체 사유 및 절차에 따르지 아니하고 건설사업관리기술자를 교체한 자 제96조제5항 각 호 외의 부분 중 "「건설기술관리법 시행령」 제19조제2항에도 불구하고 「건설기술관리법」 제5조"를 "「건설기술진흥법 시행령」 제17조제2항에도 불구하고 「건설기술진흥법」 제5조"로 한다. 제97조제1항제2호 중 "「건설기술관리법」 제20조의2에 따른 설계 등 용역업자"를 "「건설기술진흥법」 제26조에 따른 건설기술용역업자"로 한다. 제98조제2항제2호, 같은 조 제3항제1호나목 및 같은 항 제2호나목 중 "「건설기술관리법 시행령」 제13조"를 각각 "「건설기술진흥법 시행령」 제11조"로 한다. 제100조의2의 제목 및 제목 외의 부분 중 "설계자문위원회"를 각각 "기술자문위원회"로 한다. 제106조제2항제4호 중 "「건설기술관리법」"을 "「건설기술진흥법」"으로 한다. 제134조제2항제2호 중 "「건설기술관리법 시행령」 제13조"를 "「건설기술진흥법 시행령」 제11조"로 한다. 제136조의 제목 중 "설계자문위원회"를 "기술자문위원회"로 한다. ㉜ 지진재해대책법 시행령 일부를 다음과 같이 개정한다.	**제2조(다른 법령의 개정)** ① 건설산업기본법 시행규칙 일부를 다음과 같이 개정한다. 제25조의4제1항제7호 중 "건설기술용역업"을 "건설엔지니어링업"으로 한다. ② 골재채취법 시행규칙 일부를 다음과 같이 개정한다. 제14조의7제1항 중 "건설기술용역사업자"를 "건설엔지니어링사업자"로 한다. ③ 국토교통부와 그 소속기관 직제 시행규칙 일부를 다음과 같이 개정한다. 제9조제10항제21호 중 "건설기술용역업"을 "건설엔지니어링업"으로 한다. 제21조제4항제3호 중 "건설기술용역"을 "건설엔지니어링"으로 한다. ④ 순환골재 품질인증 및 관리에 관한 규칙 일부를 다음과 같이 개정한다. 제8조제3항제2호 중 "건설기술용역사업자"를 "건설엔지니어링사업자"로 한다.

법	시 행 령	시 행 규 칙
인"으로 한다. ② 부동산개발업의 관리 및 육성에 관한 법률 일부를 다음과 같이 개정한다. 제5조제1항제3호 중 "건설기술자"를 "건설기술인"으로 한다. ③ 제주특별자치도 설치 및 국제자유도시 조성을 위한 특별법 일부를 다음과 같이 개정한다. 제410조 중 "건설기술자는"을 "건설기술인은"으로 한다. ④ 주택법 일부를 다음과 같이 개정한다. 제8조제1항제6호가목 중 "건설기술자"를 "건설기술인"으로 한다. **부 칙** 〈제16135호, 2018. 12. 31.〉 **제1조(시행일)** 이 법은 공포 후 6개월이 경과한 날부터 시행한다. **제2조(건설기술용역업자의 영업양도신고 등에 관한 적용례)** 제29조제2항부터 제4항까지의 개정규정은 이 법 시행 후 건설기술용역업자가 영업양도신고 및 합병신고를 하는 경우부터 적용한다. **제3조(건설기술인의 건설사업관리보고서 작성에 관한 적용례)** 제39조제4항 후단의 개정규정은 이 법 시행 후 건설사업관리보고서를 작성하여 제출하는 경우부터 적용한다. **제4조(건설사업관리를 하여야 하는 건설공사의 건설사업관리 업무 수행에 관한 적용례)** 제39조제6항	제5조제1항제3호 및 제4호 중 "「건설기술관리법」 제34조"를 각각 "「건설기술진흥법」 제44조"로 한다. ㉝ 철도건설법 시행령 일부를 다음과 같이 개정한다. 제14조제1항제16호 중 "「건설기술관리법 시행령」 제21조제4항에 따른 설계자문위원회"를 "「건설기술진흥법 시행령」 제19조제4항에 따른 기술자문위원회"로 한다. ㉞ 하수도법 시행령 일부를 다음과 같이 개정한다. 제10조제2항제9호 중 "「건설기술관리법」 제18조"를 "「건설기술진흥법」 제14조"로 한다. ㉟ 항만공사법 시행령 일부를 다음과 같이 개정한다. 제9조제1호를 다음과 같이 한다. 1. 「건설기술진흥법 시행령」 제55조제1항제1호에 따른 감독 권한대행 등 건설사업관리 대상인 공사: 건설기술용역업자의 건설사업관리조서 및 준공검사조서 ㊱ 항만법 시행령 일부를 다음과 같이 개정한다. 제16조제1호를 다음과 같이 한다. 1. 「건설기술진흥법 시행령」 제55조제1항제1호에 따른 감독 권한대행 등 건설사업관리 대상인 공사의 경우: 건설기술용역업자의 건설사업관리조서 및 준공검사조서 제19조제1항제5호가목 중 "「건설기술관리법」 제27조의4에 따른 책임감리등의 대가기준에	

법	시 행 령	시 행 규 칙
의 개정규정은 이 법 시행 후 건설기술용역업자가 같은 조 제2항에 따라 건설사업관리를 수행하는 경우부터 적용한다. **제5조(건설사업관리계획 수립 등에 관한 적용례)** 제39조의2의 개정규정은 이 법 시행 후 설계용역을 입찰공고하는 건설공사부터 적용한다. **제6조(안전관리계획 승인 등에 관한 적용례)** 제62조의 개정규정은 이 법 시행 후 입찰공고(발주자가 발주청이 아닌 경우에는 건설공사의 허가·인가·승인 등을 말한다)하는 건설공사부터 적용한다. **제7조(설계의 안전성 검토에 관한 적용례)** 제62조제18항의 개정규정은 이 법 시행 후 입찰공고를 하는 설계부터 적용한다. **제8조(발주청이 시행하는 건설기술용역사업에 관한 경과조치)** 이 법 시행 전에 발주청이 시행한 「건축사법」 제2조제3호에 따른 설계 사업의 경우에는 제35조제1항 및 제2항의 개정규정에도 불구하고 종전의 규정에 따른다. **제9조(건설기술을 공모하여 발주한 건설공사 또는 건설기술용역사업에 관한 경과조치)** 이 법 시행 전에 발주청이 건설기술을 공모하여 발주한 건설공사 또는 건설기술용역사업은 제36조의 개정규정에도 불구하고 종전의 규정에 따른다.	따른 건설공사 감리비"를 "「건설기술진흥법」 제37조에 따른 건설기술용역비 산정기준에 따른 건설사업관리비"로 한다. 제24조제1항제1호를 다음과 같이 한다. 1. 「건설기술진흥법」 제39조제2항에 따른 감독 권한대행 업무를 포함하는 건설사업관리 ㊲ 행정조사기본법 시행령 일부를 다음과 같이 개정한다. 제9조제1항제1호 중 "「건설기술관리법」 제21조의5제1항"을 "「건설기술진흥법」 제54조제1항"으로 한다. **제13조(다른 법령과의 관계)** 이 영 시행 당시 다른 법령에서 종전의 「건설기술관리법 시행령」 또는 그 규정을 인용하고 있는 경우에 이 영 가운데 그에 해당하는 규정이 있을 때에는 종전의 「건설기술관리법 시행령」 또는 그 규정을 갈음하여 이 영 또는 이 영의 해당 규정을 인용한 것으로 본다. **부 칙** 〈제25478호, 2014. 7. 16.〉 (하수도법 시행령) **제1조(시행일)** 이 영은 2014년 7월 17일부터 시행한다. **제2조(다른 법령의 개정)** ① 건설기술진흥법 시행령 일부를 다음과 같이 개정한다. 별표 7 제16호 중 "하수관거"를 "하수관로"로 한다.	

법	시 행 령	시 행 규 칙
부 칙 〈제16272호, 2019. 1. 15.〉 (산업안전보건법) **제1조(시행일)** 이 법은 공포 후 1년이 경과한 날부터 시행한다. 〈단서 생략〉 **제2조** 부터 **제19조**까지 생략 **제20조(다른 법률의 개정)** ① 건설기술진흥법 일부를 다음과 같이 개정한다. 제31조제1항제8호 중 "「산업안전보건법」 제2조제7호"를 "「산업안전보건법」 제2조제2호"로 한다. ②부터 ⑰까지 생략 **제21조** 생략 **부 칙** 〈제16414호, 2019. 4. 30.〉 **제1조(시행일)** 이 법은 공포 후 6개월이 경과한 날부터 시행한다. **제2조(다른 법률의 개정)** ① 건축사법 일부를 다음과 같이 개정한다. 제23조제9항제1호 중 "건설기술용역업자"를 "건설기술용역사업자"로 한다. ② 지하안전관리에 관한 특별법 일부를 다음과 같이 개정한다. 제10조제1항 각 호 외의 부분 전단 및 같은 조 제4항 중 "건설업자"를 각각 "건설사업자"로 한다. ③ 건축물관리법 일부를 다음과 같이 개정한다. 〈신설 2019. 4. 30.〉	②부터 ⑦까지 생략 **부 칙** 〈제25716호, 2014. 11. 11.〉 (건축법 시행령) **제1조(시행일)** 이 영은 공포한 날부터 시행한다. 〈단서 생략〉 **제2조** 및 **제3조** 생략 **제4조(다른 법령의 개정)** ① 건설기술진흥법 시행령 일부를 다음과 같이 개정한다. 제89조제1항제2호 중 "「건축법 시행령」 제5조의5제1항제4호"를 "「건축법 시행령」 제2조제17호"로 한다. ② 생략 **부 칙** 〈제25938호, 2014. 12. 30.〉 **제1조(시행일)** 이 영은 공포한 날부터 시행한다. 다만, 제57조제4호의 개정규정은 2016년 1월 1일부터 시행한다. **제2조(건설사업관리 대상 설계용역에 관한 적용례)** 제57조제4호의 개정규정은 2016년 1월 1일 이후에 입찰공고하는 설계용역부터 적용한다. **제3조(설계심의분과위원회 위원의 임기에 관한 경과조치)** 이 영 시행 전에 위촉된 설계심의분과위원회 위원의 임기에 대해서는 별표 2 제1호나목의 개정규정에도 불구하고 종전의 규정에 따른다.	

법	시　　행　　령	시　　행　　규　　칙
제18조제1항제2호 중 "건설기술용역업자"를 "건설기술용역사업자"로 한다. **제3조(다른 법령과의 관계)** 이 법 시행 당시 다른 법령에서 종전의 「건설기술진흥법」의 규정을 인용한 경우 이 법 가운데 그에 해당하는 규정이 있으면 종전의 규정을 갈음하여 이 법의 해당 조항을 인용한 것으로 본다. **부　칙** 〈제16416호, 2019. 4. 30.〉 (건축물관리법) **제1조(시행일)** 이 법은 공포 후 1년이 경과한 날부터 시행한다. **제2조** 부터 **제6조**까지 생략 **제7조(다른 법률의 개정)** ①부터 ⑤까지 생략 ⑥ 법률 제16414호 건설기술진흥법 일부개정법률 일부를 다음과 같이 개정한다. 부칙 제2조에 제3항을 다음과 같이 신설한다. ③ 건축물관리법 일부를 다음과 같이 개정한다. 제18조제1항제2호 중 "건설기술용역업자"를 "건설기술용역사업자"로 한다. ⑦ 생략 **부　칙** 〈제16560호, 2019. 8. 27.〉 이 법은 공포한 날부터 시행한다.	**부　칙** 〈제25985호, 2015. 1. 6.〉 (해양수산부와 그 소속기관 직제) **제1조(시행일)** 이 영은 공포한 날부터 시행한다. **제2조** 및 **제3조** 생략 **제4조(다른 법령의 개정)** ①부터 ⑦까지 생략 ⑧ 건설기술진흥법 시행령 일부를 다음과 같이 개정한다. 제97조제1항제7호를 다음과 같이 한다. 7. 지방해양수산청 ⑨부터 ㉚까지 생략 **제5조** 생략 **부　칙** 〈제26302호, 2015. 6. 1.〉 (공간정보의 구축 및 관리 등에 관한 법률 시행령) **제1조(시행일)** 이 영은 2015년 6월 4일부터 시행한다. **제2조(다른 법령의 개정)** ① 및 ② 생략 ③ 건설기술진흥법 시행령 일부를 다음과 같이 개정한다. 제42조제1항제8호 중 "「측량·수로조사 및 지적에 관한 법률」"을 "「공간정보의 구축 및 관리 등에 관한 법률」"로 한다. 제117조제2항제2호 중 "「측량·수로조사 및 지적에 관한 법률」"을 "「공간정보산업 진흥법」"으로 한다. 별표 5 비고 제6호 중 "「측량·수로조사 및 지	

<table>
<tr><th>법</th><th>시 행 령</th><th>시 행 규 칙</th></tr>
<tr><td>
부 칙 〈제16624호, 2019. 11. 26.〉

이 법은 공포 후 6개월이 경과한 날부터 시행한다.

부 칙 〈제17063호, 2020. 2. 18.〉
(해양조사와 해양정보 활용에 관한 법률)

제1조(시행일) 이 법은 공포 후 1년이 경과한 날부터 시행한다.
제2조 부터 **제16조**까지 생략
제17조(다른 법률의 개정) ① 건설기술진흥법 일부를 다음과 같이 개정한다.
제2조제2호가목 중 "수로조사"를 "해양조사"로 한다.
②부터 ⑨까지 생략
제18조 생략

부 칙 〈제17091호, 2020. 3. 24.〉
(지방행정제재·부과금의 징수 등에 관한 법률)

제1조(시행일) 이 법은 공포한 날부터 시행한다. 〈단서 생략〉
제2조 및 **제3조** 생략
제4조(다른 법률의 개정) ①부터 ⑥까지 생략
⑦ 건설기술진흥법 일부를 다음과 같이 개정한다.
제32조제2항 중 "「지방세외수입금의 징수 등에
</td><td>
적에 관한 법률」"을 "「공간정보의 구축 및 관리 등에 관한 법률」"로 한다.
④부터 〈54〉까지 생략
제3조 생략

부 칙 〈제26382호, 2015. 7. 6.〉

제1조(시행일) 이 영은 공포한 날부터 시행한다. 다만, 제101조의2의 개정규정은 2015년 7월 7일부터 시행한다.
제2조(건설기술용역 평가에 관한 적용례) 제82조제1항제1호의 개정규정은 이 영 시행 후 최초로 입찰공고되는 기본설계 또는 실시설계용역 사업부터 적용한다.

부 칙 〈제26894호, 2016. 1. 12.〉

제1조(시행일) 이 영은 2016년 5월 19일부터 시행한다.
제2조(설계의 안전성 검토에 관한 적용례) 제67조제1항제9호의2 및 제75조의2의 개정규정은 이 영 시행 이후 입찰공고하는 실시설계부터 적용한다.
제3조(지반조사에 관한 적용례) 제74조제1항의 개정규정은 이 영 시행 이후 입찰공고하는 기본설계 또는 실시설계부터 적용한다.
제4조(안전관리계획의 수립 대상 및 기준에 관한 적용례) 제98조제1항 및 제99조제1항제2호의 개
</td><td></td></tr>
</table>

법	시 행 령	시 행 규 칙
관한 법률」"을 "「지방행정제재·부과금의 징수 등에 관한 법률」"로 한다. ⑧부터 〈102〉까지 생략 **제5조** 생략 **부 칙** 〈제17344호, 2020. 6. 9.〉 (지능정보화 기본법) **제1조(시행일)** 이 법은 공포 후 6개월이 경과한 날부터 시행한다. 〈단서 생략〉 **제2조** 부터 **제6조**까지 생략 **제7조(다른 법률의 개정)** ① 건설기술진흥법 일부를 다음과 같이 개정한다. 제19조제4항 중 "「국가정보화 기본법」 제6조에 따른 국가정보화 기본계획 및 같은 법 제7조에 따른 국가정보화 시행계획"을 "「지능정보화 기본법」 제6조에 따른 지능정보사회 종합계획 및 같은 법 제7조에 따른 지능정보사회 실행계획"으로 한다. ②부터 ⑳까지 생략 **제8조** 생략 **부 칙** 〈제17441호, 2020. 6. 9.〉 **제1조(시행일)** 이 법은 공포 후 6개월이 경과한 날부터 시행한다. **제2조(소규모 건설공사의 안전관리 등에 관한 적용례)** 제62조의2의 개정규정은 이 법 시행 후 입	정규정은 이 영 시행 이후 입찰공고(발주자가 발주청이 아닌 경우에는 건설공사의 허가·인가·승인 등을 말한다)하는 건설공사부터 적용한다. **제5조(건설기술자 역량지수에 관한 적용례)** 별표 1 제2호가목의 개정규정은 이 영 시행 이후 발생한 건설사고로 인하여 업무정지처분이나 벌점을 받는 경우부터 적용한다. **제6조(건설기술용역 평가 및 시공평가 실시시기에 관한 경과조치)** 제83조제1항제3호 및 제2항의 개정규정에도 불구하고 이 영 시행 당시 준공된 건설기술용역 및 건설공사에 대해서는 종전의 규정에 따른다. **부 칙** 〈제27176호, 2016. 5. 17.〉 **제1조(시행일)** 이 영은 2016년 5월 19일부터 시행한다. 다만, 제96조제7항의 개정규정은 2016년 6월 30일부터 시행한다. **제2조(철강구조물공장에 대한 실태조사 결과의 공표에 관한 적용례)** 제96조제7항의 개정규정은 부칙 제1조 단서에 따른 시행일 이후 법 제58조제2항에 따른 실태조사를 실시하는 경우부터 적용한다. **제3조(안전관리계획의 수립 대상에 관한 적용례)** 제98조제1항제5호 및 제6호의 개정규정은 이 영 시행 이후 입찰공고(발주자가 발주청이 아닌 경우에는 건설공사의 허가·인가·승인 등을 말	

<table>
<tr><th>법</th><th>시 행 령</th><th>시 행 규 칙</th></tr>
<tr><td>
찰공고(발주자가 발주청이 아닌 경우에는 건설공사의 허가·인가·승인 등을 말한다)하는 건설공사부터 적용한다.
제3조(교육·훈련 대행 등에 관한 경과조치) 이 법 시행 당시 종전의 규정에 따라 건설기술인에 대한 교육·훈련을 대행하는 자는 제20조의2제3항의 개정규정에 따른 교육·훈련기관으로 본다. 다만, 이 법 시행일부터 6개월 이내에 제20조의3제2항의 개정규정에 따라 교육·훈련의 대행을 갱신하여야 한다.

부 칙 〈제17453호, 2020. 6. 9.〉
(법률용어 정비를 위한 국토교통위원회 소관 78개 법률 일부개정을 위한 법률)

이 법은 공포한 날부터 시행한다. 〈단서 생략〉

부 칙 〈제17542호, 2020. 10. 20.〉

이 법은 공포 후 6개월이 경과한 날부터 시행한다. 다만, 제26조제3항의 개정규정은 공포 후 3개월이 경과한 날부터 시행한다.

부 칙 〈제17939호, 2021. 3. 16.〉

제1조(시행일) 이 법은 공포 후 3개월이 경과한 날부터 시행한다. 다만, 제2조제12호, 제22조의2제2항, 제22조의3, 제45조의2, 제62조의3
</td><td>
한다)하는 건설공사부터 적용한다.

부 칙 〈제27205호, 2016. 5. 31.〉
(기술보증기금법 시행령)

제1조(시행일) 이 영은 2016년 9월 30일부터 시행한다. 〈단서 생략〉
제2조(다른 법령의 개정) ① 건설기술진흥법 시행령 일부를 다음과 같이 개정한다.
제34조제5항제3호를 다음과 같이 한다.
3. 「기술보증기금법」에 따른 기술보증기금의 기술보증
②부터 〈59〉까지 생략
제3조 생략

부 칙 〈제27444호, 2016. 8. 11.〉
(주택법 시행령)

제1조(시행일) 이 영은 2016년 8월 12일부터 시행한다.
제2조 부터 제6조까지 생략
제7조(다른 법령의 개정) ①부터 ③까지 생략
④ 건설기술진흥법 시행령 일부를 다음과 같이 개정한다.
제25조제4항 전단 중 "「주택법」 제9조"를 "「주택법」 제4조"로 한다.
제42조제1항제7호 중 "「주택법」 제16조"를 "「주택법」 제15조"로 한다.
</td><td></td></tr>
</table>

법	시 행 령	시 행 규 칙
및 제80조의2의 개정규정은 공포 후 6개월이 경과한 날부터 시행한다. **제2조(공사기간 산정기준에 관한 적용례)** 제45조의2의 개정규정은 같은 개정규정 시행 후 입찰공고를 하는 건설엔지니어링부터 적용한다. **제3조(업무정지 등의 제척기간에 관한 적용례)** ① 제80조의2의 개정규정은 같은 개정규정 시행 후 위반행위가 발생하는 경우부터 적용한다. ② 제80조의2의 개정규정 시행 이전의 위반행위에 대해서는 같은 개정규정 시행일 이후 같은 개정규정에 따른 제척기간 말일이 경과한 경우 제재처분을 부과할 수 없다. **제4조(다른 법률의 개정)** ① 건설산업기본법 일부를 다음과 같이 개정한다. 제49조제3항 전단 중 "건설기술용역업자"를 "건설엔지니어링사업자"로 한다. ② 건설폐기물의 재활용촉진에 관한 법률 일부를 다음과 같이 개정한다. 제2조제12호 중 "건설기술용역"을 "건설엔지니어링"으로 한다. 제18조제2항 중 "건설기술용역"을 "건설엔지니어링"으로 한다. 제66조제3항제1호의2 및 제1호의3 중 "건설기술용역"을 각각 "건설엔지니어링"으로 한다. ③ 건축물관리법 일부를 다음과 같이 개정한다. 제18조제1항제2호 중 "건설기술용역사업자"를 "건설엔지니어링사업자"로 한다. ④ 건축법 일부를 다음과 같이 개정한다.	제45조제2항 중 "「주택법 시행령」 제26조"를 "「주택법 시행령」 제47조"로 한다. 제90조제1항 전단 중 "「주택법」 제24조"를 "「주택법」 제43조 및 제44조"로 한다. 제98조제1항제4호의2나목 중 "「주택법」 제2조제15호다목"을 "「주택법」 제2조제25호다목"으로 한다. ⑤부터 〈75〉까지 생략 **제8조** 생략 **부 칙** 〈제27506호, 2016. 9. 22.〉 (기초연구진흥 및 기술개발지원에 관한 법률 시행령) **제1조(시행일)** 이 영은 2016년 9월 23일부터 시행한다. **제2조** 및 **제3조** 생략 **제4조(다른 법령의 개정)** ① 건설기술진흥법 시행령 일부를 다음과 같이 개정한다. 제23조제1항제4호 중 "「기초연구진흥 및 기술개발지원에 관한 법률」 제14조제1항제2호에 따른"을 "「기초연구진흥 및 기술개발지원에 관한 법률」 제14조의2제1항에 따라 인정받은"으로 한다. ②부터 ㉔까지 생략	

법	시 행 령	시 행 규 칙
제67조제1항제2호 중 “건설기술용역업자”를 “건설엔지니어링사업자”로 한다. ⑤ 건축사법 일부를 다음과 같이 개정한다. 제23조제9항제1호 중 “건설기술용역사업자”를 “건설엔지니어링사업자”로 한다. ⑥ 골재채취법 일부를 다음과 같이 개정한다. 제22조의4제2항 중 “건설기술용역업자”를 “건설엔지니어링사업자”로 한다. ⑦ 도시개발법 일부를 다음과 같이 개정한다. 제20조제1항 본문 중 “건설기술용역업자”를 “건설엔지니어링사업자”로 한다. ⑧ 민간임대주택에 관한 특별법 일부를 다음과 같이 한다. 제28조의2제1항 본문 중 “건설기술용역업자”를 “건설엔지니어링사업자”로 한다. **부 칙** 〈제18933호, 2022. 6. 10.〉 이 법은 공포 한 날부터 시행한다.	**부 칙** 〈제27619호, 2016. 11. 29.〉 (예비군법 시행령) **제1조(시행일)** 이 영은 공포한 날부터 시행한다. 〈단서 생략〉 **제2조** 생략 **제3조(다른 법령의 개정)** ① 생략 ② 건설기술진흥법 시행령 일부를 다음과 같이 개정한다. 제60조제5항 중 “「향토예비군 설치법」”을 “「예비군법」”으로 한다. ③부터 ⑰까지 생략 **제4조** 생략 **부 칙** 〈제27622호, 2016. 11. 29.〉 (지방자치단체를 당사자로 하는 계약에 관한 법률 시행령) **제1조(시행일)** 이 영은 2016년 11월 30일부터 시행한다. **제2조** 부터 **제4조**까지 생략 **제5조(다른 법령의 개정)** 건설기술진흥법 시행령 일부를 다음과 같이 개정한다. 제17조제2항제2호다목 및 바목을 각각 다음과 같이 한다. 다. 영 제96조제1항에 따른 대형공사·특정공사의 입찰방법, 실시설계적격자의 결정방법 및 낙찰자 결정방법에 관한 사항	

법	시 행 령	시 행 규 칙
	허가·인가·승인 등을 말한다)하는 건설공사부터 적용한다. **부 칙** 〈제28586호, 2018. 1. 16.〉 (시설물의 안전 및 유지관리에 관한 특별법 시행령) **제1조(시행일)** 이 영은 2018년 1월 18일부터 시행한다. 〈단서 생략〉 **제2조 부터 제6조까지 생략** **제7조(다른 법령의 개정)** ① 건설기술진흥법 시행령 일부를 다음과 같이 개정한다. 제19조제4항제4호 중 “「시설물의 안전관리에 관한 특별법」 제7조”를 “「시설물의 안전 및 유지관리에 관한 특별법」 제12조”로 한다. 제42조제1항제5호 중 “「시설물의 안전관리에 관한 특별법」 제25조”를 “「시설물의 안전 및 유지관리에 관한 특별법」 제45조”로, “제9조제1항”을 “제28조제1항”으로 한다. 제51조제2항 각 호 외의 부분 중 “「시설물의 안전관리에 관한 특별법」 제6조 및 제7조”를 “「시설물의 안전 및 유지관리에 관한 특별법」 제11조 및 제12조”로 한다. 제57조제1호 및 제2호 중 “「시설물의 안전관리에 관한 특별법」 제2조제2호 및 제3호”를 각각 “「시설물의 안전 및 유지관리에 관한 특별법」 제7조제1호 및 제2호”로 한다. 제80조제1항 중 “「시설물의 안전관리에 관한 특별법」”을 “「시설물의 안전 및 유지관리에 관	

법	시 행 령	시 행 규 칙
	한 특별법」"으로 한다. 제88조제1항제2호 중 "「시설물의 안전관리에 관한 특별법 시행령」 제12조제1항"을 "「시설물의 안전 및 유지관리에 관한 특별법 시행령」 제18조제1항"으로 한다. 제93조제3항 중 "「시설물의 안전관리에 관한 특별법」 제2조제2호 및 제3호"를 "「시설물의 안전 및 유지관리에 관한 특별법」 제7조제1호 및 제2호"로 한다. 제98조제1항제1호 중 "「시설물의 안전관리에 관한 특별법」 제2조제2호 및 제3호"를 "「시설물의 안전 및 유지관리에 관한 특별법」 제7조제1호 및 제2호"로, "같은 법 제2조제12호"를 "같은 법 제2조제11호"로 한다. 제98조제4항 단서 중 "「시설물의 안전관리에 관한 특별법」 제2조제2호 및 제3호"를 "「시설물의 안전 및 유지관리에 관한 특별법」 제7조제1호 및 제2호"로 한다. 제100조제2항제1호 중 "「시설물의 안전관리에 관한 특별법」 제9조"를 "「시설물의 안전 및 유지관리에 관한 특별법」 제28조"로 하고, 같은 조 제5항 전단 중 "「시설물의 안전관리에 관한 특별법 시행령」 제7조"를 "「시설물의 안전 및 유지관리에 관한 특별법 시행령」 제9조"로 하며, 같은 항 후단 중 "「시설물의 안전관리에 관한 특별법 시행령」 별표 3"을 "「시설물의 안전 및 유지관리에 관한 특별법 시행령」 별표 11"로 한다.	

법	시 행 령	시 행 규 칙
	제101조제2항 및 같은 조 제3항제1호 중 "「시설물의 안전관리에 관한 특별법」 제2조제2호 및 제3호"를 각각 "「시설물의 안전 및 유지관리에 관한 특별법」 제7조제1호 및 제2호"로 한다. 별표 5 비고 제6호 중 "「시설물의 안전관리에 관한 특별법」"을 "「시설물의 안전 및 유지관리에 관한 특별법」"으로 한다. ②부터 ㉔까지 생략 **제8조** 생략 **부 칙** 〈제28792호, 2018. 4. 10.〉 이 영은 공포한 날부터 시행한다. **부 칙** 〈제28947호, 2018. 6. 8.〉 (국토교통부와 그 소속기관 직제) **제1조(시행일)** 이 영은 공포한 날부터 시행한다. **제2조** 생략 **제3조(다른 법령의 개정)** ① 건설기술진흥법 시행령 일부를 다음과 같이 개정한다. 제94조제1항에 제11호를 다음과 같이 신설한다. 11. 「한국수자원공사법」에 따른 한국수자원공사 ②부터 ⑩까지 생략 **부 칙** 〈제29360호, 2018. 12. 11.〉 **제1조(시행일)** 이 영은 2018년 12월 13일부터 시	

법	시 행 령	시 행 규 칙
	행한다. 다만, 제52조제9항의 개정규정은 대통령령 제29318호 국가를 당사자로 하는 계약에 관한 법률 시행령 일부개정령 부칙 제1조제1호에 따른 시행일부터 시행한다. **제2조(다른 법령의 개정)** ① 가축분뇨의 관리 및 이용에 관한 법률 시행령 일부를 다음과 같이 개정한다. 별표 5 비고 제5호 중 "건설기술자는"을 "건설기술인은"으로 한다. 별표 7 비고 제2호 중 "건설기술자는"을 "건설기술인은"으로 한다. ② 건축법 시행령 일부를 다음과 같이 개정한다. 제19조제1항제2호 중 "건설사업관리기술자를"을 "건설사업관리기술인을"로 한다. ③ 공간정보의 구축 및 관리 등에 관한 법률 시행령 일부를 다음과 같이 개정한다. 별표 4의 기술인력란 제1호 중 "특급기술자"를 "특급기술인"으로 하고, 같은 란 제2호 중 "고급기술자"를 "고급기술인"으로 하며, 같은 란 제3호 중 "중급기술자"를 "중급기술인"으로 하고, 같은 란 제4호 중 "초급기술자"를 "초급기술인"으로 하며, 같은 표 비고 제1호 중 "기술자는"을 "기술인은"으로, "기술자를"을 "기술인을"로 하고, 같은 비고 제2호 중 "특급기술자"를 "특급기술인"으로, "고급기술자"를 "고급기술인"으로, "중급기술자 및 초급기술자"를 "중급기술인 및 초급기술인"으로 한다. 별표 5 제1호 중 "건설기술자"을 "건설기술인"	

법	시 행 령	시 행 규 칙
	으로 한다. 별표 8의 측지측량업의 기술인력란 제1호 중 "특급기술자"를 "특급기술인"으로 하고, 같은 란 제2호 중 "고급기술자"를 "고급기술인"으로 하며, 같은 란 제3호 중 "중급기술자"를 "중급기술인"으로 하고, 같은 란 제4호 중 "초급기술자"를 "초급기술인"으로 하며, 같은 표의 공공측량업의 기술인력란 제1호 중 "고급기술자"를 "고급기술인"으로 하고, 같은 란 제2호 중 "중급기술자"를 "중급기술인"으로 하며, 같은 란 제3호 중 "초급기술자"를 "초급기술인"으로 하고, 같은 표의 일반측량업의 기술인력란 제1호 중 "고급기술자"를 "고급기술인"으로 하며, 같은 표의 연안조사측량업의 기술인력란 제1호 중 "고급기술자"를 "고급기술인"으로 하고, 같은 란 제2호 중 "중급기술자"를 "중급기술인"으로 하며, 같은 란 제3호 중 "초급기술자"를 "초급기술인"으로 하고, 같은 표의 항공촬영업의 기술인력란 제1호 중 "특급기술자"를 "특급기술인"으로 하며, 같은 란 제2호 중 "고급기술자"를 "고급기술인"으로 하고, 같은 표의 공간영상도화업의 기술인력란 제1호 중 "고급기술자"를 "고급기술인"으로 하며, 같은 란 제2호 중 "중급기술자"를 "중급기술인"으로 하고, 같은 란 제3호 중 "초급기술자"를 "초급기술인"으로 하며, 같은 표의 영상처리업의 기술인력란 제1호 중 "고급기술자"를 "고급기술인"으로 하고, 같은 란 제2호 중 "중급기술자"를 "중급기	

법	시행령	시행규칙
	술인"으로 하며, 같은 란 제3호 중 "초급기술자"를 "초급기술인"으로 하고, 같은 표의 수치지도제작업의 기술인력란 제1호 중 "고급기술자"를 "고급기술인"으로 하며, 같은 표의 지하시설물측량업의 기술인력란 제1호 중 "고급기술자"를 "고급기술인"으로 하고, 같은 란 제2호 중 "중급기술자"를 "중급기술인"으로 하며, 같은 란 제3호 중 "초급기술자"를 "초급기술인"으로 하고, 같은 표의 지적측량업의 기술인력란 제1호 중 "특급기술자"를 "특급기술인"으로, "고급기술자"를 "고급기술인"으로 하며, 같은 란 제2호 중 "중급기술자"를 "중급기술인"으로 하고, 같은 란 제3호 중 "초급기술자"를 "초급기술인"으로 하며, 같은 표 비고 제1호 중 "수치제도제작업의 기술자는"을 "수치지도제작업의 기술인은"으로, "지형공간정보 기술자로"를 "지형공간정보 기술인으로"로, "지적측량업의 기술자는"을 "지적측량업의 기술인은"으로 하고, 같은 비고 제3호 단서 중 "기술자와"를 "기술인과"로 한다. 별표 11의 일반성능검사대행자의 기술인력란 제1호 중 "고급기술자"를 "고급기술인"으로 하고, 같은 표의 금속관로탐지기성능검사대행자의 기술인력란 제1호 중 "고급기술자"를 "고급기술인"으로 하며, 같은 표 비고 제2호 중 "기술자를"을 "기술인을"로 하고, 같은 표 비고 제4호 단서 중 "기술자와"를 "기술인과"로 한다. 별표 12의 기술인력란 제1호 중 "특급기술자"	

법	시 행 령	시 행 규 칙
	를 "특급기술인"으로 하고, 같은 란 제2호 중 "고급기술자"를 "고급기술인"으로 하며, 같은 란 제3호 중 "중급기술자"를 "중급기술인"으로 하고, 같은 란 제4호 중 "초급기술자"를 "초급기술인"으로 하며, 같은 표 비고 제1호 중 "기술자는"을 "기술인은"으로, "기술자를"을 "기술인을"로 하고, 같은 표 비고 제2호 중 "중 기술자는"을 "중 기술인은"으로, "특급기술자는"을 "특급기술인은"으로, "고급기술자는"을 "고급기술인은"으로, "중급기술자 및 초급기술자는"은 "중급기술인 및 초급기술인은"으로 한다. ④ 공동주택관리법 시행령 일부를 다음과 같이 개정한다. 별표 5 비고 2) 중 "기술자는"을 "기술인은"으로 한다. ⑤ 국가를 당사자로 하는 계약에 관한 법률 시행령 일부를 다음과 같이 개정한다. 제54조제2항 중 "건설사업관리기술자"를 "건설사업관리기술인"으로 한다. 제76조제1항제2호마목 중 "건설사업관리기술자 교체"를 "건설사업관리기술인 교체"로, "건설사업관리기술자를"을 "건설사업관리기술인을"로 한다. ⑥ 국토교통부와 그 소속기관 직제 일부를 다음과 같이 개정한다. 제13조제3항제22호 중 "건설기술자"를 "건설기술인"으로 한다. 제23조제1호 중 "기술자자격의"를 "기술인자격	

법	시 행 령	시 행 규 칙
	의"로 한다. ⑦ 급경사지 재해예방에 관한 법률 시행령 일부를 다음과 같이 개정한다. 별표 1의 인력기준의 등록기준란 제1호 각 목 외의 부분 중 "건설기술자(이하 "건설기술자"라 한다)"를 "건설기술인(이하 "건설기술인"이라 한다)"으로, "건설기술자를"을 "건설기술인을"로 하고, 같은 호 가목 및 나목 중 "건설기술자"를 각각 "건설기술인"으로 하며, 같은 란 제2호 중 "기술자가"를 "기술인이"로 하고, 같은 표 비고 제1호 중 "건설기술자는"을 "건설기술인은"으로, "건설기술자로"를 "건설기술인으로"로, "건설기술자를"을 "건설기술인을"로 한다. 별표 2의 인력기준의 등록기준란 제1호 각 목 외의 부분 중 "건설기술자를"을 "건설기술인을"로 하고, 같은 란 제2호 중 "기술자가"를 "기술인이"로 한다. ⑧ 녹색건축물 조성 지원법 시행령 일부를 다음과 같이 개정한다. 제18조의4제1항제1호가목 중 "중급기술자"를 "중급기술인"으로 한다. ⑨ 도시 및 주거환경정비법 시행령 일부를 다음과 같이 개정한다. 별표 4 제2호가목1) 중 "특급기술자로서 특급기술자의"를 "특급기술인으로서 특급기술인의"로 한다. ⑩ 부동산개발업의 관리 및 육성에 관한 법률 시행령 일부를 다음과 같이 개정한다.	

법	시 행 령	시 행 규 칙
	별표 1의 부동산개발 실무의 부동산개발 전문인력의 범위란 제4호 중 "고급기술자"를 "고급기술인"으로 한다. ⑪ 산림보호법 시행령 일부를 다음과 같이 개정한다. 별표 1의6의 2종 나무병원의 인력란 제1호나목 중 "건설기술자"를 "건설기술인"으로 한다. ⑫ 산업안전보건법 시행령 일부를 다음과 같이 개정한다. 제30조의8제1항 중 "건설기술자"를 "건설기술인"으로 한다. 별표 6의4 제2호나목6) 중 "특급건설기술자 또는 고급건설기술자"를 "특급건설기술인 또는 고급건설기술인"으로 한다. ⑬ 시설물의 안전 및 유지관리에 관한 특별법 시행령 일부를 다음과 같이 개정한다. 제9조제2항 중 "초급기술자"를 "초급기술인"으로 한다. 제38조제2항제3호 중 "특급기술자"를 "특급기술인"으로 한다. 별표 5 제1호가목의 기술자격 요건란 중 "건설기술자 중 초급기술자"를 "건설기술인 중 초급기술인"으로 하고, 같은 표 제2호가목의 기술자격 요건란 중 "건설기술자 중 고급기술자"를 "건설기술인 중 고급기술인"으로 하며, 같은 표 제3호가목의 기술자격 요건란 중 "건설기술자 중 특급기술자"를 "건설기술인 중 특급기술인"으로 하고, 같은 목의 교육 및 실무경력 요건란	

법	시 행 령	시 행 규 칙
	중 "특급기술자가 아닌 건설기술자로서"를 "특급기술인이 아닌 건설기술인으로서"로 한다. 별표 6의 자격요건란 중 "고급기술자"를 "고급기술자 또는 고급기술인"으로 한다. 별표 11 제2호가목의 구분란 중 "특급기술자"를 "특급기술인"으로 하고, 같은 호 나목의 구분란 중 "중급기술자"를 "중급기술인"으로 하며, 같은 호 다목의 구분란 중 "초급기술자"를 "초급기술인"으로 하고, 같은 표 비고 제3호 중 "중급기술자 및 초급기술자"를 "중급기술인 및 초급기술인"으로 한다. ⑭ 자연환경보전법 시행령 일부를 다음과 같이 개정한다. 별표 3 기술능력란 다목 중 "중급기술자"를 "중급기술인"으로 하고, 같은 란 라목 중 "건설기술자"를 "건설기술인"으로 하며, 같은 표 비고 제2호가목 중 "기사 및 기술자는"을 "기사, 기술자 및 기술인은"으로 하고, 같은 호 나목 중 "중급기술자"는 "중급기술인"으로 하며, 같은 호 다목 중 "건설기술자는"을 "건설기술인은"으로, "건설기술자를"을 "건설기술인을"로 한다. ⑮ 주택건설기준 등에 관한 규정 일부를 다음과 같이 개정한다. 제61조의2제6항 중 "건설기술자를"을 "건설기술인을"로 한다. ⑯ 주택법 시행령 일부를 다음과 같이 개정한다. 제14조제3항제2호가목 및 나목 중 "기술자"를 각각 "기술인"으로 한다.	

법	시 행 령	시 행 규 칙
	제17조제1항제2호 전단 중 "분야기술자"를 "분야 기술인"으로 하고, 같은 호 후단 중 "기술자"를 "기술인"으로 한다. 별표 1 제2호바목1)의 위반행위란 중 "건설기술자"를 "건설기술인"으로 한다. ⑰ 지방자치단체를 당사자로 하는 계약에 관한 법률 시행령 일부를 다음과 같이 개정한다. 제56조제2항 중 "건설사업관리기술자"를 "건설사업관리기술인"으로 한다. 제92조제1항제17호 중 "건설사업관리기술자 교체 사유"를 "건설사업기술인 교체 사유"로, "건설사업관리기술자를"을 "건설사업관리기술인을"로 한다. 제106조제2항제4호 중 "건설기술자"를 "건설기술인"으로 한다. ⑱ 지하수법 시행령 일부를 다음과 같이 개정한다. 별표 4 제1호가목 중 "「건설기술관리법」"을 "「건설기술진흥법」"으로, "기술자"를 "기술자 또는 기술인"으로 한다. 별표 5 제1호가목 중 "특급기술자"를 "특급기술자 또는 특급기술인"으로 한다. 별표 6 제1호가목 및 나목 중 "특급기술자"를 각각 "특급기술자 또는 특급기술인"으로 하고, 같은 호 다목 중 "기술자 중"을 "기술자 또는 기술인 중"으로 한다. ⑲ 지하안전관리에 관한 특별법 시행령 일부를 다음과 같이 개정한다.	

법	시 행 령	시 행 규 칙
	제15조제1항 중 "특급기술자로서"를 "특급기술인으로서"으로 한다. 별표 8 제2호가목의 구분란 중 "특급기술자"를 "특급기술인"으로 하고, 같은 호 나목의 구분란 중 "중급기술자"를 "중급기술인"으로 하며, 같은 호 다목의 구분란 중 "초급기술자"를 "초급기술인"으로 한다. ⑳ 철도안전법 시행령 일부를 다음과 같이 개정한다. 별표 5 제1호가목 1) 및 2) 외의 부분 중 "특급기술자"를 "특급기술자·특급기술인"으로 하고, 같은 표 제2호가목 중 "특급기술자"를 "특급기술자·특급기술인"으로 하며, 같은 호 나목 1) 및 2) 외의 부분 중 "고급기술자"를 "고급기술자·고급기술인"으로 하고, 같은 표 제3호가목 중 "고급기술자"를 "고급기술자·고급기술인"으로 하며, 같은 호 나목 1) 및 2) 외의 부분 중 "중급기술자"를 "중급기술자·중급기술인"으로 하고, 같은 표 제4호가목 중 "중급기술자"를 "중급기술자·중급기술인"으로 하며, 같은 호 나목 1) 및 2) 외의 부분 중 "초급기술자"를 "초급기술자·초급기술인"으로 한다. ㉑ 하수도법 시행령 일부를 다음과 같이 개정한다. 별표 2 비고 제3호 전단 중 "건설기술자는"을 "건설기술인은"으로 한다. 별표 4 비고 제3호 전단 중 "건설기술자는"을 "건설기술인은"으로 한다.	

법	시 행 령	시 행 규 칙
	별표 5 비고 제4호 전단 중 “건설기술자는”을 “건설기술인은”으로 한다. 별표 7 비고 제5호 전단 중 “건설기술자는”을 “건설기술인은”으로 한다. ㉒ 환경기술 및 환경산업 지원법 시행령 일부를 다음과 같이 개정한다. 별표 1 비고 제3호 중 “건설기술자는”을 “건설기술인은”으로 한다. ㉓ 환경영향평가법 시행령 일부를 다음과 같이 개정한다. 별표 5 제1호가목 중 “기술자는”을 “기술인은”으로 한다. **부 칙** 〈제29710호, 2019. 4. 23.〉 **제1조(시행일)** 이 영은 공포한 날부터 시행한다. **제2조(지방심의위원회 등의 공사기간 산정의 적정성 심의에 관한 적용례)** 제17조제2항 및 제19조제4항의 개정규정은 이 영 시행 이후 입찰공고하는 건설공사부터 적용한다. **제3조(하도급 승인에 따른 건설기술용역의 실적 통보에 관한 적용례)** 제45조제1항의 개정규정은 이 영 시행 당시 법 제35조제4항에 따라 발주청의 승인을 받아 하도급 계약을 체결하고 그 용역이 완료되지 않은 경우에 대해서도 적용한다.	

법	시 행 령	시 행 규 칙
	부 칙 〈제29918호, 2019. 6. 25.〉 **제1조(시행일)** 이 영은 2019년 7월 1일부터 시행한다. **제2조(안전관리계획의 수립 기준에 관한 적용례)** 제99조제1항제3호의 개정규정은 이 영 시행 이후 입찰공고(발주자가 발주청이 아닌 경우에는 건설공사의 허가·인가·승인 등의 신청을 말한다)하는 건설공사부터 적용한다. **제3조(안전점검 결과에 대한 통보 기한 등에 관한 적용례)** 제100조제4항 및 제5항의 개정규정은 이 영 시행 이후 건설안전점검기관에 정기안전점검 또는 정밀안전점검 등의 실시를 의뢰하는 건설공사부터 적용한다. **부 칙** 〈제30256호, 2019. 12. 24.〉 (산업안전보건법 시행령) **제1조(시행일)** 이 영은 2020년 1월 16일부터 시행한다. 〈단서 생략〉 **제2조** 부터 **제31조**까지 생략 **제32조(다른 법령의 개정)** ① 건설기술진흥법 시행령 일부를 다음과 같이 개정한다. 제98조제1항 각 호 외의 부분 후단 중 "「산업안전보건법」 제48조에 따른 유해·위험 방지계획"을 "「산업안전보건법」 제42조에 따른 유해위험방지계획"으로 한다. 별표 6 제2호아목1)부터 6)까지 외의 부분 및 같	

법	시 행 령	시 행 규 칙
	은 목 1) 중 "「산업안전보건법」 제2조제7호"를 각각 "「산업안전보건법」 제2조제2호"로 한다. ②부터 ㊵까지 생략 **제33조** 생략 **부 칙** 〈제30337호, 2020. 1. 7.〉 **제1조(시행일)** 이 영은 공포한 날부터 시행한다. **제2조(다른 법령의 개정)** ① 개발이익 환수에 관한 법률 시행령 일부를 다음과 같이 개정한다. 제12조제4항제2호가목 중 "건설기술용역업자"를 "건설기술용역사업자"로 한다. ② 건축법 시행령 일부를 다음과 같이 개정한다. 제19조제1항제2호 중 "건설기술용역업자"를 각각 "건설기술용역사업자"로 하고, 같은 조 제5항 각 호 외의 부분 전단 중 "「건축사법」 제23조제8항 각 호의 건설기술용역업자"를 "「건축사법」 제23조제9항 각 호의 건설기술용역사업자"로 하며, 제23조의2제6항제2호 중 "건설기술용역업자"를 "건설기술용역사업자"로 하고, 제63조제2호 중 "건설기술용역업자"를 "건설기술용역사업자"로 한다. ③ 건축사법 시행령 일부를 다음과 같이 개정한다. 별표 1 1등급의 경력구분란 제2호마목 중 "건설기술용역업자"를 "건설기술용역사업자"로 한다. ④ 국가를 당사자로 하는 계약에 관한 법률 시행령 일부를 다음과 같이 개정한다.	

법	시 행 령	시 행 규 칙
	제84조제1항제2호 중 "건설기술용역업자"를 "건설기술용역사업자"로 한다. ⑤ 국제경기대회 지원법 시행령 일부를 다음과 같이 개정한다. 제20조 후단 중 "건설기술용역업자"를 "건설기술용역사업자"로 한다. ⑥ 농어촌정비법 시행령 일부를 다음과 같이 개정한다. 제90조제3항 중 "건설기술용역업자"를 "건설기술용역사업자"로 한다. 제91조제1항제4호 중 "건설기술용역업자"를 "건설기술용역사업자"로 한다. ⑦ 새만금사업 추진 및 지원에 관한 특별법 시행령 일부를 다음과 같이 개정한다. 제14조제4항 중 "건설기술용역업자"를 "건설기술용역사업자"로 한다. ⑧ 신항만건설 촉진법 시행령 일부를 다음과 같이 개정한다. 제21조의2 후단 중 "건설기술용역업자"를 "건설기술용역사업자"로 한다. ⑨ 어촌·어항법 시행령 일부를 다음과 같이 개정한다. 제12조 중 "건설기술용역업자"를 "건설기술용역사업자"로 한다. 제27조의3 중 "건설기술용역업자"를 "건설기술용역사업자"로 한다. ⑩ 어촌특화발전 지원 특별법 시행령 일부를 다음과 같이 개정한다.	

법	시 행 령	시 행 규 칙
	제12조제2항제3호 중 "건설기술용역업자"를 "건설기술용역사업자"로 한다. ⑪ 주택법 시행령 일부를 다음과 같이 개정한다. 제47조제1항제1호나목 및 같은 항 제2호 중 "건설기술용역업자"를 각각 "건설기술용역사업자"로 한다. ⑫ 지능형 로봇 개발 및 보급 촉진법 시행령 일부를 다음과 같이 개정한다. 제23조제1항 단서 중 "건설기술용역업자"를 "건설기술용역사업자"로 한다. ⑬ 지방자치단체를 당사자로 하는 계약에 관한 법률 시행령 일부를 다음과 같이 개정한다. 제97조제1항제2호 중 "건설기술용역업자"를 "건설기술용역사업자"로 한다. ⑭ 항만공사법 시행령 일부를 다음과 같이 개정한다. 제9조제1호 중 "건설기술용역업자"를 "건설기술용역사업자"로 한다. ⑮ 항만법 시행령 일부를 다음과 같이 개정한다. 제16조제1호 중 "건설기술용역업자"를 "건설기술용역사업자"로 한다. ⑯ 해외건설 촉진법 시행령 일부를 다음과 같이 개정한다. 제8조제3호 중 "건설기술용역업자"를 "건설기술용역사업자"로 한다.	

법	시 행 령	시 행 규 칙
	부 칙 〈제30509호, 2020. 3. 3.〉 (규제 재검토기한 해제 등을 위한 144개 대통령령의 일부개정에 관한 대통령령) 이 영은 공포한 날부터 시행한다. **부 칙** 〈제30704호, 2020. 5. 26.〉 (문화재보호법 시행령) **제1조(시행일)** 이 영은 2020년 5월 27일부터 시행한다. **제2조(다른 법령의 개정)** ① 생략 ② 건설기술진흥법 시행령 일부를 다음과 같이 개정한다. 제55조제2항제1호 중 "「문화재보호법」 제2조제2항"을 "「문화재보호법」 제2조제3항"으로, "가지정문화재"를 "임시지정문화재"로 한다. ③부터 ⑱까지 생략 **부 칙** 〈제30712호, 2020. 5. 26.〉 **제1조(시행일)** 이 영은 2020년 5월 27일부터 시행한다. 다만, 제83조제1항제1호의 개정규정은 2021년 1월 1일부터 시행한다. **제2조(건설기술용역의 실적 관리 대상 및 실적 통보 등에 관한 적용례 등)** ① 제45조의 개정규정은 2017년 5월 27일 이후에 계약이 체결된 건설기술용역부터 적용한다.	

법	시 행 령	시 행 규 칙
	② 제45조제1항제3호의 개정규정에 해당하는 건설기술용역 중 2017년 5월 27일부터 2020년 5월 26일까지의 기간에 계약이 체결된 건설기술용역의 실적은 제45조제3항제2호의 개정규정에도 불구하고 해당 건설기술용역사업자가 국토교통부장관에게 직접 통보해야 한다. **제3조(기본설계에 대한 용역평가 시기에 관한 적용례)** 제83조제1항제1호의 개정규정은 부칙 제1조 단서에 따른 시행일 이후 완료되는 기본설계용역부터 적용한다. **제4조(건설공사현장 등 점검에 따른 일정 기간의 공사중지에 관한 적용례)** 제88조제4항제1호 및 같은 조 제5항의 개정규정은 이 영 시행 이후 법 제54조에 따라 건설공사현장 등을 점검한 결과 부실시공으로 지적된 경우부터 적용한다. **제5조(품질관리계획 등의 수립절차에 관한 적용례)** 제90조제2항부터 제5항까지의 개정규정은 이 영 시행 이후 입찰공고(발주자가 발주청이 아닌 경우에는 건설공사의 허가·인가·승인 등을 말한다)하는 건설공사부터 적용한다. **제6조(가설구조물의 구조적 안전성 확인에 관한 적용례 등)** ① 제101조의2제1항의 개정규정은 이 영 시행 이후 입찰공고(발주자가 발주청이 아닌 경우에는 건설공사의 허가·인가·승인 등을 말한다)하는 건설공사부터 적용한다. ② 이 영 시행 당시 법 제62조제11항에 따라 가설구조물의 구조적 안전성 확인이 진행 중인 공사에 대해서는 제101조의2제2항의 개정규정	

법	시 행 령	시 행 규 칙
	에도 불구하고 종전의 규정에 따른다. **제7조(건설공사 등의 벌점관리기준에 관한 적용례)** 별표 8의 개정규정은 이 영 시행 이후 발생하는 주요 부실내용부터 적용한다. **부 칙** 〈제30885호, 2020. 7. 30.〉 **제1조(시행일)** 이 영은 2020년 8월 1일부터 시행한다. **제2조(건설기술인의 교육·훈련에 관한 경과조치)** ① 이 영 시행 당시 종전의 별표 3에 따른 교육·훈련을 받은 건설기술인은 다음 표에 따라 별표 3의 개정규정에 따른 교육·훈련을 받은 것으로 본다. 이 경우 교육·훈련 시간을 일부만 이수한 경우에는 이수한 시간에 한정하여 해당 교육·훈련을 받은 것으로 본다.	

종전의 별표 3에 따른 교육·훈련	별표 3의 개정규정에 따른 교육·훈련
1. 제2호가목1), 같은 호 나목1) 및 같은 호 다목1)의 기본교육	제2호가목의 기본교육
2. 제2호가목1)의 전문교육	제2호나목1)가)(1)의 일반 최초교육
3. 제2호나목1)의 전문교육	제2호나목2)가)의 최초교육
4. 제2호다목1)의 전문교육	제2호나목3)가)의 최초교육
5. 제2호가목2)의 전문교육	제2호나목1)다)의 최초교육

법	시 행 령	시 행 규 칙

6. 제2호나목2)의 전문교육	제2호나목2)다)의 최초교육
7. 제2호다목2)의 전문교육	제2호나목3)다)의 최초교육
8. 제2호가목3)의 전문교육	제2호나목1)나)의 최초교육
9. 제2호나목3)의 전문교육	제2호나목2)나)(1)의 일반 계속교육
10. 제2호나목4)의 전문교육	제2호나목2)나)(2)의 안전관리 계속교육
11. 제2호다목3)의 전문교육	제2호나목3)나)의 계속교육

② 이 영 시행 당시 종전의 별표 3 제2호나목1)의 기본교육을 35시간 넘게 이수한 건설기술인은 35시간을 초과하는 교육·훈련 시간에 한정하여 별표 3 제2호나목2)가)의 개정규정에 따른 최초교육을 받은 것으로 본다.

③ 이 영 시행 당시 종전의 별표 3 제2호나목3), 같은 목 4) 및 같은 호 다목3)에 따른 교육·훈련 이수시기가 도래한 건설기술인은 별표 3 제2호나목2)나) 및 같은 목 3)나)의 개정규정에도 불구하고 종전의 규정에 따라 교육·훈련을 이수할 수 있다.

제3조(교육기관의 지정요건에 관한 경과조치) 이 영 시행 당시 종전의 규정에 따라 교육기관으로 지정·고시된 종합교육기관은 2021년 1월 1일까지 별표 4의 개정규정에 따른 지정요건을 갖추어야 한다.

법	시 행 령	시 행 규 칙
	부 칙 〈제31053호, 2020. 9. 29.〉 (조달사업에 관한 법률 시행령) **제1조(시행일)** 이 영은 2020년 10월 1일부터 시행한다. **제2조** 부터 **제7조**까지 생략 **제8조(다른 법령의 개정)** ① 건설기술진흥법 시행령 일부를 다음과 같이 개정한다. 제19조제7항 단서 중 "「조달사업에 관한 법률 시행령」 제9조의4제2호가목"을 "「조달사업에 관한 법률 시행령」 제26조제2호가목"으로, "「조달사업에 관한 법률」 제2조제5호가목 및 나목"을 "「조달사업에 관한 법률」 제2조제5호가목·나목 및 같은 법 시행령 제4조제1항제1호·제2호"로 한다. ②부터 ⑥까지 생략 **제9조** 생략 **부 칙** 〈제31156호, 2020. 11. 10.〉 **제1조(시행일)** 이 영은 2021년 1월 1일부터 시행한다. 다만, 별표 8 제3호 및 제4호의 개정규정은 2023년 1월 1일부터 시행한다. **제2조(공동도급하는 건설공사의 벌점 부과에 관한 적용례)** 제87조제2항의 개정규정은 이 영 시행 이후 입찰공고(입찰공고를 하지 않는 경우에는 도급계약의 체결을 말한다)하는 건설공사부터 적용한다.	

<table>
<tr><th>법</th><th>시 행 령</th><th>시 행 규 칙</th></tr>
<tr><td></td><td>제3조(벌점관리기준 변경에 따른 적용례 등) ① 별표 8 제3호 및 제4호의 개정규정은 부칙 제1조 단서에 따른 시행일 이후 벌점을 산정하는 경우부터 적용한다.
② 별표 8 제5호의 개정규정은 이 영 시행 이후 건설기술용역 등의 부실 정도를 측정하는 경우부터 적용한다.
③ 이 영 시행 전에 측정한 건설기술용역 등의 부실에 대한 벌점은 별표 8 제3호의 개정규정에 따라 산정하는 벌점에 합산하지 않는다.

부 칙 〈제31176호, 2020. 11. 24.〉
(법정공고 방식 확대를 위한 69개 법령의 일부개정에 관한 대통령령)

제1조(시행일) 이 영은 공포한 날부터 시행한다.
제2조(공고 등의 방법에 관한 일반적 적용례) 이 영은 이 영 시행 이후 실시하는 공고, 공표, 공시 또는 고시부터 적용한다.

부 칙 〈제31211호, 2020. 12. 1.〉
(국토안전관리원법 시행령)

제1조(시행일) 이 영은 2020년 12월 10일부터 시행한다.
제2조(다른 법령의 개정) ① 건설기술진흥법 시행령 일부를 다음과 같이 개정한다.
제42조제1항제5호 중 "「시설물의 안전 및 유지</td><td></td></tr>
</table>

법	시　행　령	시　행　규　칙
	관리에 관한 특별법」 제45조에 따른 한국시설안전공단(이하 “한국시설안전공단”이라 한다)”을 “「국토안전관리원법」에 따른 국토안전관리원(이하 “국토안전관리원”이라 한다)”으로 한다. 제75조의2제1항, 같은 조 제2항 각 호 외의 부분 및 같은 조 제3항 중 “한국시설안전공단”을 각각 “국토안전관리원”으로 한다. 제98조제4항 단서 중 “한국시설안전공단”을 “국토안전관리원”으로 한다. 제100조제2항제2호를 다음과 같이 한다. 2. 국토안전관리원 제117조제2항제6호를 다음과 같이 한다. 6. 국토안전관리원 ②부터 ⑰까지 생략 **부　칙** 〈제31245호, 2020. 12. 8.〉 **제1조(시행일)** 이 영은 2020년 12월 10일부터 시행한다. **제2조(중앙심의위원회 위원 등의 연임에 관한 적용례 등)** 제7조제6항 본문, 제17조제4항 본문, 제18조제3항 본문 및 제19조제2항 본문의 개정규정은 이 영 시행 전에 위촉된 중앙심의위원회, 지방심의위원회, 특별심의위원회 및 기술자문위원회 위원에 대해서도 적용한다. 다만, 이 영 시행 당시 이미 한 차례 이상 연임한 위원은 해당 개정규정에도 불구하고 그 임기가 만료될 때까지 위원의 직을 유지한다.	

법	시 행 령	시 행 규 칙
	제3조(타워크레인에 대한 정기안전점검에 관한 적용례) 제100조제6항 후단의 개정규정은 이 영 시행 이후 입찰공고(발주자가 발주청이 아닌 경우에는 건설공사의 허가·인가·승인 등을 말한다)하는 건설공사부터 적용한다. **제4조(교육기관의 행정처분 기준에 관한 적용례)** 별표 4의2의 개정규정은 이 영 시행 이후 위반행위부터 적용한다. **제5조(다른 법령의 개정)** ① 간선급행버스체계의 건설 및 운영에 관한 특별법 시행령 일부를 다음과 같이 개정한다. 제7조제17호 중 "「건설기술진흥법 시행령」 제19조제4항"을 "「건설기술진흥법 시행령」 제19조제5항"으로 한다. ② 철도의 건설 및 철도시설 유지관리에 관한 법률 시행령 일부를 다음과 같이 개정한다. 제14조제1항제16호 중 "「건설기술진흥법 시행령」 제19조제4항"을 "「건설기술진흥법 시행령」 제19조제5항"으로 한다. **부 칙** 〈제31297호, 2020. 12. 29.〉 (국가연구개발혁신법 시행령) **제1조(시행일)** 이 영은 2021년 1월 1일부터 시행한다. **제2조** 부터 **제6조**까지 생략 **제7조(다른 법령의 개정)** ① 건설기술진흥법 시행령 일부를 다음과 같이 개정한다.	

법	시 행 령	시 행 규 칙
	제23조제4항제2호를 삭제한다. ②부터 ⑳까지 생략 **제8조** 생략 **부 칙** 〈제31380호, 2021. 1. 5.〉 (어려운 법령용어 정비를 위한 473개 법령의 일부개정에 관한 대통령령) 이 영은 공포한 날부터 시행한다. 〈단서 생략〉 **부 칙** 〈제31438호, 2021. 2. 9.〉 (해양조사와 해양정보 활용에 관한 법률 시행령) **제1조(시행일)** 이 영은 2021년 2월 19일부터 시행한다. **제2조** 및 **제3조** 생략 **제4조(다른 법령의 개정)** ① 건설기술진흥법 시행령 일부를 다음과 같이 개정한다. 제42조제1항제8호 중 "같은 법 제54조에 따른 수로사업"을 "「해양조사와 해양정보 활용에 관한 법률」 제30조에 따른 해양조사·정보업"으로 한다. 별표 5 설계·사업관리의 설계등용역의 수로조사란 중 "「공간정보의 구축 및 관리 등에 관한 법률 시행령」 별표 10 수로조사업"을 "「해양조사와 해양정보 활용에 관한 법률 시행령」 별표 4의 해양관측업 및 수로측량업"으로, "「공간정보의 구축 및 관리 등에 관한 법률」 제54조에 따	

법	시 행 령	시 행 규 칙
	라 등록된 수로사업"을 "「해양조사와 해양정보 활용에 관한 법률」 제30조에 따라 등록된 해양관측업 및 수로측량업"으로 하고, 같은 표 비고 제6호 중 "측량업·수로사업"을 "측량업 등록자, 「해양조사와 해양정보 활용에 관한 법률」에 따른 해양관측업 및 수로측량업"으로 한다. ②부터 ⑰까지 생략 **제5조** 생략 **부 칙** 〈제31516호, 2021. 3. 2.〉 (규제 재검토기한 설정 해제 등을 위한 46개 법령의 일부개정에 관한 대통령령) 이 영은 공포한 날부터 시행한다. **부 칙** 〈제31986호, 2021. 9. 14.〉 **제1조(시행일)** 이 영은 공포한 날부터 시행한다. 다만, 제17조제2항제3호, 제18조제4항제1호다목, 제19조제5항제3호, 제43조의4, 제43조의5, 제66조의2, 제101조의7, 제115조제2항제1호·제1호의2, 제117조제1항제15호의2 및 제117조의2제1항제2호의2의 개정규정은 2021년 9월 17일부터 시행한다. **제2조(공사기간 산정의 적정성 심의에 관한 적용례)** 제17조제2항제3호, 제18조제4항제1호다목 및 제19조제5항제3호의 개정규정은 부칙 제1조 단서에 따른 시행일 이후 입찰공고를 하는 건	

법	시 행 령	시 행 규 칙
	설공사부터 적용한다. **제3조(다른 법령의 개정)** ① 2018 평창 동계올림픽대회 및 동계패럴림픽대회 지원 등에 관한 특별법 시행령 일부를 다음과 같이 개정한다. 제19조 중 "건설기술용역업자"를 "건설엔지니어링사업자"로 한다. ② 가축분뇨의 관리 및 이용에 관한 법률 시행령 일부를 다음과 같이 개정한다. 제12조의5제3항제2호 중 "건설기술용역업"을 "건설엔지니어링업"으로 한다. ③ 개발이익 환수에 관한 법률 시행령 일부를 다음과 같이 개정한다. 제12조제4항제2호가목 중 "건설기술용역사업자"를 "건설엔지니어링사업자"로 한다. ④ 건설폐기물의 재활용촉진에 관한 법률 시행령 일부를 다음과 같이 개정한다. 별표 5 제2호파목의 위반행위란 및 같은 호 하목의 위반행위란 중 "건설기술용역"을 각각 "건설엔지니어링"으로 한다. ⑤ 건축물관리법 시행령 일부를 다음과 같이 개정한다. 제28조제1항제1호 중 "건설기술용역사업자"를 "건설엔지니어링사업자"로 한다. ⑥ 건축법 시행령 일부를 다음과 같이 개정한다. 제19조제1항제2호, 같은 조 제5항 각 호 외의 부분 전단, 제19조의2제2항제1호 및 제63조제2호 중 "건설기술용역사업자"를 각각 "건설엔지니어링사업자"로 한다.	

법	시 행 령	시 행 규 칙
	⑦ 건축사법 시행령 일부를 다음과 같이 개정한다. 별표 1의 1등급의 경력구분란 제2호마목 중 "건설기술용역사업자"를 "건설엔지니어링사업자"로 한다. ⑧ 국가를 당사자로 하는 계약에 관한 법률 시행령 일부를 다음과 같이 개정한다. 제21조제1항제10호 각 목 외의 부분 및 제43조의2제1항제1호 단서 중 "건설기술용역"을 각각 "건설엔지니어링"으로 하고, 제84조제1항제2호 중 "건설기술용역사업자"를 "건설엔지니어링사업자"로 한다. ⑨ 국제경기대회 지원법 시행령 일부를 다음과 같이 개정한다. 제20조 후단 중 "건설기술용역사업자"를 "건설엔지니어링사업자"로 한다. ⑩ 농어촌정비법 시행령 일부를 다음과 같이 개정한다. 제90조제3항 및 제91조제1항제4호 중 "건설기술용역사업자"를 각각 "건설엔지니어링사업자"로 한다. ⑪ 마리나항만의 조성 및 관리 등에 관한 법률 시행령 일부를 다음과 같이 개정한다. 제24조제1항제5호가목 중 "건설기술용역비"를 "건설엔지니어링비"로 한다. ⑫ 새만금사업 추진 및 지원에 관한 특별법 시행령 일부를 다음과 같이 개정한다. 제14조제4항 중 "건설기술용역사업자"를 "건설	

법	시 행 령	시 행 규 칙
	엔지니어링사업자"로 한다. ⑬ 석면안전관리법 시행령 일부를 다음과 같이 개정한다. 별표 3의2 제1호라목 중 "건설기술용역사업자"를 "건설엔지니어링사업자"로 한다. ⑭ 소방시설공사업법 시행령 일부를 다음과 같이 개정한다. 별표 1 제3호의 비고 제4호 중 "건설기술용역업"을 "건설엔지니어링업"으로 한다. ⑮ 신항만건설 촉진법 시행령 일부를 다음과 같이 개정한다. 제21조의2 후단 중 "건설기술용역사업자"를 "건설엔지니어링사업자"로 한다. ⑯ 어촌·어항법 시행령 일부를 다음과 같이 개정한다. 제12조 및 제27조의3 중 "건설기술용역사업자"를 "건설엔지니어링사업자"로 한다. ⑰ 어촌특화발전 지원 특별법 시행령 일부를 다음과 같이 개정한다. 제12조제2항제3호 중 "건설기술용역사업자"를 "건설엔지니어링사업자"로 한다. ⑱ 주택법 시행령 일부를 다음과 같이 개정한다. 제47조제1항제1호나목 및 같은 항 제2호 중 "건설기술용역사업자"를 각각 "건설엔지니어링사업자"로 한다. ⑲ 지능형 로봇 개발 및 보급 촉진법 시행령 일부를 다음과 같이 개정한다. 제23조제1항 단서 중 "건설기술용역사업자"를	

법	시 행 령	시 행 규 칙
	"건설엔지니어링사업자"로 한다. ⑳ 지방세기본법 시행령 일부를 다음과 같이 개정한다. 별표 3 제8호의 과세자료의 구체적인 범위란 중 "건설기술용역사업"을 "건설엔지니어링사업"으로 한다. ㉑ 지방세법 시행령 일부를 다음과 같이 개정한다. 별표 1의 제2종 제87호 중 "건설기술용역업"을 "건설엔지니어링업"으로 한다. ㉒ 지방자치단체를 당사자로 하는 계약에 관한 법률 시행령 일부를 다음과 같이 개정한다. 제20조제1항제12호 각 목 외의 부분 및 제44조제1항제1호 단서 중 "건설기술용역"을 각각 "건설엔지니어링"으로 하고, 제97조제1항제2호 중 "건설기술용역사업자"를 "건설엔지니어링사업자"로 한다. ㉓ 한옥 등 건축자산의 진흥에 관한 법률 시행령 일부를 다음과 같이 개정한다. 제6조제1항제3호 중 "건설기술용역업"을 "건설엔지니어링업"으로 한다. ㉔ 항만공사법 시행령 일부를 다음과 같이 개정한다. 제9조제1호 중 "건설기술용역사업자"를 "건설엔지니어링사업자"로 한다. ㉕ 항만법 시행령 일부를 다음과 같이 개정한다. 제22조제1호 중 "건설기술용역사업자"를 "건설엔지니어링사업자"로 하고, 제25조제1항제5호	

법	시 행 령	시 행 규 칙
	가목 중 “건설기술용역비”를 “건설엔지니어링비”로 한다. ㉖ 해외건설 촉진법 시행령 일부를 다음과 같이 개정한다. 제8조제3호 중 “건설기술용역사업자”를 “건설엔지니어링사업자”로 하고, 별표 1 제6호나목 중 “건설기술용역”을 “건설엔지니어링”으로 하며, 별표 2 제6호라목 중 “건설기술용역업”을 “건설엔지니어링업”으로 한다. **부 칙** 〈제32063호, 2021. 10. 19.〉 (연구산업진흥법 시행령) **제1조(시행일)** 이 영은 2021년 10월 21일부터 시행한다. **제2조(다른 법령의 개정)** ① 건설기술진흥법 시행령 일부를 다음과 같이 개정한다. 제23조제1항제3호를 다음과 같이 한다. 3. 「연구산업진흥법」 제6조제1항에 따라 신고한 전문연구사업자 ②부터 ⑭까지 생략 **제3조** 생략 **부 칙** 〈제32274호, 2021. 12. 28.〉 (독점규제 및 공정거래에 관한 법률 시행령) **제1조(시행일)** 이 영은 2021년 12월 30일부터 시행한다.	

법	시 행 령	시 행 규 칙
	제2조부터 **제12조**까지 생략 **제13조(다른 법령의 개정)** ① 생략 ② 건설기술진흥법 시행령 일부를 다음과 같이 개정한다. 제58조제1항제1호 중 "「독점규제 및 공정거래에 관한 법률」 제2조제3호"를 "「독점규제 및 공정거래에 관한 법률」 제2조제12호"로 한다. ③부터 〈68〉까지 생략 **제14조** 생략	

건설기술 진흥법령집

1

건설기술진흥법 시행령 [별표]

[별표 1] 〈개정 2021.9.14.〉

건설기술인의 범위(제4조 관련)

1. 건설기술인의 인정범위
   가. 「국가기술자격법」, 「건축사법」 등에 따른 건설 관련 국가자격을 취득한 사람으로서 국토교통부장관이 고시하는 사람
   나. 다음의 어느 하나에 해당하는 학력 등을 갖춘 사람
      1) 「초·중등교육법」 또는 「고등교육법」에 따른 학과의 과정으로서 국토교통부장관이 고시하는 학과의 과정을 이수하고 졸업한 사람
      2) 그 밖의 관계 법령에 따라 국내 또는 외국에서 1)과 같은 수준 이상의 학력이 있다고 인정되는 사람
      3) 국토교통부장관이 고시하는 교육기관에서 건설기술관련 교육과정을 6개월 이상 이수한 사람
   다. 법 제60조제1항에 따른 국립·공립 시험기관 또는 품질검사를 대행하는 건설엔지니어링사업자에 소속되어 품질시험 또는 검사 업무를 수행한 사람

2. 건설기술인의 등급
   가. 국토교통부장관은 건설공사의 적절한 시행과 품질을 높이고 안전을 확보하기 위하여 건설기술인의 경력, 학력 또는 자격을 다음의 구분에 따른 점수 범위에서 종합평가한 결과(이하 "건설기술인 역량지수"라 한다)에 따라 등급을 산정해야 한다. 이 경우 별표 3에 따른 기본교육 및 전문교육을 이수하였을 경우에는 건설기술인 역량지수 산정 시 5점의 범위에서 가점할 수 있으며, 법 제2조제10호에 해당하는 건설사고가 발생하여 법 제24조제1항에 따른 업무정지처분 또는 법 제53조제1항에 따른 벌점을 받은 경우에는 3점의 범위에서 감점할 수 있다.
      1) 경력: 40점 이내
      2) 학력: 20점 이내
      3) 자격: 40점 이내
   나. 건설기술인의 등급은 건설기술인 역량지수에 따라 특급·고급·중급·초급으로 구분할 수 있다.

3. 건설기술인의 직무분야 및 전문분야

직무분야	전문분야	
가. 기계	1) 공조냉동 및 설비 3) 용 접 5) 일반기계	2) 건설기계 4) 승강기
나. 전기·전자	1) 철도신호 3) 산업계측제어	2) 건축전기설비
다. 토목	1) 토질·지질 3) 항만 및 해안 5) 철도·삭도 7) 상하수도 9) 토목시공 11) 측량 및 지형공간정보	2) 토목구조 4) 도로 및 공항 6) 수자원개발 8) 농어업토목 10) 토목품질관리 12) 지적
라. 건축	1) 건축구조 3) 건축시공 5) 건축품질관리	2) 건축기계설비 4) 실내건축 6) 건축계획·설계
마. 광업	1) 화약류관리	2) 광산보안
바. 도시·교통	1) 도시계획	2) 교통
사. 조경	1) 조경계획	2) 조경시공관리
아. 안전관리	1) 건설안전 3) 가스	2) 소방 4) 비파괴검사
자. 환경	1) 대기관리 3) 소음진동 5) 자연환경 7) 해양	2) 수질관리 4) 폐기물처리 6) 토양환경
차. 건설지원	1) 건설금융·재무 3) 건설마케팅	2) 건설기획 4) 건설정보처리

4. 외국인인 건설기술인의 인정범위 및 등급
   외국인인 건설기술인은 해당 외국인의 국가와 우리나라 간 상호인정 협정 등에서 정하는 바에 따라 인정하되, 그 인정범위 및 등급에 관하여는 제1호 및 제2호를 준용한다.

5. 그 밖에 직무·전문분야별 국가자격·학력 및 경력의 인정 등 건설기술인 역량지수 산정에 관한 방법과 절차는 국토교통부장관이 정하여 고시한다.

[별표 2] 〈개정 2014.12.30.〉

설계심의분과위원회의 구성 및 심의 · 운영 기준(제9조제6항 관련)

1. 설계심의분과위원회의 구성

가. 중앙심의위원회 위원장은 중앙심의위원회 위원으로서 다음의 어느 하나에 해당하는 사람 중에서 설계심의분과위원회 위원을 임명하거나 위촉하고, 그 명단을 공개한다.

1) 건설기술 업무와 관련된 행정기관의 4급 이상 기술직렬 공무원 또는 기술사 · 건축사 자격이나 박사학위를 가지고 있는 5급 기술직렬 공무원

2) 「공공기관의 운영에 관한 법률」에 따른 공기업 · 준정부기관의 건설기술 업무 관련 기술직렬의 임원 또는 기술사 · 건축사 자격이나 박사학위를 가지고 있는 2급 이상의 기술직렬 직원

3) 「공공기관의 운영에 관한 법률」에 따른 기타공공기관 중 연구기관의 기술분야 책임연구원(선임연구위원)급 이상인 사람, 연구기관의 기술 분야 교수 또는 「고등교육법」 제2조에 따른 학교의 기술 관련 학과의 교수 · 부교수 · 조교수

나. 설계심의분과위원회 위원의 임기는 1년 이내의 범위에서 중앙심의위원회 위원장이 정한다.

다. 중앙심의위원회의 위원장은 설계심의분과위원회 위원의 임기 중에 위원의 기본역량에 대한 평가를 실시하여 그 결과를 연임 여부를 결정하는 데 활용할 수 있다.

2. 설계심의분과위원회의 심의 · 운영

가. 국토교통부장관은 설계심의에 관한 심의기준 · 절차 등에 관한 기준을 정하여 고시한다.

나. 심의를 효율적으로 수행하기 위하여 제10조제1항에 따른 소위원회(이하 이 표에서 "소위원회"라 한다)를 구성하는 경우, 설계심의분과위원회 위원장은 소위원회의 구성에 관하여 중앙심의위원회 위원장과 미리 협의하여야 한다.

다. 소위원회 위원장은 심의가 끝난 후 입찰참가업체별 종합평가점수, 소위원별 평가점수, 사유서 및 세부 감점내용을 실명으로 인터넷 홈페이지 등을 통해 공개해야 한다.

라. 설계심의 결과에 이의가 있는 입찰참가업체가 발주청이 정하는 방법과 절차에 따라 이의를 제기할 경우 소위원회는 평가 결과에 대한 설명을 해야 한다.

[별표 3] 〈개정 2021.9.14.〉

건설기술인 교육 · 훈련의 종류 · 시간 및 내용 등(제42조제2항 관련)

1. 교육 · 훈련의 종류

가. 기본교육: 건설기술인으로서 갖추어야 하는 직업윤리, 소양, 안전과 건설기술 관련 법령 또는 제도 등에 대한 이해를 증진하기 위한 교육

나. 전문교육: 건설기술인이 수행하는 건설기술 업무를 설계 · 시공 등, 건설사업관리 및 품질관리로 구분하여 해당 건설기술 업무에 대한 전문기술능력을 향상하기 위한 다음의 교육

1) 최초교육: 건설기술 업무를 처음으로 수행하려는 경우 받아야 하는 교육

2) 계속교육: 건설기술 업무를 일정기간 이상 수행한 건설기술인이 해당 건설기술 업무를 계속하여 수행하려는 경우 받아야 하는 교육

3) 승급교육: 현재의 건설기술인 등급보다 높은 등급을 받으려는 경우 받아야 하는 교육

2. 교육 · 훈련의 대상, 시간 및 이수시기

가. 기본교육

교육 · 훈련 대상	교육 · 훈련 시간	교육 · 훈련 이수시기
건설기술 업무를 수행하려는 건설기술인	35시간 이상	최초로 건설기술 업무를 수행하기 전

나. 전문교육

1) 설계 · 시공 등 업무를 수행하는 건설기술인(이하 "설계시공기술인"이라 한다)

교육 · 훈련 종류		교육 · 훈련 대상	교육 · 훈련 시간	교육 · 훈련 이수시기
가) 최초 교육	(1) 일반 최초교육	발주청 소속이 아닌 건설기술인	35시간 이상	최초로 설계 · 시공 등 업무를 수행하기 전

교육 · 훈련 종류		교육 · 훈련 대상	교육 · 훈련 시간	교육 · 훈련 이수시기
	(2) 발주청 소속 건설기술인 최초교육	발주청 소속 건설기술인	35시간 이상	발주청에 소속되어 최초로 건설공사 및 건설엔지니어링에 대한 감독이나 건설사업관리를 시행하는 건설공사에 대한 관리 업무를 수행하기 전
나) 계속교육		다음의 어느 하나에 해당하는 특급 건설기술인 (1) 현장배치기술인 (2) 책임기술인	35시간 이상. 이 경우 국토교통부장관이 고시하는 학점인정 기준에 따른 학점을 90학점 이상 취득한 특급 건설기술인은 계속교육을 이수한 것으로 본다.	설계·시공 등 업무를 수행한 기간이 매 3년을 경과하기 전
다) 승급교육		초급 · 중급 · 고급 건설기술인	35시간 이상	현재 등급보다 높은 등급으로 승급하기 전

비고

1. 위 표 나)(1)에서 "현장배치기술인"이란 「건설산업기본법」 제40조제1항 본문에 따라 건설공사 현장에 배치된 건설기술인을 말한다.
2. 위 표 나)(2)에서 "책임기술인"이란 법 제35조제1항에 따라 집행계획을 작성해야 하는 건설엔지니어링사업의 전반에 관하여 총괄 · 책임을 맡은 건설기술인이나 해당 건설엔지니어링사업 중 전문분야에 관하여 책임을 맡은 건설기술인을 말한다.

2) 건설사업관리 업무를 수행하는 건설기술인(이하 "건설사업관리기술인"이라 한다)

교육 · 훈련 종류		교육 · 훈련 대상	교육 · 훈련 시간	교육 · 훈련 이수시기
가) 최초교육		(1) 초급 · 중급 건설기술인	70시간 이상	건설엔지니어링사업자에게 소속되어 최초로 건설사업관리 업무를 수행하기 전
		(2) 고급 · 특급 건설기술인	105시간 이상	
나) 계속 교육	(1) 일반 계속교육	(가) 초급 · 중급 건설기술인	35시간 이상	건설사업관리 업무를 수행한 기간이 매 3년을 경과하기 전. 다만, 최근에 승급교육을 이수한 경우에는 그 이수일을 기준으로 업무수행 기간을 계산한다.
		(나) 고급 · 특급 건설기술인	70시간 이상	
	(2) 안전관리 계속교육	건설사업관리 중 안전관리 업무를 수행하는 건설기술인	16시간 이상	건설사업관리 중 안전관리 업무를 수행한 기간이 매 3년을 경과하기 전
다) 승급교육		(1) 초급 건설기술인	35시간 이상	현재 등급보다 높은 등급으로 승급하기 전
		(2) 중급 · 고급 건설기술인	70시간 이상	

3) 품질관리 업무를 수행하는 건설기술인(이하 "품질관리기술인"이라 한다)

교육 · 훈련 종류	교육 · 훈련 대상	교육 · 훈련 시간	교육 · 훈련 이수시기
가) 최초교육	초급 · 중급 · 고급 · 특급 건설기술인	35시간 이상	건설엔지니어링사업자, 건설사업자 또는 주택건설등록업자에 소속되어 최초로 품질관리 업무를 수행하기 전

교육 · 훈련 종류	교육 · 훈련 대상	교육 · 훈련 시간	교육 · 훈련 이수시기
나) 계속교육	초급 · 중급 · 고급 · 특급 건설기술인	35시간 이상	품질관리 업무를 수행한 기간이 매 3년을 경과하기 전. 다만, 최근에 승급교육을 이수한 경우에는 그 이수일을 기준으로 업무수행 기간을 계산한다.
다) 승급교육	초급 · 중급 · 고급 건설기술인	35시간 이상	현재 등급보다 높은 등급으로 승급하기 전

3. 교육 · 훈련의 면제 및 연기

가. 건설기술인은 다음의 구분에 따라 해당 전문교육을 받은 것으로 본다.

1) 최초교육

가) 건설사업관리기술인이 건설사업관리기술인 최초교육을 받은 경우에는 설계시공기술인 최초교육을 받은 것으로 본다.

나) 설계시공기술인이 설계시공기술인 최초교육을 받은 경우에는 이수한 시간에 한정하여 건설사업관리기술인 최초교육을 받은 것으로 본다.

2) 계속교육

건설기술인이 「기술사법」 제5조의3제1항에 따른 교육훈련 중 같은 법 시행령 별표 2 제1호나목에 따른 전문교육을 국토교통부장관이 정하는 기준 이상 이수한 경우에는 설계시공기술인, 건설사업관리기술인 또는 품질관리기술인 계속교육 중 하나에 한정하여 해당 전문교육을 받은 것으로 본다.

3) 승급교육

가) 건설사업관리기술인이 고급 · 특급으로 승급하기 위한 승급교육을 받은 경우에는 설계시공기술인이 고급 · 특급으로 승급하기 위한 승급교육을 받은 것으로 본다.

나) 설계시공기술인이 고급 · 특급으로 승급하기 위한 승급교육을 받은 경우에는 이수한 시간에 한정하여 건설사업관리기술인이 고급 · 특급으로 승급하기 위한 승급교육을 받은 것으로 본다.

4) 다른 법령에 따른 교육 · 훈련과의 관계

가) 「산업안전보건법」 및 그 밖의 다른 법령에 따른 유사한 내용의 교육 · 훈련을 35시간 이상 이수한 경우에는 설계시공기술인 최초교육 또는 승급교육 중 하나에 한정하여 해당 전문교육을 받은 것으로 본다.

나) 발주청 소속의 교육기관에서 실시하는 건설 관련 교육 · 훈련을 35시간 이상 이수한 경우에는 발주청 소속 건설기술인에 한정하여 제2호가목의 기본교육을 받은 것으로 본다.

다) 가) 및 나)에 따라 건설기술인 전문교육 및 기본교육으로 인정받은 교육 · 훈련은 다른 건설기술인 교육 · 훈련으로 중복하여 인정받을 수 없다.

나. 외국인인 건설기술인은 건설기술 업무에 대한 승급교육에 해당되는 교육과정 및 교육 · 훈련 시간 이상의 전문교육 이수를 증명하는 자료를 제출하면 해당 승급교육을 면제받을 수 있다.

다. 건설기술인은 질병 · 입대 · 해외출장 등 불가피한 사유로 교육 · 훈련을 받아야 하는 기한까지 교육 · 훈련을 받지 못할 때에는 교육 · 훈련을 연기할 수 있다. 이 경우 연기사유가 없어진 날부터 1년 이내에 교육 · 훈련을 받아야 한다.

4. 교육 · 훈련의 내용 및 방법

가. 교육 · 훈련의 내용은 건설기술인이 수행하는 건설기술 업무, 건설기술인의 등급 및 직무분야 · 전문분야를 기준으로 정하되, 교육 · 훈련 과목은 이론과목 및 실기과목을 모두 포함하여 구성해야 한다.

나. 교육 · 훈련은 법 제20조의2제1항 및 이 영 제43조제1항에 따라 교육 · 훈련을 대행할 수 있는 교육기관이 원격교육 또는 분할교육 등의 방법으로 실시할 수 있다.

5. 그 밖에 교육 · 훈련 과정의 편성, 교육 · 훈련 이수방법 및 학점인정 등 건설기술인 교육 · 훈련에 관한 세부사항은 국토교통부장관이 정하여 고시한다.

[별표 4] 〈개정 2020. 12. 8.〉

교육기관의 대행요건(제43조제3항 관련)

구분	교육시설(㎡)	교수요원(명)	전담직원(명)
종합교육기관	300	3	2
전문교육기관	100	1	1

비고

1. 교육시설은 교육기관이 소유하거나 교육기관으로 지정되는 기간 동안 계속하여 임차해야 한다. 다만, 원격교육만을 전문적으로 실시하는 교육기관은 교육시설 없이 지정받을 수 있다.
2. 연간 교육실적이 1만명 이상인 경우 1만명당 교수요원 1명을 추가한다.

[별표 4의2] 〈신설 2020. 12. 8.〉

교육기관에 대한 행정처분 기준(제43조의2제1항 관련)

1. 일반기준

가. 위반행위의 횟수에 따른 행정처분의 가중된 처분기준은 최근 1년간 같은 위반행위로 행정처분을 받은 경우에 적용한다. 이 경우 기간의 계산은 위반행위에 대하여 행정처분을 받은 날과 그 처분 후 다시 같은 위반행위를 하여 적발된 날을 기준으로 한다.

나. 가목에 따라 가중된 부과처분을 하는 경우 가중처분의 적용 차수는 그 위반행위 전 부과처분 차수(가목에 따른 기간 내에 행정처분이 둘 이상 있었던 경우에는 높은 차수를 말한다)의 다음 차수로 한다.

다. 위반행위가 둘 이상인 경우로서 그에 해당하는 각각의 처분 기준이 다른 경우에는 그 중 무거운 처분 기준에 따르고, 둘 이상의 처분 기준이 모두 업무정지인 경우에는 각 처분 기준을 합산한 기간을 넘지 않는 범위에서 무거운 처분 기준의 2분의 1까지 가중할 수 있되, 가중하는 경우에도 1년을 초과할 수 없다.

라. 최근 2년간 업무정지 처분을 3회 받은 자가 다시 업무정지 처분 사유에 해당하게 된 경우에는 대행취소 처분을 할 수 있다. 이 경우 기간의 계산은 위반행위에 대하여 행정처분을 받은 날과 그 처분 후 다시 같은 위반행위를 하여 적발된 날을 기준으로 한다.

마. 국토교통부장관은 동기·내용·횟수 및 위반의 정도 등 다음 각 호에 해당하는 사유를 고려하여 그 처분 기준을 감경할 수 있다. 이 경우 업무정지 처분은 그 처분 기준의 2분의 1 범위에서 감경할 수 있고, 대행취소인 경우에는 3개월 이상 1년 이하의 업무정지 처분으로 감경할 수 있다.

1) 위반행위가 고의나 중대한 과실이 아닌 사소한 부주의나 오류로 인한 것으로 인정되는 경우
2) 위반의 내용·정도가 경미하여 교육·훈련 대상자에게 미치는 피해가 적다고 인정되는 경우
3) 위반 행위자가 처음 해당 위반행위를 한 경우로서 2년 이상 교육·훈련 업무를 모범적으로 해 온 사실이 인정되는 경우
4) 위반 행위자가 교육·훈련 업무나 지역사회의 발전 등에 기여한 경우

2. 개별기준

위반행위	근거 법조문	행정처분기준		
		1차 위반	2차 위반	3차 이상 위반
가. 거짓이나 부정한 방법으로 교육·훈련기관이 된 경우	법 제20조의4 제1항제1호	대행취소		
나. 교육시설, 교수요원 등 대통령령으로 정하는 요건에 미달한 경우	법 제20조의4 제1항제2호	업무정지 3개월	업무정지 6개월	대행취소
다. 교육·훈련 대행의 정지 기간 중에 교육·훈련을 실시한 경우	법 제20조의4 제1항제3호	업무정지 6개월	업무정지 12개월	대행취소
라. 교육·훈련 대행에 대한 개선 명령에 따르지 않은 경우	법 제20조의4 제1항제4호	업무정지 3개월	업무정지 6개월	업무정지 12개월
마. 그 밖에 교육·훈련을 대행하기가 부적합한 경우로서 국토교통부장관이 정하는 사유에 해당하는 경우	법 제20조의4 제1항제5호	업무 개선 명령		

[별표 5] 〈개정 2021. 9. 14.〉

건설엔지니어링업 등록요건 및 업무범위(제44조제2항 관련)

전문분야	세부분야		기술인력	사무실·시험실 및 장비	자본금	업무범위
종합	종합		1. 특급기술인 2명을 포함한 초급 이상의 건설기술인 15명 이상 2. 다음 각 목의 품질검사(일반) 기술인력 이상 가. 토목품질시험기술사 및 건축품질시험기술사 각 1명 이상 나. 건설재료시험기사 2명 이상 및 화공기사 1명 이상 다. 건설재료시험산업기사 또는 건설재료시험기능사 2명 이상	1. 업무 수행에 필요한 사무실 2. 품질검사(일반)의 시험실 3. 품질검사(일반)의 시험장비	2억원 이상	1. 설계등용역 업무 2. 건설사업관리 업무 3. 품질검사업무
설계·사업관리	일반		특급기술인 2명을 포함한 초급 이상의 건설기술인 15명 이상	업무 수행에 필요한 사무실	2억원 이상	1. 설계등용역 업무 2. 건설사업관리 업무
	설계등용역	설계등용역일반	특급기술인 1명을 포함한 초급 이상의 건설기술인 5명 이상	업무 수행에 필요한 사무실	5천만원 이상	설계등용역 업무
		측량	「공간정보의 구축 및 관리 등에 관한 법률 시행령」 별표 8 측량업의 등록기준에 따른 기술인력 및 장비		해당 없음	설계등용역업무 중 「공간정보의 구축 및 관리 등에 관한 법률」 제44조에 따라 등록된 측량업에 관한 업무

전문분야	세부분야	기술인력	사무실 · 시험실 및 장비	자본금	업무범위
설계 · 사업관리	설계 등 용역 - 수로조사	「해양조사와 해양정보 활용에 관한 법률 시행령」 별표 4의 해양관측업 및 수로측량업의 등록기준에 따른 기술인력과 시설 및 장비		해당 없음	설계등용역업무 중 「해양조사와 해양정보 활용에 관한 법률」 제30조에 따라 등록된 해양관측업 및 수로측량업에 관한 업무
	건설사업관리	특급기술인 1명을 포함한 초급 이상의 건설기술인 10명 이상	업무 수행에 필요한 사무실	1억5천만원 이상	건설사업관리 업무
품질검사	일반	1. 토목품질시험기술사 및 건축품질시험기술사 각 1명 이상 2. 건설재료시험기사 2명 이상, 화공기사 1명 이상 3. 건설재료시험산업기사 또는 건설재료시험기능사 2명 이상	1. 200m² 이상의 시험실 2. 국토교통부장관이 고시하는 시험장비	해당 없음	1. 토목 분야의 품질검사업무 2. 건축 분야의 품질검사업무 3. 특수 분야의 품질검사업무
	토목	1. 토목품질시험기술사 1명 이상 2. 건설재료시험기사 1명 이상 3. 건설재료시험산업기사 또는 건설재료시험기능사 1명 이상	1. 150m² 이상의 시험실 2. 국토교통부장관이 고시하는 시험장비	해당 없음	1. 토목 분야의 품질검사업무 2. 특수 분야의 품질검사업무
	건축	1. 건축품질시험기술사 1명 이상 2. 건설재료시험기사 1명 이상 3. 건설재료시험산업기사 또는 건설재료시험기능사 1명 이상	1. 150m² 이상의 시험실 2. 국토교통부장관이 고시하는 시험장비	해당 없음	1. 건축 분야의 품질검사업무 2. 특수 분야의 품질검사업무
품질검사	특수 (골재)	1. 토목품질시험기술사 · 건축품질시험기술사 · 건설재료시험기사 · 토목기사 또는 건축기사 1명 이상 2. 건설재료시험산업기사 · 토목산업기사 · 건축산업기사 또는 건설재료시험기능사 1명 이상	1. 100m² 이상의 시험실 2. 국토교통부장관이 고시하는 시험장비	해당 없음	골재에 대한 품질검사업무
	특수 (레디믹스트콘크리트)	1. 토목품질시험기술사 · 건축품질시험기술사 · 건설재료시험기사 · 토목기사 · 건축기사 또는 콘크리트기사 1명 이상 2. 건설재료시험산업기사 · 토목산업기사 · 건축산업기사 · 콘크리트산업기사 · 건설재료시험기능사 또는 콘크리트기능사 1명 이상	1. 100m² 이상의 시험실 2. 국토교통부장관이 고시하는 시험장비	해당 없음	레디믹스트콘크리트에 대한 품질검사업무
	특수 (아스팔트콘크리트)	1. 토목품질시험기술사 · 건설재료시험기사 또는 토목기사 1명 이상 2. 건설재료시험산업기사 · 토목산업기사 또는 건설재료시험기능사 1명 이상	1. 100m² 이상의 시험실 2. 국토교통부장관이 고시하는 시험장비	해당 없음	아스팔트콘크리트에 대한 품질검사업무

전문분야	세부분야		기술인력	사무실 · 시험실 및 장비	자본금	업무범위
품질검사	특수(철강재)		1. 토목품질시험기술사 · 건축품질시험기술사 또는 건설재료시험기사 1명 이상 2. 건설재료시험산업기사 또는 건설재료시험기능사 1명 이상	1. 100㎡ 이상의 시험실 2. 국토교통부장관이 고시하는 시험장비	해당 없음	철강재에 대한 품질검사업무
	특수(섬유)		1. 토목품질시험기술사 · 건축품질시험기술사 · 건설재료시험기사 또는 섬유물리기사 1명 이상 2. 건설재료시험산업기사 · 섬유물리산업기사 또는 건설재료시험기능사 1명 이상	1. 100㎡ 이상의 시험실 2. 국토교통부장관이 고시하는 시험장비	해당 없음	섬유에 대한 품질검사업무
	특수(용접)	방사선비파괴검사	1. 비파괴검사기술사 또는 방사선비파괴검사기사 1명 이상 2. 방사선비파괴검사산업기사 또는 방사선비파괴검사기능사 1명 이상	1. 30㎡ 이상의 시험실 2. 국토교통부장관이 고시하는 시험장비	해당 없음	방사선비파괴검사를 통한 용접에 대한 품질검사업무
		초음파비파괴검사	1. 비파괴검사기술사 또는 초음파비파괴검사기사 1명 이상 2. 초음파비파괴검사산업기사 또는 초음파비파괴검사기능사 1명 이상	1. 30㎡ 이상의 시험실 2. 국토교통부장관이 고시하는 시험장비	해당 없음	초음파비파괴검사를 통한 용접에 대한 품질검사업무
		자기비파괴검사	1. 비파괴검사기술사 또는 자기비파괴검사기사 1명 이상 2. 자기비파괴검사산업기사 또는 자기비파괴검사기능사 1명 이상	1. 30㎡ 이상의 시험실 2. 국토교통부장관이 고시하는 시험장비	해당 없음	자기비파괴검사를 통한 용접에 대한 품질검사업무
		침투비파괴검사	1. 비파괴검사기술사 또는 침투비파괴검사기사 1명 이상 2. 침투비파괴검사산업기사 또는 침투비파괴검사기능사 1명 이상	1. 30㎡ 이상의 시험실 2. 국토교통부장관이 고시하는 시험장비	해당 없음	침투비파괴검사를 통한 용접에 대한 품질검사업무
	특수(말뚝재하)		1. 토목품질시험기술사 또는 토질 및 기초기술사 1명 이상 2. 건설재료시험기사 · 건설재료시험산업기사 또는 건설재료시험기능사 1명 이상	국토교통부 장관이 고시하는 시험장비	해당 없음	말뚝재하에 대한 품질검사 업무

비고

1. "기술인력"이란 법 제21조제1항에 따른 신고를 한 사람을 말하며, 품질검사 분야의 기술인력 요건 중 기사 · 산업기사 · 기능사 자격기준의 경우에는 상위 자격을 포함한다.
2. "설계등용역업무"란 계획 · 조사 · 설계 등 법 제2조제2호에 해당하는 업무[같은 호 가목 중 품질관리(법 제60조제1항에 따른 품질시험 · 검사만 해당한다) 및 같은 호 마목의 건설사업관리는 제외한다]를 말한다.
3. "건설사업관리업무"란 법 제2조제2호마목의 건설사업관리를 말한다.
4. "품질검사업무"란 법 제60조제1항에 따른 품질시험 · 검사[품질검사(일반) 분야의 업무범위와 같다]를 말한다.
5. 개인인 경우에는 영업용 자산평가액을, 주식회사 외의 법인인 경우에는 출자

금을 각각 자본금으로 본다.

6. 「엔지니어링산업 진흥법」에 따른 엔지니어링사업자, 「기술사법」에 따른 기술사사무소의 개설자, 「건축사법」에 따른 건축사사무소의 개설자, 「전력기술관리법」에 따른 전력시설물의 설계업 · 공사감리업 등록자, 「소방시설공사업법」에 따른 소방시설설계업 · 소방공사감리업 등록자, 「공간정보의 구축 및 관리 등에 관한 법률」에 따른 측량업 등록자, 「해양조사와 해양정보 활용에 관한 법률」에 따른 해양관측업 및 수로측량업 등록자 또는 「시설물의 안전 및 유지관리에 관한 특별법」에 따른 안전진단전문기관 등록자가 종합 분야 또는 설계 · 사업관리 분야로 등록을 하는 경우에는 이미 보유하고 있는 기술인력 · 자본금 등은 위 표의 요건에 포함한다.
7. 종합 분야 또는 품질검사 분야로 등록하려는 자는 시험 업무처리 요령 및 인력 · 장비의 관리 · 운영에 관한 품질관리규정을 수립해야 하되, 그 품질관리규정은 「산업표준화법」 제12조에 따른 한국산업표준인 케이에스 큐 아이에스오(KS Q ISO) 17025에 따라 국토교통부장관이 정하여 고시하는 기준에 적합해야 한다.
8. 품질검사 분야 중 일반 · 토목 · 건축의 세부분야로 등록한 건설엔지니어링사업자가 특수분야의 품질검사업무를 하려는 경우에는 해당 특수분야의 등록요건을 갖추어야 한다.
9. 비고 제8호에 따른 특수 분야의 등록요건을 갖추어야 하는 건설엔지니어링사업자나 2가지 이상의 특수 분야로 등록하려는 자는 중복되는 기술인력 · 시험실 및 장비를 추가로 갖추지 않을 수 있다.

[별표 6] 〈개정 2021. 9. 14.〉

건설엔지니어링사업자 등록취소 · 영업정지 처분 및 과징금 산정 기준

(제46조제1항 및 제48조제1항 관련)

1. 일반기준

가. 위반행위의 횟수에 따른 행정처분의 가중된 기준은 최근 1년간 같은 위반행위로 행정처분을 받은 경우에 적용한다. 이 경우 기간의 계산은 같은 위반행위에 대하여 행정처분을 받은 날과 그 처분 후에 다시 같은 위반행위를 하여 적발된 날을 기준으로 한다.

나. 가목에 따라 가중된 부과처분을 하는 경우 가중처분의 적용 차수는 그 위반행위 전 부과처분 차수(가목에 따른 기간 내에 과태료 부과처분이 둘 이상 있었던 경우에는 높은 차수를 말한다)의 다음 차수로 한다.

다. 위반행위가 둘 이상인 경우로서 그에 해당하는 각각의 처분기준이 다른 경우에는 그 중 무거운 처분기준에 따른다. 다만, 둘 이상의 처분기준이 모두 영업정지인 경우에는 각 처분기준을 합산한 기간을 넘지 않는 범위에서 무거운 처분기준의 2분의 1 범위까지 가중할 수 있되, 그 가중된 처분을 합산한 기간은 법 제31조제1항제6호부터 제9호까지의 규정에 해당하는 경우에는 1년을 초과할 수 없고, 같은 조 제2항 각 호의 어느 하나에 해당하는 경우에는 6개월을 초과할 수 없다.

라. 처분권자는 다음의 어느 하나에 해당하는 경우에는 제2호의 개별기준에 따른 영업정지 기간 또는 과징금 금액의 2분의 1 범위에서 그 기간이나 금액을 줄일 수 있다. 다만, 과징금을 체납하고 있는 위반행위자의 경우에는 그렇지 않다.

1) 위반행위가 사소한 부주의나 오류로 인한 것으로 인정되는 경우
2) 위반행위자가 위반행위를 바로 정정하거나 시정하여 법 위반상태를 해소한 경우
3) 그 밖에 위반행위의 내용 · 정도 · 동기 및 결과 등을 고려하여 감경할 필요가 있다고 인정되는 경우

2. 개별기준

위반행위	근거 법조문	1차		2차		3차 이상	
		처분기준	과징금 금액	처분기준	과징금 금액	처분기준	과징금 금액
가. 거짓이나 그 밖의 부정한 방법으로 법 제26조제1항에 따라 등록을 한 경우	법 제31조 제1항제1호	등록 취소	해당 없음				
나. 최근 5년간 3회 이상 영업정지 또는 법 제32조에 따른 과징금 부과처분을 받은 경우	법 제31조 제1항제2호	등록 취소	해당 없음				
다. 영업정지기간에 건설엔지니어링 업무를 수행한 경우(법 제33조에 따라 건설엔지니어링을 수행한 경우는 제외한다)	법 제31조 제1항제3호	등록 취소	해당 없음				
라. 건설엔지니어링사업자로 등록한 후 법 제27조에 따른 결격사유 중 어느 하나에 해당하게 된 경우(법인이 법 제27조 제4호에 해당하게 된 경우로서 그 사유가 발생한 날부터 3개월 이내에 그 사유를 해소한 경우는 제외한다)	법 제31조 제1항제4호	등록 취소	해당 없음				
마. 법 제28조제2항을 위반하여 타인에게 자기의 성명 또는 상호를 사용하여 건설엔지니어링을 하게 하거나 등록증을 빌려준 경우	법 제31조 제1항제5호	등록 취소	해당 없음				
바. 법 제35조제2항에 따른 사업수행능력 평가에 관한 서류를 위조하거나 변조하는 등 거짓이나 그 밖의 부정한 방법으로 입찰에 참여한 경우	법 제31조 제1항제6호	영업 정지 12개월	1억2천 만원				
사. 건설엔지니어링사업자로 등록한 후 법 제26조제1항에 따른 등록기준을 충족하지 못하게 된 경우에 그 날부터 50일 이내에 미달된 사항을 보완하지 않은 경우	법 제31조 제1항제7호	영업 정지 3개월	3천만원	영업 정지 6개월	6천만원	영업 정지 12개월	1억2천 만원
아. 고의 또는 과실로 「산업안전보건법」 제2조제2호에 따른 중대재해가 발생하거나 건설공사의 발주청에 재산상의 손해를 발생하게 하거나 사람에게 위해를 끼치거나 부실공사를 초래한 경우	법 제31조 제1항제8호						
1) 주요 구조부의 붕괴로 「산업안전보건법」 제2조제2호에 따른 중대재해가 발생하게 하는 등 사람에게 위해를 끼친 경우		영업 정지 12개월	해당 없음				
2) 주요 구조부의 구조안전에 중대한 결함이 있는 경우		영업 정지 6개월	해당 없음	영업 정지 12개월	해당 없음		
3) 주요 구조부의 문제로 인근 주요 시설물의 구조안전에 영향을 끼치는 등 사람에게 위해를 끼친 경우		영업 정지 3개월	해당 없음	영업 정지 6개월	해당 없음	영업 정지 12개월	해당 없음
4) 타당성 조사 시 고의로 수요예측을 30퍼센트 이상 잘못하여 건설공사의 발주청에 재산상 손해를 끼친 경우		영업 정지 12개월	1억2천 만원				
5) 타당성 조사시 중대한 과실로 수요예측을 30퍼센트 이상 잘못하여 건설공사의 발주청에 재산상 손해를 끼친 경우		영업 정지 6개월	6천만원	영업 정지 12개월	1억2천 만원		
6) 사전조사 소홀 등으로 건설공사의 소요비용을 현저히 증가시키거나 공사기간을 현저히 지연시켜 발주청에 재산상 손해를 끼친 경우		영업 정지 3개월	3천만원	영업 정지 6개월	6천만원	영업 정지 12개월	1억2천 만원

위반행위	근거 법조문	1차		2차		3차 이상	
		처분 기준	과징금 금액	처분 기준	과징금 금액	처분 기준	과징금 금액
자. 다른 행정기관이 관계 법령에 따라 등록취소 또는 영업정지를 요구한 경우	법 제31조 제1항제9호						
1) 등록취소를 요구한 경우		등록 취소	해당 없음				
2) 영업정지를 요구한 경우		영업 정지 6개월	6천만원	영업 정지 6개월	6천만원		
차. 법 제34조제2항에 따른 보험 또는 공제에 가입하지 않은 경우	법 제31조 제2항제1호	경고	해당 없음	영업 정지 1개월	1천만원	영업 정지 1개월	1천만원
카. 법 제35조제4항에 따른 발주청의 승인을 받지 않고 하도급을 한 경우	법 제31조 제2항제2호	영업 정지 3개월	3천만원	영업 정지 6개월	6천만원	영업 정지 6개월	6천만원
타. 법 제38조제2항에 따른 보고 또는 관계 자료의 제출 명령을 이행하지 않은 경우	법 제31조 제2항제3호	경고	해당 없음	영업 정지 1개월	1천만원	영업 정지 2개월	2천만원
파. 법 제38조제3항에 따른 검사를 거부·방해·기피한 경우	법 제31조 제2항제4호	경고	해당 없음	영업 정지 1개월	1천만원	영업 정지 2개월	2천만원
하. 건설사업관리를 수행하는 건설엔지니어링사업자가 다음의 어느 하나에 해당하는 경우	법 제31조 제2항제5호						
1) 건설사업관리보고서를 제출하지 않거나 제39조제4항 후단에 따라 건설기술인이 작성한 건설사업관리보고서를 거짓으로 수정하여 제출하거나 건설사업관리보고서에 해당 건설공사의 주요 구조부에 대한 시공·검사·시험 등의 내용을 빠뜨린 경우	법 제31조 제2항제5호 가목	영업 정지 2개월	2천만원	영업 정지 3개월	3천만원	영업 정지 3개월	3천만원
2) 건설사업자에게 재시공·공사중지 명령 등 조치를 하고 법 제40조제3항에 따라 발주청에 보고하지 않은 경우	법 제31조 제2항제5호 나목	경고	해당 없음	영업 정지 1개월	1천만원	영업 정지 2개월	2천만원
3) 법 제48조제2항에 따른 설계도서 검토 결과 보고를 하지 않은 경우	법 제31조 제2항제5호 다목	경고	해당 없음	영업 정지 1개월	1천만원	영업 정지 2개월	2천만원
4) 건설공사의 품질관리 지도·감독을 성실하게 수행하지 않은 경우(건설사업자 또는 주택건설등록업자가 법 제55조제1항에 따른 건설공사의 품질관리계획 또는 품질시험계획(그 계획에 따른 품질시험 또는 검사를 포함한다)을 이행하지 않거나 품질시험의 성과를 조작한 경우로 한정한다)	법 제31조 제2항제5호 라목	경고	해당 없음	영업 정지 1개월	1천만원	영업 정지 2개월	2천만원
5) 건설기술인으로서 자격이 없는 사람이나 소속 건설기술인이 아닌 사람에게 건설사업관리를 수행하게 한 경우(건설기술인이 아닌 사람으로서 발주청이 사전에 승인한 사람은 제외한다)	법 제31조 제2항제5호 마목	영업 정지 6개월	6천만원	영업 정지 6개월	6천만원		
6) 다른 건설엔지니어링사업자에게 소속된 건설기술인으로 하여금 건설사업관리를 수행하게 한 경우	법 제31조 제2항제5호 바목	영업 정지 6개월	6천만원	영업 정지 6개월	6천만원		
7) 건설사업관리를 수행하는 건설기술인을 부정한 방법으로 교체하거나 배치한 경우	법 제31조 제2항제5호 사목	영업 정지 6개월	6천만원	영업 정지 6개월	6천만원		

위반행위	근거 법조문	1차		2차		3차 이상	
		처분 기준	과징금 금액	처분 기준	과징금 금액	처분 기준	과징금 금액
거. 법 제54조제1항에 따른 시정명령을 이행하지 않은 경우	법 제31조 제2항제6호	영업 정지 1개월	1천만원	영업 정지 2개월	2천만원	영업 정지 2개월	2천만원
너. 품질시험 또는 검사 업무를 수행하는 건설엔지니어링사업자가 다음의 어느 하나에 해당하는 경우	법 제31조 제2항제7호						
1) 품질시험 또는 검사의 결함으로 인하여 건설공사 또는 건설공사에 사용되는 자재·부재의 품질을 현저하게 떨어뜨린 경우	법 제31조 제2항제7호 가목	영업 정지 6개월	6천만원	영업 정지 6개월	6천만원		
2) 품질시험 또는 검사의 성적서를 거짓으로 발급한 경우	법 제31조 제2항제7호 나목	영업 정지 6개월	6천만원	영업 정지 6개월	6천만원		
3) 정당한 사유 없이 3개월 이상 품질시험 또는 검사의 대행을 거부한 경우	법 제31조 제2항제7호 다목	영업 정지 1개월	1천만원	영업 정지 2개월	2천만원	영업 정지 3개월	3천만원
4) 건설기술인으로서 자격이 없는 사람이나 소속 건설기술인이 아닌 사람으로 하여금 품질검사를 실시하게 한 경우	법 제31조 제2항제7호 라목	영업 정지 6개월	6천만원	영업 정지 6개월	6천만원		
5) 법 제60조제2항을 위반하여 발주자 또는 건설사업관리를 수행하는 건설엔지니어링사업자의 봉인 또는 확인을 거친 재료로 품질검사를 하지 않은 경우	법 제31조 제2항제7호 마목	영업 정지 2개월	2천만원	영업 정지 3개월	3천만원	영업 정지 6개월	6천만원
6) 법 제60조제3항을 위반하여 품질검사 성적서 및 품질검사 내용을 법 제19조에 따른 건설공사 지원 통합정보체계에 입력하지 않은 경우	법 제31조 제2항제7호 바목	경고	해당 없음	경고	해당 없음	영업 정지 1개월	1천만원
7) 법 제60조제4항에 따른 시정명령 등의 조치를 따르지 않은 경우	법 제31조 제2항제7호 사목	영업 정지 1개월	1천만원	영업 정지 2개월	2천만원	영업 정지 2개월	2천만원

비고

1. 별표 5에 따른 건설엔지니어링업 세부분야 중 종합 분야 또는 설계·사업관리의 일반 분야로 등록한 건설엔지니어링사업자에 대하여 이 표 제2호바목 또는 아목부터 너목까지의 사유로 영업정지처분을 하는 경우, 건설엔지니어링 계약 및 업무내용 등을 고려할 때 그 위반행위가 설계등용역업무, 건설사업관리업무 또는 품질검사업무 중 특정 업무에만 관련된 경우에는 해당 업무에 대해서만 영업정지처분을 할 수 있다.
2. 처분권자는 법 제31조제1항제7호에 따른 위반행위에 대하여 영업정지처분을 하는 경우 그 처분 전까지 건설엔지니어링 등록기준의 적격 여부를 확인해야 하고, 영업정지처분 종료일까지 등록기준 미달사항의 보완 여부를 확인해야 한다.

[별표 7] 〈개정 2017.1.17〉

감독 권한대행 등 건설사업관리 대상 공사(제55조제1항제1호 관련)

1. 길이 100미터 이상의 교량공사를 포함하는 건설공사
2. 공항 건설공사
3. 댐 축조공사
4. 고속도로공사
5. 에너지저장시설공사
6. 간척공사
7. 항만공사
8. 철도공사
9. 지하철공사
10. 터널공사가 포함된 공사
11. 발전소 건설공사
12. 폐기물처리시설 건설공사
13. 공공폐수처리시설
14. 공공하수처리시설공사
15. 상수도(급수설비는 제외한다) 건설공사
16. 하수관로 건설공사
17. 관람집회시설공사
18. 전시시설공사
19. 연면적 5천제곱미터 이상인 공용청사 건설공사
20. 송전공사
21. 변전공사
22. 300세대 이상의 공동주택 건설공사

[별표 8] 〈개정 2021. 9. 14.〉 [시행일 : 2023. 1. 1.] 제3호, 제4호

건설공사 등의 벌점관리기준(제87조제5항 관련)

1. 이 표에서 사용하는 용어의 뜻은 다음과 같다.

가. "벌점"이란 측정기관이 업체와 건설기술인등에 대해 제5호의 벌점 측정기준에 따라 부과하는 점수를 말한다.

나. "업체"란 법 제53조제1항제1호부터 제3호까지의 규정에 따른 건설사업자, 주택건설등록업자 및 건설엔지니어링사업자(「건축사법」 제23조제4항 전단에 따른 건축사사무소개설자를 포함한다)를 말한다.

다. "건설기술인등"이란 업체에 고용된 건설기술인 및 「건축사법」 제2조제1호에 따른 건축사를 말한다.

라. "주요 구조부"란 다음 표의 어느 하나에 해당하는 구조부 및 이에 준하는 것으로서 구조물의 기능상 주요한 역할을 수행하는 구조부를 말한다.

구분	주요 구조부
건축물	내력벽, 기둥, 바닥, 보, 지붕, 기초, 주 계단
플랜트	기초, 설비 서포터
교량	기초부, 교대부, 교각부, 거더, 콘크리트 슬래브, 라멘구조부, 교량받침, 주탑, 케이블부, 앵커리지부
터널	숏크리트, 록볼트, 강지보재, 철근콘크리트라이닝, 세그먼트라이닝, 인버트 콘크리트, 갱구부 사면
도로	차도, 중앙분리대, 측도, 절토부, 성토부
철도	콘크리트궤도, 승강장, 지하역사 구조부, 지하차도, 지하보도, 여객통로
공항	활주로, 유도로, 계류장
쓰레기 · 폐기물 처리장	기초, 콘크리트 구조부, 설비 서포터
상 · 하수도	철근콘크리트 구조부, 철골 구조부, 수로터널, 관로이음부
하수 · 오수 처리장	수조 구조부, 수문 구조부, 펌프장 구조부

구분	주요 구조부
배수펌프장	침사지, 흡수조, 토출수조, 유입수문, 토출수문, 통문, 통관
항만·어항	콘크리트 바닥판, 콘크리트 널말뚝, 토류벽, 강말뚝, 강널말뚝, 상부공, 직립부, 콘크리트 블럭, 케이슨, 사석 경사면, 소파공, 기초부
하천	하구둑, 보, 수문 본체, 문비, 제체, 호안
댐	본체, 여수로, 기초, 양안부, 여수로 수문, 취수구조물
옹벽	지반, 기초부, 전면부, 배수시설, 상부사면
절토사면	상부자연사면, 사면, 사면하부, 보호시설, 보강시설, 배수처리시설, 이격거리내 시설
공동구	공동구 본체
삭도	상부앵커, 하부앵커, 지주, 케이블

마. "그 밖의 구조부"란 주요 구조부가 아닌 구조부를 말한다.
바. "주요 시설계획"이란 「국토의 계획 및 이용에 관한 법률」에 따른 도시·군관리계획, 「시설물의 안전 및 유지관리에 관한 특별법」에 따른 시설물의 설치·정비 또는 개량에 관한 계획, 개별 사업의 토지이용계획 및 그 밖에 사업 목적을 달성하기 위한 필수 시설의 설치 계획을 말한다.
사. "그 밖의 시설계획"이란 주요 시설계획이 아닌 시설계획을 말한다.
아. "주요 구조물"이란 주요 시설계획에 포함된 구조물을 말한다.
자. "그 밖의 구조물"이란 주요 구조물이 아닌 구조물을 말한다.
차. "배수시설"이란 배수관·배수구조물·배수설비 등 우수(雨水)와 오수(汚水)의 배수를 위한 시설을 말하며, 그 밖에 공사현장에서 필요한 배수시설을 포함한다.
카. "방수시설"이란 아스팔트·실링재·에폭시·시멘트모르타르·합성수지 등을 사용하여 토목·건축 구조물, 산업설비 및 폐기물매립시설 등에 방수·방습·누수방지를 하는 시설을 말한다.
타. "건설 기계·기구"란 동력으로 작동하는 기계·기구로서 「산업안전보건법」 제80조제1항에 따른 유해하거나 위험한 기계·기구, 「건설기계관리법」 제2조제1항제1호에 따른 건설기계와 그 밖에 건설공사에 주요하게 사용되는 기계·기구를 말한다.
파. "구조물의 허용 균열폭"이란 콘크리트 구조물의 내구성, 수밀성, 사용성 및 미관 등을 유지하기 위하여 허용되는 균열의 폭을 말한다.
하. "재시공"이란 공사 목적물의 시공 후 구조적 파손 등으로 인한 결함 부위를 모두 철거하고 다시 시공하거나 전반적인 보수·보강이 이루어지는 것을 말한다.
거. "보수·보강"에서 보수란 시설물의 내구성능을 회복시키거나 향상시키는 것을 말하며, 보강이란 부재나 구조물의 내하력(耐荷力)이나 강성(剛性) 등 역학적인 성능을 회복시키거나 향상시키는 것을 말한다.
너. "경미한 보수"란 결함 부위를 간단한 보수를 통하여 기능을 회복시키거나 향상시키는 것을 말한다.
더. "수요예측"이란 건설공사의 추진 여부, 시설물 규모의 결정, 건설공사로 주변 지역에 미치는 영향 분석 등에 활용하기 위하여 추정모형 등 자료 분석 기법을 이용하여 교통수요, 항공유발수요, 항공전환수요, 생활·공업·농업용수 수요, 발전수요 등을 예측하는 것을 말한다.

2. 벌점 적용대상

측정기관은 제5호의 벌점 측정기준에서 정한 부실내용에 해당하는 경우와 이와 관련하여 시정명령 등을 받은 경우에 벌점을 적용한다. 다만, 관계 법령에 따라 건설공사의 부실과 관련하여 다음 각 목의 처분을 받은 경우는 제외한다.

가. 법 제24조에 따른 업무정지
나. 법 제31조에 따른 등록취소 또는 영업정지
다. 「건설산업기본법」 제82조 및 제83조에 따른 영업정지 및 등록말소
라. 「주택법」 제8조에 따른 등록말소 또는 영업정지
마. 「국가를 당사자로 하는 계약에 관한 법률」 제27조에 따른 입찰 참가자격 제한[제5호가목1)가)·나), 같은 목 11)가), 같은 목 14)다), 같은 목 15)가), 같은 목 16) 및 18)에 해당하는 경우와 건설엔지니어링을 부실하게 수행한 건설엔지니어링사업자만을 대상으로 한다]
바. 「국가기술자격법」 제16조에 따른 자격취소 또는 자격정지

사. 그 밖에 관계 법령에 따라 부과하는 가목부터 바목까지의 규정에 따른 처분에 준하는 행정처분

3. 벌점 산정방법

가. 업체 또는 건설기술인등이 해당 반기에 받은 모든 벌점의 합계에서 반기별 경감점수를 뺀 점수를 해당 반기벌점으로 한다.

나. 합산벌점은 해당 업체 또는 건설기술인등의 최근 2년간의 반기벌점의 합계를 2로 나눈 값으로 한다.

4. 벌점 적용기준

가. 법 제53조제2항에 따라 발주청은 벌점을 받은 업체 및 건설기술인등에 대한 입찰 참가자격의 사전심사를 할 때 아래 표의 구분에 따른 점수를 감점하되, 이 기준을 적용하기 부적합한 경우에는 별도의 기준을 정할 수 있다.

합산벌점	감점되는 점수(점)
1점 이상 2점 미만	0.2
2점 이상 5점 미만	0.5
5점 이상 10점 미만	1
10점 이상 15점 미만	2
15점 이상 20점 미만	3
20점 이상	5

나. 합산벌점은 매 반기의 말일을 기준으로 2개월이 지난 날부터 적용한다.

다. 벌점은 건설기술인등이 근무하는 업종을 변경하는 경우에도 승계된다.

5. 벌점 측정기준

벌점은 다음 각 목의 기준에 따라 개별 단위의 부실사항별로 업체와 건설기술인등에게 각각 부과한다. 다만, 다음 각 목의 표에서 업체 또는 건설기술인등에 한정하여 적용하도록 하는 경우에는 그렇지 않다.

가. 건설사업자, 주택건설등록업자 및 건설기술인에 대한 벌점 측정기준

번호	주요부실내용	벌점
1)	토공사의 부실	
	가) 기초굴착과 절토(땅깎기)·성토(흙쌓기) 등(이하 "토공사"라 한다)을 설계도서(관련 기준을 포함한다. 이하 같다)와 다르게 하여 토사붕괴가 발생한 경우	3
	나) 토공사를 설계도서와 다르게 하여 지반침하가 발생한 경우	2
	다) 토공사의 시공 및 관리를 소홀히 하여 토사붕괴 또는 지반침하가 발생한 경우	1
2)	콘크리트면의 균열 발생	
	가) 주요 구조부에 구조물의 허용 균열폭보다 큰 균열이 발생했으나 구조검토 등 원인분석과 보수·보강을 위한 균열관리를 하지 않은 경우 또는 보수·보강(구체적인 보수·보강 계획을 수립한 경우는 제외한다. 이하 이 번호에서 같다)을 하지 않은 경우	3
	나) 그 밖의 구조부에 구조물의 허용 균열폭보다 큰 균열이 발생했으나 구조검토 등 원인분석과 보수·보강을 위한 균열관리를 하지 않은 경우 또는 보수·보강을 하지 않은 경우	2
	다) 주요 구조부에 구조물의 허용 균열폭보다 작은 균열이 발생했으나 균열의 진행 여부에 대한 관리와 보수·보강을 하지 않은 경우	1
	라) 그 밖의 구조부에 구조물의 허용 균열폭보다 작은 균열이 발생했으나 균열의 진행 여부에 대한 관리와 보수·보강을 하지 않은 경우	0.5
3)	콘크리트 재료분리의 발생	
	가) 주요 구조부의 철근 노출이 발생했으나, 보수·보강(철근노출 또는 재료분리 위치를 파악하여 구체적인 보수·보강 계획을 수립한 경우는 제외한다. 이하 이 번호에서 같다)을 하지 않은 경우	3
	나) 그 밖의 구조부의 철근 노출이 발생했으나, 보수·보강을 하지 않은 경우	2
	다) 주요 구조부 및 그 밖의 구조부의 재료분리가 0.1㎡ 이상 발생했는데도 적절한 보수·보강 조치를 하지 않은 경우	1
4)	철근의 배근·조립 및 강구조의 조립·용접·시공 상태의 불량	
	가) 주요 구조부의 시공불량으로 부재당 보수·보강이 3곳 이상 필요한 경우	3
	나) 주요 구조부의 시공불량으로 보수·보강이 필요한 경우	2
	다) 그 밖의 구조부의 시공불량으로 보수·보강이 필요한 경우	1

번호	주요부실내용	벌점
5)	배수상태의 불량	
	가) 배수시설을 설계도서 및 현지 여건과 다르게 시공하여 배수기능이 상실된 경우	2
	나) 배수시설을 설계도서 및 현지 여건과 다르게 시공하여 배수기능에 지장을 준 경우	1
	다) 배수시설의 관리 불량으로 인해 침수 등 피해 발생의 우려가 있는 경우	0.5
6)	방수불량으로 인한 누수발생	
	가) 방수시설에서 누수가 발생하여 방수면적 1/2 이상의 보수·보강(구체적인 보수·보강 계획을 수립한 경우는 제외한다. 이하 이 번호에서 같다)이 필요한 경우	2
	나) 방수시설에서 누수가 발생하여 보수·보강이 필요한 경우	1
	다) 방수시설의 시공불량으로 보수·보강이 필요한 경우	0.5
7)	시공 단계별로 건설사업관리기술인(건설사업관리기술인을 배치하지 않아도 되는 경우에는 공사감독자를 말한다. 이하 이 번호에서 같다)의 검토·확인을 받지 않고 시공한 경우	
	가) 주요 구조부에 대하여 건설사업관리기술인의 검토·확인을 받지 않고 시공한 경우	3
	나) 그 밖의 구조부에 대하여 건설사업관리기술인의 검토·확인을 받지 않고 시공한 경우	2
	다) 건설사업관리기술인 지시사항의 이행을 정당한 사유 없이 지체한 경우	1
8)	시공상세도면 작성의 소홀	
	가) 주요 구조부에 대한 시공상세도면의 작성을 소홀히 하여 재시공이 필요한 경우	3
	나) 주요 구조부에 대한 시공상세도면의 작성을 소홀히 하여 보수·보강(경미한 보수·보강은 제외한다. 이하 이 번호에서 같다)이 필요한 경우	2
	다) 그 밖의 구조부에 대한 시공상세도면의 작성을 소홀히 하여 보수·보강이 필요한 경우	1

번호	주요부실내용	벌점
9)	공정관리의 소홀로 인한 공정부진	
	가) 건설사업관리기술인으로부터 지연된 공정을 만회하기 위한 대책을 요구받은 후 정당한 사유 없이 그 대책을 수립하지 않은 경우	1
	나) 공정관리의 소홀로 공사가 지연되고 있으나 정당한 사유 없이 대책이 미흡한 경우	0.5
10)	가설구조물(비계, 동바리, 거푸집, 흙막이 등 설치단계의 주요 가설구조물을 말한다. 이하 이 번호에서 같다) 설치상태의 불량	
	가) 가설구조물의 설치불량으로 건설사고가 발생한 경우	3
	나) 가설구조물의 설치불량(시공계획서 및 시공상세도면을 작성하지 않은 경우도 포함한다)으로 보수·보강(경미한 보수·보강은 제외한다)이 필요한 경우	2
11)	건설공사현장 안전관리대책의 소홀	
	가) 제105조제3항에 따른 중대한 건설사고가 발생한 경우	3
	나) 정기안전점검을 한 결과 조치 요구사항을 이행하지 않은 경우 또는 정기안전점검을 정당한 사유 없이 기간 내에 실시하지 않은 경우	3
	다) 안전관리계획을 수립했으나, 그 내용의 일부를 누락하거나 기준을 충족하지 못하여 내용의 보완이 필요한 경우 또는 각종 공사용 안전시설 등의 설치를 안전관리계획에 따라 설치하지 않아 건설사고가 우려되는 경우	2
12)	품질관리계획 또는 품질시험계획의 수립 및 실시의 미흡	
	가) 품질관리계획 또는 품질시험계획을 수립했으나, 그 내용의 일부를 누락하거나 기준을 충족하지 못하여 내용의 보완이 필요한 경우	2
	나) 품질관리계획 또는 품질시험계획과 다르게 품질시험 및 검사를 실시한 경우	1
13)	시험실의 규모·시험장비 또는 건설기술인 확보의 미흡	
	가) 품질관리계획 또는 품질시험계획에 따른 시험실·시험장비를 갖추지 않거나 품질관리 업무를 수행하는 건설기술인을 배치하지 않은 경우	3
	나) 시험실·시험장비 또는 건설기술인 배치기준을 미달한 경우, 품질관리 업무를 수행하는 건설기술인이 제91조제3항 각 호 외의 업무를 발주청 또는 인·허가기관의 장의 승인 없이 수행한 경우	2

번호	주요부실내용	벌점
	다) 법 제20조제2항에 따른 교육·훈련을 이수하지 않은 자를 품질관리를 수행하는 건설기술인으로 배치한 경우	1
	라) 시험장비의 고장을 방치(대체 장비가 있는 경우는 제외한다)하여 시험의 실시가 불가능하거나 유효기간이 지난 장비를 사용한 경우	0.5
14)	건설용 자재 및 기계·기구 관리 상태의 불량	
	가) 기준을 충족하지 못하거나 발주청의 승인을 받지 않은 건설 기계·기구 또는 주요 자재를 반입하거나 사용한 경우	3
	나) 건설 기계·기구의 설치 관련 기준과 다르게 설치 또는 해체한 경우	2
	다) 자재의 보관 상태가 불량하여 품질에 영향을 미친 경우	1
15)	콘크리트의 타설 및 양생과정의 소홀	
	가) 콘크리트 배합설계를 실시하지 않거나 확인하지 않은 경우, 콘크리트 타설계획을 수립하지 않은 경우, 거푸집 해체시기 또는 타설순서를 준수하지 않은 경우, 고의로 기준을 초과하여 레미콘 물타기를 한 경우	3
	나) 슬럼프시험, 염분함유량시험, 압축강도시험 또는 양생관리를 실시하지 않은 경우, 생산·도착시간 또는 타설완료시간을 기록·관리하지 않은 경우	1
16)	레미콘 플랜트(아스콘 플랜트를 포함한다) 현장관리 상태의 불량	
	가) 계량장치를 검정하지 않은 경우 또는 고의로 기준을 초과하여 레미콘 물타기를 한 경우	3
	나) 골재를 규격별로 분리하여 저장하지 않거나 골재관리상태가 미흡한 경우, 자동기록장치를 작동하지 않거나 기록지를 보관하지 않은 경우, 아스콘의 생산온도가 기준에 미달한 경우	2
	다) 품질시험이 적정하지 않거나 장비결함사항을 방치한 경우	1
17)	아스콘의 포설 및 다짐 상태 불량	
	가) 시방기준에 규정된 시험포장을 실시하지 않은 경우	2
	나) 현장다짐밀도 또는 포장두께가 부족한 경우	1
	다) 혼합물온도관리기준을 미달하거나 초과한 경우, 평탄성 측정 결과 시방기준을 초과한 경우	0.5
18)	설계도서와 다른 시공	
	가) 주요 구조부를 설계도서와 다르게 시공하여 재시공이 필요한 경우	3
	나) 주요 구조부를 설계도서와 다르게 시공하여 보수·보강(경미한 보수·보강은 제외한다. 이하 이 번호에서 같다)이 필요한 경우	2
	다) 그 밖의 구조부를 설계도서와 다르게 시공하여 보수·보강이 필요한 경우	1
19)	계측관리의 불량	
	가) 계측장비를 설치하지 않은 경우 또는 계측장비가 작동하지 않는 경우	2
	나) 설계도서(계약 시 협의사항을 포함한다)의 규정상 계측횟수가 미달하거나 잘못 계측한 경우	1
	다) 측정기한이 초과하는 등 계측관리를 소홀히 한 경우	0.5

나. 시공 단계의 건설사업관리를 수행하는 건설사업관리용역사업자 및 건설사업관리기술인에 대한 벌점 측정기준

번호	주요 부실내용	벌점
1)	설계도서의 내용대로 시공되었는지에 관한 단계별 확인의 소홀	
	가) 주요 구조부에 대한 검토·확인 절차를 이행하지 않거나 설계도서와 다르게 하여 재시공이 필요한 경우	3
	나) 주요 구조부에 대한 검토·확인 절차를 이행하지 않거나 설계도서와 다르게 하여 보수·보강(경미한 보수·보강은 제외한다. 이하 이 번호에서 같다)이 필요한 경우	2
	다) 그 밖의 구조부에 대한 검토·확인 절차를 이행하지 않거나 설계도서와 다르게 하여 보수·보강이 필요한 경우	1
	라) 그 밖에 확인검측을 누락한 경우 또는 검측업무의 지연으로 계획공정에 차질이 발생한 경우(월간 계획공정 기준으로 10% 이상 차질이 발생한 경우를 말한다. 이하 같다)	0.5
2)	시공상세도면에 대한 검토의 소홀	
	가) 주요 구조부 시공상세도면의 검토 절차를 이행하지 않거나 관련 기준과 다르게 하여 재시공이 필요한 경우	3
	나) 주요 구조부 시공상세도면의 검토 절차를 이행하지 않거나 관련 기준과 다르게 하여 보수·보강(경미한 보수·보강은 제외한다. 이하 이 번호에서 같다)이 필요한 경우	2

번호	주요 부실내용	벌점
	다) 그 밖의 구조부 시공상세도면의 검토 절차를 이행하지 않거나 관련 기준과 다르게 하여 보수·보강이 필요한 경우	1
3)	기성 및 예비 준공검사의 소홀	
	가) 검사 후 주요 구조부를 재시공할 사항이 발생한 경우	3
	나) 검사 후 주요 구조부를 보수·보강할 사항이 발생한 경우	2
	다) 검사 후 그 밖의 구조부를 보수·보강할 사항이 발생한 경우	1
	라) 검사 지연으로 계획공정에 차질이 발생한 경우	0.5
4)	시공자의 건설안전관리에 대한 확인의 소홀	
	가) 안전관리계획서를 검토·확인하지 않은 경우, 정기안전점검을 하지 않거나 안전점검 수행기관으로 지정되지 않은 기관이 정기안전점검을 실시했으나 시정지시 등을 하지 않은 경우, 정기안전점검 결과 조치 요구사항의 이행을 확인하지 않은 경우	3
	나) 안전관리계획서의 제출을 정당한 사유 없이 1개월 이상 지연한 경우	2
5)	설계 변경사항 검토·확인의 소홀	
	가) 설계도서의 확인 후 조치를 취하지 않아 시공 후 주요 구조부의 설계변경사유가 발생한 경우	2
	나) 설계도서의 확인 후 조치를 취하지 않아 시공 후 그 밖의 구조부의 설계변경사유가 발생한 경우 또는 설계 변경사항을 반영하지 않은 경우	1
	다) 설계 변경사항의 검토를 정당한 사유 없이 지연하여 계획공정에 차질이 발생한 경우	0.5
6)	시공계획 및 공정표 검토의 소홀	
	가) 시공계획 및 공정표 검토 후 시정지시 등을 하지 않아 주요 구조부 재시공이 필요한 경우	2
	나) 시공계획 및 공정표 검토 후 시정지시 등을 하지 않아 주요 구조부 보수·보강(경미한 보수·보강은 제외한다. 이하 이 번호에서 같다)이 필요한 경우	1
	다) 시공계획 및 공정표 검토 후 시정지시 등을 하지 않아 그 밖의 구조부 보수·보강이 필요하거나 계획공정에 차질이 발생한 경우 또는 설계 변경 요인에 따른 시공계획 및 공정표 변경승인을 관련 기준에 따라 이행하지 않은 경우	0.5

번호	주요 부실내용	벌점
7)	품질관리계획 또는 품질시험계획의 수립과 시험 성과에 관한 검토의 불철저	
	가) 시공자가 제출한 계획 또는 시험 성과에 대한 검토를 실시하지 않은 경우, 시공자가 시험실·시험장비를 갖추지 않거나 품질관리 업무를 수행하는 건설기술인을 배치하지 않았는데도 시정지시 등을 하지 않은 경우	3
	나) 시공자가 제출한 계획 또는 시험 성과에 대한 검토 절차를 이행하지 않거나 관련 기준과 다르게 하여 보수·보강이 필요한 경우 또는 시험실·시험장비나 품질관리 업무를 수행하는 건설기술인의 자격이 기준에 미달하거나, 품질관리 업무를 수행하는 건설기술인이 제91조제3항 각 호 외의 업무를 발주청 또는 인·허가기관의 장의 승인 없이 수행했는데도 시정지시 등을 하지 않은 경우	2
	다) 품질시험 중 일부 종목을 빠뜨리거나 시험횟수를 부족하게 수행했는데도 시정지시 등을 하지 않은 경우	1
	라) 시험장비의 고장(대체 장비가 있는 경우는 제외한다)을 방치하여 시험의 실시가 불가능하거나 장비의 유효기간이 지났는데도 시정지시 등을 하지 않은 경우	0.5
8)	건설용 자재 및 기계·기구 적합성의 검토·확인의 소홀	
	가) 건설 기계·기구의 반입·사용에 대한 필요한 조치를 이행하지 않아 기준을 충족하지 못하거나 발주청 등의 승인을 받지 않은 건설 기계·기구가 사용된 경우	2
	나) 주요 자재(철근, 철골, 레미콘, 아스콘 등 건설 현장에서 주요하게 사용되는 자재를 말한다)의 품질확인 절차를 이행하지 않거나 관련 기준과 다르게 한 경우	1
	다) 그 밖의 자재의 품질확인 절차를 이행하지 않거나 관련 기준과 다르게 한 경우	0.5
9)	시공자 제출서류의 검토 소홀 및 처리 지연	
	가) 정당한 사유 없이 제출서류 처리 지연으로 계획공정에 차질이 발생하거나 보수·보강이 필요한 경우	2
	나) 정당한 사유 없이 제출서류 검토 절차를 이행하지 않거나 관련 기준과 다르게 하여 보수·보강(경미한 보수·보강은 제외한다)이 필요한 경우	1
	다) 정당한 사유 없이 제출서류 검토 절차를 이행하지 않거나 관련 기준과 다르게 하여 계획공정에 차질이 발생한 경우	0.5

번호	주요 부실내용	벌점
10)	제59조에 따른 건설사업관리의 업무범위에 대한 기록유지 또는 보고 소홀	
	가) 기록유지 또는 보고 절차를 이행하지 않거나 관련 기준과 다르게 하여 보수·보강(경미한 보수·보강은 제외한다)이 필요한 경우	2
	나) 기록유지 또는 보고 절차를 이행하지 않거나 관련 기준과 다르게 하여 계획공정에 차질이 발생한 경우	1
11)	건설사업관리 업무의 소홀 등	
	가) 건설사업관리기술인의 자격미달 및 인원부족이 발생한 경우(건설사업관리용역사업자만 해당한다)	2
	나) 건설사업관리기술인이 현장을 무단으로 이탈한 경우(건설사업관리기술인만 해당한다)	2
12)	입찰 참가자격 사전심사 시 건설사업관리 업무를 수행하기로 했던 건설사업관리기술인의 임의변경 또는 관리 소홀(건설사업관리용역사업자만 해당한다)	
	가) 발주자에게 승인을 받지 않고 건설사업관리기술인을 교체한 경우, 50% 이상의 건설사업관리기술인을 교체한 경우(해당 공사현장에 3년 이상 배치된 경우, 퇴직·입대·이민·사망의 경우, 질병·부상으로 3개월 이상의 요양이 필요한 경우, 3개월 이상 공사 착공이 지연되거나 진행이 중단된 경우, 그 밖에 발주청이 필요하다고 인정하는 경우는 제외한다. 이하 이 번호에서 같다)	2
	나) 같은 분야의 건설사업관리기술인을 상당한 이유 없이 3번 이상 교체한 경우	1
13)	공사 수행과 관련한 각종 민원발생대책의 소홀	
	가) 환경오염(수질오염, 공해 또는 소음)의 발생으로 인근주민의 권익이 침해되어 집단민원이 발생한 경우로서 예방조치를 하지 않은 경우	2
	나) 공사 수행과정에서 토사유실, 침수 등 시공관리와 관련하여 민원이 발생한 경우로서 그 예방조치를 하지 않은 경우	1
14)	발주청 지시사항 이행의 소홀	
	가) 시방기준의 변경이나 사업계획의 변경 등에 따른 발주청의 지시사항을 이행하지 않아 보수·보강(경미한 보수·보강은 제외한다)이 필요한 경우	2
	나) 시방기준의 변경이나 사업계획의 변경 등에 따른 발주청의 지시사항을 이행하지 않아 계획공정에 차질이 발생한 경우	1
15)	가설구조물(가교, 동바리, 거푸집, 흙막이 등 구조검토단계의 주요 가설구조물을 말한다)에 대한 구조검토 소홀	
	가) 구조검토 절차를 이행하지 않은 경우	3
	나) 구조검토 절차를 관련 기준과 다르게 한 경우	2
16)	공사현장에 상주하는 건설사업관리기술인을 지원하는 건설사업관리기술인(이하, 이 표에서 "기술지원기술인"이라 한다)의 현장시공실태 점검의 소홀	
	가) 기술지원기술인으로서 업무를 수행한 이후 현장점검 횟수가 제59조제7항에 따라 국토교통부장관이 정하여 고시하는 세부 기준에 따른 횟수보다 정당한 사유 없이 2회 이상 부족한 경우	1
	나) 기술지원기술인으로서 업무를 수행한 이후 현장점검 횟수가 제59조제7항에 따라 국토교통부장관이 정하여 고시하는 세부 기준에 따른 횟수보다 정당한 사유 없이 1회 부족한 경우	0.5
17)	하자담보책임기간 하자 발생	
	가) 시공 단계의 건설사업관리 업무 내용과 관련하여 「건설산업기본법」 제28조제1항에 따른 하자담보책임기간 내에 3회 이상 하자(같은 법 제82조제1항제1호에 따른 하자를 말한다. 이하 이 번호에서 같다)가 발생한 경우로서 같은 법 제93조제1항 및 같은 법 시행령 제88조에 따른 시설물의 주요 구조부에 발생한 하자가 1회 이상 포함되는 경우(건설사업관리용역사업자만 해당한다)	2
	나) 시공 단계의 건설사업관리 업무 내용과 관련하여 「건설산업기본법」 제28조제1항에 따른 하자담보책임기간 내에 하자가 3회 이상 발생한 경우(건설사업관리용역사업자만 해당한다)	1
18)	하도급 관리 소홀	
	가) 불법하도급을 묵인한 경우 또는 하도급에 대한 타당성 검토 절차를 이행하지 않거나 관련 기준과 다르게 하여 「건설산업기본법」 제82조 또는 제83조에 따라 영업정지 또는 등록말소가 된 경우	3
	나) 하도급에 대한 타당성 검토 절차를 이행하지 않거나 관련 기준과 다르게 하여 「건설산업기본법」에 따라 과징금 또는 과태료가 부과된 경우	2

번호	주요 부실내용	벌점
	다) 하도급에 대한 타당성 검토 절차를 이행하지 않거나 관련 기준과 다르게 하여 계획공정에 차질 또는 민원이 발생하거나 불법행위가 발생한 경우	1

다. 그 밖의 건설엔지니어링사업자 및 건설기술인등에 대한 벌점 측정기준

번호	주요 부실내용	벌점
1)	각종 현장 사전조사 또는 관계 기관 협의의 잘못	
	가) 과업지시서에 명시된 현장 사전조사나 관계 기관 협의 등을 하지 않아 설계변경 사유가 발생한 경우	2
	나) 과업지시서에 명시된 현장 사전조사 및 관계 기관 협의 등을 했지만 조사범위의 선정 등을 잘못하여 설계변경 사유가 발생한 경우	1
2)	토질·기초 조사의 잘못	
	가) 과업지시서에 명시된 보링 등 토질·기초 조사를 하지 않은 경우	3
	나) 과업지시서에 명시된 토질·기초 조사를 잘못하여 공법의 변경사유가 발생한 경우	1
3)	현장측량의 잘못으로 인한 설계 변경사유의 발생	
	가) 주요 시설계획의 변경이 발생한 경우	2
	나) 그 밖의 시설계획의 변경이 발생한 경우	1
4)	구조·수리 계산의 잘못이나 신기술 또는 신공법에 관한 이해의 부족	
	가) 주요 구조물의 재시공이 발생한 경우	3
	나) 주요 구조물의 보수·보강(경미한 보수·보강은 제외한다. 이하 이 번호에서 같다)이 발생한 경우	2
	다) 그 밖의 구조물의 보수·보강이 발생한 경우	1
5)	수량 및 공사비(설계가격을 기준으로 한다) 산출의 잘못	
	가) 총공사비가 10% 이상 변경된 경우	2
	나) 총공사비가 5% 이상 변경된 경우	1
	다) 토공사·배수공사 등 공사 종류별 공사비가 10% 이상 변경된 경우(총공사비의 10% 이상에 해당되는 공사 종류로 한정한다)	0.5
6)	설계도서 작성의 소홀	
	가) 설계도서의 일부를 빠뜨리거나 관련 기준을 충족하지 못하여 재시공 또는 보수·보강(경미한 보수·보강은 제외한다)이 발생한 경우	3
	나) 공사의 특수성, 지역여건 또는 공법 등을 고려하지 않아 현장의 실정과 맞지 않거나 공사 수행이 곤란한 경우	2
	다) 시공상세도면의 작성을 관련 기준과 다르게 하여 시공이 곤란한 경우	1
7)	자재 선정의 잘못으로 공사의 부실 발생	
	가) 주요 자재 품질·규격의 적합성 검토 절차를 이행하지 않거나 관련 기준과 다르게 하여 재시공이 필요한 경우	3
	나) 주요 자재 품질·규격의 적합성 검토 절차를 이행하지 않거나 관련 기준과 다르게 하여 보수·보강(경미한 보수·보강은 제외한다. 이하 이 번호에서 같다)이 필요한 경우	2
	다) 그 밖의 자재 품질·규격의 적합성 검토 절차를 이행하지 않거나 관련 기준과 다르게 하여 재시공 또는 보수·보강이 필요한 경우	1
8)	건설엔지니어링 참여 건설기술인의 업무관리 소홀	
	가) 참여예정 건설기술인이 실제 건설엔지니어링 업무 수행 시에 참여하지 않거나 무자격자가 참여한 경우	3
	나) 참여 건설기술인의 업무범위 기재내용이 실제와 다르거나 감독자의 지시를 정당한 사유 없이 이행하지 않은 경우	1
9)	입찰 참가자격 사전심사 시 건설사업관리 업무를 수행하기로 했던 건설엔지니어링 참여기술인의 임의변경 또는 관리 소홀(건설엔지니어링사업자만 해당한다)	
	가) 발주자와 협의하지 않거나 발주자의 승인을 받지 않고 건설엔지니어링 참여기술인을 교체한 경우, 50% 이상의 건설엔지니어링 참여기술인을 교체한 경우(해당 공사현장에 3년 이상 배치된 경우, 퇴직·입대·이민·사망의 경우, 질병·부상으로 3개월 이상의 요양이 필요한 경우, 3개월 이상 공사 착공이 지연되거나 진행이 중단된 경우, 그 밖에 발주청이 필요하다고 인정하는 경우는 제외한다. 이하 이 번호에서 같다)	2
	나) 같은 분야의 건설엔지니어링 참여기술인을 상당한 이유 없이 3번 이상 교체한 경우	1
10)	건설엔지니어링 업무의 소홀 등	
	가) 제59조제4항에 따른 건설사업관리의 업무내용 등과 관련하여 업무의 소홀, 기록유지 또는 보고의 소홀로 예정기한을 초과하는 보완설계가 필요한 경우	2

번호	주요 부실내용	벌점
	나) 정당한 사유 없이 건설엔지니어링 참여기술인의 업무 소홀로 설계용역 계획공정에 차질이 발생한 경우	0.5
11)	건설공사 안전점검의 소홀	
	가) 정기안전점검 · 정밀안전점검 보고서를 사실과 현저히 다르게 작성한 경우, 정기안전점검 · 정밀안전점검을 이행하지 않거나 관련 기준과 다르게 하여 건설사고가 발생한 경우	3
	나) 정기안전점검 또는 정밀안전점검을 이행하지 않거나 관련 기준과 다르게 하여 보수 · 보강이 필요한 경우	2
	다) 정기안전점검 또는 정밀안전점검 후 기한 내 결과보고를 하지 않은 경우	1
12)	타당성조사 시 수요예측을 부실하게 수행하여 발주청에 손해를 끼친 경우로서 고의로 수요예측을 30% 이상 잘못한 경우	1

라. 측정기관은 해당 업체(현장대리인을 포함한다) 및 건설기술인등의 확인을 받아 가목부터 다목까지의 규정에 따른 주요부실내용을 기준으로 벌점을 부과하고, 그 결과를 해당 벌점 부과 대상자에게 통보해야 한다.

마. 해당 공사와 관련하여 감사기관이 처분을 요구하는 경우나 해당 업체(현장대리인을 포함한다) 또는 건설기술인등이 부실 확인을 거부하는 경우에는 처분요구서 또는 사진촬영 등의 증거자료를 근거로 하여 부실을 측정하고 벌점을 부과할 수 있다.

바. 벌점 경감기준

1) 반기 동안 사망사고가 없는 건설사업자 또는 주택건설등록업자에 대해서는 다음 반기에 부과된 벌점의 20%를 경감하며, 반기별 연속하여 사망사고가 없는 경우에는 다음 표에 따라 다음 반기에 부과된 벌점을 경감한다.

무사망사고 연속반기 수	2반기	3반기	4반기
경감률	36%	49%	59%

2) 반기 동안 10회 이상의 점검을 받은 건설사업자, 주택건설등록업자 또는 건설엔지니어링사업자에 대해서는 반기별 점검현장 수 대비 벌점 미부과 현장 비율(이하 "관리우수 비율"이라 한다)이 80% 이상인 경우에는 다음 표에 따라 해당 반기에 부과된 벌점을 경감한다. 이 경우 공동수급체를 구성한 경우에는 참여 지분율을 고려하여 점검현장 수를 산정한다.

관리우수 비율	80% 이상 ~ 90% 미만	90% 이상 ~ 95% 미만	95% 이상
경감점수	0.2점	0.5점	1점

3) 무사망사고에 따른 경감과 관리우수 비율에 따른 경감을 동시에 받는 경우에는 관리우수 비율에 따른 경감점수를 먼저 적용한다.

4) 사망사고 신고를 지연하는 등 벌점을 부당하게 경감받은 것으로 확인되는 경우에는 경감받은 벌점을 다음 반기에 가중한다.

사. 벌점 부과 기한

측정기관은 「건설산업기본법」 제28조제1항에 따른 하자담보책임기간 종료일까지 벌점을 부과한다. 다만, 다른 법령에서 하자담보책임기간을 별도로 규정한 경우에는 해당 하자담보책임기간 종료일까지 부과한다.

6. 벌점 공개

국토교통부장관은 법 제53조제3항에 따라 매 반기의 말일을 기준으로 2개월이 지난 날부터 인터넷 조회시스템에 벌점을 부과받은 업체명, 법인등록번호 및 업무영역, 합산벌점 등을 공개한다.

[별표 9] 〈개정 2018.12.11.〉

품질시험계획의 내용(제89조제2항 관련)

1. 개요
   가. 공사명
   나. 시공자
   다. 현장 대리인

2. 시험계획
   가. 공종
   나. 시험 종목
   다. 시험 계획물량
   라. 시험 빈도
   마. 시험 횟수
   바. 그 밖의 사항

3. 시험시설
   가. 장비명
   나. 규격
   다. 단위
   라. 수량
   마. 시험실 배치 평면도
   바. 그 밖의 사항

4. 품질관리를 수행하는 건설기술인 배치계획
   가. 성명
   나. 등급
   다. 품질관리 업무 수행기간
   라. 건설기술인 자격 및 학력 · 경력 사항
   마. 그 밖의 사항

[별표 10] 〈개정 2021. 1. 5.〉

철강구조물공장의 등급별 인증기준(제96조제4항 관련)

1. 인증심사항목의 종류

주요 심사항목	세부 심사항목
가. 공장 개요	1) 공장부지 면적 2) 제품가공 작업장 면적 3) 가조립장 면적 4) 연간 가공 실적
나. 기술인력	국토교통부장관이 고시하는 기준의 건설기술인
다. 제작 및 시험설비	1) 제작용 설비기기 2) 용접용 설비기기 3) 기중기 4) 시험검사 설비기기
라. 품질관리실태	1) 종합관리 2) 제작기술 3) 제작 상황 및 품질관리 4) 작업환경

비고
1. 제품가공 작업장: 지붕과 2면 이상의 외벽이 있는 건물
2. 가조립장: 건설현장에서 완제품을 조립하기 전에 철강구조물공장에서 철강구조물을 조립하여 이상이 있는지를 검사하는 장소
3. 기중기: 공장 안의 천장 주행 크레인

2. 기본심사항목에 대한 최소 기준

등급	제품가공 작업장 면적(㎡)		가조립장 면적(㎡)		기중기(톤)	
	교량	건축	교량	건축	교량	건축
1급	5,000	4,000	2,000	-	50	50
2급	4,000	3,000	1,500	-	50	30
3급	2,000	1,000	700	-	15	8
4급	500	400	-	-	8	-

3. 공장인증의 등급별 제작 능력에 대한 기준

등급	제작 능력	
	교량 분야	건축 분야
1급	모든 교량	모든 건축물
2급	가. 일반교량 나. 교각과 교각 사이의 최대거리가 100미터 미만인 특수교량	가. 용접작업에 사용되는 주요 부재의 판 두께(t): t≤50mm 나. 26층 미만(지하층 포함)인 건축물의 주요 구조부
3급	교각과 교각 사이의 최대거리가 50미터 이하인 인도전용 육교(특수육교 제외)	가. 용접작업에 사용되는 주요 부재의 판 두께(t) - SS400급 강재: t≤30mm - SM490급 강재: t≤25mm 나. 16층 미만(지하층 포함)인 건축물의 주요 구조부(최대 경간 30m 이하)
4급	교각과 교각 사이의 최대거리가 30미터 이하인 인도전용 육교(특수육교 제외)	가. 용접작업에 사용되는 주요 부재의 판 두께(t): t≤16mm 나. 처마높이 20m 이하(최대 경간 30m 이하)

비고
1. "특수교량"은 현수교(주케이블과 보조케이블로 상판을 지탱하는 다리를 말한다. 이하 같다)·사장교·아치교·트러스교 등의 교량 및 교각과 교각 사이의 최대거리가 50미터 이상인 곡선교량을 말한다.
2. "일반교량"은 특수교량에 해당하지 않는 교량을 말한다.
3. "특수육교"는 현수교·사장교·아치교·트러스교 등의 인도전용 보도육교를 말한다.
4. 공장인증을 받은 공장은 해당 등급의 제작능력기준 이하의 철강구조물을 제작할 수 있다.

[별표 11] 〈개정 2021. 9. 14.〉

과태료의 부과기준(제121조제1항 관련)

1. 일반기준

가. 위반행위의 횟수에 따른 과태료의 가중된 부과기준은 최근 3년간 같은 위반행위로 과태료를 부과받은 경우에 적용한다. 이 경우 기간의 계산은 위반행위에 대해서 과태료 부과처분을 받은 날과 그 처분 후에 다시 같은 위반행위를 하여 적발된 날을 기준으로 한다.

나. 가목에 따라 가중된 부과처분을 하는 경우 가중처분의 적용 차수는 그 위반행위 전 부과처분 차수(가목에 따른 기간 내 과태료 부과처분이 둘 이상 있었던 경우에는 높은 차수를 말한다)의 다음 차수로 한다.

다. 부과권자는 다음의 어느 하나에 해당하는 경우에는 제2호의 개별기준에 따른 과태료 금액의 2분의 1 범위에서 그 금액을 줄일 수 있다. 다만, 과태료를 체납하고 있는 위반행위자의 경우에는 그렇지 않다.

1) 위반행위자가 「질서위반행위규제법 시행령」 제2조의2제1항 각 호의 어느 하나에 해당하는 경우
2) 위반행위가 사소한 부주의나 오류로 인한 것으로 인정되는 경우
3) 위반행위자가 위반행위를 바로 정정하거나 시정하여 법 위반상태를 해소한 경우
4) 그 밖에 위반행위의 정도, 동기와 그 결과 등을 고려하여 과태료를 줄일 필요가 있다고 인정되는 경우

라. 부과권자는 다음의 어느 하나에 해당하는 경우에는 제2호의 개별기준에 따른 과태료 금액의 2분의 1 범위에서 그 금액을 늘릴 수 있다. 다만, 법 제91조제1항부터 제3항까지의 규정에 따른 과태료 금액의 상한을 넘을 수 없다.

1) 위반의 내용·정도가 중대하여 이해관계인 등에게 미치는 피해가 크다고 인정되는 경우
2) 법 위반상태의 기간이 6개월 이상인 경우
3) 그 밖에 위반행위의 정도, 동기와 그 결과 등을 고려하여 과태료를 늘릴 필요가 있다고 인정되는 경우

2. 개별기준

위반행위	근거 법조문	과태료 금액		
		1차 위반	2차 위반	3차 이상 위반
가. 건설기술인이 법 제20조제2항 전단에 따른 교육·훈련을 정당한 사유 없이 받지 않은 경우	법 제91조 제3항제1호	50만원	50만원	50만원
나. 사용자가 법 제20조제3항에 따른 경비를 부담하지 않거나 경비부담을 이유로 건설기술인에게 불이익을 준 경우	법 제91조 제3항제2호	50만원	50만원	50만원
다. 법 제21조제3항에 따른 자료를 제출하지 않거나 거짓으로 자료를 제출한 경우	법 제91조 제3항제3호	150만원	225만원	300만원
라. 법 제22조의2제2항을 위반하여 부당한 요구를 하거나 부당한 요구에 불응한다는 이유로 건설기술인에게 불이익을 준 경우	법 제91조 제2항제1호	300만원	500만원	1,000만원
마. 건설기술인이 법 제24조제4항을 위반하여 건설기술경력증을 반납하지 않은 경우	법 제91조 제3항제4호	50만원	50만원	50만원
바. 법 제26조제3항 본문에 따른 변경등록을 하지 않거나 거짓으로 변경등록을 한 경우	법 제91조 제3항제5호			
1) 변경등록 지연기간이 1개월 미만인 경우		10만원	10만원	10만원
2) 변경등록 지연기간이 1개월 이상 3개월 미만인 경우		30만원	30만원	30만원
3) 변경등록 지연기간이 3개월 이상이거나 변경등록을 하지 않은 경우		50만원	50만원	50만원
4) 변경등록을 거짓으로 한 경우		200만원	200만원	200만원
사. 법 제26조제4항에 따라 휴업 또는 폐업 신고를 하지 않은 경우	법 제91조 제3항제6호			
1) 신고 지연기간이 1개월 미만인 경우		100만원	100만원	100만원
2) 신고 지연기간이 1개월 이상 3개월 미만인 경우		200만원	200만원	200만원
3) 신고 지연기간이 3개월 이상이거나 신고를 하지 않은 경우		300만원	300만원	300만원
아. 법 제29조제1항에 따라 영업 양도 또는 합병 신고를 하지 않은 경우	법 제91조 제3항제7호			
1) 신고 지연기간이 1개월 미만인 경우		100만원	100만원	100만원
2) 신고 지연기간이 1개월 이상 3개월 미만인 경우		200만원	200만원	200만원
3) 신고 지연기간이 3개월 이상이거나 신고를 하지 않은 경우		300만원	300만원	300만원
자. 법 제31조제1항·제2항에 따른 영업정지명령을 받고 영업정지기간에 건설엔지니어링 업무를 수행한 경우(법 제33조에 따라 건설엔지니어링 업무를 수행한 경우는 제외한다)	법 제91조 제3항제8호	300만원	300만원	300만원
차. 법 제31조제3항을 위반하여 영업정지기간에 상호를 바꾸어 건설엔지니어링을 수주한 경우	법 제91조 제3항제9호			
1) 수주 건수가 1건인 경우		50만원	50만원	50만원
2) 수주 건수가 2건 이상인 경우		100만원	100만원	100만원
카. 법 제33조제1항 후단에 따라 등록취소처분 등을 받은 사실과 그 내용을 해당 건설엔지니어링의 발주자에게 통지하지 않은 경우	법 제91조 제3항제10호	300만원	300만원	300만원
타. 법 제38조제2항에 따른 업무에 관한 보고를 하지 않거나 관계 자료를 제출하지 않은 경우	법 제91조 제3항제11호	100만원	150만원	200만원
파. 법 제39조의2제1항을 위반하여 건설사업관리계획을 수립하지 않은 경우	법 제91조 제1항제1호	1,000만원	1,500만원	2,000만원
하. 법 제39조의2제6항을 위반하여 건설공사를 착공하게 하거나 건설공사를 진행하게 한 경우	법 제91조 제1항제2호	1,000만원	1,500만원	2,000만원
거. 법 제50조제1항 및 제2항에 따른 평가를 하지 않은 경우	법 제91조 제2항 제1호의2	500만원	750만원	1,000만원
너. 법 제54조제2항에 따른 점검결과 및 조치결과를 제출하지 않거나 거짓으로 제출한 경우	법 제91조 제3항제12호	150만원	225만원	300만원
더. 법 제56조제1항에 따른 품질관리비를 공사금액에 계상하지 않은 경우 또는 같은 조 제2항을 위반하여 품질관리비를 사용한 경우	법 제91조 제2항제2호	250만원	375만원	500만원
러. 법 제62조제1항에 따른 안전관리계획의 승인 없이 건설사업자 및 주택건설등록업자가 착공했음을 알고도 발주자가 묵인한 경우	법 제91조 제3항제13호	150만원	225만원	300만원

위반행위	근거 법조문	과태료 금액		
		1차 위반	2차 위반	3차 이상 위반
머. 법 제62조제3항 · 제5항 및 제8항에 따른 서류를 제출하지 않거나 거짓으로 제출한 경우	법 제91조 제3항제14호	150만원	225만원	300만원
버. 법 제62조제7항에 따른 종합보고서를 제출하지 않거나 거짓으로 작성하여 제출한 경우	법 제91조 제2항제3호			
1) 제출 지연기간이 1개월 미만인 경우		500만원	500만원	500만원
2) 제출 지연기간이 1개월 이상 3개월 미만인 경우		750만원	750만원	750만원
3) 제출 지연기간이 3개월 이상이거나 제출하지 않은 경우		1,000만원	1,000만원	1,000만원
4) 거짓으로 작성하여 제출한 경우		1,000만원	1,000만원	1,000만원
서. 법 제62조제14항에 따른 건설공사 참여자 안전관리 수준 평가를 거부 · 방해 또는 기피한 경우	법 제91조 제2항 제3호의2	500만원	750만원	1,000만원
어. 법 제62조제18항에 따른 설계의 안전성을 검토하지 않은 경우	법 제91조 제2항 제3호의3	500만원	750만원	1,000만원
저. 법 제62조제18항에 따른 설계의 안전성 검토 결과를 제출하지 않거나 거짓으로 제출한 경우	법 제91조 제3항제15호	150만원	250만원	300만원
처. 법 제63조제1항에 따른 안전관리비를 공사금액에 계상하지 않은 경우 또는 같은 조 제2항을 위반하여 안전관리비를 사용한 경우	법 제91조 제2항제4호	250만원	375만원	500만원
커. 법 제66조제3항에 따른 환경관리비를 공사금액에 계상하지 않은 경우 또는 같은 조 제4항을 위반하여 환경관리비를 사용한 경우	법 제91조 제2항제5호	250만원	375만원	500만원
터. 건설공사 참여자(발주자는 제외한다)가 법 제67조제1항에 따른 건설사고 발생사실을 발주청 및 인 · 허가기관에 통보하지 않은 경우	법 제91조 제3항제16호	200만원	250만원	300만원
퍼. 법 제77조제2항에 따른 명령을 이행하지 않은 경우	법 제91조 제1항제3호	1,000만원	1,500만원	2,000만원

건설기술 진흥법령집

1

건설기술진흥법 시행규칙 [별표]

[별표 1] 〈개정 2021. 9. 17.〉

건설기술인의 업무정지 기준(제20조제1항 관련)

1. 일반기준

가. 위반행위의 횟수에 따른 행정처분의 기준은 최근 1년간 같은 위반행위로 행정처분을 받은 경우에 적용한다. 이 경우 위반횟수는 같은 위반행위에 대하여 행정처분을 받은 날과 그 처분 후에 다시 같은 위반행위를 하여 적발된 날을 각각 기준으로 하여 계산한다.

나. 위반행위가 둘 이상인 경우로서 그에 해당하는 각각의 처분기준이 다른 경우에는 그 중 무거운 처분기준에 따른다. 다만, 둘 이상의 처분기준이 모두 업무정지인 경우에는 각 처분기준을 합산한 기간을 넘지 않는 범위에서 무거운 처분기준의 2분의 1 범위까지 가중할 수 있되, 그 가중된 처분을 합산한 기간은 2년을 초과할 수 없다.

다. 처분권자는 위반행위의 내용·정도·동기 및 결과 등을 고려하여 다음의 구분에 따라 제2호의 개별기준에 따른 업무정지 기간의 2분의 1 범위에서 그 기간을 늘리거나 줄일 수 있다. 이 경우 그 늘린 기간을 합산한 기간은 2년을 초과할 수 없다.

1) 가중사유

가) 위반의 내용·정도가 중대하여 이해관계인 등에게 미치는 피해가 크다고 인정되는 경우

나) 법 위반상태의 기간이 6개월 이상인 경우

다) 그 밖에 위반행위의 정도, 위반행위의 동기와 그 결과 등을 고려하여 가중할 필요가 있다고 인정되는 경우

2) 감경사유

가) 위반행위가 사소한 부주의나 오류로 인한 것으로 인정되는 경우

나) 위반행위자가 위반행위를 바로 정정하거나 시정하여 법 위반상태를 해소한 경우

다) 그 밖에 위반행위의 내용·정도·동기 및 결과 등을 고려하여 감경할 필요가 있다고 인정되는 경우

2. 개별기준

위반 행위	해당 법조문	행정처분기준		
		1차	2차	3차 이상
가. 법 제21조제1항에 따라 신고 또는 변경 신고를 하면서 근무처 및 경력등을 거짓으로 신고하거나 변경신고한 경우	법 제24조 제1항제1호	업무정지 6개월	업무정지 12개월	
나. 법 제23조제1항을 위반하여 자기의 성명을 사용하여 다른 사람에게 건설공사 또는 건설엔지니어링 업무를 수행하게 하거나 건설기술경력증을 빌려준 경우	법 제24조 제1항제2호	업무정지 12개월		
다. 법 제24조제2항에 따른 시정지시 등을 3회 이상 받은 경우	법 제24조 제1항제3호	업무정지 2개월	업무정지 2개월	업무정지 2개월
라. 법 제39조제4항 후단에 따라 같은 항 전단에 따른 보고서를 작성해야 하는 건설기술인이 다음의 어느 하나에 해당하는 경우	법 제24조 제1항 제3호의2			
1) 정당한 사유 없이 건설사업관리보고서를 작성하지 않은 경우		업무정지 12개월		
2) 건설사업관리보고서를 거짓으로 작성한 경우		업무정지 12개월		
3) 고의로 건설사업관리보고서를 작성할 때 해당 건설공사의 주요구조부에 대한 시공·검사·시험 등의 내용을 빠뜨린 경우		업무정지 12개월		
4) 중대한 과실로 건설사업관리보고서를 작성할 때 해당 건설공사의 주요구조부에 대한 시공·검사·시험 등의 내용을 빠뜨린 경우		업무정지 2개월	업무정지 3개월	업무정지 3개월
5) 경미한 과실로 건설사업관리보고서를 작성할 때 해당 건설공사의 주요구조부에 대한 시공·검사·시험 등의 내용을 빠뜨린 경우		경고	업무정지 1개월	업두정지 2개월
마. 공사 관리 등과 관련하여 발주자 또는 건설사업관리를 수행하는 건설기술인의 정당한 시정명령에 따르지 않은 경우	법 제24조 제1항제4호	업무정지 1개월	업무정지 2개월	업무정지 2개월
바. 정당한 사유 없이 공사현장을 무단 이탈하여 공사 시행에 차질이 생기게 한 경우	법 제24조 제1항제5호	경고	업무정지 1개월	업무정지 2개월

위반 행위	해당 법조문	행정처분기준		
		1차	2차	3차 이상
사. 고의 또는 중대한 과실로 발주청에 재산상의 손해를 발생하게 한 경우(손해액이 둘 이상의 처분기준에 해당하는 경우에는 그 중 무거운 처분기준에 따른다)	법 제24조 제1항제6호			
1) 손해액이 건설공사 계약금액의 3퍼센트를 초과하거나 10억원을 초과한 경우		업무정지 24개월		
2) 손해액이 건설공사 계약금액의 1퍼센트 초과 3퍼센트 이하이거나 3억원 초과 10억원 이하인 경우		업무정지 12개월		
3) 손해액이 건설공사 계약금액의 1퍼센트 이하이거나 3억원 이하인 경우		업무정지 6개월	업무정지 6개월	
4) 고의로 수요예측을 30퍼센트 이상 잘못한 경우		업무정지 12개월		
5) 중대한 과실로 수요예측을 30퍼센트 이상 잘못한 경우		업무정지 6개월	업무정지 6개월	
아. 다른 행정기관이 법령에 따라 업무정지를 요청한 경우	법 제24조 제1항제7호	위반내용에 따라 해당 법령에 따른 업무정지기간 준용	위반내용에 따라 해당 법령에 따른 업무정지기간 준용	위반내용에 따라 해당 법령에 따른 업무정지기간 준용

[별표 2] 〈개정 2021. 8. 27.〉

기본계획 · 기본설계 · 실시설계의 사업수행능력 평가기준(제28조 관련)

1. 입찰 참가자 선정을 위한 평가기준(제28조제1항제1호가목에 따른 평가대상용역)

평가항목	배점범위	평가방법
가. 참여기술인	50	참여기술인의 등급 · 경력 · 실적 및 교육 · 훈련 등에 따라 평가
나. 유사용역 수행실적	15	업체의 직전 용역 등 수행실적에 따라 평가
다. 신용도	10	1) 관계 법령에 따른 입찰참가제한, 업무정지, 벌점 등의 처분내용에 따라 평가 2) 재정상태 건실도에 따라 평가
라. 기술개발 및 투자 실적	15	기술개발 및 투자 실적 등에 따라 평가
마. 업무중첩도	10	참여기술인의 업무하중 등에 따라 평가

비고

1. 평가항목별 세부 평가기준은 국토교통부장관이 정하여 고시한다.
2. 발주청은 용역의 특성에 맞도록 평가항목 · 배점범위 · 평가방법 등을 보완하여 세부 평가기준을 작성하여 적용할 수 있으며, 평가항목별 배점범위는 ±20퍼센트 범위에서 조정하여 적용할 수 있다. 다만, 「중소기업제품 구매촉진 및 판로 지원에 관한 법률」 제6조제1항에 따른 중소기업자간 경쟁제품에 해당하는 용역에 대한 평가항목별 배점범위, 평가방법은 해당 법령에 따라 별도로 정할 수 있다.
3. 제28조제2항에 따른 평가대상인 용역의 경우에는 참여기술인의 경력 · 실적에 관한 사항을 제외하고 평가할 수 있다.
4. 발주청은 입찰공고기간 중 세부 평가기준을 공람하도록 해야 하며, 평가 후 평가 결과를 공개해야 한다.

2. 기술인평가서 평가기준(제28조제2항제2호가목에 따른 평가대상용역)

구분	세부사항	배점범위	평가항목
가. 설계팀의 경력 · 역량		70	1) 참여기술인의 경력 2) 참여기술인의 유사용역 수행실적 3) 참여기술인의 업무중첩도 등
나. 수행계획 · 방법	1) 수행계획	15	1) 과업의 성격 및 범위에 대한 이해도 2) 과업단계별 작업계획 및 체계 3) 관련 계획, 법령 등 검토 및 설계적용 방안
	2) 수행방법	15	1) 수행용역에 대한 특정경험 및 해당 용역 적용성 2) 예상 문제점 및 대책

3. 기술제안서 평가기준
(제28조제2항제2호나목 및 제29조제2호에 따른 평가대상용역)

구분	세부사항	배점범위	평가항목
가. 설계팀의 경력 · 역량		30	1) 참여기술인의 경력 2) 참여기술인의 유사용역수행실적 3) 참여기술인의 업무중첩도 등
나. 수행계획 · 방법 및 기술향상	1) 수행계획	20	1) 과업의 성격 및 범위에 대한 이해도 2) 과업단계별 작업계획 및 체계 3) 관련 계획, 법령 등 검토 및 설계적용 방안 4) 사업효과 극대화 방안 등
	2) 수행방법	35	1) 작업수행기법(사전조사 및 작업방법 등) 2) 수행용역에 대한 특정 경험 및 해당 용역 적용성 3) 각종 영향평가 수행방법, 친환경 건설기법 도입 4) 경관 설계 등 5) 예상 문제점 및 대책 등
	3) 기술향상	15	1) 신기술 · 신공법의 도입과 그 활용성의 검토 정도 및 관련 기술자료 등재 2) 시설물의 생애주기비용을 고려한 설계기법 등

[별표 3] 〈개정 2021.9.17.〉

건설사업관리의 사업수행능력 평가기준(제28조 관련)

1. 입찰 참가자 선정을 위한 평가기준(제28조제1항제1호나목에 따른 평가대상용역)

평가항목	배점범위	평가방법
가. 참여기술인	60	참여기술인의 등급 · 경력 · 실적 및 교육 · 훈련 등에 따라 평가
나. 유사용역 수행실적	10	건설사업관리용역사업자의 건설사업관리용역 수행실적에 따라 평가
다. 신용도	15	1) 관계 법령에 따른 입찰참가제한, 영업정지, 벌점 등의 처분내용에 따라 평가 2) 재정상태 건실도에 따라 평가
라. 기술개발 및 투자 실적	10	기술개발 및 투자 실적 등에 따라 평가
마. 교체빈도	5	건설사업관리기술인의 교체빈도에 따라 평가

비고

1. 평가항목별 세부 평가기준 및 가점 · 감점기준은 국토교통부장관이 정하여 고시한다. 다만, 발주청은 용역의 특성에 맞도록 평가항목 · 배점범위 · 평가방법 등을 보완하여 세부 평가기준을 작성하여 적용할 수 있으며, 평가항목별 배점범위는 ±20퍼센트 범위에서 조정하여 적용할 수 있다.
2. 발주청은 입찰공고기간 중 세부 평가기준을 배부하거나 공람하도록 해야 하며, 평가 후 평가 결과를 공개해야 한다.
3. 건설사업관리기술인의 경력 및 보유사항은 건설기술인 경력관리 수탁기관의 확인을 받아야 하며, 유사용역 등은 건설엔지니어링 실적관리 수탁기관, 건설기술인 경력관리 수탁기관 또는 해당 용역 발주청의 확인을 받아야 한다. 이 경우 발주청은 사전자격심사 시에는 종전에 발행한 서류의 사본 또는 참여업체가 작성한 서류를 활용한 후 사전자격심사를 통과한 업체에 한정하여 건설엔지니어링 실적관리 수탁기관, 건설기술인 경력관리 수탁기관 또는 발주청이 발행한 서류를 제출받아 경력사항 등을 확인할 수 있다.
4. 공동도급으로 건설사업관리를 수행하는 경우에는 공동수급체 구성원별로 유사용역수행 실적, 신용도, 기술개발 및 투자 실적, 교체빈도에 용역참여지분

율을 곱하여 산정한 후 이를 합산한다.

5. 가점과 감점을 상계(相計)한 점수는 5점을 초과하지 못하며, 평가기준에 따른 평가 결과는 평가항목별 점수에 가점과 감점을 합한 점수로 한다. 다만, 건설사업관리용역사업자 중 평가점수가 100점을 초과하는 경우에는 100점으로 한다.
6. 건설사업관리의 발전을 위하여 국토교통부장관이 정하여 고시하는 사항에 대해서는 가점하거나 감점할 수 있다.
7. 교체빈도는 시공 단계의 건설사업관리가 포함되는 용역에 한정하여 평가하며, 시공 단계의 건설사업관리가 포함되지 않는 용역에 대하여는 발주청에서 용역의 특성에 따라 교체빈도의 배점을 다른 평가항목에 항목별 배점의 ±20퍼센트 범위에서 배분하여 평가기준을 작성할 수 있다.

2. 기술제안서 평가기준(제28조제2항제2호다목 본문에 따른 평가대상용역)

평가항목	세부사항	배점범위	평가방법
가. 과업수행조직	소계	55	
	1) 조직의 역량	40	건설사업관리기술인, 유사용역수행실적, 신용도 등 평가
	2) 기술제안서 발표 및 면접	10	책임건설사업관리기술인의 이해도 및 자질의 적정성 평가
	3) 인원투입계획	5	조직 구성, 업무 분장의 적정성, 건설사업 수행단계별 인원투입계획성 등 평가
나. 과업수행세부계획	소계	45	
	1) 과업에 대한 이해도	5	건설공사의 특성 및 발주청 요구사항 분석, 예상되는 문제점 및 대책 등 평가
	2) 시공 전(前) 단계의 사업관리	15	건설사업 수행단계별 사업관리 일반, 설계의 경제성 등 검토, 계약관리, 사업비관리, 사업정보관리 등의 수행방법 적정성 및 실현가능성 등 평가
	3) 시공 이후 단계의 사업관리	20	건설사업 수행단계별 사업관리 일반, 사업비관리, 공정관리, 품질관리, 안전관리, 사업정보관리 등의 수행방법 적정성 및 실현가능성 등 평가
	4) 기술 활용	5	신기술·신공법의 도입과 활용, 기술자료·소프트웨어 및 장비 등의 활용과 업무수행 지원체계 효율성 등 평가

3. 기술인평가서 평가기준(제28조제2항제2호다목 단서에 따른 평가대상용역)

평가항목	세부사항	배점범위	평가방법
가. 구성 조직의 역량 및 적정성	소계	70	
	1) 건설사업관리기술인	45	건설사업관리기술인의 등급·실적·경력 및 교육·훈련 등에 따라 평가
	2) 유사용역수행실적	10	건설사업관리용역사업자의 건설사업관리용역 수행실적에 따라 평가
	3) 신용도	15	1) 관계 법령에 따른 입찰참가 제한, 영업정지, 벌점 등의 처분내용에 따라 평가 2) 재정상태 건실도에 따라 평가
나. 건설사업관리기술인 과업수행 계획 및 방법	소계	30	
	1) 수행계획서	20	1) 과업의 성격 및 범위에 대한 이해도 2) 공종별 시공관리계획 3) 품질 및 안전, 공정관리 계획 4) 예상되는 문제점 및 개선대책 등
	2) 수행계획서 발표 및 면접	10	책임건설사업관리기술인의 업무수행능력, 자질검증을 위한 발표 및 면접 실시

[별표 4] 〈개정 2019.2.25.〉

정밀점검 · 정밀안전진단의 사업수행능력 평가기준(제28조 관련)

1. 입찰 참가자 선정을 위한 평가기준(제28조제1항제2호에 따른 평가 대상 용역)

평가항목	배점범위	평가방법
가. 참여기술인	45	참여기술인의 등급 · 경력 · 실적 및 교육 · 훈련 등에 따라 평가
나. 유사용역수행실적	25	안전진단 전문기관의 유사용역 수행실적에 따라 평가
다. 신용도	10	1) 관계 법령에 따른 입찰참가 제한, 업무정지 등의 처분내용에 따라 평가 2) 재정상태 건실도에 따라 평가
라. 기술개발 및 투자실적	10	기술개발실적 및 투자실적 등에 따라 평가
마. 업무중첩도	10	참여기술인의 업무중복도에 따라 평가

비고

1. 평가항목별 세부 평가기준은 국토교통부장관이 정하여 고시한다.
2. 발주청은 용역의 특성에 맞도록 평가항목 · 배점범위 · 평가방법 등을 보완하여 세부 평가기준을 작성하여 사용할 수 있으며, 평가항목별 배점범위는 ±20 퍼센트 범위에서 조정하여 적용할 수 있다.
3. 발주청은 입찰공고기간 중 세부 평가기준을 배부하거나 공람하도록 해야 하며, 평가 후 평가결과를 공개해야 한다.
4. 평가기준에 따른 평가 결과는 평가항목별 점수에 가점을 합한 점수로 한다. 다만, 평가점수가 100점을 초과하는 경우에는 100점으로 한다.

2. 기술인평가서 평가기준(제28조제2항제2호라목에 따른 평가 대상 용역)

평가항목	세부사항	배점범위	평가방법
가. 조직의 경험 및 역량	소계	70	
	1) 기술인 등급 · 경력	35	참여기술인의 등급 · 경력
	2) 유사용역 수행실적	20	업체 및 참여기술인의 유사용역 수행 실적
	3) 업무 중첩도	10	참여기술인의 업무중첩도
	4) 직무 적정성	5	정밀점검 또는 정밀안전진단 실시 결과에 대한 평가 반영 등
나. 수행 계획 및 방법	소계	30	
	1) 수행계획	20	1) 과업의 성격 및 범위에 대한 이해도 2) 과업수행계획의 적정성 3) 해당 용역의 예상되는 문제점 및 개선대책
	2) 책임기술인 발표 및 면접	10	책임기술인의 업무수행능력, 자질 검증을 위한 발표 및 면접 실시

[별표 5] 〈개정 2021.9.17.〉

건설공사 품질관리를 위한 시설 및 건설기술인 배치기준(제50조제4항 관련)

대상공사 구분	공사규모	시험 · 검사장비	시험실 규모	건설기술인
특급 품질관리 대상 공사	영 제89조제1항제1호 및 제2호에 따라 품질관리계획을 수립해야 하는 건설공사로서 총공사비가 1,000억원 이상인 건설공사 또는 연면적 5만m^2 이상인 다중이용 건축물의 건설공사	영 제91조제1항에 따른 품질검사를 실시하는 데에 필요한 시험 · 검사장비	50m^2 이상	가. 특급기술인 1명 이상 나. 중급기술인 이상인 사람 1명 이상
고급 품질관리 대상 공사	영 제89조제1항제1호 및 제2호에 따라 품질관리계획을 수립해야 하는 건설공사로서 특급품질관리 대상 공사가 아닌 건설공사	영 제91조제1항에 따른 품질검사를 실시하는 데에 필요한 시험 · 검사장비	50m^2 이상	가. 고급기술인 이상인 사람 1명 이상 나. 중급기술인 이상인 사람 1명 이상 다. 초급기술인 이상인 사람 1명 이상
중급 품질관리 대상 공사	총공사비가 100억원 이상인 건설공사 또는 연면적 5,000m^2 이상인 다중이용 건축물의 건설공사로서 특급 및 고급품질관리 대상 공사가 아닌 건설공사	영 제91조제1항에 따른 품질검사를 실시하는 데에 필요한 시험 · 검사장비	20m^2 이상	가. 중급기술인 이상인 사람 1명 이상 나. 초급기술인 이상인 사람 1명 이상
초급 품질관리 대상 공사	영 제89조제2항에 따라 품질시험계획을 수립해야 하는 건설공사로서 중급품질관리 대상 공사가 아닌 건설공사	영 제91조제1항에 따른 품질검사를 실시하는 데에 필요한 시험 · 검사장비	20m^2 이상	초급기술인 이상인 사람 1명 이상

비고

1. 건설공사 품질관리를 위해 배치할 수 있는 건설기술인은 법 제21제1항에 따른 신고를 마치고 품질관리 업무를 수행하는 사람으로 한정하며, 해당 건설기술인의 등급은 영 별표 1에 따라 산정된 등급에 따른다.
2. 발주청 또는 인 · 허가기관의 장이 특히 필요하다고 인정하는 경우에는 공사의 종류 · 규모 및 현지 실정과 법 제60조제1항에 따른 국립 · 공립 시험기관 또는 건설엔지니어링사업자의 시험 · 검사대행의 정도 등을 고려하여 시험실 규모 또는 품질관리 인력을 조정할 수 있다.

[별표 6] 〈개정 2021.8.27.〉

품질관리비의 산출 및 사용기준(제53조제1항 관련)

1. 일반사항

가. 발주자는 제2호에 따라품질관리비를 산출하고,품질관리비와 그 산출근거가 되는 구체적인 명세를 설계도서에 명시해야 한다.

나. 발주자는 건설공사 계약을 위한 입찰공고를 하는 경우 품질관리비에 관한 다음의 사항을 입찰공고 등에 명시하여 입찰에 참가하려는 자가 미리 열람할 수 있도록 해야 한다. 이 경우 해당 입찰에 참가하는 건설사업자 또는 주택건설등록업자는 1)에 따른 품질관리비를 조정 없이 입찰금액에 반영하여 입찰에 참가해야 한다.

1) 제2호에 따라 산출하여 설계도서에 명시된 품질관리비
2) 입찰참가자는 입찰금액을 산정하는 경우 1)에 따른 품질관리비를 조정 없이 반영해야 한다는 내용
3) 품질관리비의 정산은 제3호다목의 방법에 따른다는 내용

다. 건설사업자 및 주택건설등록업자는 설계도서에 누락된 품질시험 및 검사의 종목 · 방법 및 횟수에 관해서는 건설사업관리용역사업자 및 발주자와 협의하여 설계도서에 반영해야 한다.

라. 건설사업자 및 주택건설등록업자는 시방서 등 설계도서를 검토하여 법 제55조제1항에 따른 건설공사의 품질관리계획(이하 "품질관리계획"이라 한다) 또는 품질시험계획(이하 "품질시험계획"이라 한다)을 작성하고 이를 토대로 품질관리를 해야 한다.

마. 건설사업자 및 주택건설등록업자는 현장 품질시험의 원활한 실시를 위하여 발주자와 협의하여 현장여건을 고려한 적정 시험인력을 배치해야 한다.

2. 품질관리비

가. 품질시험비

1) 품질시험에 필요한 비용으로서 인건비, 공공요금, 재료비, 장비 손료(損料), 시설비용, 시험 · 검사기구의 검정 · 교정비, 차량 관련 비용 등을 포함한다.

2) 품질시험 인건비는 국토교통부장관이 고시하는 인건비 산출단위량기준을 토대로 「통계법」 제27조제1항에 따라 대한건설협회 및 한국엔지니어링진흥협회가 조사·공표하는 임금단가를 적용하되, 시험관리인의 인건비는 포함하지 않는다.

3) 공공요금은 정부가 고시하는 공공요금을 적용하되, 해당 시험에 필요한 공공요금의 산출단위량 기준은 국토교통부장관이 정하여 관보에 고시한다.

4) 재료비는 인건비 및 공공요금의 100분의 1로 한다. 다만, 특별한 사유가 있는 경우에는 조달청장이 구매하는 물품의 가격을 기준으로 실비를 산출하여 적용할 수 있다.

5) 장비손료는 다음의 계산식에 따라 산출한 금액 또는 품질시험 인건비의 100분의 1을 계상한 금액으로 한다.

$$\frac{(\text{상각률}+\text{수리율})\times\text{기계가격}}{\text{연간표준장비가동시간}\times\text{내용연수}}\times\text{장비가동시간}$$

※ 기계가격은 구입 가격을 말한다.

※ 연간표준장비가동시간은 2천시간으로 한다.

※ 장비가동시간은 해당 시험을 위하여 실제 가동되는 시간을 말한다.

※ 내용연수는 기계류 및 계량기는 10년, 유리류 및 금속류 등의 기구는 3년으로 한다.

※ 상각률 및 수리율은 다음의 값으로 한다.

장비 구분	상각률	수리율
모터 및 기계	0.8	0.6
게이지 기계	0.8	0.6
유 리 류	1.0	-
금 속 류	0.9	0.3
게 이 지	1.0	0.6

6) 품질시험에 필요한 시설비용, 시험 및 검사기구의 검정·교정비는 품질시험비의 100분의 3을 계상한다.

7) 품질시험에 필요한 차량의 감가상각비·유류비·보험료 등 각종 경비는 실비계상한다.

8) 외부의뢰 시험은 품질시험비의 한도 내에서 실시하며, 건설사업관리용역사업자와 협의하여 결정해야 한다.

나. 품질관리활동비

품질시험비 외에 품질관리활동에 필요한 비용으로 계상할 수 있는 항목은 다음과 같다.

항목	내역	비고
1) 품질관리 업무를 수행하는 건설기술인 인건비	시험관리인을 제외한 건설기술인의 인건비	가) 별표 5에 따른 배치기준에 따라 건설현장에 배치되는 건설기술인의 인건비로, 「통계법」 제27조제1항에 따라 대한건설협회 및 한국엔지니어링협회가 조사·공표하는 임금단가를 적용한다. 나) 시험관리인은 현장에 배치되는 품질관리 업무를 수행하는 건설기술인 중에서 최하위 등급자로 정하고, 시험관리인의 인건비는 간접노무비에 포함된 것으로 한다.
2) 품질관련 문서 작성 및 관리에 관련한 비용	가) 품질관리계획서 또는 품질시험계획서 작성비 나) 품질관리 절차서 작성비 다) 부적격보고서와 그 밖의 품질관련 문서 작성비 라) 품질관리계획서 또는 품질시험계획서 개정 작성비 마) 품질 관련 문서관리 비용	품질관리 업무를 수행하는 건설기술인 인건비의 100분의 1을 계상한다.
3) 품질관련 교육·훈련비	가) 현장 근로자의 품질 관련 교육에 드는 교재 비용, 초빙강사료 등 각종 비용 나) 교육자료 준비비 다) 품질 관련 행사비 라) 건설기술인 및 시험인력의 외부교육 참가비	품질 관련 교육·훈련은 품질관리계획서 또는 품질시험계획서에 실시방법 등 구체적인 사항을 적고 실시하는 것만을 말하며, 이를 위한 비용으로 품질관리 업무를 수행하는 건설기술인 인건비의 100분의 1을 계상한다.
4) 품질검사비	가) 품질시험 결과의 검사에 드는 비용 나) 내부 품질검사비 다) 구매문서의 적합성 검토 및 구매품의 검사	품질시험비의 100분의 1을 계상한다.

항목	내역	비고
5) 그 밖의 비용	그 밖에 해당 공사의 특수성을 고려하여 발주자가 인정한 예비 비용	그 밖의 비용을 제외한 품질관리활동비 총액[1)+2)+3)+4)]의 100분의 1을 초과할 수 없다.

3. 품질관리비 사용기준
   가. 건설사업자 및 주택건설등록업자는 품질관리비를 품질관리비 산출기준에 따른 용도 외에는 사용할 수 없다. 다만, 발주자 또는 인·허가기관의 장이 품질관리업무 수행과 관련하여 필요하다고 인정하는 경우에는 그렇지 않다.
   나. 건설사업자 및 주택건설등록업자는 품질관리비의 사용명세서 및 증명서류를 갖추어 두고, 발주자 또는 건설사업관리용역사업자 등이 요청하는 경우에는 이를 제시해야 한다.
   다. 품질관리비는 발주자 또는 건설사업관리용역사업자가 확인한 시험성적서 등에 의한 품질관리 활동실적에 따라 정산한다.

[별표 7] 〈개정 2021.8.27.〉

안전관리계획의 수립기준(제58조 관련)

1. 일반기준
   가. 안전관리계획은 다음 표에 따라 구분하여 각각 작성·제출해야 한다.

구분	작성 기준	제출 기한
1) 총괄 안전관리계획	제2호에 따라 건설공사 전반에 대하여 작성	건설공사 착공 전까지
2) 공종별 세부 안전관리계획	제3호 각 목 중 해당하는 공종별로 작성	공종별로 구분하여 해당 공종의 착공 전까지

   나. 각 안전관리계획서의 본문에는 반드시 필요한 내용만 작성하며, 해당 사항이 없는 내용에 대해서는 "해당 사항 없음"으로 작성한다.
   다. 각 안전관리계획서에 첨부하는 관련 법령, 일반도면, 시방기준 등 일반적인 내용의 자료는 특별히 필요한 자료 외에는 최소한으로 첨부한다. 다만, 안전관리계획의 검토를 위하여 필요한 배치도, 입면도, 층별 평면도, 종·횡단면도(세부 단면도를 포함한다) 및 그 밖에 공사현황을 파악할 수 있는 주요 도면 등은 각 안전관리계획과 별도로 첨부하여 제출해야 한다.
   라. 이 표에서 규정한 사항 외에 건설공사의 안전 확보를 위하여 안전관리계획에 포함해야 하는 세부사항은 국토교통부장관이 정하여 고시할 수 있다.

2. 총괄 안전관리계획의 수립기준
   가. 건설공사의 개요
      공사 전반에 대한 개략을 파악하기 위한 위치도, 공사개요, 전체 공정표 및 설계도서(해당 공사를 인가·허가 또는 승인한 행정기관 등에 이미 제출된 경우는 제외한다)
   나. 현장 특성 분석
      1) 현장 여건 분석
         주변 지장물(支障物) 여건(지하 매설물, 인접 시설물 제원 등을 포함한다), 지반 조건[지질 특성, 지하수위(地下水位), 시추주상도(試錐柱狀圖) 등을 말한다], 현장시공 조건, 주변 교통 여건 및 환경요소 등

2) 시공단계의 위험 요소, 위험성 및 그에 대한 저감대책
가) 핵심관리가 필요한 공정으로 선정된 공정의 위험 요소, 위험성 및 그에 대한 저감대책
나) 시공단계에서 반드시 고려해야 하는 위험 요소, 위험성 및 그에 대한 저감대책(영 제75조의2제1항에 따라 설계의 안전성 검토를 실시한 경우에는 같은 조 제2항제1호의 사항을 작성하되, 같은 조 제4항에 따라 설계도서의 보완·변경 등 필요한 조치를 한 경우에는 해당 조치가 반영된 사항을 기준으로 작성한다)
다) 가) 및 나) 외에 시공자가 시공단계에서 위험 요소 및 위험성을 발굴한 경우에 대한 저감대책 마련 방안
3) 공사장 주변 안전관리대책
공사 중 지하매설물의 방호, 인접 시설물 및 지반의 보호 등 공사장 및 공사현장 주변에 대한 안전관리에 관한 사항(주변 시설물에 대한 안전 관련 협의서류 및 지반침하 등에 대한 계측계획을 포함한다)
4) 통행안전시설의 설치 및 교통소통계획
가) 공사장 주변의 교통소통대책, 교통안전시설물, 교통사고예방대책 등 교통안전관리에 관한 사항(현장차량 운행계획, 교통 신호수 배치계획, 교통안전시설물 점검계획 및 손상·유실·작동이상 등에 대한 보수 관리계획을 포함한다)
나) 공사장 내부의 주요 지점별 건설기계·장비의 전담유도원 배치계획

다. 현장운영계획
1) 안전관리조직
공사관리조직 및 임무에 관한 사항으로서 시설물의 시공안전 및 공사장 주변안전에 대한 점검·확인 등을 위한 관리조직표(비상시의 경우를 별도로 구분하여 작성한다)
2) 공정별 안전점검계획
가) 자체안전점검, 정기안전점검의 시기·내용, 안전점검 공정표, 안전점검 체크리스트 등 실시계획 등에 관한 사항
나) 계측장비 및 폐쇄회로 텔레비전 등 안전 모니터링 장비의 설치 및 운용계획에 관한 사항(「시설물의 안전 및 유지관리에 관한 특별법 시행령」 별표 1에 따른 제2종시설물 중 공동주택의 건설공사는 공사장 상부에서 전체를 실시간으로 파악할 수 있도록 폐쇄회로 텔레비전의 설치·운영계획을 마련해야 한다)
3) 안전관리비 집행계획
안전관리비의 계상, 산출·집행계획, 사용계획 등에 관한 사항
4) 안전교육계획
안전교육계획표, 교육의 종류·내용 및 교육관리에 관한 사항
5) 안전관리계획 이행보고 계획
위험한 공정으로 감독관의 작업허가가 필요한 공정과 그 시기, 안전관리계획 승인권자에게 안전관리계획 이행 여부 등에 대한 정기적 보고계획 등

라. 비상시 긴급조치계획
1) 공사현장에서의 사고, 재난, 기상이변 등 비상사태에 대비한 내부·외부 비상연락망, 비상동원조직, 경보체제, 응급조치 및 복구 등에 관한 사항
2) 건축공사 중 화재발생을 대비한 대피로 확보 및 비상대피 훈련계획에 관한 사항(단열재 시공시점부터는 월 1회 이상 비상대피 훈련을 실시해야 한다)

3. 공종별 세부 안전관리계획

가. 가설공사
1) 가설구조물의 설치개요 및 시공상세도면
2) 안전시공 절차 및 주의사항
3) 안전점검계획표 및 안전점검표
4) 가설물 안전성 계산서

나. 굴착공사 및 발파공사
1) 굴착, 흙막이, 발파, 항타 등의 개요 및 시공상세도면
2) 안전시공 절차 및 주의사항(지하매설물, 지하수위 변동 및 흐름, 되메우기 다짐 등에 관한 사항을 포함한다)
3) 안전점검계획표 및 안전점검표
4) 굴착 비탈면, 흙막이 등 안전성 계산서

다. 콘크리트공사
  1) 거푸집, 동바리, 철근, 콘크리트 등 공사개요 및 시공상세도면
  2) 안전시공 절차 및 주의사항
  3) 안전점검계획표 및 안전점검표
  4) 동바리 등 안전성 계산서
라. 강구조물공사
  1) 자재·장비 등의 개요 및 시공상세도면
  2) 안전시공 절차 및 주의사항
  3) 안전점검계획표 및 안전점검표
  4) 강구조물의 안전성 계산서
마. 성토(흙쌓기) 및 절토(땅깎기) 공사(흙댐공사를 포함한다)
  1) 자재·장비 등의 개요 및 시공상세도면
  2) 안전시공 절차 및 주의사항
  3) 안전점검계획표 및 안전점검표
  4) 안전성 계산서
바. 해체공사
  1) 구조물해체의 대상·공법 등의 개요 및 시공상세도면
  2) 해체순서, 안전시설 및 안전조치 등에 대한 계획
사. 건축설비공사
  1) 자재·장비 등의 개요 및 시공상세도면
  2) 안전시공 절차 및 주의사항
  3) 안전점검계획표 및 안전점검표
  4) 안전성 계산서
아. 타워크레인 사용공사
  1) 타워크레인 운영계획
    안전작업절차 및 주의사항, 관리자 및 신호수 배치계획, 타워크레인간 충돌방지계획 및 공사장 외부 선회방지 등 타워크레인 설치·운영계획, 표준작업시간 확보계획, 관련 도면[타워크레인에 대한 기초 상세도, 브레이싱(압축 또는 인장에 작용하며 구조물을 보강하는 대각선 방향 등의 구조 부재) 연결 상세도 등 설치 상세도를 포함한다]
  2) 타워크레인 점검계획
    점검시기, 점검 체크리스트 및 검사업체 선정계획 등
  3) 타워크레인 임대업체 선정계획
    적정 임대업체 선정계획(저가임대 및 재임대 방지방안을 포함한다), 조종사 및 설치·해체 작업자 운영계획(원격조종 타워크레인의 장비별 전담조정사 지정여부 및 조종사의 운전시간 등 기록관리 계획을 포함한다), 임대업체 선정과 관련된 발주자와의 협의시기, 내용, 방법 등 협의계획
  4) 타워크레인에 대한 안전성 계산서(현장조건을 반영한 타워크레인의 기초 및 브레이싱에 대한 계산서는 반드시 포함해야 한다)

[별표 7의2] 〈신설 2020. 12. 14.〉

소규모안전관리계획의 수립기준(제59조의2 관련)

1. 건설공사의 개요

   공사 전반을 파악하기 위한 위치도, 공사개요, 전체 공정표 및 설계도서(해당 공사를 인가 · 허가 또는 승인한 행정기관 등에 이미 제출된 경우는 제외한다)

2. 비계 설치계획

   건축물 외부에 설치하는 비계의 설치계획 및 시공도면과 현장 특성을 반영한 비계 시공절차 및 주의사항

3. 안전시설물 설치계획

   추락방호망, 낙하물방지망, 개구부 덮개, 안전난간대 등 안전시설물 설치계획과 안전시설물을 적정하게 설치하기 위한 사진 · 그림 등 예시자료

[별표 8] 〈개정 2021.8.27.〉

환경관리비의 세부 산출기준(제61조제3항 관련)

1. 환경보전비의 산출기준

   가. 건설공사현장에 설치하는 환경오염 방지시설의 설치 및 운영에 필요한 비용(이하 "환경보전비"라 한다)은 직접공사비와 간접공사비를 병행하여 계상한다. 다만, 간접공사비에 반영되는 환경보전비는 직접공사비에 다음의 최저요율을 곱하여 산출된 금액 이상으로 계상한다.

공사의 종류		최저요율
토목	도로	0.9%
	플랜트	0.4%
	지하철	0.5%
	철도	1.5%
	상하수도	0.5%
	항만 (수질오염 또는 준설토방지막을 설치하는 경우)	0.8% (1.8%)
	댐	1.1%
	택지개발	0.6%
	그 밖의 토목공사	0.8%
건축	주택(재개발 및 재건축)	0.7%
	주택(신축)	0.3%
	그 밖의 건축공사	0.5%

   나. 건설공사현장에 설치하는 환경오염 방지시설은 다음의 시설을 말한다.

      1) 비산먼지 방지시설: 세륜시설(세륜장의 포장 및 침전물 보관시설을 포함한다), 살수시설, 살수차량, 방진덮개(도로 등의 절토 및 성토 경사면 사용분을 포함한다), 방진벽, 방진망, 방진막, 진공청소기, 간이칸막이, 이송설비 분진억제시설, 집진시설(이동식, 분무식을 포함한다), 기계식 청소장비 등 「대기환경보전법」의 규정을 준수하기 위한 시설

2) 소음 · 진동 방지시설: 방음벽(이동 및 설치 비용을 포함한다), 방음막, 소음기, 방음덮개, 방음터널, 방음숲, 방음언덕, 흡음장치 및 시설, 탄성지지시설, 제진시설, 방진구시설, 방진고무, 배관진동절연장치 등 「소음 · 진동관리법」의 규정을 준수하기 위한 시설
3) 폐기물 처리시설: 소각시설, 쓰레기슈트, 폐자재 수거박스, 폐기물 보관시설(덮개 및 배수로를 포함한다), 건설폐기물 처리시설(파쇄 · 분쇄시설 및 탈수건조시설을 포함한다) 등 「건설폐기물의 재활용촉진에 관한 법률」 및 「폐기물관리법」의 규정을 준수하기 위한 시설
4) 수질오염 방지시설: 오폐수처리시설[수질 자동측정시스템(TMS)를 포함한다], 가배수로, 임시용 측구, 절토 · 성토면 비닐덮개, 침사 및 응집시설, 수질오염 방지막, 오일펜스(기름막이), 유화제, 흡착포, 단독정화조, 이동식 간이화장실(정화조를 포함한다) 등 「수질 및 수생태계 보전에 관한 법률」, 「지하수법」, 「하수도법」 및 「화학물질관리법」의 규정을 준수하기 위한 시설

2. 폐기물처리 및 재활용비의 산출기준

가. 건설공사현장에서 발생하는 폐기물의 처리 및 재활용에 필요한 비용(이하 "폐기물처리 및 재활용비"라 한다)로 계상하는 비용은 다음의 비용을 말한다.
1) 폐기물을 건설공사현장에서 분리 · 선별, 운반 또는 상차하는 비용
2) 폐기물 처리업체가 폐기물을 수집 · 운반, 보관, 중간처리, 최종처리하기 위한 비용
3) 해당 건설공사 현장에서 폐기물을 재활용하기 위한 비용

나. 폐기물처리 및 재활용비는 철거대상 구조물을 실측하여 폐기물의 발생량을 예상하여 산출하거나 설계도서 등에 따라 산출한다. 다만, 실측 또는 설계도서 등으로 폐기물처리 및 재활용비를 산출하는 것이 곤란한 경우에는 운반거리, 폐기물의 성질 · 상태, 지역여건 및 정부가 공인한 물가조사기관에서 조사 · 공표한 가격 등을 고려하여 비용을 산출한다.

다. 「건설폐기물의 재활용촉진에 관한 법률」 제15조에 따라 건설폐기물 처리용역을 분리발주하는 경우에는 그 용역에 따른 건설폐기물 처리비용을 제외한다.

3. 그 밖의 사항

건설사업자 또는 주택건설등록업자는 건설공사현장의 환경보전에 필요한 환경오염 방지시설을 추가로 설치할 경우 등 환경관리비에 계상될 비용이 추가로 발생한 경우에는 발주자 또는 건설사업관리용역사업자의 확인을 받아 그 비용의 추가 계상을 발주자에게 요청할 수 있다. 이 경우 발주자는 그 내용을 확인하고 설계변경 등 필요한 조치를 해야 한다.

[별표 9] 〈개정 2021.9.17.〉

수수료의 산출기준(제63조 관련)

1. 신기술 지정 및 보호기간연장 신청 · 심사수수료 산출기준(법 제79조제2호 및 제3호 관련)

구분	금액(1건당)
신청수수료	10,000원
1차심사수수료	1,000,000원
2차심사수수료	1,000,000원

비고

1. 신청수수료는 신청서에 수입인지를 첨부하여 낸다.
2. 1차 및 2차 심사수수료는 심사를 신청하는 때에 심사업무를 담당하는 전문기관에 낸다.
3. 위 표의 수수료 외에 심사를 위한 현장실사비용이 추가적으로 필요한 경우에는 신기술의 지정 또는 보호기간의 연장을 신청하는 자가 비용을 부담해야 한다.
4. 현장실사에 참석한 심사위원에게 지급하는 심사수당은 한국엔지니어링진흥협회에서 조사 · 공표하는 엔지니어링기술자 임금단가 중 건설 및 기타부문 단가를 적용한다.
5. 현장실사에 따른 여비는 「공무원 여비 규정」을 적용한다.

2. 신기술사용협약 증명서 발급 수수료 산출기준(법 제79조제3호의2 관련)

구분	금액(1건당)
신청 수수료	20,000원

비고: 신기술사용협약 증명서 발급을 신청하는 때에 수수료를 발급기관에 낸다.

3. 공장인증 신청수수료 산출기준(법 제79조제4호 관련)

<table>
<tr><th>구분</th><th>금액</th></tr>
<tr><td>가. 기본수수료</td><td>인건비, 사무실 운영비, 감가상각비 등 공장인증에 관한 심사업무를 위탁받은 기관의 운영을 위한 실비로서 국토교통부장관의 승인을 받아 공장심사업무를 위탁받은 기관의 장이 심사업무규정에서 정한 금액으로 한다.</td></tr>
<tr><td>나. 공장심사원 출장비 및 수당</td><td>1) 출장비는 「공무원 여비 규정」을 준용한다.
2) 출장기간은 공장심사에 걸리는 기간으로서 다음과 같다.
<table>
<tr><th rowspan="2">등급</th><th colspan="2">필요인원</th><th rowspan="2">소요기간</th></tr>
<tr><th>특급기술인
(5급 상당)</th><th>고급기술인
(6급·7급 상당)</th></tr>
<tr><td>1급</td><td rowspan="4">1명</td><td rowspan="4">2명</td><td>3일</td></tr>
<tr><td>2급</td><td>2일</td></tr>
<tr><td>3급</td><td>1.5일</td></tr>
<tr><td>4급</td><td>1.5일</td></tr>
</table>
3) 공장심사원의 수당은 국토교통부장관의 승인을 받아 공장심사 업무를 위탁받은 기관의 장이 심사업무규정에서 정한 금액으로 한다.</td></tr>
<tr><td>다. 인증심의 위원수당</td><td>공장인증심의를 위한 심의위원의 수당은 국토교통부장관의 승인을 받아 공장심사 업무를 위탁받은 기관의 장이 심사업무규정에서 정한 금액으로 한다.</td></tr>
<tr><td>라. 일반관리비</td><td>(가+나+다)의 5%</td></tr>
</table>

비고

1. 교량분야와 건축분야를 함께 신청하는 경우의 필요인원은 1개 분야 필요인원으로 하고, 기간은 상위등급 소요기간에 1일을 추가한다.
2. 인증받은 공장에 대한 사후관리 심사의 경우 사후관리 심사수수료는 위 표의 가목, 나목 및 라목을 준용하되, 나목의 공장심사원 필요인원은 특급기술인 1명과 고급기술인 1명으로 하고, 출장 소요기간은 1일로 한다.
3. 영 제117조제1항제11호에 따라 공장인증 신청에 대한 전문 · 기술적인 심사 및 사후관리 상태의 조사를 위한 전문 · 기술적인 사항에 관한 업무를 위탁받은 기관이 법 제79조제4호에 따라 수수료를 결정하려는 경우에는 해당 기관의 인터넷 홈페이지에 20일간 그 내용을 게시하여 이해관계인의 의견을 수렴

해야 한다. 다만, 긴급하다고 인정되는 경우에는 해당 기관의 인터넷 홈페이지에 그 사유를 소명하고 10일간만 게시할 수 있다.

4. 수수료의 요율 또는 금액은 제3호에 따라 수렴된 의견을 고려하여 실비(實費)의 범위에서 결정해야 하며, 수수료의 요율 또는 금액을 결정하였을 때에는 그 내용과 실비산정 내역을 해당 기관의 인터넷 홈페이지를 통하여 공개해야 한다.

건설기술 진흥법령집

1

건설기술진흥법 시행규칙 [별지서식]

[별지 제1호서식] 〈개정 2021.9.17.〉

신기술 지정신청서

접수번호	접수일	실명확인	처리기간 120일
신기술 명칭			
기술을 개발 또는 개량한 자	상호 또는 법인명		사업자등록번호 (법인등록번호)
	성명(대표자)	전화번호	생년월일
	주소		
신기술 내용 ※ 기재내용이 많은 경우는 별지로 작성			
신기술의 범위			

「건설기술진흥법」 제14조, 같은 법 시행령 제31조 및 같은 법 시행규칙 제7조에 따라 신기술 지정을 신청합니다.

년 월 일

신청인 (서명 또는 인)

국토교통부장관 귀하

첨부서류	1. 신기술의 내용(신기술의 요지와 지정요건인 신규성·진보성·현장적용성에 대한 구체적인 내용을 포함합니다)에 관한 서류 2. 국내외 건설공사에서의 활용 전망에 관한 서류 3. 시방서 및 유지관리지침서 4. 「건설기술진흥법」 제60조제1항에 따른 국립·공립 시험기관 또는 건설엔지니어링사업자가 발행한 각종 시험성적서 및 시험시공 결과에 관한 서류(다만, 다른 법령에 따라 동일한 시험을 거쳐 기술인증 등을 받은 경우에는 해당 시험항목에 대한 시험성적서 및 시험시공 결과로 이를 갈음할 수 있습니다) 5. 그 밖에 신기술 평가에 필요하다고 인정되는 사항으로서 국토교통부장관이 고시하는 서류	수수료 10,000원 (수입인지)

처리절차

신청서 작성 →	접수 →	첨부서류 확인 및 검토(보완요청) 관보공고 →	의견조회 및 전문기관 심사 →	신기술 등록 및 지정 →	통보 및 사후관리
신청인	전문기관	국토교통부 전문기관	전문기관	국토교통부 전문기관	국토교통부 전문기관

210㎜×297㎜[백상지 80g/㎡(재활용품)]

[별지 제1호의2서식] 〈신설 2019.7.1.〉

신기술사용협약 증명서 발급 신청서

접수번호	접수일시	실명확인	처리기간 14일
지정번호	건설신기술 제 호		보호기간
신기술 명칭			
기술 개발자	상호 또는 법인명		사업자등록번호 (법인등록번호)
	성명(대표자)		생년월일
	주소 및 연락처 (우) (전화: , 팩스:)		
신기술 사용협약자	상호 또는 법인명		사업자등록번호 (법인등록번호)
	성명(대표자)		협약기간
	주소 및 연락처 (우) (전화: , 팩스:)		

「건설기술진흥법」 제14조의2제1항에 따라 신기술사용협약 증명서 발급을 신청합니다.

년 월 일

신청인 (인)

수탁기관의 장 귀하

신청인 제출서류	「건설기술진흥법 시행령」 제36조의2제2항에 따른 증명서류 1. 신기술사용협약서 1부 2. 건설업 등록증 사본 1부 3. 신기술을 시공할 수 있는 장비의 소유 또는 임대 현황에 관한 서류 1부 4. 신기술사용협약 기술전수 확인서 1부 5. 신기술사용협약 관련 지식재산권 활용 동의서 1부	수수료 20,000원

처리절차

신청서 작성 →	접수 →	서류 검토 및 통보 →	사후관리
신청인	발급기관	발급기관	발급기관

210mm×297mm[백상지(80g/㎡) 또는 중질지(80g/㎡)]

[별지 제1호의3서식] 〈신설 2021.9.17.〉

신기술사용협약서

1. 신기술 개요
   가. 신기술번호: 건설신기술 제 호
   나. 신기술명칭:
   다. 기술개발자:
   라. 신기술범위:
   마. 보호기간:

2. 협약내용
   가. 협약기간:
   나. 협약범위:
   다. 책임 소재 및 범위:
   라. 공사품질 관리:
   마. 자재수급:
   바. 기 술 료:
   사. 협약해약 및 손해배상:

3. 기 타 (※ 서식에 포함되지 않은 사항이라도 협약에 따라 기타 사항을 추가하실 수 있습니다)
   이 협약서에 규정하지 않은 사항은 「민법」 등 관련 법령에 따른다.

「건설기술진흥법」 제14조에 따른 기술개발자와 신기술사용협약을 체결한 자는 「건설기술진흥법」 제14조의2에 따라 이 신기술사용협약서 및 별첨 설계도, 시방서 등에 따른 신기술사용협약을 체결하고, 그 증거로 신기술사용협약서 등 2통을 작성하여 각 1통씩 보관한다.

년 월 일

기술개발자 주 소:
생년월일 또는 법인등록번호:
성명 또는 법인명(대표자명): (인)

신기술사용협약자 주 소:
사업자등록번호 또는 법인등록번호:
상호 또는 법인명(대표자명): (인)

붙임 인감증명서 또는 「본인서명사실 확인 등에 관한 법률」 제2조제3호에 따른 본인서명사실확인서 각 1부.

210mm×297mm[백상지(80g/㎡) 또는 중질지(80g/㎡)]

[별지 제1호의4서식] 〈신설 2019.7.1.〉

신기술사용협약 기술전수 확인서

지정번호	건설신기술 제 호		보호기간
신기술 명 칭			
기술개발자	상호 또는 법인명	성명(대표자)	
기술을 전수(傳受)한 자 (신기술 사용협약자)	상호 또는 법인명	사업자등록번호 (법인등록번호)	
	성명(대표자)	협약기간	
기술전수 현장 및 내용	기술을 전수(傳受)한 자 (총 명)	기술전수 일시 (시간)	
	기술전수 현장		
	기술전수 내용		
기술전수 확인자	소속기관	직책(직급)	성명 (인)

「건설기술진흥법」 제14조의2에 따라 신기술사용협약을 체결한 자를 대상으로 해당 신기술에 대한 기술전수를 이행하였음을 확인합니다.

년 월 일

기술개발자 (인)

수탁기관의 장 귀하

붙임서류	1. 기술전수 계획 및 결과 사본 1부. 2. 기술전수 참석자 서명부 사본 1부. 3. 기타 기술전수 관련 자료(사진 등) ※ 기술전수 확인자는 당해 공사의 발주청, 감리 · 감독자 또는 현장대리인

210mm×297mm[백상지(80g/㎡) 또는 중질지(80g/㎡)]

[별지 제1호의5서식] 〈개정 2021.9.17.〉

신기술사용협약 관련 지식재산권 활용 동의서

1. 신기술 개요
   가. 신기술명칭:　　　　　　　　(건설신기술 제　　호)
   나. 기술개발자:

2. 해당 지식재산권 목록

   가. 특허 제10-000000호, 명칭(○○○○ 방법), 권리자(홍길동, ○○건설)
   나.
   다.

본인은 위 지식재산권의 공동권리자로서 ㈜○○○(법인번호○○○○)가 위 지식재산권을 활용하여 「건설기술진흥법」 제14조의2에 따른 신기술사용협약을 체결하는 것에 동의하며, 향후 지식재산권 활용에 따른 이의를 제기하지 않겠습니다.

년　　월　　일

지식재산권 공동권리자　주　소:
생년월일 또는 법인등록번호:
성명 또는 법인명(대표자명):　　　　(인)

붙임 인감증명서 또는 「본인서명사실 확인 등에 관한 법률」 제2조제3호에 따른 본인서명사실확인서 각 1부.

수탁기관의 장 귀하

210mm×297mm[백상지(80g/㎡) 또는 중질지(80g/㎡)]

[별지 제1호의6서식] 〈신설 2019.7.1.〉

신기술사용협약 증명서

등록번호 제　　　　호

지정번호	건설신기술 제　　호	보호기간
신기술 명칭		
기술 개발자	상호 또는 법인명	성명(대표자)
기술 범위		

신기술 사용협약자	상호 또는 법인명	사업자등록번호 (법인등록번호)
	성명(대표자)	협약기간
	주소 및 연락처 (우　　) (전화:　　　　, 팩스:　　　　)	

「건설기술진흥법」 제14조의2에 따라 신기술사용협약이 체결되었음을 증명합니다.

년　　월　　일

수탁기관의 장 (인)

210mm×297mm[백상지(80g/㎡) 또는 중질지(80g/㎡)]

[별지 제2호서식]

제 호

신기술 지정증서

○ 명칭:

○ 개발자(개량자):

○ 보호 기간: . . . ~ . . . (년)

○ 기술 내용:

○ 기술 범위:

○ 보호 내용:

「건설기술진흥법」 제14조 및 같은 법 시행령 제33조제1항에 따라 위 기술을 신기술로 지정합니다.

년 월 일장

국토교통부장관 직인

210㎜×297㎜[백상지 120g/㎡]

[별지 제3호서식]

신기술 지정증서 재발급신청서

접수번호	접수일	실명확인	처리기간 즉시

신청인	상호 또는 법인명		
	성명(대표자)	전화번호	생년월일
	주소		
지정번호	번호		지정일
신청사유			

「건설기술진흥법 시행규칙」 제9조제2항에 따라 신기술 지정증서의 재발급을 신청합니다.

년 월 일

신청인 (서명 또는 인)

국토교통부장관 귀하

처리절차

신청서 작성	→	접수	→	신기술 지정 확인	→	발급
신청인		국토교통부		국토교통부		국토교통부

210㎜×297㎜[백상지 80g/㎡(재활용품)]

[별지 제4호서식] 〈개정 2020.9.9.〉

신기술 활용실적

(앞쪽)

신기술 명칭		신기술 지정번호
신기술 활용실적 제출자 [ ] 신기술개발자 [ ] 신기술사용협약자	상호 또는 법인명	성명(대표자) (서명 또는 인)

① 일련번호	② 공사명	③ 발주자명	※④ 업태 분류	※⑤ 발주자 분류	※⑥ 기술 분야	※⑦ 지역	※⑧ 계약 형태	※⑨ 계약 관계	※⑩ 활용 형태	⑪ 계약 연월일	⑫ 착공 연월일	⑬ 준공 연월일	⑭ 해당 연도 계약액 또는 이월금액	⑮ 해당 연도 활용금액	비고
													천원	천원	
													천원	천원	
													천원	천원	
													천원	천원	
합 계													천원	천원	

첨부서류	1. 건설공사의 경우 가. 발주청 또는 수급인(하도급 공사인 경우만 해당합니다)이 발행하는 「건설기술진흥법 시행규칙」 별지 제5호서식의 신기술 활용실적 증명서 나. 세금계산서 또는 매출처별 세금계산서합계표 다. 도급 또는 하도급 계약서(발주청 외의 자가 도급하거나 하도급하는 건설공사인 경우만 해당합니다) 2. 건설공사 외의 경우 : 세금계산서 또는 기술사용료 지급확인서 등 신기술활용 실적을 증명 할 수 있는 서류	수수료 없 음

유의사항

1. 일련번호는 신기술별로 적습니다.
2. ※ 표시가 있는 난은 뒤쪽의 해당 코드번호를 적습니다.
3. 전년도 미기성액부터 작성하고, 해당 연도 계약분을 계약일순으로 적고 합계 금액을 적습니다.
4. 해당 연도 활용금액은 발주자 공급자재액을 제외하고 적습니다.

210mm×297mm[백상지(80g/㎡) 또는 중질지(80g/㎡)]

(뒤쪽)

※④ 업태분류	※⑤ 발주자 분류				
1. 종합건설업 2. 전문건설업 3. 기술용역(건축사·기술사무소 및 유지관리·감리 등) 4. 공기업·준정부기관 5. 연구소 6. 개인 7. 그 밖의 업태	1.중앙정부 1-1. 국토교통부 1-2. 국방부 1-3. 환경부 1-4. 그 밖의 기관	2.지방자치단체 2-1. 서울특별시 2-2. 부산광역시 2-3. 대구광역시 2-4. 인천광역시 2-5. 광주광역시 2-6. 대전광역시 2-7. 울산광역시 2-8. 세종특별자치시 2-9. 경기도 2-10. 강원도 2-11. 충청북도 2-12. 충청남도 2-13. 전라북도 2-14. 전라남도 2-15. 경상북도 2-16. 경상남도 2-17. 제주특별자치도 2-18. 그 밖의 지방자치단체	3.공기업·준정부기관 3-1. 한국도로공사 3-2. 한국토지주택공사 3-3. 한국수자원공사 3-4. 한국농어촌공사 3-5. 한국전력공사 3-6. 국가철도공단 3-7. 그 밖의 공기업·준정부기관	4.교육기관 4-1. 서울특별시교육청 4-2. 부산광역시교육청 4-3. 대구광역시교육청 4-4. 인천광역시교육청 4-5. 광주광역시교육청 4-6. 대전광역시교육청 4-7. 울산광역시교육청 4-8. 세종특별자치시교육청 4-9. 경기도교육청 4-10. 강원도교육청 4-11. 충청북도교육청 4-12. 충청남도교육청 4-13. 전라북도교육청 4-14. 전라남도교육청 4-15. 경상북도교육청 4-16. 경상남도교육청 4-17. 제주특별자치도교육청 4-18. 그 밖의 교육기관	5. 민간 6. 그 밖의 발주자

※⑥ 기술분야		※⑦ 지역	※⑧ 계약형태	※⑨ 계약관계	※⑩ 활용형태
(건축)	1. 건축구조 및 시공: 건축구조, 건축시공, 방수, 미장, 기계설비, 설계	1. 서울특별시 2. 부산광역시 3. 대구광역시 4. 인천광역시 5. 광주광역시 6. 대전광역시 7. 울산광역시 8. 세종특별자치시 9. 경기도 10. 강원도 11. 충청북도 12. 충청남도 13. 전라북도 14. 전라남도 15. 경상북도 16. 경상남도 17. 제주특별자치도 18. 해외	1. 일반 경쟁입찰에 의한 계약 2. 지명 경쟁입찰에 의한 계약 3. 제한 경쟁입찰에 의한 계약 4. 수의계약 5. 그 밖의 계약 형태	1. 도급계약 2. 하도급계약 3. 직영공사 4. 그 밖의 계약관계	1. 시공 2. 설계 3. 기술사용료 4. 그 밖의 활용 형태
(토목)	2. 도로: 도로포장, 도로시설물, 도로설계, 철도, 공항				
	3. 교량: 교량기초, 교량구조 및 시공				
	4. 토목구조 및 시공: 토목구조, 토목시공, 구조물보수보강, 토목방수, 설계				
	5. 항만 및 호안: 항만, 호안				
	6. 토질 및 지반: 토질 및 기초, 지반, 터널, 발파, 항타 토질시험				
	7. 상하수도: 관로, 준설, 설계				
(환경)	8. 환경 및 하수처리: 폐기물처리, 매립장설치, 하수처리, 대기, 소음 및 진동, 그 밖의 환경 관련 분야				
(조경)	9. 조경: 조경식재, 조경시설물				
(그 밖의 분야)	10. 그 밖의 분야: 측량, 지형공간정보, 전자정보 등				

210mm×297mm[백상지(80g/㎡) 또는 중질지(80g/㎡)]

[별지 제5호서식] 〈개정 2019.7.1.〉

신기술 활용실적 증명서

접수번호	접수일	실명확인	처리기간 즉시

신청인	상호 또는 법인명		성명(대표자)
	주소		
	신기술 지정번호		
	신기술 활용지위 [ ]개발자 [ ]사용협약자 [ ]시공자 [ ]설계자 [ ]건설사업관리자 [ ]감리자 [ ]기타		

용역내용	용역명	
	용역기간	용역계약금액
	신기술 설계 적용금액(천원)	지분율(_%) 반영 설계 적용금액(천원)

공사내용	공사명			
	계약일	착공일	준공(예정)일	① 발주형태
	해당 공사 총 계약금액(천원)		② 해당 공사 신기술 적용 금액(천원)	
	해당 연도 총 계약금액(천원)		③ 해당 연도 신기술 적용 금액(천원)	
	해당 연도 신기술 기성실적(천원)		지분율(_%) 반영 기성실적(천원)	

「건설기술진흥법 시행규칙」 제10조에 따라 신기술 활용실적 증명을 신청합니다.

년 월 일

발주청 (수급인)	상호 또는 법인명(대표자명) (인)	사업자등록번호 (법인등록번호)
	주소 및 연락처 (우) (전화: , 팩스:)	

「건설기술진흥법 시행규칙」 제10조에 따라 위와 같이 신기술을 활용하였음을 증명합니다.

년 월 일

유의사항

1. ①발주형태: 일반(1), 지명(2), 제한(3), 수의(4), 대안입찰(5), 설계시공일괄입찰(6), BTL(7), 민간공사(8), 기타(9) 중 해당되는 형태를 찾아 번호를 적습니다.
2. ②,③의 신기술 적용금액은 신기술의 시공에 직접적으로 드는 비용을 말합니다.
3. 실적 증명은 발주청이 확인하는 것을 원칙으로 하고, 하도급공사의 경우 수급인이 확인할 수 있습니다.
4. 설계등 용역업자 사업수행능력 세부평가를 받기 위한 실적신고는 공사내용을 기재하지 않습니다.
5. 건설사업관리 등 용역업자 사업수행능력 세부평가를 받기 위한 실적신고는 용역내용을 기재하지 않습니다.

처리절차

신고서 작성	→	증명서(발급) 신청서 확인	→	접수	→	첨부서류 확인 및 검토(보완요청)	→	실적 승인	→	통보 및 사후관리
신청인		발주청		전문기관		전문기관		전문기관		국토교통부 전문기관

210mm×297mm[백상지(80g/㎡) 또는 중질지(80g/㎡)]

[별지 제6호서식]

신기술 보호기간 연장신청서

접수번호	접수일	실명확인	처리기간 120일

신기술명칭	명칭		지정번호
신청인	상호 또는 법인명		사업자등록번호 (법인등록번호)
	성명(대표자)	전화번호	생년월일
	주소		
신기술내용 (요약)			
신기술의 범위			

「건설기술진흥법」 제14조 및 같은 법 시행령 제35조에 따라 신기술 보호기간의 연장을 신청합니다.

년 월 일

신청인 (서명 또는 인)

국토교통부장관 귀하

첨부서류	1. 신기술의 활용실적 및 현장적용 결과를 비교·분석한 서류 2. 보호기간 연장에 대한 근거자료 3. 현장적용 시방서 및 유지·관리 방법에 관한 자료 4. 현장을 실제 조사할 때 확인할 주요 사항을 적은 서류	수수료 10,000원 (수입인지)

처리절차

신청서 작성	→	접수	→	첨부서류 확인 및 검토(보완요청) 관보공고	→	의견조회 및 전문기관 심사	→	보호기간 연장 고시 또는 불인정	→	통보 및 사후관리
신청인		전문기관		국토교통부 전문기관		전문기관		국토교통부 전문기관		국토교통부 전문기관

210mm×297mm[백상지 80g/㎡(재활용품)]

[별지 제7호서식]

건설기술자료 납본서

기관명	부서명	담당자명	전화번호 이메일

① 번호	② 자료명	③ 저자명	④ 발행자명 (제작자명)	⑤ 발행 연월일	⑥ 형태	⑦ 국제표준자료번호 (ISBN/ISSN)
⑧ 합계	총 건					

위의 건설기술자료를 「건설기술진흥법」 제18조, 같은 법 시행령 제40조 및 같은 법 시행규칙 제14조에 따라 납본하며, 2차적 저작물 작성권 등의 저작재산권 일체를 이용할 수 있도록 제공하고, 건설기술자료 이용자에 대한 이용허락 권한을 위임합니다.

년 월 일

납본인(기관장): (서명 또는 인)

국토교통부장관 귀하

첨부서류		

작성방법	
② 자료명란에 연속 간행물(잡지)인 경우에는 권호/통권 및 발행빈도를 함께 적습니다.	⑥ 전자파일의 경우 파일형태와 페이지, 인쇄자료일 경우 페이지를 적어주십시오. ⑦ 국제표준자료번호가 있는 경우에만 적어주십시오.

210㎜×297㎜[백상지 80g/㎡(재활용품)]

[별지 제8호서식] 〈개정 2020. 12. 14.〉

지정번호 제 호

교육기관 지정서

○ 명칭:

○ 소재지:

○ 대표자:

○ 지정조건:

○ 유효기간:

「건설기술진흥법 시행령」 제43조제4항에 따라 위 법인을 교육기관으로 지정합니다.

년 월 일

국토교통부장관 직인

210㎜×297㎜[일반용지 80g/㎡(재활용품)]

[별지 제9호서식] 〈개정 2020. 12. 14.〉

제 호

교육수료증

성명:
생년월일:
소속:
교육과정:
교육종류:
교육이수등급: 직무분야:
교육기간: . . . ~ . . . (시간)

위 사람은 「건설기술진흥법」 제20조제2항 및 같은 법 시행규칙 제17조제2항에 따라 위의 교육과정을 수료하였으므로 이 증서를 수여합니다.

년 월 일

국토교통부장관
교육기관의 장 직인

유의사항

해당 교육수료 내용은 교육훈련 종료일 이후 14일 이내에 교육기관에서 경력관리수탁기관으로 직접 통보되고 있으며, 건설기술인 등급 산정 등에 바로 적용이 필요한 경우 교육생이 직접 경력관리수탁기관에 신고할 수 있습니다.

210㎜×297㎜[백상지 120g/㎡]

[별지 제10호서식] 〈개정 2019.2.25.〉

국토교통부 또는 교육기관

수신자 건설기술인 경력관리 수탁기관의 장
(경유)
제 목 교육·훈련 상황 통보

「건설기술진흥법」 제20조 및 같은 법 시행규칙 제17조제3항에 따라 교육·훈련 상황을 아래와 같이 통보합니다.

1. 교육이수 현황표

과정명	기간(일)	기본교육 (35시간 단위)	전문교육 35시간 과정	전문교육 ( )시간 과정	비고
		명	명	명	
총계		명		명	

2. 교육이수 명단

일련번호	주민등록번호	성명	교육종류	직무분야	교육과정명	시작일	종료일	수료번호	교육시간

붙임 : 자료가 입력된 전자기록매체 1부. 끝.

국토교통부장관
교육기관의 장 [직인]

기안자 직위(직급) 서명 검토자 직위(직급)서명 결재권자 직위 (직급)서명
협조자
시행 처리과-일련번호(시행일자) 접수 처리과명-일련번호(접수일자)
우 주소 / 홈페이지 주소
전화( ) 전송( ) / 기안자의 공식전자우편주소 / 공개구분

210㎜×297㎜[백상지 80g/㎡(재활용품)]

[별지 제10호의2서식] 〈신설 2020. 12. 14.〉

교육기관 대행 갱신신청서

접수번호	접수일	처리일	처리기간 120일
신청인	성명		전화번호
	주소 (전자우편 주소:)		
교육기관 현황	명칭		대표자 성명
	지정번호		최초 지정일
	유효기간		사업자(법인·단체)등록번호
	기관 소재지 주소(본점) (전화번호:)		

「건설기술진흥법」 제20조의3제3항 및 같은 법 시행규칙 제17조의2제1항에 따라 위와 같이 교육기관 대행의 갱신을 신청합니다.

년 월 일

신청인(대표자) (서명 또는 인)

국토교통부장관
교육관리기관의 장 귀하

첨부서류	1. 교육기관 지정서 2. 교육·훈련 시설 현황에 관한 서류 3. 교수요원 및 직원을 고용하고 있음을 증명하는 서류 4. 교육·훈련 계획 및 운영 실적에 관한 서류 5. 유효기간 동안 국토교통부장관이 해당 교육기관에 대하여 실시한 심사 또는 평가 결과에 관한 서류

처리절차

신청서 작성 (신청인) → 접수 (관리기관) → 갱신 허가 (국토교통부) → 지정서 교부 (신청인)

210㎜×297㎜[백상지 80g/㎡]

[별지 제11호서식] 〈개정 2021.9.17.〉

건설기술인 경력신고서

※ 어두운 칸은 신고인이 작성하지 않으며, [ ]에는 해당되는 곳에 √ 표시를 합니다.
※ 유의사항과 작성방법을 확인하시고 작성하여 주시기 바랍니다.

(앞쪽)

접수번호	접수일	실명확인	처리기간 즉시

신고인	성명	한글	주민등록번호	사진 (3.5cm×4.5cm) 또는 사진인쇄
		한자		
		영문		
	전화번호		휴대전화번호	
	전자우편주소		국적	
	주소			
	군복무	① 기간 ~	구분 [ ]미필 [ ]면제 [ ]기타	

② 직무분야		※ ②란 직무분야의 예: 토목, 건축, 기계, 안전관리, 환경 등 영 제4조 별표 1의 제3호의 직무분야를 적습니다.

③ 학력	재학기간	졸업 학교명	학과(전공)	학위
	. . . ~ . . .			
	. . . ~ . . .			

④ 국가기술자격	합격일	종목 및 등급	등록번호
	. . .		
	. . .		

⑤ 근무처	회사명	근무기간	회사명	근무기간
		. . . ~ . . .		. . . ~ . . .
		. . . ~ . . .		. . . ~ . . .

「건설기술진흥법」 제21조제1항 및 같은 법 시행규칙 제18조제1항에 따라 위와 같이 신고합니다.

년 월 일

신청인(본인) (서명 또는 인)

수탁기관의 장 귀하

첨부서류	신청인(대표자) 제출서류	접수 담당자 확인사항	수수료
	1. 「건설기술진흥법 시행규칙」 별지 제12호서식의 경력확인서 또는 별지 제13호서식의 국외 경력확인서[발주자, 건설공사의 허가·인가·승인 등을 한 행정기관 또는 사용자(대표자)의 확인을 받은 것으로 한정합니다] 2. 졸업증명서(해당하는 사람만 첨부합니다) 3. 교육·훈련 사항을 증명할 수 있는 서류(「건설기술진흥법 시행규칙」 제17조제3항에 따라 송부되는 교육·훈련에 관한 서류는 제외하며, 해당하는 사람만 첨부합니다) 4. 「건설기술진흥법」 제2조제6호 및 같은 법 시행령 제3조에 따른 발주청이 건설공사 업무와 관련하여 수여한 상훈증 사본(해당하는 사람만 첨부합니다) 5. 근무처 또는 경력 사항을 증명할 수 있는 서류(해당하는 사람만 첨부합니다) 6. 증명사진(3.5cm×4.5cm) 1장(건설기술인 경력신고서에 사진을 인쇄한 경우에는 제외합니다)	다음 각 목의 서류(신고·변경신고 사무처리를 위하여 필요한 경우만 해당합니다) 1. 국가기술자격취득사항 확인서 2. 건강보험자격득실확인서 또는 국민연금가입자가입증명	「건설기술진흥법 시행규칙」 제18조제7항에 따른 수수료

유의사항

1. 신청인(본인)의 서명 또는 날인은 본인이 직접 해야 하며 타인이 이를 위조하는 경우 「형법」 제239조에 따라 처벌 받을 수 있습니다.
2. 대리인 신고 시 신고인의 실명확인을 위해 아래의 기재사항을 적어야 합니다.

대리인	성명 (서명 또는 인)	생년월일	연락처

210mm×297mm[백상지(80g/㎡) 또는 중질지(80g/㎡)]

(뒤쪽)

행정정보 공동이용 동의서

본인은 이 건 업무처리와 관련하여 협회가 「전자정부법」 제36조제1항에 따른 행정정보의 공동이용을 통하여 위의 확인사항인
[ ]국가기술자격취득사항확인서, [ ]건강보험자격득실확인서, [ ]국민연금가입자가입증명을 확인하는 것에 동의합니다.

* 행정정보 공동이용에 동의하지 않는 경우 신청인이 직접 국가기술자격취득사항확인서(국가기술자격증 사본으로 갈음할 수 있습니다), 건강보험자격득실확인서 또는 국민연금가입자가입증명을 제출해야 합니다.

신청인 (서명 또는 인)

작성방법

1. ①란의 군복무기간은 자격대여 및 경력 허위신고 방지를 위한 것으로 실제 군복무기간을 적으셔야 합니다.
2. ②란의 직무 분야는 「건설기술진흥법 시행령」 제4조 및 별표 1 제3호에 따른 직무분야 중 어느 하나를 적습니다.(적은 직무분야는 향후 건설기술인 통계 등에 활용됩니다)
3. ③란의 학력사항에 최종 학력과 건설기술 관련 학력을 적습니다.
4. ④란의 국가기술자격은 「건설기술진흥법 시행령」 별표 1 제5호에 따른 건설기술인의 등급 및 경력인정 등에 관한 국토교통부장관의 고시 또는 「건설산업기본법 시행령」 제13조 및 별표 2에서 인정되는 국가기술자격을 적습니다.
5. ⑤란의 근무처는 경력확인서를 첨부하는 업체를 적습니다.

210mm×297mm[백상지(80g/㎡) 또는 중질지(80g/㎡)]

[별지 제12호서식] 〈개정 2021.9.17.〉

구분	인사부서	사업부서
부서명		
담당자	(인)	(인)
연락처		
발급번호		

경력확인서

※ 뒤쪽의 작성방법을 참고하시기 바라며, 어두운 칸은 신청인이 적지 않습니다. (앞쪽)

인적사항	① 성명 (서명 또는 인)		주민등록번호
	전자우편주소	전화번호	휴대전화번호
	② 주소		
소속회사	③ 회사명	대표자	사업자등록번호 (법인등록번호)
	주소		④ 건설업종(면허번호 또는 등록번호)
	⑤ 입사일	⑥ 퇴사일	전화번호

기술경력

연번	⑦ 참여기간		⑧ 참여사업명				⑨ 발주자(청)	
	⑩ 직무분야	⑪ 전문분야	⑫ 공사종류	⑬ 담당업무	⑭ 직위	⑮ 책임정도	⑯ 공법	
	⑰ 공사(용역)개요(70자 이내 공란포함)			⑱ 공사(용역)금액 (백만원)			⑲ 착공일	⑳ 준공일(예정일)

※ ⑰ 공사(용역)개요, ⑱ 공사(용역)금액, ⑲ 착공일 및 ⑳ 준공일(예정일)란은 「건설기술진흥법」 또는 「시설물의 안전관리에 관한 특별법」에 따른 사업수행능력평가용으로 필요한 경우에 한정하여 발주청의 확인을 받아야 합니다.

	. . . ~ . . .							
	. . . ~ . . .							

위와 같이 건설기술인의 경력을 확인합니다.

년 월 일

발주자, 인 · 허가기관 또는 사용자(대표자) **직인**

유의사항

1. 기술경력을 설계 또는 건설사업관리 사업수행능력평가에 활용하려는 경우 발주자나 인 · 허가기관 직인의 경력확인서를 제출해야 하며, 입사신고 또는 일반적인 경력신고는 사용자(대표자) 직인의 경력확인서를 제출해야 합니다.
 * ⑰⑱⑲⑳란은 의무 신고사항은 아니며, 발주청 또는 인 · 허가 기관의 장의 확인이 있어야만 신고가 가능합니다.
2. 건설기술인 본인의 서명 또는 날인이 있는 경우에는 건설기술인 경력변경신고서(「건설기술진흥법 시행규칙」 별지 제14호서식을 말합니다)를 작성하지 않아도 되며, 입 · 퇴사일을 신고하는 경우 4대 보험 자료 등 증명할 수 있는 서류를 제출해야 합니다.
3. 다수의 경력확인서를 작성해야 하는 경우에는 기술경력만을 적은 서류를 첨부하여 제출할 수 있습니다. 2장 이상은 각 장에 사용자(대표자) 또는 발주자의 확인(간인 포함)을 받아야 합니다.
4. 대리인 신고 시 실명확인을 위해 아래의 기재사항을 적어야 합니다.
5. 신청인(본인)의 서명 또는 날인은 본인이 직접 해야 하며 타인이 이를 위조하는 경우 「형법」 제239조에 따라 처벌 받을 수 있습니다.

대리인	성명 (서명 또는 인)	생년월일	연락처

210㎜×297㎜[백상지(80g/㎡) 또는 중질지(80g/㎡)]

(뒤 쪽)

작성방법

1. ①란의 (서명 또는 인)은 건설기술인 본인이 직접 서명 또는 날인 해야 하며 타인이 이를 위조하는 경우 「형법」 제239조에 따라 처벌 받을 수 있습니다.
2. ②란의 주소가 이미 신고한 주소에서 변경된 경우 새로운 주소를 적고 그 뒤에 (변경요청)이라고 적어 주시기 바랍니다.
3. ③란의 회사명은 등기사항증명서(개인사업장의 경우 사업자등록증)의 상호를 정확히 적어야 하며 상호가 상호변경 또는 흡수합병으로 변경된 경우 새로운 상호를 적고 그 뒤에 (상호변경) 또는 (흡수합병) 중 어느 하나를 적고 관련 증명자료를 제출해야 합니다.
4. ④란의 건설업종(면허번호 또는 등록번호)은 소속 회사가 소지하고 있는 건설 관련 업종(예: 토목공사업 · 건축공사업 · 조경공사업 · 도장공사업 · 엔지니어링사업 등)과 해당 면허번호 또는 등록번호를 적으면 되며, 건설업종을 1개 이상 소지하고 있는 경우 대표업종을 적으면 됩니다.
5. ⑤란의 입사일은 소속 회사의 입사일을 적으면 됩니다.
6. ⑥란의 퇴사일은 소속 회사의 퇴사일을 적으면 되며, 현재 근무 중인 경우 "근무 중"으로 적으면 됩니다.
7. 가. ⑦란의 참여기간은 해당 건설공사 또는 건설엔지니어링사업(이하 "건설공사 등"이라 한다)에 실제 참여한 기간을 적으며 계약서 또는 실적증명서 등의 착공일과 준공일을 벗어나지 않도록 적으면 됩니다. 다만, 착공일 이전 수행한 건설공사 업무(계획 · 조사 등) 또는 준공일 이후 수행한 건설공사 업무(유지 · 관리 등)는 기간 및 담당업무를 분리하여 신고가 가능합니다.
   나. 시공 · 현장대리인 · 안전관리자 · 품질관리자 · 감리/상주 등 현장에 상주해서 건설공사업무를 수행한 경우 같은 기간에는 다른 기술경력과 중복하여 신고할 수 없습니다.
   다. 해당 건설공사 등이 종료되지 않은 경우 종료일에 "근무 중"으로 표기(이 경우 경력확인서 발행일까지 기술경력은 인정받게 됩니다)하며 이미 종료일을 "근무 중"으로 신고한 기술경력을 종료하였을 때에는 그 경력사항을 적은 후 종료일을 적어야(참여기간 외에 변경사항이 없는 경우를 말합니다) 합니다.
   작성 예) 201x년 1월 25일 시작신고
   참여기간: 201x. 1. 10. ~ 근무 중(이 경우 건설공사 참여일인 1월 10일부터 경력신고일인 1월 25일까지 경력인정)
   201x년 12월 25일 종료신고
   참여기간: 201x. 1. 10. ~ 201x.12. 20.(이 경우 시작신고일 다음날인 1월 26일부터 해당 건설공사 등이 종료된 12월 20일까지 경력 추가인정)
8. ⑧란의 참여사업명은 건설기술인이 실제 참여한 건설공사 등의 계약서 또는 실적증명서에 표기된 사업명을 정확히 적으면 됩니다.
9. ⑨란의 발주자(청)는 해당 건설공사 등을 발주한 기관명 · 업체명 또는 개인명을 적고 하도급을 받은 경우 발주자 및 원도급자를 모두 적어야 합니다.
10. 가. ⑩란 및 ⑪란의 직무분야 및 전문분야는 「건설기술진흥법 시행령」 별표 1 제3호에 따른 직무분야 및 전문분야 중 건설기술인이 실제 수행한 직무 및 전문분야(선택한 직무분야 범위내의 전문분야를 선택하여 적어야 합니다)를 선택하여 적으면 됩니다.
    나. ⑪란의 전문분야는 구체적인 참여사업명이 없는 경력(예: 본사(견적실) 등)기간에는 적을 수 없습니다.
11. ⑫란의 공사종류는 「건설기술진흥법 시행령」 별표 1 제5호에 따른 건설기술인의 등급 인정 및 교육 · 훈련 등에 관한 국토교통부장관의 고시(이하 "등급인정기준고시"라 한다)의 건설공사 종류 또는 건축물의 용도분류에 따라 적고, 건설기술인이 소속된 건설업체가 「건설산업기본법」에 따른 전문공사를 시공하는 업종을 가지고 있는 경우에는 같은 고시의 건설공사의 종류 중 대분류 및 소분류를 모두 적어야 합니다.
12. ⑬란의 담당업무는 등급인정기준고시의 건설공사업무 중 하나를 적으면 됩니다.
13. ⑭란의 직위는 해당 건설공사 등에 참여할 당시의 직위를 적어야 합니다.
14. ⑮란의 책임정도는 건설공사 등에 참여한 책임정도에 따라 등급인정기준고시의 책임정도 중 하나를 적으면 됩니다. 다만, 책임정도에 해당하지 않는 경우 공란으로 남겨 두시면 됩니다.
15. ⑯란의 공법은 해당 건설공사 등에 적용된 공법을 적으면 됩니다.
16. ⑰란의 공사(용역)개요는 건설기술인이 참여한 건설공사 등의 공사규모 등을 적고 공동도급인 경우 지분율에 따라 산정하시면 됩니다.(하도급공사인 경우 직접 시공한 하급 공사분에 대해서만 작성하시면 됩니다)
    작성 예) 공사(용역)개요 : 도로확장 L=00Km, B=0m(0차선), 사장교 : L=00m, B=0m, 터널 0개소 : L=0Km, B=0m 등
    ※ 공사(용역)개요 기재는 주요 공종만 최대 70자 이내(공란포함)로 작성해야 합니다.
17. ⑱란의 공사(용역)금액은 건설기술인이 참여한 건설공사 등의 사업비를 적고 공동도급인 경우 지분율에 따라 산정하시면 됩니다.(하도급공사인 경우 직접 시공한 하급 공사분에 대해서만 작성하시면 됩니다)
    작성 예) 공사(용역)금액: 500백만원
18. ⑲란의 착공일 및 ⑳란의 준공일(예정일)은 계약서 또는 실적증명서의 용역기간을 적으면 됩니다.
19. 기술경력의 기재사항 중 ⑦, ⑧, ⑩, ⑬, ⑭란은 기술등급 인정을 위해 반드시 작성해야 합니다.

210㎜×297㎜[백상지(80g/㎡) 또는 중질지(80g/㎡)]

[별지 제13호서식] 〈개정 2021.9.17.〉

구분	인사부서	사업부서
부서명		
담당자	(인)	(인)
연락처		
발급번호		

국외경력확인서

※ 뒤쪽의 작성방법을 참고하시기 바라며, 어두운 칸은 신청인이 적지 않습니다. (앞쪽)

인적사항	① 성명 (서명 또는 인)		주민등록번호
	전자우편주소	전화번호	휴대전화번호
	② 주소		
소속회사	③ 회사명	대표자	법인 또는 사업자등록번호
	주소		④ 해외건설업종(등록번호)
	⑤ 입사일	⑥ 퇴사일	전화번호
국외 기술경력	⑦ 참여기간 . . . ~ . . .	⑧ 참여사업명	
	⑨ 발주국	⑩ 발주자 [ ]국가기관 [ ]공공기관 [ ]민간기업 [ ]기타	
	⑪ 직무분야		⑫ 전문분야
	⑬ 담당업무(책임정도)		
	⑭ 공사종류(주 공종)	⑮ 직위	⑯ 공법
	⑰ 공사지역(국가명)	⑱ 착공일 . . .	⑲ 준공일(예정일) . . .
	⑳ 공사(용역)개요(70자 이내, 공란 포함)		㉑ 공사(용역)금액(백만원)

위와 같이 건설기술인에 대한 국외공사(용역) 경력을 확인합니다.

년 월 일

발주자 또는 사용자(대표자) 직인

첨부서류	출입국에 관한 사실증명서 (「출입국관리법 시행규칙」 별지 제138호서식) 또는 국외 경력을 증명할 수 있는 서류

유의사항

1. 건설기술인 본인의 서명 또는 도장 날인이 있는 경우에는 건설기술인 경력변경신고서(「건설기술진흥법 시행규칙」 별지 제14호서식을 말합니다)를 작성하지 않아도 되며 입·퇴사일을 신고하는 경우에는 4대 보험 자료 등 증명할 수 있는 서류를 제출해야 합니다.
2. 다수의 국외 경력확인서를 작성해야 하는 경우에는 국외기술경력만을 적은 서류를 첨부하여 제출할 수 있습니다. 2장 이상은 각 장에 사용자(대표자) 확인(간인 포함)을 받아야 합니다.
3. 국외 경력확인서는 「공증인법」에 따라 공증을 받으면 외국어로 발급받을 수 있습니다.
4. 대리인 신고 시 실명확인을 위해 아래의 기재사항을 적어야 합니다.
5. 신청인(본인)의 서명 또는 날인은 본인이 직접 해야 하며 타인이 이를 위조하는 경우 「형법」 제239조에 따라 처벌 받을 수 있습니다.

대리인	성명 (서명 또는 인)	생년월일	연락처

210㎜×297㎜[백상지(80g/㎡) 또는 중질지(80g/㎡)]

(뒤쪽)

작성방법

1. ①란의 (서명 또는 인)은 건설기술인 본인이 직접 서명 또는 날인해야 하며 타인이 또는 날인하는 경우「형법」 제239조에 의해 처벌을 받을 수 있습니다.
2. ②란의 주소가 이미 신고한 주소에서 변경된 경우 새로운 주소를 적고 그 뒤에 (변경요청)이라고 적어 주시기 바랍니다.
3. ③란의 회사명은 등기사항증명서(개인사업장의 경우 사업자등록증)의 상호명을 정확히 적어야 하며 상호변경 또는 흡수합병으로 변경된 경우 새로운 상호를 적고 그 뒤에(상호변경) 또는 (흡수합병) 중 어느 하나를 적고 관련 증명자료를 제출해야 합니다.
4. ④란의 해외건설업종(등록번호)는 소속회사가 소지하고 있는 해외건설관련업(예: 종합건설업·일반건설업·산업설비공사업·조경공사업·전문건설업·건설엔지니어링업 등) 해당 면허번호 또는 등록번호를 적으면 되며, 건설업종을 1개 이상 소지하고 있는 경우 대표업을 적으면 됩니다.
5. ⑤란의 입사일은 소속회사의 입사일을 적으면 됩니다.
6. ⑥란의 퇴사일은 소속 회사의 퇴사일을 적으면 되고, 현재 근무 중인 경우에는 "근무 중"으로 적으면 됩니다.
7. 가. ⑦란의 참여기간은 해외건설공사 또는 건설엔지니어링(이하 "해외건설공사 등"이라 한다)에 실제 참여한 기간을 적으며 「해외건설촉진법 시행규칙」 제 13조에 의해 국토교통부장관에게 제출된 계약명 또는 같은 법 시행규칙 제14조에 의해 제출된 실적증명서의 착공일과 준공일을 벗어나지 않도록 기재하시면 됩니다. 다만, 착공일 이전 수행한 건설공사업무(계획·조사 등) 또는 준공일 이후 수행한 건설공사 업무(유지관리 등)는 기간 및 담당업무를 분리하여 신고가 가능합니다.
   나. 시공 등 해외현장에 상주해서 건설공사업무를 수행한 경우 같은 기간에는 타 기술경력과 중복하여 신고할 수 없습니다.
   다. 해당 해외건설공사 등이 종료되지 않은 경우 종료일에 "근무 중"으로 표기(이 경우 경력확인서 발행일까지 기술경력은 인정받게 됩니다)하며, 이미 종료일을 "근무 중"으로 신고한 기술경력을 종료할 때에는 해당 경력사항을 적은 후 종료일을 적어(참여기간 외에 변경사항이 없는 경우를 말합니다)야 합니다.

   작성 예) 201x년 1월 25일 시작신고
   참여기간: 201x. 1. 10. ~ 근무 중(이 경우 해외건설공사 참여일인 1월 10일부터 경력신고일인 1월 25일까지 경력인정)
   201x년 12월 25일 종료신고
   참여기간: 201x. 1. 10. ~ 201x.12. 20.(이 경우 시작신고일 다음날인 1월 26일부터 해당 해외건설공사 등이 종료된 12월 20일까지 경력 추가인정)
8. ⑧란의 참여사업명은 건설기술인이 실제 참여한 해외건설공사 등의 계약명 또는 실적증명서(「해외건설촉진법 시행규칙」 제13조에 의해 국토교통부장관에게 제출된 계약명 또는 같은 법 시행규칙 제14조에 의해 제출된 실적증명서를 말합니다)에 표기된 공사명을 적으면 됩니다.
9. ⑨란의 발주국은 해당 해외건설공사 등을 발주한 발주처(기관)가 소속된 국가명을 적으면 됩니다.
10. ⑩란의 발주자는 해당 해외건설공사 등을 발주한 기관명을 기재하시고 기관의 성격에 해당하는 [ ]에 ✔ 표시를 합니다.
11. ⑪란 및 ⑫란의 직무분야 및 전문분야는 「건설기술진흥법 시행령」 별표 1 제4호에 따른 건설기술인 직무분야 및 전문분야 중 건설기술인이 실제 수행한 직무 및 전문분야(선택한 직무분야 범위내의 전문분야를 선택하여 적어야 합니다)를 선택하여 적으면 됩니다.
12. ⑬란의 담당업무는 「건설기술진흥법 시행령」 별표 1 제5호에 따른 건설기술인의 등급 인정 및 교육·훈련 등에 관한 국토교통부장관의 고시(이하 "등급인정기준고시"라 한다)를 참고하여 적으면 됩니다.
13. ⑭란의 공사종류(주 공종)는 등급인정기준고시의 건설공사의 종류 또는 건축물의 용도분류에 따라 적고, (주 공종)은 해당 해외건설공사에 참여했던 주요공종을 적으면 됩니다.
    작성 예) 공사종류: 공항(활주로)
14. ⑮란의 직위는 해당 해외건설공사 등에 참여할 당시의 직위를 적으면 됩니다.
15. ⑯란의 공법은 해당 건설공사 등에 적용된 공법을 적으면 됩니다.
16. ⑰란의 공사지역(국가명)은 해당 해외건설공사 등이 실제 이루어진 국가명과 시(市)까지 적으면 됩니다.
17. ⑱란의 착공일 및 ⑲란의 준공일(예정일)은 계약서 또는 실적증명서의 용역기간을 적으면 됩니다.
18. ⑳란의 공사(용역)개요는 건설기술인이 참여한 해외건설공사의 공사개요를 70자 이내(공란포함)에서 간략히 적으면 됩니다.
    작성예) 해외공사(용역)개요: 본 공사는 이라크 바그다드 국제공항의 활주로 증설 공사로 주 활주로 2곳(총 1.4km)을 연장하였음
19. ㉑란의 공사(용역)금액은 건설기술인이 참여한 해외건설공사 등의 사업비를 적고, 공동도급인 경우 지분율에 따라 산정하시면 됩니다(하도급 공사인 경우 직접 시공한 하도급 공사분에 대해서만 작성하시면 됩니다).

210㎜×297㎜[백상지(80g/㎡) 또는 중질지(80g/㎡)]

[별지 제14호서식] 〈개정 2021.9.17.〉

건설기술인 경력변경신고서

※ 어두운 칸은 신고인이 적지 않으며, 유의사항을 확인하시고 작성하여 주시기 바랍니다.

접수번호	접수일	실명확인	처리기간 즉시

인적사항	성명		주민등록번호
	전자우편주소	전화번호	휴대전화번호
	주소		
종전 소속회사	회사명(대표자)		법인 또는 사업자등록번호
	주소		건설업종(면허번호 또는 등록번호)
	입사일	퇴사일	전화번호
현재 소속회사	회사명(대표자)		법인 또는 사업자등록번호
	주소		건설업종(면허번호 또는 등록번호)
	입사일		전화번호

기술경력							
참여기간		참여사업명				발주자(청)	
직무분야	전문분야	공사종류	담당업무	직위	책임정도	공법	
공사(용역)개요(70자 이내 공란포함)				공사(용역)금액(백만원)		착공일	준공일(예정일)
. . . ~ . . .							

「건설기술진흥법」 제21조제1항 및 같은 법 시행규칙 제18조제2항에 따라 위와 같이 변경신고합니다.

년 월 일

신고인(본인) (서명 또는 인)

수탁기관의 장 귀하

첨부서류	신청인(대표자) 제출서류	접수 담당자 확인사항	수수료
	1. 「건설기술진흥법 시행규칙」 별지 제12호서식의 경력확인서 또는 별지 제13호서식의 국외경력확인서[발주자, 건설공사의 허가·인가·승인 등을 한 행정기관 또는 사용자(대표자)의 확인을 받은 것으로 한정합니다] 2. 근무처 또는 경력 사항을 증명할 수 있는 서류(해당하는 사람만 첨부합니다)	다음 각 목의 서류(신고·변경신고 사무처리를 위하여 필요한 경우만 해당합니다) 1. 국가기술자격취득사항 확인서 2. 건강보험자격득실확인서 또는 국민연금가입자가입증명	「건설기술진흥법 시행규칙」 제18조제7항에 따른 수수료

행정정보 공동이용 동의서

본인은 이 건 업무처리와 관련하여 협회가 「전자정부법」 제36조제1항에 따른 행정정보의 공동이용을 통하여 위의 확인사항인 [ ]국가기술자격취득사항확인서, [ ]건강보험자격득실확인서, [ ]국민연금가입자가입증명을 확인하는 것에 동의합니다.

* 행정정보 공동이용에 동의하지 않는 경우 신청인이 직접 국가기술자격취득사항확인서(국가기술자격증 사본으로 갈음할 수 있습니다), 건강보험자격득실확인서 또는 국민연금가입자가입증명을 제출해야 합니다.

신청인 (서명 또는 인)

유의사항

1. 신고인(본인)의 서명 또는 날인은 본인이 직접 해야 하며 타인이 이를 위조하는 경우 「형법」 제239조에 따라 처벌 받을 수 있습니다.
2. 소속회사 및 기술경력 작성방법은 별지 제12호서식의 경력확인서 작성방법을 참고하여 작성하면 됩니다.
3. 대리인이 신고 시 실명확인을 위해 아래의 기재사항을 적어야 합니다.

대리인	성명 (서명 또는 인)	생년월일	연락처

210mm×297mm[백상지(80g/m²) 또는 중질지(80g/m²)]

[별지 제15호서식] 〈개정 2019.2.25.〉

(6쪽 중 제1쪽)

건설기술경력증

수탁기관

140mm×180mm(OCR 용지 105g/m²)

(6쪽 중 제2쪽)

유의사항

1. 건설기술경력증은 항상 휴대해야 하며, 관계인이 요구하는 경우에는 제시해야 합니다.
2. 건설기술경력증의 갱신사유(작성란의 부족 등) 또는 재발급사유(훼손·분실 등)가 발생한 경우에는 「건설기술진흥법」 제21조제2항 및 같은 법 시행규칙 제18조제4항에 따라 조속히 갱신 받거나 재발급 받아야 합니다.
3. 건설기술경력증을 다른 사람에게 빌려주면 「건설기술진흥법」 제89조제3호에 따라 1년 이하의 징역 또는 1천만원 이하의 벌금형을 받게 되며, 같은 법 제24조제1항제2호 및 같은 법 시행규칙 제20조제1항 및 별표 1에 따라 업무정지 처분을 받게 됩니다.
4. 건설기술인이 업무정지 처분을 받았을 때에는 그 사유에 해당되는 기간 동안에는 건설기술경력증을 사용할 수 없으며, 「건설기술진흥법」 제24조제4항에 따라 지체 없이 건설기술경력증을 국토교통부장관에게 반납해야 합니다.
5. 업무정지 처분을 받은 건설기술인이 제4호에 따라 건설기술경력증을 반납하지 않을 경우 「건설기술진흥법」 제91조제2항제4호 및 같은 법 시행령 제121조제1항 및 별표 11에 따라 50만원의 과태료 처분을 받게 됩니다.

건설기술경력증

증명사진 (3.5㎝×4.5㎝)	발급번호 ○○○○	발급일 ○○○○
	성명 ○○○	생년월일 ○○○○

「건설기술진흥법」 제21조제2항에 따라 건설기술경력증을 발급합니다.

수탁기관의 장 (인)

(6쪽 중 제3쪽)

■ 기술등급 발급번호: 성명 :

날짜	분야	기술등급	확인

날짜	분야	기술등급	확인

■ 국가기술자격 발급번호: 성명 :

종목 및 등급	등록번호	합격일

■ 학력

졸업일	학교명	학과(전공)	학위

■ 교육훈련 발급번호: 성명 :

기간	과정명	기관명	교육기관의 장(인)

기간	과정명	기관명	교육기관의 장(인)

(6쪽 중 제6쪽)

■ 제재사항 발급번호: 성명 :

제재일	종류	근거	제재기관

제재일	종류	근거	제재기관

[별지 제16호서식] 〈개정 2016.5.25.〉

건설기술경력증 발급 [ ] 신규 [ ] 갱신 [ ] 재발급 신청서

※ 어두운 칸은 신청인이 작성하지 않습니다.

접수번호	접수일	실명확인	처리기간 즉시

신청인	성명	주민등록번호
	전화번호	휴대전화번호
	전자우편주소	
	주소	

소속회사	회사명	전화번호
신청분야	직무 및 전문분야	
발급사유	(※갱신 또는 재발급인 경우에만 작성)	
발급 번호		

「건설기술진흥법」 제21조제2항 및 같은 법 시행규칙 제18조제4항에 따라 건설기술경력증의 발급(신규·갱신·재발급)을 신청합니다.

년 월 일

신청인(본인) (서명 또는 인)

수탁기관의 장 귀하

		수수료
첨부서류	사진(3.5cm×4.5cm) 1장	「건설기술진흥법 시행규칙」 제18조제7항에 따른 수수료

유의사항

1. 신청인(본인)의 서명 또는 날인은 본인이 직접 하여야 하며 타인이 이를 위조하는 경우 「형법」 제239조에 따라 처벌 받을 수 있습니다.
2. 대리인 신청·수령하는 경우 실명확인을 위해 아래의 기재사항을 적어야 합니다.

대리인 (경력증수령)	성명 (서명 또는 인)	생년월일	연락처

210mm×297mm[백상지 80g/㎡ 또는 중질지80g/㎡)]

[별지 제17호서식] 〈개정 2016.5.25.〉

건설기술경력증 발급대장

일련번호	성명	생년월일	국가기술자격	최종 학력	기술등급	발급일	발급구분	담당자확인

※ 발급구분은 신규, 갱신, 재발급(미반납)으로 표기합니다.

297㎜×210㎜[백상지 60g/㎡(재활용품)]

[별지 제18호서식] 〈개정 2020.12.14.〉

건설기술인 경력증명서

(3쪽 중 제1쪽)

관리번호			발급번호			
인적사항	성명(한글)		(한자)		생년월일	
	주소					
등급	설계·시공 등		건설사업관리		품질관리	
	직무분야	전문분야				
국가기술자격	종목 및 등급	합격일	등록번호	종목 및 등급	합격일	등록번호
학력	졸업일	학교명	학과(전공)		학위	
교육훈련	교육기간	교육기관명	과정명		교육인정여부	
	「건설기술진흥법 시행령」 별표 3 제2호나목1)나), 2)나)(1)·(2) 및 3)나)에 따른 의무교육 이수 시간 - 설계·시공 등 업무를 수행하는 건설기술인 계속교육: - 건설사업관리 업무를 수행하는 건설기술인 계속교육: - 품질관리 업무를 수행하는 건설기술인 계속교육:					
상훈	수여일	수여기관	종류 및 근거			
벌점 및 제재사항	벌점					
	제재일	종류	근거	제재기관		
근무처	근무기간	상호	근무기간	상호		
	~		~			
	~		~			
	~		~			
	~		~			
	~		~			
	~		~			
	~		~			

210㎜×297㎜[일반용지 60g/㎡(재활용품)]

성명 :

(3쪽 중 제2쪽)

1. 기술경력

참여기간 (인정일)	사업명	공사 종류	직무 분야	담당 업무	비고
	발주자	공법	전문 분야	직위	
	공사(용역)개요		책임 정도	공사(용역)금액 (백만원)	
~					
~					
~					
~					
~					
~					
~					
~					
~					
~					

※ 공사(용역)개요 및 공사(용역)금액은 발주청(인 · 허가기관)의 확인으로 신고된 사항만을 표기하며, 미신고된 란은 생략 가능합니다.

성명 :

(3쪽 중 제3쪽)

2. 건설사업관리 및 감리경력

※ 「건설기술진흥법 시행령」 제45조제1항, 제2항 및 제4항에 따라 통보되는 건설사업관리용역 및 감리용역 참여 경력만 해당합니다.

참여기간 (인정일)	사업명	공사 종류	직무 분야	담당 업무	비고
	발주자	공법	전문 분야	직위	
	공사(용역)개요		책임 정도	공사(용역)금액 (백만원)	
~					
~					
~					
~					
~					

※ 공사(용역)개요 및 공사(용역)금액은 발주청(인 · 허가기관)의 확인으로 신고된 사항만을 표기하며, 미신고된 란은 생략 가능합니다.

ㅇ 건설사업관리 업무 수행기간: 일
- 상주: 일[감독 권한대행 등 건설사업관리: 일, 시공 단계 건설사업관리: 일]
- 기술지원: 일[감독 권한대행 등 건설사업관리: 일, 시공 단계 건설사업관리: 일]

ㅇ 감리 업무 수행기간: 일
- 상주: 일[공동주택: 일, 다중이용시설: 일]
- 기술지원: 일[공동주택: 일, 다중이용시설: 일]

ㅇ 건설사업관리기술인으로서 안전관리 업무 수행기간: 일

※ 업무 수행 중복기간은 건수로 나누어 산정하여 기록함

ㅇ 건설사업관리 및 감리(최근 1년간) 용역 완성비율: %(참여 건수: 건, 완료 건수: 건)

3. 배치금지(「건설기술진흥법 시행규칙」 제27조제2항제4호에 따라 철수한 경우만 기재)

용역명	근무형태	직책	근무기간	배치금지 기간
			~	~

「건설기술진흥법 시행규칙」 제18조제6항에 따라 건설기술인의 경력을 확인합니다.

년 월 일

수탁기관의 장 [직인]

[별지 제19호서식] 〈개정 2019.2.25.〉

건설기술인 보유증명서

회사명	업종	면허번호 또는 등록번호

일련번호	성명	생년월일	입사일	직위	기술자격			분야 및 기술등급	교육훈련	
					자격 종목 및 등급	합격일	등록번호		기간	과정명

「건설기술진흥법 시행규칙」 제18조제6항에 따라 건설기술인 보유현황을 확인합니다.

년 월 일

수탁기관의 장 직인

210㎜×297㎜[백상지 80g/㎡ 또는 중질지80g/㎡)]

[별지 제19호의2서식] 〈신설 2019.4.4.〉

건설기술인 경력확인 접수(처리)대장

일련번호	신청 연월일	신청자 성명	생년월일	신청 부수	처리부서 및 담당자		발급근거 (문서번호 등)	처리* 연월일	발급 부수	처리자
					사업부서	인사부서				

* 경력확인서를 발급하거나 발급하지 않기로 건설기술인에게 통보한 날짜

297㎜×210㎜[백상지 60g/㎡(재활용품)]

[별지 제20호서식] 〈개정 2021.9.17.〉

건설엔지니어링업 [ ]등록 [ ]변경등록 신청서

※ [ ]에는 해당되는 곳에 ✓표를 합니다. (앞쪽)

접수번호	접수일자	처리기간	등록 25일 변경등록 10일

신청인	상호 또는 법인명		
	소재지	전화번호	
	성명(대표자)	생년월일	
	등록번호(변경등록 시)	국적	
	전문분야 종합: [ ] 종합 설계·사업관리: [ ] 일반 [ ] 설계등용역 (□설계등용역 일반*, □측량, □수로조사) [ ] 건설사업관리 * 설계등용역 일반분야 업무구분 : [ ] 계획·조사·설계 포함, [ ] 계획·조사·설계 제외 품질검사: [ ] 일반 [ ] 토목 [ ] 건축 [ ] 특수* * 품질검사(특수) 세부분야 선택 [ ] 골재 [ ] 레디믹스트콘크리트 [ ] 아스팔트콘크리트 [ ] 철강재 [ ] 섬유 [ ] 용접(방사선비파괴검사) [ ] 용접(초음파비파괴검사) [ ] 용접(자기비파괴검사) [ ] 용접(침투비파괴검사) [ ] 말뚝재하		

※ 해당사항만 작성합니다.

신규등록	기술인력 총 명 (특급 : 명, 고급 이하 : 명)
	자본금 및 자산평가액(필요시) 자본금 원, 자산평가액 원
	장비(필요시) 따로 붙임
	시험실(필요시) 소재지 , 면적 m²

변경등록	변경일자	변경 전	변경 후

「건설기술진흥법」 제26조제1항·제3항 및 같은 법 시행규칙 제21조제1항 및 제23조제3항에 따라 위와 같이 신청합니다.

년 월 일

신청인 (서명 또는 인)

수탁기관의 장 귀하

첨부서류	뒤쪽 참조	수수료
		「건설기술진흥법 시행규칙」 제26조제2항에 따른 수수료

210㎜×297㎜[백상지(80g/m²) 또는 중질지(80g/m²)]

(뒤쪽)

첨부서류	제출구분	신청인(대표자) 제출서류	접수 담당자 확인사항
첨부서류	등록 [제출서류(제5호의 서류는 제외합니다)는 등록 신청 전 1개월 이내에 발행되거나 작성된 것이어야 합니다]	1. 등록요건에 따른 기술인력을 고용하고 있음을 증명하는 별지 제19호서식의 건설기술인 보유증명서 2. 사무실 또는 시험실을 보유하고 있음을 증명하는 서류(등록요건상 필요한 경우만 해당합니다) 3. 등록요건에 따른 자본금을 보유하고 있음을 증명하는 다음 각 목의 구분에 따른 서류(등록요건상 필요한 경우만 해당합니다) 가. 법인: 재무상태표 및 손익계산서 나. 개인: 영업용자산액명세서 및 증빙서류 4. 건설기술 관련 분야의 「엔지니어링산업 진흥법」에 따른 엔지니어링사업자 신고증 사본 또는 「기술사법」에 따른 기술사사무소 개설등록증 사본(등록요건상 필요한 경우만 해당합니다) 5. 등록요건에 따른 장비를 보유하고 있음을 증명할 수 있는 서류(등록요건상 필요한 경우만 해당합니다) 6. 신청인이 외국인인 경우에는 「건설기술진흥법」 제27조의 결격사유에 해당하지 않음을 증명하는 해당 국가의 정부나 공증인(법률에 의한 공증인의 자격을 가진 자만 해당합니다), 그 밖의 권한 있는 기관이 발행한 서류로서 해당 국가에 주재하는 우리나라 영사가 확인한 서류(다만, 「외국공문서에 대한 인증의 요구를 폐지하는 협약」을 체결한 국가의 경우에는 아포스티유(Apostille)로서 영사 확인을 갈음할 수 있습니다) 7. 외국인이나 외국법인의 출자를 증명하는 서류(외국인이나 외국법인이 자본금의 100분의 50 이상을 투자하는 경우만 해당합니다)	1. 사업자등록증명서(개인만 해당합니다) 2. 「출입국관리법」 제88조제2항에 따른 외국인등록 사실증명(대표자·임원 또는 소속 건설기술인이 국내에 체류하는 외국인인 경우만 해당합니다) 3. 법인 등기사항증명서
	변경등록	1. 「건설기술진흥법」 제26조제2항에 따른 건설엔지니어링업 등록증 2. 「건설기술진흥법 시행규칙」 제21조제1항 각 호의 서류 중 등록사항 변경과 관련된 서류	

행정정보 공동이용 동의서

본인은 이 건 업무처리와 관련하여 접수 담당자가 「전자정부법」 제36조제1항에 따른 행정정보의 공동이용을 통하여 위의 사업자등록증명서, 외국인등록 사실증명서 및 법인 등기사항증명서를 확인하는 것에 동의합니다.
* 동의하지 않는 경우에는 신청인이 직접 관련 서류를 제출해야 합니다.

신청인 (서명 또는 인)

처리절차

신청서 작성	→	접수	→	첨부서류 검토	→	확인	→	시·도지사 통보	→	등록증 발급
신청인		수탁기관		수탁기관		수탁기관 또는 평가기관(품질검사 분야에 한정)		수탁기관		시·도지사

210㎜×297㎜[백상지(80g/m²) 또는 중질지(80g/m²)]

[별지 제21호서식] 〈개정 2021.9.17.〉

(3쪽 중 제1쪽)

건설엔지니어링사업자 등록부

전문분야(세부분야)		(　　　　　　)	등록번호	
상호 또는 법인명			성명(대표자)	
소속 국가명			등록일	
사무실	소재지	(전화)	확보 구분	
	순사무실 면적	㎡	입주 연월일	
시험실 (필요시)	소재지	(전화)	확보 구분	
	순사무실 면적	㎡	입주 연월일	
겸업 사항				

자본금 (필요시)	납입자본금	변경 연월일	실질자본금
	· 금액 · 외국인 투자율 · 외국인 투자금액		

장비 보유 현황(필요시)

취득일	품명	규격	수량	처분일	취득일	품명	규격	수량	처분일

상훈

연월일	종류	상훈기관	공적 내용	용역명(필요시)	비고

제재

연월일	종류	제재기관	사유 및 기간	용역명(필요시)	비고

210mm×297mm[백상지 80g/㎡(재활용품)]

(3쪽 중 제2쪽)

기술인 현황

등재 연월일	기술인 수			변경 내용	기록자
	계	특급	고급 이하		

(3쪽 중 제3쪽)

기록 변경사항			
변경일	변경 사항	변경 내용	기록자

등록증 재발급			
발급일	사유	발급일	사유

[별지 제22호서식] 〈개정 2021. 9. 17.〉

등록번호 제　　호

건설엔지니어링업 등록증

상호 또는 법인명:

영업소의 소재지:

소속 국가명:

성명(대표자):　　　　생년월일:

전문분야(세부분야):　　　　(　　　　)

등록 연월일:

「건설기술진흥법」 제26조제1항에 따라 건설엔지니어링사업자로 등록하였음을 증명합니다.

년　　월　　일

특별시장 · 광역시장 · 특별자치시장
도지사 · 특별자치도지사　직인

210mm×297mm(백상지 120g/㎡)

[별지 제23호서식] 〈개정 2021. 9. 17.〉

건설엔지니어링업 등록증 재발급신청서

※ [ ]에는 해당되는 곳에 √표를 합니다.

접수번호	접수일자	처리기간 4일

신청인	상호 또는 법인명	등록번호
	소재지	전화번호
	대표자	생년월일
	전문분야 종합: [ ] 종합 설계·사업관리: [ ] 일반 [ ] 설계등용역 (□설계등용역 일반*, □측량, □수로조사) [ ] 건설사업관리 * 설계등용역 일반분야 업무구분 : [ ] 계획·조사·설계 포함, [ ] 계획·조사·설계 제외 품질검사: [ ] 일반 [ ] 토목 [ ] 건축 [ ] 특수* * 품질검사(특수) 세부분야 선택 [ ] 골재 [ ] 레디믹스트콘크리트 [ ] 아스팔트콘크리트 [ ] 철강재 [ ] 섬유 [ ] 용접(방사선비파괴검사) [ ] 용접(초음파비파괴검사) [ ] 용접(자기비파괴검사) [ ] 용접(침투비파괴검사) [ ] 말뚝재하	
재발급 신청사유 (등록증을 잃어버린 경우 분실사유 기재)		

「건설기술진흥법 시행규칙」 제22조제6항에 따라 위와 같이 신청합니다.

년 월 일

신청인 (서명 또는 인)

수탁기관의 장 귀하

첨부서류	헐어 못 쓰게 된 건설엔지니어링업 등록증 (헐어 못 쓰게 된 경우만 해당합니다)	수수료 「건설기술진흥법 시행규칙」 제26조제2항에 따른 수수료

처 리 절 차

신청서	→	접수	→	첨부서류 검토	→	확인	→	시·도지사 통보	→	발급
신청인		수탁기관		수탁기관		수탁기관		수탁기관		시·도지사

210mm×297mm (백상지 80g/㎡(재활용품))

[별지 제24호서식] 〈개정 2021.9.17.〉

건설엔지니어링업 [ ]휴업 [ ]폐업 신고서

※ [ ]에는 해당되는 곳에 √표를 합니다.

접수번호	접수일자	처리기간 4일

신고인	상호 또는 법인명	등록번호
	소재지	전화번호
	성명(대표자)	사업자등록번호 (법인등록번호)
	전문분야 종합: [ ] 종합 설계·사업관리: [ ] 일반 [ ] 설계등용역 (□설계등용역 일반*, □측량, □수로조사) [ ] 건설사업관리 * 설계등용역 일반분야 업무구분 : [ ] 계획·조사·설계 포함, [ ] 계획·조사·설계 제외 품질검사: [ ] 일반 [ ] 토목 [ ] 건축 [ ] 특수* * 품질검사(특수) 세부분야 선택 [ ] 골재 [ ] 레디믹스트콘크리트 [ ] 아스팔트콘크리트 [ ] 철강재 [ ] 섬유 [ ] 용접(방사선비파괴검사) [ ] 용접(초음파비파괴검사) [ ] 용접(자기비파괴검사) [ ] 용접(침투비파괴검사) [ ] 말뚝재하	
신고내용	휴업 예정기간 . . .부터 . . .까지(년 월)	폐업일 . . .
	휴업·폐업 사유	

「건설기술진흥법」 제26조제4항 및 같은 법 시행규칙 제23조제4항에 따라 위와 같이 신고합니다.

년 월 일

신고인 (서명 또는 인)

수탁기관의 장 귀하

첨부서류	휴업·폐업을 증명하는 서류	수수료 「건설기술진흥법 시행규칙」 제26조제2항에 따른 수수료

처리절차

신고서	→	접수	→	검토	→	수리	→	통보 (폐업신고는 제외)
신고인		수탁기관		수탁기관		수탁기관		수탁기관

210mm×297mm(백상지 80g/㎡(재활용품))

[별지 제25호서식] 〈개정 2021.9.17.〉

건설엔지니어링업 양도 · 양수 신고서

접수번호	접수일자	처리기간 10일

구분	내용	내용
양도인	상호 또는 법인명	성명(대표자)
	주소	전화번호
	사업자등록번호 (법인등록번호)	국적 또는 소속국가명
	전문분야 종합: [ ] 종합 설계 · 사업관리: [ ] 일반 [ ] 설계등용역 (□설계등용역 일반*, □측량, □수로조사) [ ] 건설사업관리 * 설계등용역 일반분야 업무구분 : [ ] 계획 · 조사 · 설계 포함, [ ] 계획 · 조사 · 설계 제외 품질검사: [ ] 일반 [ ] 토목 [ ] 건축 [ ] 특수* * 품질검사(특수) 세부분야 선택 [ ] 골재 [ ] 레디믹스트콘크리트 [ ] 아스팔트콘크리트 [ ] 철강재 [ ] 섬유 [ ] 용접(방사선비파괴검사) [ ] 용접(초음파비파괴검사) [ ] 용접(자기비파괴검사) [ ] 용접(침투비파괴검사) [ ] 말뚝재하	등록번호
양수인	상호 또는 법인명	성명(대표자)
	주소	전화번호
	사업자등록번호 (법인등록번호)	국적 또는 소속국가명
	전문분야 종합: [ ] 종합 설계 · 사업관리: [ ] 일반 [ ] 설계등용역 (□설계등용역 일반*, □측량, □수로조사) [ ] 건설사업관리 * 설계등용역 일반분야 업무구분 : [ ] 계획 · 조사 · 설계 포함, [ ] 계획 · 조사 · 설계 제외 품질검사: [ ] 일반 [ ] 토목 [ ] 건축 [ ] 특수* * 품질검사(특수) 세부분야 선택 [ ] 골재 [ ] 레디믹스트콘크리트 [ ] 아스팔트콘크리트 [ ] 철강재 [ ] 섬유 [ ] 용접(방사선비파괴검사) [ ] 용접(초음파비파괴검사) [ ] 용접(자기비파괴검사) [ ] 용접(침투비파괴검사) [ ] 말뚝재하	등록번호

「건설기술진흥법」 제29조제1항제1호 및 같은 법 시행규칙 제24조제1항에 따라 건설엔지니어링업의 양도 · 양수를 신고합니다.

년 월 일

양도인 (서명 또는 인)

양수인 (서명 또는 인)

수탁기관의 장 귀하

첨부서류	1. 양도 · 양수계약서 사본 2. 양수인에 관한 「건설기술진흥법 시행규칙」 제21조제1항 각 호의 서류 3. 건설엔지니어링의 양도 · 양수에 대한 발주청의 동의를 증명하는 서류(수행 중인 건설엔지니어링이 있는 경우에만 제출합니다)	수수료 「건설기술진흥법 시행규칙」 제26조제2항에 따른 수수료

처리절차

신 고	→	접 수	→	서면심사	→	확인(현장)	→	통보
신고인		수탁기관		수탁기관		수탁기관		수탁기관

210mm×297mm(백상지 80g/㎡(재활용품))

[별지 제26호서식] 〈개정 2021.9.17.〉

건설엔지니어링업 법인합병 신고서

접수번호	접수일자	처리기간 10일

구분	내용	내용
합병 전 법인	법인명	대표자
	주소	전화번호
	법인등록번호	국적 또는 소속국가명
	전문분야 종합: [ ] 종합 설계 · 사업관리: [ ] 일반 [ ] 설계등용역 (□설계등용역 일반*, □측량, □수로조사) [ ] 건설사업관리 * 설계등용역 일반분야 업무구분 : [ ] 계획 · 조사 · 설계 포함, [ ] 계획 · 조사 · 설계 제외 품질검사: [ ] 일반 [ ] 토목 [ ] 건축 [ ] 특수* * 품질검사(특수) 세부분야 선택 [ ] 골재 [ ] 레디믹스트콘크리트 [ ] 아스팔트콘크리트 [ ] 철강재 [ ] 섬유 [ ] 용접(방사선비파괴검사) [ ] 용접(초음파비파괴검사) [ ] 용접(자기비파괴검사) [ ] 용접(침투비파괴검사) [ ] 말뚝재하	등록번호
합병 전 법인	법인명	대표자
	주소	전화번호
	법인등록번호	국적 또는 소속국가명
	전문분야 종합: [ ] 종합 설계 · 사업관리: [ ] 일반 [ ] 설계등용역 (□설계등용역 일반*, □측량, □수로조사) [ ] 건설사업관리 * 설계등용역 일반분야 업무구분 : [ ] 계획 · 조사 · 설계 포함, [ ] 계획 · 조사 · 설계 제외 품질검사: [ ] 일반 [ ] 토목 [ ] 건축 [ ] 특수* * 품질검사(특수) 세부분야 선택 [ ] 골재 [ ] 레디믹스트콘크리트 [ ] 아스팔트콘크리트 [ ] 철강재 [ ] 섬유 [ ] 용접(방사선비파괴검사) [ ] 용접(초음파비파괴검사) [ ] 용접(자기비파괴검사) [ ] 용접(침투비파괴검사) [ ] 말뚝재하	등록번호
합병 후 존속하거나 설립된 법인	법인명	대표자
	주소	전화번호
	법인등록번호	국적 또는 소속국가명
	전문분야 종합: [ ] 종합 설계 · 사업관리: [ ] 일반 [ ] 설계등용역 (□설계등용역 일반*, □측량, □수로조사) [ ] 건설사업관리 * 설계등용역 일반분야 업무구분 : [ ] 계획 · 조사 · 설계 포함, [ ] 계획 · 조사 · 설계 제외 품질검사: [ ] 일반 [ ] 토목 [ ] 건축 [ ] 특수* * 품질검사(특수) 세부분야 선택 [ ] 골재 [ ] 레디믹스트콘크리트 [ ] 아스팔트콘크리트 [ ] 철강재 [ ] 섬유 [ ] 용접(방사선비파괴검사) [ ] 용접(초음파비파괴검사) [ ] 용접(자기비파괴검사) [ ] 용접(침투비파괴검사) [ ] 말뚝재하	등록번호

「건설기술진흥법」 제29조제1항제2호 및 같은 법 시행규칙 제24조제2항에 따라 건설엔지니어링업 법인의 합병을 신고합니다.

년 월 일

합병 전 법인 (서명 또는 인)

합병 전 법인 (서명 또는 인)

합병 후 존속(설립)법인 (서명 또는 인)

수탁기관의 장 귀하

첨부서류	1. 합병계약서 사본 2. 합병공고문 3. 합병에 관한 사항을 의결한 총회 또는 창립총회의 결의서 사본 4. 합병 후 존속하는 법인 또는 합병에 따라 설립되는 법인에 관한 「건설기술진흥법 시행규칙」 제21조제1항 각 호의 서류 5. 발주청의 동의를 증명하는 서류(수행 중인 건설엔지니어링이 있는 경우에만 제출합니다)	수수료 「건설기술진흥법 시행규칙」 제26조제2항에 따른 수수료

처리절차

신 고	→	접 수	→	서면심사	→	확인(현장)	→	통보
신고인		수탁기관		수탁기관		수탁기관		수탁기관

210mm×297mm(백상지 80g/㎡(재활용품))

[별지 제27호서식] 〈개정 2021.9.17.〉 (앞쪽)

발신기관명

수신자 수탁기관의 장
(경유)
제 목 건설엔지니어링 [ ]계약체결, [ ]계약변경, [ ]준공 통보

「건설기술진흥법 시행령」 제30조제2항, 같은 법 시행령 제45조제2항 및 제3항에 따라 건설엔지니어링 현황을 아래와 같이 통보합니다.

1. 용역 현황

① 용역종류 및 범위	[ ] 계획 · 조사 · 설계	[ ] 타당성조사 [ ] 기본계획 [ ] 기본설계 [ ] 실시설계 [ ] 설계의 경제성등 검토			
	[ ] 건설사업관리	[ ] 설계 전 단계 [ ] 기본설계 단계 [ ] 실시설계 단계 (□ 의무, □ 임의) [ ] 구매조달 단계 [ ] 시공 단계 [감독 권한대행 등 건설사업관리 (□ 의무, □ 임의, □ 전체, □ 부분)] [ ] 시공 후 단계			
	[ ] 기타	[ ] 감리 (□ 공동주택, □ 다중이용건축물) [ ] 시험 · 평가 [ ] 품질관리 [ ] 안전점검 · 진단 [ ] 기타( )			
용역명				② 공종	
사업위치			③ 사업규모		
발주주체	[ ] 발주청 [ ] 발주자, (기관명 또는 상호 :)				
④ 계약자	주 계약자:	(대표자)		지분율	%
	공동계약자:	(대표자)		지분율	%
입찰방식	[ ] 기술 · 가격분리입찰방식 [ ] 지명경쟁입찰방식 [ ] 제한경쟁입찰방식 [ ] 공개경쟁입찰방식 [ ] 수의계약 [ ] 기타( )				
선정방식	[ ] PQ평가방식 [ ] 기술인평가방식 [ ] 기술제안서평가방식 [ ] 종합심사낙찰제방식 [ ] 기타( )				
계약형태	[ ] 원도급/단독계약 [ ] 원도급/공동계약 [ ] 기타			낙찰률	%
계약방식	[ ] 총액계약 [ ] 장기계속계약 [ ] 계속비				
대가산출	[ ] 공사비요율방식 [ ] 실비정액가산방식 [ ] 기 타				

⑤ 계약 및 이행내용	구분	계(백만원)	(회사1)	(회사2)	계약 또는 이행기간	비고
	전 체				. . ~ . .	
	기성분				. . ~ . .	
	금차 계약분				. . ~ . .	
	향후 잔여분				. . ~ . .	

2. 공사개요(시공 단계 건설사업관리 및 감리 용역에 한하여 작성)

⑥ 총공사비	백만원(관급자재비 백만원 포함)	공사기간	. . ~ . .
계약금액	백만원(낙찰률 : %)	시 공 자	(대표자)

3. 계약변경내용

변경구분	변경일자	변경 전	변경 후

끝.

발신기관의 장 **직인**

기안자 직위(직급) 서명 검토자 직위(직급)서명 결재권자 직위 (직급)서명
협조자
시행 처리과-일련번호(시행일자) 접수 처리과명-일련번호(접수일자)
우 주소 / 홈페이지 주소
전화( ) 전송( ) / 기안자의 공식전자우편주소 / 공개구분

210㎜×297㎜[백상지 80g/㎡(재활용품)]

(뒤쪽)

작성방법

1. ①란의 용역종류 및 범위는 계획 · 조사 · 설계, 건설사업관리, 기타 중 종류를 선택하고, 해당 용역에 포함되는 업무범위 전체를 선택합니다.
2. ②란의 공종은 「건설기술진흥법 시행령」 별표 1 제5호에 따른 건설기술인의 등급 및 경력인정 등에 관한 국토교통부장관의 고시에서 인정되는 건설공사의 종류(대분류) 중 해당 종류를 기재합니다.
3. ③란의 사업규모 기재 예시
   - 도로: 확장 및 포장( )km, 폭( )m - 교량: 길이( )m, 폭( )m, 교량형식 등
   - 공동주택: ( )세대, 연면적( )㎡, 층수( )층 - 건축물: 연면적( )㎡, 층수( )층
4. ④란의 계약자(지분율 포함) 및 ⑤란의 계약 및 이행내용과 2. 공사개요 항목 작성 시 전기 · 통신 · 소방 등의 건설공사가 아닌 부분은 제외하고 산정하여 기재합니다.
5. ⑤란의 계약 및 이행내용의 기성분은 연차별 계약건의 경우 현재까지 완료된 연차사업내용을 기재하고, 연차 구분없이 총액계약만 체결한 건은 분기 또는 반기별로 지급된 기성분에 대한 내용을 기재하며, 금차 계약분은 연차별 계약 중 현재 진행 중인 계약내용을 기재합니다. 전체는 향후 잔여분을 포함한 합계이므로 금액은 상호간 중복되지 않도록 합니다(부가가치세를 포함한 금액을 적습니다).
6. ⑥란의 총공사비는 관급자재비를 포함하되, 토지 등의 취득 · 사용에 따른 보상비는 제외한 일체의 공사비로 공사계약 체결 이전의 예정금액(계약금액이 변경된 경우에는 낙찰률로 환산한 예정금액)을 기재합니다.
7. 계약변경내용 통보 시에는 용역종류 및 범위, 용역명과 변경된 항목만 기재하고, 변경사항은 계약변경내용의 변경 후란의 내용과 일치해야 합니다.
8. 용역 준공 통보 시에는 계약 및 이행내용 중 전체란을 반드시 기재합니다.
9. 공사기간, 계약 또는 이행기간은 반드시 날짜를 기재합니다.
10. 기재란이 부족할 경우에는 별지를 사용하시기 바랍니다.
11. 「건설기술진흥법 시행령」 제45조제3항제2호에 따라 건설공사의 허가 · 인가 · 승인 등을 한 행정기관에 실적 통보를 요청하거나 같은 조 제5항에 따라 국토교통부장관에게 같은 조 제1항제3호의 용역에 대한 실적을 직접 통보할 때에는 건설사업관리용역 계약서를 첨부합니다.

[별지 제28호서식] 〈개정 2021.9.17.〉 (앞쪽)

발신기관명

수신자 수탁기관의 장
(경유)
제 목 건설엔지니어링 참여기술인 현황(변경) 통보

「건설기술진흥법 시행령」 제45조제2항 및 제3항에 따라 건설엔지니어링 참여기술인 현황(변경) 을 아래와 같이 통보합니다.

1. 용역 현황

① 용역종류 및 범위	[ ] 계획 · 조사 · 설계	[ ] 타당성조사 [ ] 기본계획 [ ] 기본설계 [ ] 실시설계 [ ] 설계의 경제성등 검토
	[ ] 건설사업관리	[ ] 설계 전 단계 [ ] 기본설계 단계 [ ] 실시설계 단계 (□ 의무, □ 임의) [ ] 구매조달 단계 [ ] 시공 단계 [감독 권한대행 등 건설사업관리 (□ 의무, □ 임의 / □ 전체, □ 부분)] [ ] 시공 후 단계
	[ ] 기타	[ ] 감리 (□ 공동주택, □ 다중이용건축물) [ ] 시험 · 평가 [ ] 품질관리 [ ] 안전점검 · 진단 [ ] 기타( )

용역명				②공종	
사업위치			③ 사업규모		
④ 계약금액			⑤ 계약기간	. . ~ . .	
⑥ 계약자	주 계약자:	(대표자)		지분율	%
	공동계약자:	(대표자)		지분율	%

2. 참여기술인 현황

구분	분야	성 명	생년월일	기술인등급	용역참여기간	소속회사
					. . ~ . .	
					. . ~ . .	
					. . ~ . .	
					. . ~ . .	
					. . ~ . .	
					. . ~ . .	
					. . ~ . .	
					. . ~ . .	
					. . ~ . .	

3. 변경내용

변경구분	변경일자	변경 전	변경 후

끝.

발신기관의 장 **직인**

기안자 직위(직급) 서명 검토자 직위(직급)서명 결재권자 직위 (직급)서명
협조자
시행 처리과-일련번호(시행일자) 접수 처리과명-일련번호(접수일자)
우 주소 / 홈페이지 주소
전화( ) 전송( ) / 기안자의 공식전자우편주소 / 공개구분

210㎜×297㎜[백상지 80g/㎡(재활용품)]

(뒤쪽)

작성방법

1. ①란의 용역종류 및 범위는 계획 · 조사 · 설계, 건설사업관리, 기타 중 종류를 선택하고, 해당 용역에 포함되는 업무범위 전체를 선택합니다.
2. ②란의 공종은 「건설기술진흥법 시행령」 별표 1 제5호에 따른 건설기술인의 등급 및 경력인정 등에 관한 국토교통부장관의 고시에서 인정되는 건설공사의 종류(대분류) 중 해당 종류를 기재합니다.
3. ③란의 사업규모란 기재 예시
   - 도로: 확장 및 포장( )km, 폭( )m
   - 교량: 길이( )m, 폭( )m, 교량형식 등
   - 공동주택: ( )세대, 연면적( )㎡, 층수( )층
   - 건축물: 연면적( )㎡, 층수( )층
4. ④란의 계약금액 및 ⑥란의 계약자(지분율 포함)은 전기 · 통신 · 소방 등의 건설공사가 아닌 부분은 제외하고 산정하여 기재합니다.
5. ④란의 계약금액 및 ⑤란의 계약기간은 연차별 계약건의 경우 전체 금액 및 기간을 기재하며, 금액은 부가가치세를 포함한 금액을 기재합니다.
6. 참여기술인 현황의 구분란은 책임기술인/분야별 책임기술인/분야별 참여기술인/기술지원기술인으로 구분하여 기재합니다.
7. 변경내용 통보 시 참여기술인 현황의 변경사항은 변경내용의 변경 후란의 내용과 일치해야 합니다.
8. 계약기간, 용역참여기간은 반드시 날짜를 기재합니다.
9. 기재란이 부족할 경우에는 별지를 사용하시기 바랍니다.

[별지 제29호서식] 〈개정 2020.5.26.〉 (앞쪽)

발신기관명

수신자 수탁기관의 장
(경유)
제 목 건설사업관리기술인 및 감리원 배치 및 철수 현황 통보

「건설기술진흥법 시행령」 제45조제2항 및 제3항에 따라 건설사업관리기술인 및 감리원의 배치 및 철수현황을 아래와 같이 통보합니다.

1. 용역개요

용역명		계약기간	. . ~ . .
용역구분	[ ] 건설사업관리 [감독 권한대행 등 건설사업관리 (□ 의무, □ 임의 / □ 전체, □ 부분)] [ ] 감리 (□ 공동주택, □ 다중이용건축물)		
발주주체	[ ] 발주청 [ ] 발주자, (기관명 또는 상호:)		
계약자		대표자	

2. 배치확인

배치연월일	성명	생년월일	기술인 등급	① 직무분야	근무형태 (상주/기술지원)	② 직책	③ 공사종류	④ 업무분야	소속회사
. . ~ . .									
. . ~ . .									
. . ~ . .									
. . ~ . .									

※ 안전관리 담당자 지정현황

소속회사	성명	생년월일	직책	지정일자	종료일자

3. 철수확인

철수연월일	성명	생년월일	⑤ 철수구분 (교체/완료)	배치계획상 참여예정기간	철수사유
. .				. . ~ . .	
. .				. . ~ . .	
. .				. . ~ . .	
. .				. . ~ . .	

4. 정정사항

성명	생년월일	항목	당초	정정내용
			(이미 통보한 내용)	(변경통보할 내용)
			〃	〃
			〃	〃

끝.

발신기관의 장 직인

기안자 직위(직급) 서명 검토자 직위(직급)서명 결재권자 직위 (직급)서명
협조자
시행 처리과-일련번호(시행일자) 접수 처리과명-일련번호(접수일자)
우 주소 / 홈페이지 주소
전화( ) 전송( ) / 기안자의 공식전자우편주소 / 공개구분

210㎜×297㎜[백상지 80g/㎡(재활용품)]

(뒤쪽)

작성방법

1. ①란의 직무분야는 「건설기술진흥법 시행령」 별표 1 제3호에 따른 건설기술 관련 직무분야 중 해당 용역 참여 직무분야를 기재합니다.
2. ②란의 직책은 건설사업관리용역 및 다중이용건축물에 대한 감리용역의 경우 '책임/분야'로, 공동주택 감리용역의 경우 '총괄/분야/신규'로 구분하며, 안전관리 담당자로 지정된 건설사업관리기술인의 경우에는 '안전관리(책임/보조)'로 적고, 안전관리 담당자 지정현황에 추가로 해당 내용을 적습니다(상주기술인에 한정합니다).
3. ③란의 공사종류는 「건설기술진흥법 시행령」 별표 1 제5호에 따른 건설기술인의 등급 및 경력인정 등에 관한 국토교통부장관의 고시에서 인정되는 건설공사의 종류(대분류) 중 해당 종류를 기재합니다.
4. ④란의 업무분야는 「건설기술진흥법 시행령」 별표 1 제5호에 따른 건설기술인의 등급 및 경력인정 등에 관한 국토교통부장관의 고시에서 인정되는 건설공사 업무 중 해당 업무를 기재합니다.
5. ⑤란의 철수구분은 건설사업관리기술인 또는 감리원이 배치계획에 따른 배치완료 시점까지 근무하고 철수한 경우에는 '완료'로, 그렇지 않은 경우에는 '교체'로 구분하여 기재하되, 「건설기술진흥법 시행규칙」 제27조제2항 각 호의 사유로 철수하는 경우에는 '완료'로 구분하여 기재하고, 구체적인 철수사유를 기재합니다.
6. 정정사항은 배치 또는 철수 확인 사항의 각 항목 중 이미 통보한 내용에 대하여 오류 또는 변동사항을 정정 통보하는 경우에 기재합니다.

[별지 제30호서식] 〈개정 2021.9.17.〉

발신기관명

수신자 수탁기관의 장
(경유)
제 목 입찰참가자격 제한 건설엔지니어링사업자 현황 통보

「건설기술진흥법 시행령」 제45조제2항에 따라 입찰참가자격 제한을 받은 건설엔지니어링사업자 현황을 아래와 같이 통보합니다.

입찰참가 제한된 건설기술 용역업자	상호 또는 법인명		등록번호			
	사업자등록번호 (법인등록번호)					
	소재지					
	성명 (대표자)					
제한 분야		제한 개시	년 월 일	제한 만료	년 월 일	
제한 근거	[ ]「국가를 당사자로 하는 계약에 관한 법률」 제27조 [ ]「지방자치단체를 당사자로 하는 계약에 관한 법률」 제31조					
제한 사유와 그 밖의 사항						

끝.

발신기관의 장 **직인**

기안자 직위(직급) 서명 검토자 직위(직급)서명 결재권자 직위 (직급)서명
협조자
시행 처리과-일련번호(시행일자) 접수 처리과명-일련번호(접수일자)
우 주소 / 홈페이지 주소
전화( ) 전송( ) / 기안자의 공식전자우편주소 / 공개구분

210㎜×297㎜[백상지 80g/㎡(재활용품)]

[별지 제31호서식] 〈개정 2021.9.17.〉 (3쪽 중 제1쪽)

건설엔지니어링 실적 확인서

1. 회사개요

등록번호		등록일		전문분야		관리번호	
회사명						대표자	
소재지						전화번호	

2. 제재처분 내용

연월일	제재종류	처분기관	사유 및 기간	용역명

3. 건설엔지니어링 수행 현황 (금액: 백만원)

구분	합계		계획·조사		설계		건설사업관리: 감독 권한대행 등 건설사업관리		건설사업관리: 그 밖의 건설사업관리		공동주택·다중이용건축물 감리		기타	
	건수	금액	건수	금액	건수	금액	건수	금액	건수	금액	건수	금액	건수	금액
합계														
완료														
진행 중														
교체율(최근 1년간)			%		배치 총원			명		교체 총원				명

가. 완료된 용역

일련번호	용역종류	용역명	계약기간	사업개요 (총공사비 /사업규모)	발주청 (인허가기관)	용역비 (백만원)

작성방법

1. 제재처분 내용은 제재처분 종료일을 기준으로 최근 5년 이내의 제재 내용을 기재합니다.
2. 건설엔지니어링 수행 현황의 교체율, 배치 총원, 교체 총원은 시공 단계의 건설사업관리 및 감리 용역에 한정하여 산정합니다.
3. 완료된 용역의 사업개요 중 총공사비는 시공 단계의 건설사업관리 및 감리 용역을 수행한 경우에 기재합니다.
4. 진행 중인 용역의 공사개요 중 총공사비 및 공사기간은 시공 단계의 건설사업관리 및 감리 용역을 수행하는 경우에 기재합니다.
5. 참여기술인 현황의 구분란은 책임기술인/분야별 책임기술인/분야별 참여기술인/기술지원기술인으로 구분하여 기재합니다.

210mm×297mm(백상지 80g/㎡(재활용품))

(3쪽 중 제2쪽)

○ 관리번호: ○ 회사명:

나. 진행 중인 용역

용역명			용역종류	
발주청 (인허가기관)		계약기간	. . ~ . .	
사업규모			공종	

계약 및 이행 내용	구분	금액(백만원)	계약 또는 이행 기간	용역이행비율
	전체		~	%
	기성분		~	
	금차계약분		~	
	향후잔여분		~	
공사개요	총공사비	백만원	공사기간	. . ~ . .

○ 참여기술인 현황

구분	계	등급별				직무분야별			
		특급	고급	중급	초급	토목	건축	기계	기타
참여인원									

일련 번호	구분	분야	성명	생년월일	기술인 등급	참여기간	비고
						~	
						~	
						~	
						~	
						~	
						~	
						~	
						~	
						~	
						~	
						~	
						~	
						~	
						~	

(3쪽 중 제3쪽)

○ 관리번호: ○ 회사명:

4. 벌점

일련 번호	연도/반기 구분	측정기관	용역명	부실사례	벌점	반기 평균 벌점	누계평균 벌점
발급용도							

「건설기술진흥법 시행령」 제45조제9항에 따라 건설엔지니어링 실적을 위와 같이 확인합니다.

년 월 일

수탁기관의 장 직인

[별지 제32호서식] 〈개정 2021.9.17.〉

하도급 계약 승인신청서

1. 건설엔지니어링명					
2. 건설엔지니어링개요					
수급인 (대표회사)	상호		대표자		소재지

3. 건설엔지니어링개요					
도급금액	원	계약일		준공예정일	
해당연도 도급금액	원	해당연도 계약일		해당연도 준공예정일	

4. 공종별 하도급 예정계획(해당연도)

하도급할 주요 공종	하도급 대상자				하도급 용역				
공종명	상호 및 대표자	소재지	등록 업종	선정 방식	용역명	물량	하도급 금액		
							①하도급 부분금액(A)	②하도급 계약금액(B)	③하도급율 (B/A)

「건설기술진흥법」 제35조제4항 및 같은 법 시행규칙 제31조제1항에 따라 하도급 계약 승인신청서를 제출합니다.

년 월 일

공동수급체 대 표 상 호 : 대표자 : (서명 또는 인)

공동수급체 구성원 상 호 : 대표자 : (서명 또는 인)

공동수급체 구성원 상 호 : 대표자 : (서명 또는 인)

○○○○○ 귀하

첨부서류	1. 하도급 예정 공정표 2. 용역규모 및 용역금액 등이 명시된 용역내역서

작성방법

1. ①란의 하도급 부분금액은 당해 하도급하고자 하는 용역부분에 해당하는 도급금액으로 직접인건비, 직접경비, 제경비, 기술료 및 부가가치세 등을 포함한 금액을 말합니다.
2. ②란의 하도급 계약금액은 수급인이 하도급 대상자(하수급인)와 하도급계약을 맺으면서 지급하기로 계약한 금액을 말합니다.
3. ③란의 하도급율은 하도급계약금액을 하도급부분금액으로 나눈 비율을 말합니다.
4. ①하도급부분금액 및 ③하도급율은 산출이 곤란한 경우에는 기재하지 않습니다.

210mm×297mm(백상지 80g/㎡(재활용품))

[별지 제32호의2서식] 〈신설 2021. 9. 17.〉 (앞쪽)

발신기관명

수신자 수탁기관의 장
(경유)
제 목 시공단계의 건설사업관리계획 [ ]수립, [ ]변경 제출

「건설기술진흥법」 제39조의2제4항, 「건설기술진흥법 시행령」 제59조의2 및 「건설기술진흥법 시행규칙」 제34조의2제3항에 따라 건설사업관리계획을 아래와 같이 (수립, 변경)제출합니다.

1. 공사현황			
공사명			
발주청		대표전화	
①사업규모		②공사종류	
사업위치			
③총공사비	백만원(관급자재비 백만원 포함)	공사기간	. . ~ . .

2. 건설사업관리계획				
④건설사업 관리방식	[ ] 시공단계의 감독 권한대행 등 건설사업관리 (□ 의무, □ 임의, □ 전체, □ 부분)] [ ] 건설사업관리 [ ] 직접감독 [ ] 단일건설공사 건설사업관리 [ ] 통합 건설사업관리(개 공구)			
용역명			용역기간	. . ~ . .
⑤배치계획 및 업무범위	[ ] 건설사업관리기술인 : 인 · 일 [ ] 공사감독자 : 인 · 일 [ ] 대가기준 기본업무 준수 [ ] 대가기준 기본업무 조정			
⑥대가 산출내역 (부가세 별도)	직접인건비	원	직접경비	원(%) (직접인건비의 30%)
	제경비	원(%) (직접인건비의 110~120%)	기술료	원(%) (직접인건비+제경비의 20~40%)
	손해배상보험료	원	추가업무비용	원
	합 계	원 (총 공사비의 %)		
입찰방식	[ ] 기술 · 가격분리입찰방식 [ ] 지명경쟁입찰방식 [ ] 제한경쟁입찰방식 [ ] 공개경쟁입찰방식 [ ] 수의계약 [ ] 기타( )			입찰 예정 일자 . .
선정방식	[ ] PQ평가 [ ] 기술인평가 [ ] 기술제안서평가 [ ] 종합심사낙찰제 [ ] 기타( )			
기술자문 심 의	[ ] 심의 (□ 적정 □ 조건부 적정 □ 부적정 / 심의일자 : . .) [ ] 제외			
용역평가	[ ] 대상 (시행 예정 시기 : .) [ ] 제외			

3. 변경내용

변경구분	변경일자	변경 전	변경 후

붙임서류 : 건설사업관리 기술인수 산정기준에 따른 투입인원 내역, 사업특성 및 발주청 역량평가 각 1부. 끝.

발신기관의 장 직인

기안자 직위(직급) 서명 검토자 직위(직급)서명 결재권자 직위 (직급)서명
협조자
시행 처리과-일련번호(시행일자) 접수 처리과명-일련번호(접수일자)
우 주소 / 홈페이지 주소
전화( ) 전송( ) / 기안자의 공식전자우편주소 / 공개구분

210㎜×297㎜[백상지 80g/㎡(재활용품)]

[별지 제33호서식] 〈개정 2015.1.29.〉

국고보조금 교부신청서

접수번호	접수일자	처리기간 90일

신청인	성명(대표자)	생년월일
	주소	

보조사업 내용	사업명
	사업개요
	보조사업에 드는 경비와 교부받으려는 보조금의 금액
	보조사업비 재원별 부담내용
	보조사업의 착수 및 완료 예정일

「건설기술진흥법 시행령」 제65조제8항과 「보조금 관리에 관한 법률」 제16조 및 같은 법 시행령 제7조에 따라 위와 같이 국고보조금 교부를 신청합니다.

년 월 일

신청인 (서명 또는 인)

국토교통부장관 귀하

첨부서류	건설기준 정비계획서

처리절차

신청인	국토교통부	전문기관

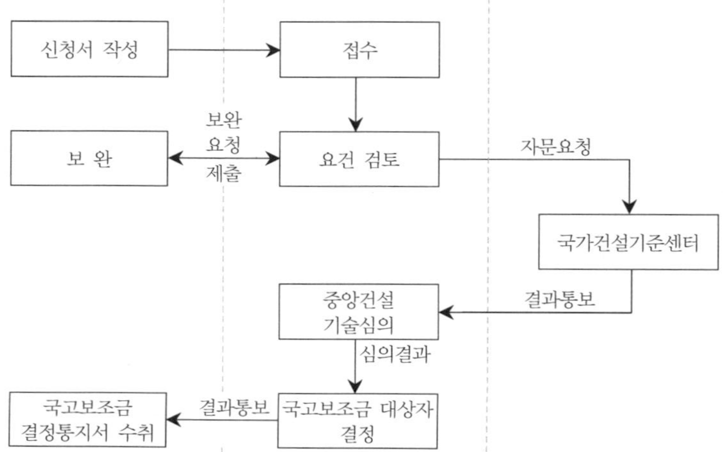

210mm×297mm(백상지 80g/㎡(재활용품))

[별지 제34호서식] 〈개정 2020. 5. 26.〉

(3쪽 중 제1쪽)

설계용역 평가표(기본설계용역)

용역발주청: 확인자: 발주청 (인)

관계자: 용역평가자 (인)

용역명		용역회사(대표자)	
용역번호		용역회사등록번호	
용역기간	착수일	과업 내용	
	준공일	용역금액	
평가점수		평가 연월일	

평가항목 대분류	평가항목 중분류	배점	평가 점수	비고
A1. 과정에 대한 이해도	A11. 조사준비	10～20		
	A12. 과업과정에 대한 이해도			
A2. 효율적인 업무추진	A21. 발주자와의 의사소통	30～40		
	A22. 사업추진의 적정성			
	A23. 과업기간 준수 노력도			
	A24. 상생협력 및 동반성장			
A3. 참여기술인 적정성	A31. 참여기술인 참여도 및 노력도	10～20		
	A32. 참여기술인 투입			
B1. 과업이행결과 적정성	B11. 설계 성과품	20～30		
	B12. 성과품 오류 수정 및 지원 적정성			
B2. 과업이행내용 충실성	B21. 성능향상 노력도	10～20		
	B22. 공사관리 지원 효율성			
합 계		100		

비고

1. 발주청은 발주청 및 용역사업의 특성 등을 고려하여 중분류 평가항목에 대한 하위 세부평가항목을 별도로 정하여 평가할 수 있다.
2. 그 밖에 평가에 필요한 세부평가기준 등은 국토교통부장관이 정하여 고시하는 바에 따라 발주청이 정할 수 있다.

(3쪽 중 제2쪽)

설계용역 평가표(실시설계용역 과정)

용역발주청: 확인자: 발주청 (인)
관계자: 용역평가자 (인)

용역명			용역회사(대표자)	
용역번호			용역회사등록번호	
용역기간	착수일		과업 내용	
	준공일		용역금액	
평가점수			평가 연월일	

평가항목		배점	평가 점수	비고
대분류	중분류			
A1. 과정에 대한 이해도	A11. 조사준비	10～30		
	A12. 과업과정에 대한 이해도			
A2. 효율적인 업무추진	A21. 발주자와의 의사소통	50～60		
	A22. 사업추진의 적정성			
	A23. 과업기간 준수 노력도			
	A24. 상생협력 및 동반성장			
A3. 참여기술인 적정성	A31. 참여기술인 참여도 및 노력도	20～30		
	A32. 참여기술인 투입			
합 계		100		

비고
1. 발주청은 발주청 및 용역사업의 특성 등을 고려하여 중분류 평가항목에 대한 하위 세부평가항목을 별도로 정하여 평가할 수 있다.
2. 그 밖에 평가에 필요한 세부평가기준 등은 국토교통부장관이 정하여 고시하는 바에 따라 발주청이 정할 수 있다.

(3쪽 중 제3쪽)

설계용역 평가표(실시설계용역 결과)

용역발주청: 확인자: 발주청 (인)
관계자: 용역평가자 (인)

용역명			용역회사(대표자)	
용역번호			용역회사등록번호	
용역기간	착수일		과업 내용	
	준공일		용역금액	
평가점수			평가 연월일	

평가항목		배점	평가 점수	비고
대분류	중분류			
B1. 과업이행결과 적정성	B11. 설계 성과품	60～70		
	B12. 성과품 오류 수정 및 지원 적정성			
B2. 과업이행내용 충실성	B21. 성능향상 노력도	30～40		
	B22. 공사관리 지원 효율성			
합 계		100		

비고
1. 발주청은 발주청 및 용역사업의 특성 등을 고려하여 중분류 평가항목에 대한 하위 세부평가항목을 별도로 정하여 평가할 수 있다.
2. 그 밖에 평가에 필요한 세부평가기준 등은 국토교통부장관이 정하여 고시하는 바에 따라 발주청이 정할 수 있다.

[별지 제35호서식] 〈개정 2021.9.17.〉

감독 권한대행 등 건설사업관리용역 평가표

발주청 :

용역명		건설엔지니어링사업자	회사명: (대표:) 등록번호: 소재지:
용역기간			
용역금액	천만원(낙찰률 %)	평가 연월일	

1. 건설엔지니어링사업자

평가항목		배점	평점			
			평가자	....	평가자	평균
총계		100				
회사	소계[(①+②+③)×80%]	80				
	① 건설사업관리기술인 조직 및 운영체계	30				
	② 건설사업관리현장 업무지원체계	20				
	③ 기술지원체계	50				
④ 참여기술인 평가(점수×20%)		20	※ 책임기술인, 분야별 기술인, 기술지원기술인 평균점수			

2. 참여기술인
   (책임기술인, 분야별 기술인, 기술지원기술인별로 평가하되, 참여기간이 3개월 이내인 기술인은 제외)

성명	생년월일
주소	
직무 분야	등급
직책	용역 참여기간 ~ (개월)

평가항목		배점	평점			
			평가자	....	평가자	평균
총계		100				
서류평가	소계[(⑤+⑥+⑦)×80%]	80				
	⑤ 일반행정 업무 처리 내용	35				
	⑥ 시공관리 업무 내용	40				
	⑦ 기술적 업무 수행 내용	25				
⑧ 현장 시공 상태		20				
⑨ 가감점(기술개발, 신기술, 벌점 및 재해 발생 등)		±5				

210mm×297mm(백상지 80g/㎡(재활용품))

[별지 제36호서식] 〈개정 2020. 3. 18.〉

(3쪽 중 제1쪽)

설계용역 평가 총괄표

발주관서명:

비용 단위: 백만원

순위	용역명	용역개요	용역구분	용역비	용역기간	용역사업자	대표자	평점	비고

210mm×297mm(백상지 80g/㎡(재활용품))

(3쪽 중 제2쪽)

감독권한 대행 등 건설사업관리용역 평가 총괄표

발주관서명:

비용 단위: 백만원

순위	용역명	용역개요	용역구분	용역비	용역기간	용역사업자	대표자	평점	비고

210mm×297mm(백상지 80g/㎡(재활용품))

(3쪽 중 제3쪽)

시공평가 총괄표

발주관서명:

비용 단위: 백만원

순위	공사명	공사개요	공사구분	공사비	공사기간	시공회사	대표자	평점	비고

210mm×297mm(백상지 80g/㎡(재활용품))

[별지 제37호서식] 〈개정 2021. 9. 17.〉

발신기관명

수신자 수탁기관의 장
(경유)
제 목 벌점 총괄표(건설사업자, 주택건설등록업자, 건설엔지니어링사업자, 건축사사무소 개설자) 통보

「건설기술진흥법」 제53조제1항 및 같은 법 시행규칙 제47조에 따라 다음 사항을 통보합니다.

(년도 반기)

업체명 (대표자)	① 법인(주민) 등록번호	② 업무 영역	공사명 또는 용역명	③ 총공사비 또는 용역비 (백만원)	④ 공사(용역) 기간 (연월일)	점검 기간 (연월일)	⑤ 점검 종류	⑥ 부실 내용 (번호)	벌점	부과일 (연월일)	⑦ 벌점 합계	⑧ 점검수 합계

끝.

발신기관의 장 직인

기안자 직위(직급) 서명 검토자 직위(직급)서명 결재권자 직위 (직급)서명
협조자
시행 처리과-일련번호(시행일자) 접수 처리과명-일련번호(접수일자)
우 주소 / 홈페이지 주소
전화( ) 전송( ) / 기안자의 공식전자우편주소 / 공개구분

작성방법

1. ①란의 법인(주민)등록번호는 업체가 법인인 경우에는 법인등록번호를 적고, 법인이 아닌 경우에는 대표자의 주민등록번호를 적습니다.
2. ②란의 업무영역은 건설업, 주택건설등록업, 건축사업, 측량업, 건설엔지니어링업(설계·사업관리 등) 중 하나를 적습니다.
3. ③란의 총공사비 또는 용역비 및 ④란의 공사(용역)기간은 계약서 내용을 적습니다.
4. ⑤란의 점검종류는 현장점검·감사원감사·자체감사·시공실태점검·특별안전점검 등을 적습니다.
5. ⑥란의 부실내용(번호)은 「건설기술진흥법 시행령」 별표 8의 건설공사 등의 벌점관리기준의 부실내용과 번호를 적습니다.
6. ⑦란의 벌점합계는 해당 공사(용역) 업체의 벌점 합계를 적습니다.
7. ⑧란의 점검수합계는 해당 반기에 측정기관에서 실시한 모든 건설공사 또는 건설엔지니어링 점검에 대하여 해당 업체별로 업무 영역을 구분하여 점검수를 집계하여 적습니다(벌점을 부과하지 않은 업체에 대해서는 해당 점검수를 적어야 합니다).
8. 과명, 과장, 담당자란을 변경하여 사용할 수 있으며, 기간란은 날짜까지 적어야 합니다. 작성란이 부족한 경우에는 별지를 사용하시기 바랍니다.

210㎜×297㎜[백상지 80g/㎡(재활용품)]

[별지 제38호서식] 〈개정 2021.9.17.〉

발신기관명

수신자 수탁기관의 장
(경유)
제 목 벌점 총괄표(건설기술인, 건축사) 통보

「건설기술진흥법」 제53조제1항 및 같은 법 시행규칙 제47조에 따라 다음 사항을 통보합니다.

(년도 반기)

성명 (주민등록 번호)	① 업무 영역	② 업체명 [사업자(법인) 등록번호]	③ 공사명 또는 용역명	총공사비 또는 용역비 (백만원)	④ 공사 (용역) 기간 (연월일)	점검기간 (연월일)	⑤ 점검 종류	⑥ 부실 내용 (번호)	벌점	부과일 (연월일)	⑦ 벌점 합계	⑧ 건설 사고발생 관련여부

끝.

발신기관의 장 직인

기안자 직위(직급) 서명 검토자 직위(직급)서명 결재권자 직위 (직급)서명
협조자
시행 처리과-일련번호(시행일자) 접수 처리과명-일련번호(접수일자)
우 주소 / 홈페이지 주소
전화( ) 전송( ) / 기안자의 공식전자우편주소 / 공개구분

작성방법

1. ①란의 업무 영역은 건설업, 주택건설등록업, 건축사업, 측량업, 건설엔지니어링업(설계·사업관리 등) 중 하나를 적습니다.
2. ②란의 업체명[법인(주민)등록번호]는 업체가 법인인 경우에는 법인등록번호를 적고, 법인이 아닌 경우에는 대표자의 주민등록번호를 적습니다.
3. ③란의 총공사비 또는 용역비 및 ④란의 공사(용역)기간은 계약서 내용을 적습니다.
4. ⑤란의 점검종류는 현장점검·감사원감사·자체감사·시공실태점검·특별안전점검 등을 적습니다.
5. ⑥란의 부실 내용(번호)은 「건설기술진흥법 시행령」 별표 8의 건설공사 등의 벌점관리기준의 부실내용과 번호를 적습니다.
6. ⑦란의 벌점합계는 해당 공사(용역) 기술인 등의 벌점 합계를 적습니다.
7. ⑧란의 건설사고발생관련 여부는 「건설기술진흥법」 제2조제10호에 해당하는 건설사고가 발생하여 법 제53조제1항에 따른 벌점을 받은 경우 "○"를 기재합니다.
8. 과명, 과장, 담당자란을 변경하여 사용할 수 있으며, 기간란은 날짜까지 적어야 합니다. 작성란이 부족한 경우에는 별지를 사용하시기 바랍니다.

210㎜×297㎜[백상지 80g/㎡(재활용품)]

[별지 제39호서식] 〈개정 2016.5.25.〉

점검요원증

소속:

직급:

성명:

증명사진
(3.5cm×4.5cm)

위 사람은 「건설기술진흥법」 제54조에 따라
건설공사 현장점검을 하는 사람임을 증명합니다.

년 월 일

(인)

90㎜×60㎜[인쇄용지(특급) 195g/㎡]

[별지 제40호서식] 〈개정 2019.2.25.〉

점검방문 일지

① 공사명 및 발주기관 등	공사명: 현장위치: 발주기관(건축주): 공사규모:
② 방문 일시	년 월 일 : 부터 : 까지
③ 방문 근거 및 목적	
④ 업무 수행내용	
⑤ 지시사항 또는 특기사항	
⑥ 방문자	㉠ 소속: 직급: 성명: (서명) ㉡ 소속: 직급: 성명: (서명) ㉢ 소속: 직급: 성명: (서명)
⑦ 책임건설사업관리기술인 또는 「건설산업기본법」 제40조제1항에 따라 건설공사의 현장에 배치된 건설기술인이 확인	소속: 직책: 성명: (서명)

작성방법

1. ③란의 방문 근거 및 목적에는 방문의 근거가 되는 관계 법령, 지시명령 또는 행정계획과 방문 목적을 적습니다.
2. ④란의 업무 수행내용에는 업무수행 내용을 개략적으로 적습니다.
3. ⑥란의 방문자의 경우, 같은 목적의 방문자가 3명을 초과할 경우에는 별지에 작성하여 덧붙여야 합니다.
4. ①·⑦란은 책임건설사업관리기술인 또는 「건설산업기본법」 제40조제1항에 따라 건설공사의 현장에 배치된 건설기술인이 적되, 직영공사로 책임건설사업관리기술인 또는 「건설산업기본법」 제40조제1항에 따라 건설공사의 현장에 배치된 건설기술인이 없는 경우에는 발주자(건축주)가 적고, ②~⑥란은 방문자가 적습니다.

210㎜×297㎜[백상지 80g/㎡(재활용품)]

[별지 제41호서식]

부실시공현장 표지

위치	
발주자	
시공자	
공사명	
지적사항	

「건설기술진흥법」 제54조제1항에 따라 부실시공현장으로 지적되어 시정 중인 공사입니다.

1200mm×900mm

[별지 제42호서식] 〈개정 2019.2.25.〉

품질검사 대장

일련 번호	연월일	시험·검사 구분	재료	시험·검사 종목	시험 기준	시험 결과	시험 결과 판정	시험·검사자		건설사업관리 기술인 확인		비고
								성명	서명	성명	서명	

210mm×297mm[백상지 80g/㎡(재활용품)]

[별지 제43호서식]

품질검사 성과 총괄표

공사명:　　　　　공사기간:　. . .　~　. . .　　　공정 :　%

공종	시험 · 검사 종류(재료)	시험 · 검사 횟수					비고
		계획	실시	합격	불합격	재시험	

작성일시:　　　년　　　월　　　일

작성자: 소속:　　　　　직위:

성명:　　　　　(서명 또는 인)

210㎜×297㎜[백상지 80g/㎡(재활용품)]

[별지 제44호서식]

공장인증 신청서

(앞쪽)

접수번호	접수일자	처리기간	130일

신청인	상호 또는 법인명	사업자등록번호 (법인등록번호)
	성명(대표자)	전화번호
	주소	

공장개요	공장명	전화번호
	공장소재지(주소)	

보유업종 및 등록번호	건설 부문	기타

신청분야 및 등급 ("○"로 표시)	교량				건축			
	1급	2급	3급	4급	1급	2급	3급	4급

「건설기술진흥법」 제58조제1항 및 같은 법 시행령 제96조제2항에 따라 철강구조물 제작공장의 등급별 인증을 신청합니다.

년　　월　　일

신청인　　　　　(서명 또는 인)

국토교통부장관 귀하

첨부서류	1. 공장 기술인력 현황을 기록한 서류 2. 공장 규모 및 설비 현황을 기록한 서류 3. 그 밖에 국토교통부장관이 공장인증을 위하여 필요하다고 인정하여 고시하는 서류	수수료 「건설기술진흥법 시행규칙」 별표 9에 따른 수수료

210㎜×297㎜[백상지 80g/㎡(재활용품)]

(뒤쪽)

처리절차

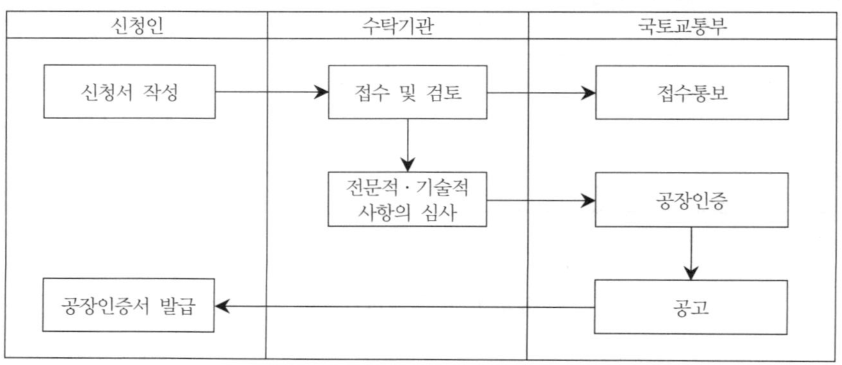

[별지 제45호서식]

제 호
(Certi. No.)

공장인증서
(FACTORY CERTIFICATE)

1. 상호 또는 법인명(Company Name):
2. 성명 또는 대표자(President's Name):
3. 사업자 또는 법인등록번호(Company Reg. No.):
4. 공장 소재지(Factory Address):
5. 분야(Specialty):
6. 등급(Class):

「건설기술진흥법」 제58조에 따라 위의 철강구조물 제작공장의 등급을 인증합니다.
(Ministry of Land, Infrastructure and Transport certifies the factory named above has been approved to manufacture steel structures in accordance with provision of the Construction Technology Promotion Act, Article 58)

년 월 일
(Date of Issue)

Minister
Ministry of Land, Infrastructure and Transport
Republic of Korea

국토교통부장관 직인

210mm×297mm[백상지 120g/㎡]

[별지 제46호서식]

공장인증서 발급대장

번호	연월일	구분 (인증 분야)	등급	상호 또는 법인명	성명 (대표자)	주소	인증서 발급	
						공장 소재지	날짜	수령인

210㎜×297㎜[백상지 80g/㎡(재활용품)]

[별지 제47호서식]

공장인증대장

인증번호:

분야 및 등급		인증일	
상호 또는 법인명		사업자등록번호 (법인등록번호)	
성명(대표자)		전화번호	
주소			
공장명		전화번호	
공장소재지			

기재사항 변경

구분	변경 내용	변경일

210mm×297mm[백상지 120g/㎡]

[별지 제48호서식] 〈개정 2021. 9. 17.〉

품질검사 의뢰서

시험 · 검사종목		(*)		
시료명				
시료량		(채취일 : . .)		
시료 또는 자재 생산국				
시료 채취 장소				
시료 채취자		소속	담당 업무	성명 (서명 또는 인)
참관자		소속	담당 업무	성명 (서명 또는 인)
시험 및 시방기준				
성과 이용 목적				
공사 개요	공사명			
	착공일			
	준공예정일			
발주자				
시공자				
국가중요시설 여부				

「건설기술진흥법」 제60조제1항에 따라 품질시험 · 검사를 의뢰합니다.

년 월 일

의뢰인 성명 (서명 또는 인)

전화번호

주소

비고
1. 국가중요시설 여부는 "국가중요시설(시설명)"로 적습니다.
2. 국가중요시설이란 대통령관저, 국회의사당, 대법원, 국가정보원, 중앙행정기관의 청사, 원자력발전소, 발전용량 100만kW 이상 발전소, 전국권으로 방송되는 공영 라디오 · TV방송국, 라디오방송 송신출력 500만kW 이상의 송신시설, 군사시설, 공항 및 댐 등을 말합니다.

처리절차

의뢰서 작성 → 접수 → 시험 · 검사 실시 → 성과서 작성, 결재 → 발급

자르는 선

접 수 증

1. 접수일:
2. 의뢰 시험 · 검사 종목:
3. 시료명 및 시료량:

귀하께서 의뢰한 시험 · 검사 요청 건은 접수일부터 약 ( )일이 걸릴 예정임을 알려드리며 이 접수증을 발급합니다.

년 월 일

접수자: ○ ○ ○ (건설엔지니어링사업자)

성명 (서명 또는 인)

210㎜×297㎜[일반용지 60g/㎡(재활용품)]

[별지 제49호서식] 〈개정 2021.9.17.〉

품질검사 성적서

시료명(생산국)	(　　　　　　　　　)
시료 채취 장소	
성과 이용 목적	
공사명	
발주자	
시공자	
의뢰인	
국가중요시설 여부	

귀하가 품질시험·검사를 의뢰한 위 시료에 대해서 아래 시험 방법에 따라 시험·검사한 결과를 「건설기술진흥법 시행규칙」 제56조제3항에 따라 다음과 같이 알려드립니다.

- 결　과 -

연번	시험·검사 종목	시험·검사 방법	시험·검사 결과	책임기술인			시험·검사자	
				자격종목 및 자격증 번호	성명	서명	성명	서명

이 시험·검사 결과는 당초 의뢰 시 제출된 시료에 대한 결과이므로, 다른 목적으로 이용을 금지합니다.

년　　월　　일

○　○ (건설엔지니어링사업자) 대표　　(서명 또는 인)

전화번호:

주소:

비고
1. 국가중요시설 여부는 "국가중요시설(시설명)"로 적습니다.
2. 국가중요시설이란 대통령관저, 국회의사당, 대법원, 국가정보원, 중앙행정기관의 청사, 원자력발전소, 발전용량 100만kW 이상 발전소, 전국권으로 방송되는 공영 라디오·TV방송국, 라디오방송 송신출력 500만kW 이상의 송신시설, 군사시설, 공항 및 댐 등을 말합니다.

유의사항
책임기술인 및 시험검사자의 성명과 서명이 없는 경우에는 결과에 대한 보증을 할 수 없습니다.

210mm×297mm[일반용지 60g/m²(재활용품)]

[별지 제50호서식]

발신기관명

수신자　국토교통부장관
(경유)
제 목　품질검사 대행 실적 통보

「건설기술진흥법 시행령」 제97조제2항제4호 및 같은 법 시행규칙 제56조제8항에 따라 품질검사 대행 실적을 아래와 같이 통보합니다.

일련번호	의뢰 연월일	의뢰자	공사명	재료	시험·검사 종목	수수료	처리 연월일

끝.

발신기관의 장　[직인]

기안자　직위(직급) 서명　　검토자　직위(직급)서명　　결재권자　직위 (직급)서명
협조자　직위(직급) 서명
시행　처리과명-일련번호(시행일)　　접수　처리과명-일련번호(접수일)
우　주소　　/ 홈페이지 주소
전화(　)　전송(　)　/ 공무원의 공식전자우편주소　/ 공개구분

210mm×297mm(일반용지 60g/m²(재활용품))

건설기술 진흥법령집

인 쇄 일 2022. 7. 11 발 행 일 2022. 7. 25
발 행 인 김형철
발 행 처 대한경제 소 재 지 서울시 강남구 언주로 711(건설회관)
전 화 02)515-7320~2 홈페이지 www.DNEWS.co.kr 정 가 40,000원

 등록/제2-2호(62.11.21)